Nora Roberts est le plus grand auteur de littérature féminine contemporaine. Ses romans ont reçu de nombreuses récompenses et sont régulièrement classés parmi les meilleures ventes du *New York Times*. Des personnages forts, des intrigues originales, une plume vive et légère... Nora Roberts explore à merveille le champ des passions humaines et ravit le cœur de plus de quatre cents millions de lectrices à travers le monde. Du thriller psychologique à la romance, en passant par le roman fantastique, ses livres renouvellent chaque fois des histoires où, toujours, se mêlent suspense et émotions.

AFFAIRES DE CŒURS

Du même auteur aux Éditions J'ai lu

Les illusionnistes (n° 3608)
Un secret trop précieux (n° 3932)
Ennemies (n° 4080)
L'impossible mensonge (n° 4275)
Meurtres au Montana (n° 4374)
Question de choix (n° 5053)
La rivale (n° 5438)
Ce soir et à jamais (n° 5532)
Comme une ombre dans la nuit (n° 6224)
La villa (n° 6449)
Par une nuit sans mémoire (n° 6640)
La fortune des Sullivan (n° 6664)
Bayou (n° 7394)
Un dangereux secret (n° 7808)
Les diamants du passé (n° 8058)
Coup de cœur (n° 8332)
Douce revanche (n° 8638)
Les feux de la vengeance (n° 8822)
Le refuge de l'ange (n° 9067)
Si tu m'abandonnes (n° 9136)
La maison aux souvenirs (n° 9497)
Les collines de la chance (n° 9595)
Si je te retrouvais (n° 9966)
Un cœur en flammes (n° 10363)
Une femme dans la tourmente (n° 10381)
Maléfice (n° 10399)
L'ultime refuge (n° 10464)
Et vos péchés seront pardonnés (n° 10579)
Une femme sous la menace (n° 10545)
Le cercle brisé (n° 10856)

Lieutenant Eve Dallas
Lieutenant Eve Dallas (n° 4428)
Crimes pour l'exemple (n° 4454)
Au bénéfice du crime (n° 4481)
Crimes en cascade (n° 4711)
Cérémonie du crime (n° 4756)
Au cœur du crime (n° 4918)
Les bijoux du crime (n° 5981)
Conspiration du crime (n° 6027)
Candidat au crime (n° 6855)
Témoin du crime (n° 7323)
La loi du crime (n° 7334)
Au nom du crime (n° 7393)
Fascination du crime (n° 7575)
Réunion du crime (n° 7606)
Pureté du crime (n° 7797)
Portrait du crime (n° 7953)
Imitation du crime (n° 8024)
Division du crime (n° 8128)
Visions du crime (n° 8172)
Sauvée du crime (n° 8259)
Aux sources du crime (n° 8441)
Souvenir du crime (n° 8471)
Naissance du crime (n° 8583)
Candeur du crime (n° 8685)
L'art du crime (n° 8871)
Scandale du crime (n° 9037)
L'autel du crime (n° 9183)
Promesses du crime (n° 9370)
Filiation du crime (n° 9496)
Fantaisie du crime (n° 9703)
Addiction au crime (n° 9853)
Perfidie du crime (n° 10096)
Crimes de New York à Dallas (n° 10271)
Célébrité du crime (n° 10489)
Démence du crime (n° 10687)
Préméditation du crime (n° 10838)

Les trois sœurs
Maggie la rebelle (n° 4102)
Douce Brianna (n° 4147)
Shannon apprivoisée (n° 4371)

Trois rêves
Orgueilleuse Margo (n° 4560)
Kate l'indomptable (n° 4584)
La blessure de Laura (n° 4585)

Les frères Quinn
Dans l'océan de tes yeux (n° 5106)
Sables mouvants (n° 5215)
À l'abri des tempêtes (n° 5306)
Les rivages de l'amour (n° 6444)

Magie irlandaise
Les joyaux du soleil (n° 6144)
Les larmes de la lune (n° 6232)
Le cœur de la mer (n° 6357)

L'Île des trois sœurs
Nell (n° 6533)
Ripley (n° 6654)
Mia (n° 8693)

L'hôtel des souvenirs
Un parfum de chèvrefeuille (n° 10958)

Les trois clés
La quête de Malory (n° 7535)
La quête de Dana (n° 7617)
La quête de Zoé (n° 7855)

Le secret des fleurs
Le dahlia bleu (n° 8388)
La rose noire (n° 8389)
Le lys pourpre (n° 8390)

Le cercle blanc
La croix de Morrigan (n° 8905)
La danse des dieux (n° 8980)
La vallée du silence (n° 9014)

Le cycle des sept
Le serment (n° 9211)
Le rituel (n° 9270)
La Pierre Païenne (n° 9317)

Quatre saisons de fiançailles
Rêves en blanc (n° 10095)
Rêves en bleu (n° 10173)
Rêves en rose (n° 10211)
Rêves dorés (n° 10296)

En grand format

L'hôtel des souvenirs
Un parfum de chèvrefeuille
Comme par magie
Sous le charme

Les héritiers de Sorcha
À l'aube du grand amour

Intégrales

Le cycle des sept
Les frères Quinn
Les trois sœurs
Magie irlandaise

NORA ROBERTS

AFFAIRES DE CŒURS

Ce soir et à jamais

La rivale

Question de choix

Ce soir et à jamais

Traduit de l'anglais (États-Unis)
par Béatrice Pierre

1

C'était le crépuscule, cet étrange et quasi féerique intermède durant lequel la lumière et l'obscurité trouvent un équilibre presque parfait. Encore un instant et le bleu tendre du ciel se parerait des couleurs ardentes du soleil couchant. Déjà les ombres s'allongeaient et les oiseaux se taisaient.

Kasey levait les yeux sur les grosses colonnes blanches, les trois étages de brique rose fané et les innombrables fenêtres de la demeure des Taylor. Ici et là, des lampes éclairaient faiblement les rideaux tirés. La maison respirait la dignité et la richesse. Une richesse acquise depuis longtemps et une dignité reçue en héritage.

Très intimidant, se dit-elle en examinant une nouvelle fois l'ensemble du bâtiment. Mais non sans charme. Et empreint d'une sorte de sérénité qu'accroissait la pénombre. Elle souleva le gros marteau de cuivre et le laissa retomber sur l'épaisse porte en chêne. Le bruit ébranla la quiétude du crépuscule. Elle sourit et se retourna pour regarder le ciel qui s'ensanglantait lentement. Déjà la nuit l'emportait sur le jour. Entendant la porte s'ouvrir derrière elle, Kasey pivota brusquement et découvrit une petite femme noire, en robe noire et tablier blanc.

On se croirait dans un film, se dit-elle en souriant de nouveau. Qui sait ? Ce séjour allait peut-être se révéler amusant…

— Bonsoir, madame, fit la domestique d'un ton courtois, sans pourtant décoller du seuil qu'elle barrait stoïquement telle la sentinelle d'un palais présidentiel.

— Bonsoir, dit Kasey que la situation commençait à amuser. M. Taylor m'attend.

— Vous êtes Mlle Wyatt ?

La femme l'examinait d'un air dubitatif et ne semblait pas décidée à céder le passage.

— M. Taylor ne vous attendait que demain.

— Oui, eh bien, me voilà.

Sans cesser de sourire, Kasey se faufila entre le chambranle de la porte et la gardienne des lieux, et pénétra résolument dans le vestibule.

— Faites-lui savoir que je suis là, suggéra-t-elle en levant la tête pour admirer l'énorme lustre qui éclairait la pièce.

Après lui avoir jeté un regard perplexe, la domestique se résigna à refermer la porte.

— Si vous voulez bien attendre ici, dit-elle en indiquant un fauteuil Louis XVI, je vais prévenir M. Taylor de votre arrivée.

— Merci, fit Kasey dont l'attention venait d'être captée par un autoportrait de Rembrandt.

La femme s'éloigna sans bruit.

Après avoir examiné le Rembrandt, Kasey découvrit juste à côté un Renoir. Avait-elle atterri dans un musée ? Se déplaçant silencieusement, comme elle l'eût fait dans une galerie d'art, Kasey admira une à une les peintures accrochées au mur. Pour elle, de telles œuvres étaient la propriété du public... faites pour être respectées, admirées et surtout vues du plus grand nombre. Je me demande si quelqu'un vit vraiment ici, se dit-elle en envoyant une chiquenaude dans un épais cadre doré.

Des murmures attirèrent son attention et la firent se rapprocher d'une porte entrouverte.

— Elle fait autorité dans le domaine de la culture amérindienne, Jordan. Son dernier article a été très apprécié. Elle a beau n'avoir que vingt-cinq ans, c'est une sorte de phénomène dans le milieu de l'anthropologie.

— J'en suis parfaitement conscient, Harry, sinon je ne t'aurais pas demandé de lui écrire pour qu'elle vienne m'aider.

Jordan Taylor agitait négligemment son verre de Martini. Il but une gorgée et la savoura. Parfait, avec juste une pointe de vermouth comme il l'aimait.

— Je ne sais comment vont se passer ces prochains mois. Les intellectuelles célibataires m'intimident et, pour me tenir compagnie, j'ai d'autres préférences.

— Ce n'est pas une compagne que tu cherches, Jordan, lui rappela son interlocuteur en prélevant l'olive de son verre. Tu voulais une spécialiste de la culture amérindienne. Eh bien, tu l'as. D'ailleurs, une compagne risquerait de te distraire, ajouta-t-il après avoir gobé son olive.

Jordan reposa son verre. Il se sentait énervé sans raison précise.

— Je doute que ta Mlle Wyatt soit une distraction.

Il glissa les mains dans les poches de son pantalon à la coupe parfaite et regarda son ami vider son verre.

— Voici l'image que je m'en suis faite : des cheveux d'une couleur terreuse, aplatis et tirés en arrière dans un maigre petit chignon un peu gras, un visage osseux, des lunettes aux verres épais juchées sur un nez proéminent. Des vêtements confortables mais sans élégance, uniquement destinés à cacher son absence de formes, et des chaussures orthopédiques de taille 41.

— 37.

Les deux hommes se retournèrent brusquement.

— Bonsoir, monsieur Taylor, fit Kasey en s'avançant, la main tendue. Et, vous, vous devez être le Dr Rhodes. Nous avons correspondu à plusieurs reprises ces dernières semaines, il me semble. Je suis contente de faire votre connaissance.

— Ah oui ? Eh bien, je...

Les sourcils épais de Harry exécutèrent quelques soubresauts.

— Je suis Kathleen Wyatt.

Elle lui décocha un sourire éblouissant avant de se tourner vers Jordan.

— Comme vous pouvez le voir, je n'aplatis pas mes cheveux. D'ailleurs, même si j'essayais, ils s'y refuseraient.

Elle tira sur une des boucles folles qui encadraient son visage.

— Et, au lieu d'une couleur terreuse, poursuivit-elle d'un ton égal, ils sont ce qu'on appelle d'un blond ardent. Mon visage n'est pas particulièrement osseux, malgré des pommettes assez marquées. Avez-vous un briquet ?

Elle fouilla dans son sac à la recherche d'une cigarette puis jeta un regard interrogateur à Harry Rhodes. Il plongea une main dans sa poche et en sortit un briquet.

— Merci. Où en étais-je ? Ah oui, reprit-elle sans laisser aux deux hommes le temps de prendre la parole, je porte des lunettes pour lire – du moins quand j'ai pu mettre la main dessus – mais je doute que ce soit ce que vous vouliez dire. Voyons, que puis-je vous apprendre encore ? Est-ce que je peux m'asseoir ? Mes pieds me font horriblement mal.

Sans attendre de réponse, elle choisit un fauteuil recouvert de brocart doré, s'y affala et écrasa la cigarette tout juste allumée dans un cendrier en cristal.

— Vous connaissez déjà ma pointure, acheva-t-elle en s'appuyant sur le dossier du fauteuil.

Ses yeux verts se plantèrent franchement dans ceux de Jordan.

— Eh bien, mademoiselle Wyatt, dit enfin celui-ci, j'ignore si je dois m'excuser ou applaudir.

— Je préférerais un verre. Avez-vous de la tequila ?

Avec un hochement de tête, il se dirigea vers le bar.

— Je ne crois pas. Du vermouth ?

— Parfait. Merci.

Kasey regarda autour d'elle. La pièce était vaste et carrée, décorée de riches boiseries et d'un mobilier somptueux. Une cheminée de marbre sculpté occupait presque tout un mur. Des objets en porcelaine de Dresde se reflétaient sur une grande glace au cadre d'acajou qui la surmontait. Un tapis moelleux recouvrait entièrement le sol et des rideaux épais masquaient les fenêtres.

Trop cérémonieux, se dit Kasey que cette élégance recherchée indisposait. Elle aurait préféré que les rideaux soient largement ouverts ou, mieux encore, qu'ils soient moins sombres et moins lourds. Et que le tapis laisse apercevoir un peu du beau parquet qui se trouvait sûrement en dessous.

— Tenez, mademoiselle Wyatt, dit Jordan en lui tendant son verre.

Aussi curieux l'un de l'autre, ils se dévisagèrent brièvement puis un mouvement sur le seuil de la pièce leur fit tourner la tête.

— Jordan, Millicent m'a dit que Mlle Wyatt était arrivée mais elle a dû s'égarer quelque part… oh !

Remarquant Kasey, la femme qui venait d'entrer s'arrêta pile.

— Vous êtes Kathleen Wyatt ?

Elle jeta le même regard circonspect que la domestique sur le pantalon gris et le chemisier bleu vif de la nouvelle venue.

— Oui, c'est moi, dit Kasey.

Elle examina à son tour l'élégante femme du monde qu'était la mère de Jordan. Béatrice Taylor était soigneusement maquillée, impeccablement coiffée et habillée avec le chic discret que seule une longue expérience enseigne. Manifestement, elle savait qui elle était et comment se mettre en valeur.

— Il faut que vous nous pardonniez, nous ne vous attendions que demain matin.

— J'ai pu organiser mon départ plus rapidement que prévu, répondit Kasey.

Elle prit une gorgée et ajouta avec un sourire :
— J'ai trouvé inutile de perdre du temps et j'ai pris le premier vol possible.
— Bien sûr...
Le visage de Béatrice Taylor se crispa légèrement.
— Votre chambre est prête... J'ai mis Mlle Wyatt dans la chambre Régence, ajouta-t-elle à l'adresse de son fils.
— À côté d'Alison ?
Jordan jeta un regard perplexe à sa mère tout en allumant un long cigare.
— Oui, j'ai pensé que Mlle Wyatt apprécierait sa compagnie. Alison est ma petite-fille, précisa-t-elle à l'intention de Kasey. Elle vit chez nous depuis que mon fils et sa femme se sont tués, il y a trois ans. Elle n'avait que huit ans, la pauvre chérie... Si vous voulez bien m'excuser, je vais faire monter vos bagages, ajouta-t-elle avant de quitter la pièce.
— Les présentations étant faites, dit Jordan en s'asseyant sur le canapé, nous pourrions parler un peu de notre travail.
Kasey finit son verre et le posa sur un guéridon.
— Entendu. Que préférez-vous ? Une routine stricte, avec des heures de travail fixes ? De neuf à deux, de huit à dix. Ou bien on laisse couler ?
— On laisse couler ? répéta Jordan en jetant un regard perplexe à Harry.
— Oui, on laisse couler, on prend les choses comme elles se présentent, expliqua Kasey avec un geste de la main.
— Oh... couler, fit Jordan avec un sourire.
Cette jeune femme ne correspondait vraiment pas à la scientifique guindée et ennuyeuse qu'il avait imaginée.
— Pourquoi n'essaierions-nous pas un mélange des deux ?
— Parfait. Demain, j'aimerais parcourir le canevas de votre livre de façon à mieux saisir ce que vous attendez

de moi. Vous me direz ensuite quelles questions vous préoccupent en premier.

Kasey examina brièvement Jordan tandis que Harry se préparait un autre verre. Un homme très séduisant, jugea-t-elle, avec l'allure raffinée d'un banquier de Wall Street. De beaux cheveux, d'un brun chaud éclairé de quelques mèches plus claires. Il devait sortir de temps à autre de ce musée pour profiter du soleil, quoiqu'il ne paraisse pas du genre à faire bronzette sur la plage. Elle avait toujours aimé les yeux bleus chez un homme et ceux de Jordan, d'un bleu très sombre, lui donnaient un regard perspicace. Le visage était maigre avec une ossature fine. Elle se demanda s'il n'avait pas un peu de sang cheyenne. La structure du crâne pouvait le laisser penser. Les vêtements et les manières sophistiquées étaient compensés par la sensualité de la bouche. Contraste plaisant. Il était bâti comme un joueur de tennis, avec de longues jambes et des épaules larges. Les mains soignées étaient plutôt celles d'un intellectuel. Il s'habillait chez un tailleur au goût trop classique. Dommage!

Mais attention, il ne fallait pas se fier à cette apparence trop stricte, qui cachait probablement un tempérament original. Ayant lu ses livres, elle le savait intelligent et imaginatif. Le seul reproche qu'elle pouvait faire à son œuvre était une certaine froideur, peut-être voulue d'ailleurs.

— Je suis sûre que nous ferons du bon travail, monsieur Taylor. J'ai hâte de commencer. J'apprécie votre talent d'écrivain.

— Merci.

— Ne me remerciez pas. Je n'y suis pour rien.

Les lèvres de Jordan esquissèrent un sourire, tandis qu'il se demandait dans quoi il avait mis les pieds en faisant appel à une collaboratrice aussi peu conformiste.

— Je suis enchantée de pouvoir vous aider dans vos recherches, poursuivit-elle. J'imagine que c'est vous qui avez suggéré mon nom et que je dois remercier, docteur Rhodes.

Son regard souriant se posa sur Harry.

— Eh bien, vous... vos références étaient excellentes.

Il éprouvait quelques difficultés à associer la Kathleen Wyatt dont il avait lu les articles et cette femme mince et bouclée qui lui souriait.

— Vous êtes sortie de l'université du Maryland avec la mention *magna cum laude*.

— C'est exact. J'y ai étudié l'anthropologie et ensuite j'ai fait un master à Colombia. Ensuite j'ai travaillé avec le Dr Spalding lors de son expédition dans le Colorado. J'imagine que c'est mon article sur nos découvertes là-bas qui a attiré votre attention.

— Excusez-moi, monsieur, interrompit la femme de chambre du seuil de la pièce. Les bagages de Mlle Wyatt sont dans sa chambre. Mme Taylor suggère qu'elle prenne le temps de se rafraîchir avant le dîner.

— Je me passerai de dîner, merci, lui répondit Kasey avant de se tourner vers les deux hommes. Mais je vais monter maintenant. Le voyage m'a épuisée. Bonne nuit, docteur Rhodes. J'imagine que nous aurons l'occasion de nous revoir durant les quelques mois à venir. À demain matin, monsieur Taylor.

Elle disparut aussi vite qu'elle était entrée, laissant les deux hommes un peu hagards.

Jordan eut l'impression que la pièce elle-même retrouvait son aspect ordinaire.

— Eh bien, Harry, fit-il, qu'est-ce que tu disais tout à l'heure à propos de distraction ?

Kasey suivit la domestique dans l'escalier et s'arrêta sur le seuil de sa chambre. Les tons rose pâle et le doré dominaient. Des rideaux roses, des murs d'un blanc nacré, des fauteuils Régence en bois doré tapissés de rose et de crème, une coiffeuse Louis XVI et un canapé recouvert d'un tissu somptueux d'un rose plus sombre.

Le lit était immense et surmonté d'un baldaquin, dont les rideaux étaient assortis au dessus-de-lit.

— Seigneur, souffla-t-elle en entrant dans la pièce.

— Pardon ? fit la domestique.

— Rien, fit Kasey avec un sourire. C'est ravissant.

— La salle de bains est par là, mademoiselle Wyatt. Voulez-vous que je vous fasse couler un bain ?

— Couler un… ? Non, merci… Millicent, c'est ça ?

— Oui, mademoiselle. Comme vous voudrez, mademoiselle. Si vous désirez quelque chose, composez le neuf sur le téléphone.

Millicent s'éclipsa sans bruit et referma soigneusement la porte derrière elle.

Kasey lâcha son sac sur le lit et entreprit d'explorer la pièce.

À son goût, tout était à la fois trop propre et trop rose. Le mieux serait de ne pas y accorder d'importance et d'y passer le moins de temps possible. Pour l'instant, elle était trop fatiguée pour se soucier de l'endroit où elle allait dormir. Millicent avait vidé ses valises et rangé soigneusement son linge. Elle se mettait à la recherche de sa chemise de nuit lorsqu'on frappa à la porte.

— Entrez, dit-elle sans cesser de farfouiller dans la commode.

Elle leva les yeux sur la glace et sourit.

— Bonjour. Tu dois être Alison.

Grande et mince, l'enfant portait une robe dont la coupe simple et le tissu fin révélaient le prix élevé. Ses longs cheveux blonds étaient bien coiffés et retenus par un bandeau. Aucune mèche ne dépassait. Ni joie ni tristesse ne se lisait dans ses grands yeux noirs, mais une sorte d'ennui poli qui éveilla aussitôt en Kasey un élan de compassion.

— Bonsoir, mademoiselle Wyatt, dit Alison sans oser entrer. Comme nous devons partager la salle de bains durant quelques mois, j'ai pensé que je devais me présenter.

— Bonne idée. Bien qu'avant peu, nous nous soyons forcément croisées sous la douche.

— Si vous avez une préférence pour l'heure de votre bain, je serai heureuse de la respecter.

— Je ne suis pas quelqu'un de compliqué, dit Kasey qui avait enfin trouvé sa chemise de nuit. Ce n'est pas la première fois que je partage une salle de bains.

Elle s'assit précautionneusement sur le lit et examina avec perplexité le baldaquin.

— En tout cas, le matin, j'essaierai de ne pas me mettre en travers de ton chemin. Tu vas sans doute en classe.

— Oui, cette année, j'y vais. L'année dernière, je travaillais à la maison avec un précepteur. Je suis toujours en avance, le matin.

— Ah bon ? fit Kasey qui retenait difficilement un sourire. Moi, ce serait plutôt le contraire.

Alison fronça les sourcils. N'osant ni entrer ni s'éloigner, elle restait plantée sur le seuil.

L'hésitation, les manières polies et les mains croisées de l'enfant troublaient Kasey. Et cette petite fille n'avait que onze ans, se rappela-t-elle.

— Dis-moi, Alison, qu'est-ce qu'on fait pour s'amuser ici ?

— S'amuser ?

Intriguée par la question, Alison se risqua à entrer dans la chambre.

— Oui, s'amuser. Tu n'iras pas tout le temps à l'école. Et moi, je n'ai pas du tout l'intention de travailler vingt-quatre heures par jour.

— Il y a un court de tennis, répondit Alison en faisant encore un pas en avant. Et la piscine, bien sûr.

— J'aime bien nager. Mais le tennis, ce n'est pas mon fort. Tu joues ?

— Oui, je...

— Formidable. Tu pourras me donner des leçons.

Ses yeux détaillèrent à nouveau la chambre.

— Dis-moi, ta chambre est rose aussi ?

— Non, elle est dans les bleus et les gris.

— Hmmm, joli.

Kasey leva les yeux sur les rideaux du baldaquin et fit une grimace.

— Quand j'avais quinze ans, j'ai peint ma chambre en mauve. Ça m'a donné deux mois de cauchemars.

Le regard insistant d'Alison la fit s'interrompre.

— Il y a quelque chose qui ne va pas ?

— Vous n'avez pas l'air d'une anthropologue, lâcha Alison puis, honteuse de cette infraction aux bonnes manières, elle se mordit la lèvre.

— Vraiment ? dit Kasey en se remémorant la remarque de Jordan. Pourquoi donc ?

— Vous êtes jolie, déclara Alison dont les joues virèrent au rouge vif.

— Tu trouves ?

Kasey se leva pour se regarder dans le miroir.

— Il m'arrive de le penser mais la plupart du temps je trouve mon nez trop petit.

Alison fixait le reflet de Kasey dans la glace. Lorsque leurs yeux se croisèrent, le visage de Kasey s'éclaira lentement d'un sourire affectueux. Les lèvres d'Alison, très semblables à celles de son oncle, y répondirent aussitôt.

— Il faut que je descende dîner, dit-elle en reculant vers la porte comme à regret. Bonne nuit, mademoiselle Wyatt.

— Bonne nuit, Alison.

La porte se referma. Kasey poussa un soupir. Une famille intéressante, très intéressante, ajouta-t-elle en pensant à Jordan.

Elle prit sa chemise de nuit et la caressa lentement du bout des doigts tout en réfléchissant. Où trouverait-elle sa place dans ce groupe ? La conversation qu'elle avait interrompue entre Jordan et le Dr Rhodes l'avait plus amusée qu'ennuyée... Cependant, la description que Jordan avait faite d'elle lui revint à l'esprit.

Typique. C'était bien l'image classique qu'un profane se fait d'un scientifique qui se trouve, par surcroît, être une femme. Harry Rhodes aussi avait été déconcerté. Elle sourit. Voilà un homme avec lequel elle s'entendrait bien. Il avait l'air posé, peut-être un peu trop content de lui mais certainement très gentil. Béatrice Taylor, c'était autre chose… Kasey s'allongea sur le canapé et tenta de se détendre. Elle ne se découvrirait sans doute pas d'affinités avec cette femme mais, avec un peu de chance, il n'y aurait pas non plus d'animosité. Quant à l'enfant…

Fermant les yeux, elle commença à déboutonner son chemisier. Alison semblait très mûre pour son âge, peut-être trop. Kasey savait ce que c'était que de perdre très jeune ses parents. Les sentiments les plus divers et les plus violents vous assaillaient : le désarroi, l'impression d'avoir été trahie, et aussi des remords. Beaucoup trop de choses à affronter pour un être encore fragile. Qui dorlotait Alison aujourd'hui ? Béatrice Taylor ? Kasey ne parvenait pas à imaginer l'élégante femme du monde en train de câliner la fillette de onze ans. Elle devait se contenter de vérifier que sa petite-fille était bien habillée, bien nourrie et bien élevée, un point c'est tout. Kasey éprouva à nouveau un élan de compassion.

Et puis il y avait Jordan. Tout en soupirant, Kasey se souleva pour se débarrasser de son chemisier et envoyer promener ses chaussures. Il ne devait pas être facile de se lier avec un homme aussi réservé. D'ailleurs, le désirait-elle ? Rien n'était moins sûr.

Elle se mit debout et se dirigea vers la salle de bains. Ce qu'elle désirait, c'était mettre ses compétences au service du livre qu'il écrivait. S'assurer que les informations qu'elle lui communiquerait seraient utilisées à bon escient. Mais pour l'instant, ce qu'elle désirait par-dessus tout, c'était un bon bain chaud. Les heures d'avion, précédées d'une semaine de conférences à New York, l'avaient épuisée.

La journée du lendemain et ses éventuels soucis viendraient bien assez vite.

2

La surface de la piscine étincelait au soleil. Jordan fendait l'eau à grands mouvements puissants et assurés. La nage lui enlevait ses soucis de romancier, chassait momentanément les personnages, les lieux, les mots qui lui encombraient le cerveau et conférait à son corps une prééminence provisoire mais bienfaisante. Aussi aimait-il commencer sa journée par quelques longueurs de piscine.

Ce matin, un personnage supplémentaire s'était introduit dans ses pensées : Kathleen Wyatt. Il l'avait trouvée fascinante. Mais était-il judicieux de se laisser fasciner par sa collaboratrice ? Son travail comptait beaucoup pour lui et le roman sur lequel il travaillait avait de fortes chances de marquer une étape importante dans sa carrière. Peut-être aurait-il été préférable que Kathleen Wyatt ressemble plus à la célibataire disgracieuse qu'il avait imaginée. La femme réelle était trop perturbante.

Comme il atteignait le bord de la piscine et s'apprêtait à repartir dans l'autre sens, un mouvement attira son attention. Il releva la tête et, les yeux brouillés par l'eau, aperçut un visage aux traits indistincts entouré de boucles dorées.

— Bonjour.

Aveuglé par le soleil, il baissa à demi les paupières. Au bout d'une seconde, la vue s'accommoda et il distingua sa nouvelle collaboratrice, assise, jambes croisées, sur le rebord de la piscine. Son bermuda et son tee-shirt laissaient voir la peau blanche d'une New-Yorkaise. Les yeux brillants, elle lui souriait. Une jeune personne vraiment trop perturbante, se dit-il.

— Bonjour, mademoiselle Wyatt. Vous vous êtes levée tôt.

— Je n'ai pas encore eu le temps de m'habituer au décalage horaire, dit-elle d'une voix teintée d'un léger accent. J'en ai profité pour courir.

Troublé par cet accent dont il ne décelait pas l'origine, il répéta distraitement :

— Courir ?

— Oui, moi, j'aime courir.

Elle leva les yeux et examina le ciel limpide.

— En fait, je courais avant que tout le monde ne s'y mette. Et maintenant, bien que je n'aime pas suivre la mode, je ne peux plus m'arrêter. Et vous, vous nagez tous les matins ?

— Chaque fois que c'est possible.

— J'essaierai peut-être. La nage fait travailler plus de muscles et on ne transpire pas.

— Je n'avais pas envisagé ce sport sous cet angle.

Jordan sortit de l'eau, attrapa sa serviette et se frotta les cheveux.

Kasey en profita pour le regarder. Un corps mince, ferme et bronzé. Des muscles saillaient sur ses bras et ses épaules. Les poils de sa poitrine étaient blonds, du même blond que les mèches qui éclaircissaient ses cheveux. Le maillot de bain collait sur ses hanches étroites. Kasey ne s'était pas trompée en imaginant un corps athlétique sous le costume très classique de la veille. Elle éprouva une brusque bouffée de désir qui la troubla. Ce n'était pas un homme avec lequel se lier, et ce n'était pas non plus le moment de se lancer dans une aventure.

— La nage vous maintient visiblement en bonne forme physique, remarqua-t-elle.

Il arrêta de s'essuyer.

— Merci, mademoiselle Wyatt, fit-il en prenant son peignoir.

Kasey se leva d'un mouvement vif. Sa tête atteignait tout juste le menton de Jordan.

— Voulez-vous que nous commencions après le petit déjeuner? Si vous avez autre chose à faire, je peux lire le synopsis et prendre des notes.

— Non, j'ai hâte que nous commencions. L'idée d'exploiter vos connaissances m'excite de plus en plus.

— Vraiment? repartit-elle avec un grand sourire. J'espère que vous ne serez pas déçu, Jordan. À partir de maintenant, si ça ne vous ennuie pas, je vous appellerai par votre prénom. De toute façon, il faudra bien nous y mettre.

Il acquiesça de la tête.

— Je vous appelle Kathleen?

— Je vous en prie, non. Personne ne m'appelle comme ça.

Il mit un certain temps à comprendre ce qu'elle voulait dire.

— Kasey, alors.

Il la dévisageait à nouveau de cette façon insistante qui la déconcertait. Elle fronça les sourcils.

— Et si nous allions déjeuner? suggéra-t-elle. Ça fait des heures et des heures que je meurs de faim.

Kasey et Jordan s'enfermèrent dans le bureau tout de suite après le petit déjeuner. C'était une grande pièce aux murs couverts de livres. Une odeur de vieux cuir et de cire fraîche se mélangeait à celle du tabac. On percevait les signes d'un travail productif et l'ordre régnait. Il n'y avait ni papiers éparpillés ni livres entassés en piles chancelantes.

Assise près de la fenêtre, les lunettes sur le nez, Kasey lisait les notes de Jordan. L'un de ses pieds nus se balançait doucement.

Jordan la contemplait en silence. On ne pouvait pas dire qu'elle était belle. Du moins pas selon les canons classiques. Mais son visage était attrayant. Lorsqu'elle souriait, elle semblait s'allumer de l'intérieur. Ses yeux avaient souvent l'air de rire d'une plaisanterie connue d'elle seule. Son corps était long et mince, avec des hanches étroites et des jambes fines. Probablement très agréable au lit... Agacé d'avoir eu cette pensée, il fronça les sourcils.

Elle avait des mouvements brusques et un peu désordonnés, comme ceux d'un être très jeune, avec une sorte d'excitation qu'on percevait aussi dans sa conversation. À présent, elle était absorbée par sa lecture. Pas un de ses traits ne bougeait. Seul mouvement : le balancement négligent du pied nu.

Cet examen attentif n'avait pas échappé à Kasey.

— Cette histoire est fascinante, dit-elle, rompant la tension troublante qui s'était établie entre eux.

— Merci.

Il haussa un sourcil. Lui aussi avait été sensible à l'atmosphère tendue et il s'en inquiétait autant qu'elle.

Repliant les jambes sous elle, Kasey prit une cigarette et la garda entre deux doigts.

— Apparemment, vous parlez surtout des Indiens de la Prairie. C'est normal. Pour la plupart des gens, ils représentent les Amérindiens, bien qu'ils soient les moins typiques de tous.

— Vraiment ? fit-il en se levant pour lui donner du feu. Je vous laisse le soin de corriger les erreurs et de me donner une image exacte de la réalité.

— Vous auriez pu en faire autant à l'aide de quelques livres bien choisis. Pourquoi avez-vous besoin de moi ?

Il se rassit tandis que ses yeux parcouraient la jeune femme lentement de la tête aux pieds. Elle comprit qu'il cherchait à lui faire perdre contenance.

— Vous n'aviez pas besoin d'écrire à New York pour ça non plus, commenta-t-elle sèchement. Ne comptez pas sur des rougissements de jeune fille effarouchée, Jordan.

Elle sourit et vit les lèvres de Jordan frémir.

— Je vais vous dire une chose, jeta-t-elle sur une impulsion. Je veux mettre fin à votre curiosité et vous mettrez fin à la mienne. Je suis anthropologue de métier mais pas vierge professionnelle. Maintenant, qu'attendez-vous précisément de moi en ce qui concerne votre roman?

— Êtes-vous toujours aussi franche?

— Pas toujours, dit-elle d'un ton évasif.

Être trop franche avec cet homme ne serait pas forcément une bonne idée.

— Maintenant, répondez-moi.

— Je veux des faits, des détails sur les mœurs, les vêtements, la vie du village. Quand, où, comment.

Il s'interrompit, le temps d'allumer un mince cigare, puis regarda Kasey à travers l'écran de fumée.

— Tout ceci, j'aurais pu le trouver dans des livres de références. Mais je veux le *pourquoi*.

Kasey écrasa sa cigarette. Jordan remarqua qu'elle n'en avait pas tiré plus de deux bouffées et en déduisit qu'elle était plus nerveuse qu'elle ne voulait le paraître.

— Vous désirez que je vous explique pourquoi une culture s'est développée d'une certaine façon et pas d'une autre, et pourquoi elle a survécu ou succombé aux pressions extérieures?

— Exactement.

Vu le sujet qu'il avait choisi, cela pourrait faire un livre excellent, se dit Kasey.

— D'accord, je vais vous faire un exposé un peu général et ensuite nous pourrons aborder des questions plus précises.

Trois heures plus tard, debout devant la fenêtre de son bureau, Jordan regardait Kasey nager dans la piscine. Son maillot de bain une pièce lui collait à la peau. Elle plongea et son corps fusa sur le fond en mosaïque.

Elle nageait avec de brusques accès d'énergie entrecoupés de pauses quasi léthargiques. Un sprinter et non un coureur de fond.

Kasey refit surface, bascula sur le dos et se laissa flotter. Les yeux fixés sur les quelques nuages blancs qui traversaient le ciel, elle pensait à Jordan Taylor. Un homme brillant, plutôt conservateur et qui collectionnait les succès. Incroyablement attirant. *Pourquoi cela me tracasse-t-il ?* Aveuglée par le soleil, elle ferma à demi les yeux et laissa son cerveau et son corps dériver. *Je devrais être très fière de moi qu'il m'ait demandé de travailler avec lui. En fait, je le suis. Ce doit être à cause de la maison*, conclut-elle en fermant les yeux. *Il n'y a pas un grain de poussière. Comment peut-on vivre sans poussière ?*

Il doit faire partie d'un country club très fermé. Et il a probablement quelques femmes très chics dans sa vie. Furieuse contre elle-même, Kasey se remit à nager.

Il doit y avoir des hommes dans sa vie, se disait Jordan. Des scientifiques, des professeurs, sans doute un artiste ou deux, encore inconnus. Il s'injuria et se détourna de la fenêtre.

Kasey sortit de la piscine. *Bon*, se dit-elle en repérant une chaise longue, *si je dois vivre quelque temps parmi les riches, autant en profiter*. Elle s'allongea et offrit au soleil sa peau encore humide. Ce luxe suscitait en elle des réflexions peu amènes. Une piscine privée, un tennis privé. Examinant la grande pelouse bordée d'une haie verdoyante et d'un mur en pierre, elle fronça le nez. Une intimité bien défendue. *Je me demande s'il met souvent le pied dehors.* Ses pensées revinrent à Jordan. En soupirant, Kasey admit le fait qu'il continuait à envahir ses pensées. Puis elle ferma les yeux et s'endormit.

— Vous allez griller.

Kasey cligna deux ou trois fois des paupières avant de discerner le visage de Jordan.

— Salut, fit-elle en esquissant un sourire ensommeillé.

— Vous êtes blonde. Vous devez prendre facilement des coups de soleil.

Percevant son inquiétude, elle le regarda attentivement.

— Vous avez peut-être raison, dit-elle en appuyant un doigt sur son épaule pour vérifier l'état de sa peau. Non, pas encore. Vous avez l'air inquiet. Quelque chose ne va pas ?

— Non.

Il refusait d'admettre, même en son for intérieur, qu'il avait du mal à se concentrer sur son travail en la sachant de l'autre côté de sa fenêtre.

— Je serai un peu plus efficace demain, dit-elle, honteuse de n'avoir travaillé que quelques heures. Les voyages en avion m'épuisent. Ce doit être l'altitude.

Elle passa machinalement la main dans ses cheveux presque secs. La lumière du soleil leur donnait une teinte cuivrée.

— Vous avez besoin de moi ?

Il lui jeta un regard lourd de sens.

— Oui.

Comprenant le sous-entendu, elle jugea plus sage de se lever.

— Je crois que nous ne parlions pas de la même chose, répliqua-t-elle avec un sourire mais en restant hors d'atteinte.

Il fit un pas en avant, ce qui le surprit autant qu'elle, et ne put se retenir de tendre la main pour toucher ses cheveux.

— Vous êtes une femme très séduisante.

— Et, vous, un homme très séduisant, répondit-elle d'un ton posé. Et, comme nous allons travailler ensemble quelque temps, je crois que nous devrions éviter de… compliquer les choses. Je ne fais pas la sainte-nitouche, Jordan. J'essaie d'être pragmatique. Je désire vraiment que nous fassions ce livre. Il pourrait bien compter autant pour moi que pour vous.

— Nous ferons l'amour tôt ou tard, vous savez.
— Oh, vraiment ? fit-elle en redressant la tête.
— Oui, vraiment.
Il tourna les talons et la laissa seule près de la piscine.
Alors, c'est comme ça ? se dit-elle, les poings sur les hanches. *J'imagine qu'il a l'habitude d'obtenir tout ce qu'il veut.* Elle reprit place sur la chaise longue. Bien qu'agacée par ce comportement présomptueux, Kasey admirait la franchise de Jordan. Quand ça l'arrangeait, il était capable d'oublier son raffinement habituel et ses manières policées. Vivre auprès de lui allait sans doute poser plus de problèmes qu'elle ne l'avait prévu.
Il aurait été stupide de nier qu'il l'attirait, et tout aussi stupide de céder à cette attirance. Le front soucieux, elle faisait tourner une boucle autour d'un doigt. Qu'avaient en commun Kathleen Wyatt et Jordan Taylor ? Rien. Elle ne se lierait, ne pourrait se lier, ni sentimentalement ni physiquement, avec aucun homme sans qu'il n'existe au départ une base solide. L'attirance ne suffisait pas, ni le respect. Il fallait aussi de la tendresse, de l'amitié. Kasey n'était pas convaincue de pouvoir éprouver de l'amitié pour Jordan Taylor. *On verra avec le temps*, se dit-elle en s'allongeant. Percevant un mouvement discret à proximité, elle leva les yeux, sourit et agita la main.
Après un instant d'hésitation, Alison s'approcha.
— Bonjour, Alison. Tu rentres de l'école ?
— Oui, je viens de rentrer.
— Eh bien, moi, je fais l'école buissonnière, dit Kasey. Tu as déjà fait l'école buissonnière ?
Alison prit un air horrifié.
— Non, bien sûr que non.
— Dommage, ça peut être rigolo !
Quelle gentille petite fille, mais trop solitaire !
— Qu'es-tu en train d'étudier ?
— La poésie américaine.
— Tu as un poète préféré ?
— J'aime bien Robert Frost.

— Moi aussi, j'ai toujours aimé Frost, dit Kasey avec un sourire tandis que quelques vers lui revenaient en mémoire. Ses poèmes me font penser à mon grand-père.

— Votre grand-père ?

— Il est médecin au fin fond de la Virginie. La dernière fois que j'y suis retournée, il continuait à faire des visites à domicile.

Et, d'ailleurs, à cent ans, il en fera encore, achevat-elle en son for intérieur, avec une bouffée de nostalgie. Cela faisait trop longtemps qu'elle n'était pas revenue chez elle.

— C'est un homme formidable, grand et costaud, avec des cheveux blancs et une grosse voix. Mais des mains très douces.

— Ça doit être bien d'avoir un grand-père, murmura Alison d'un ton rêveur. Vous le voyiez souvent quand vous étiez petite ?

— Tous les jours, dit Kasey qui, percevant la pointe d'envie, tendit la main pour effleurer les cheveux d'Alison. Mes parents se sont tués quand j'avais huit ans. C'est lui qui m'a élevée.

Le regard d'Alison se fit intense.

— Ils vous ont beaucoup manqué ?

— Oui, et ce n'est pas fini.

Elle souffre encore, pensa Kasey. *Je me demande s'ils s'en rendent seulement compte.*

— Pour moi, reprit-elle, ils seront toujours jeunes et heureux d'être ensemble. Cela me rend leur absence moins pénible.

— Les miens riaient souvent, murmura Alison. Chaque fois que je pense à eux, je les vois en train de rire.

— C'est un bon souvenir que tu garderas toute ta vie.

On ne rit pas assez dans cette maison, se dit Kasey, qui en éprouva une brusque bouffée de colère envers Jordan.

— Alison, reprit-elle, j'imagine que tu dois t'habiller pour le dîner.

— Oui, madame.
— S'il te plaît, protesta Kasey en secouant la tête, ne m'appelle pas comme ça. J'ai l'impression d'avoir un million d'années. Appelle-moi Kasey et tutoie-moi.
— Grand-mère ne serait pas contente que j'appelle une grande personne par son prénom et que je la tutoie.
— Fais-le quand même et j'arrangerai ça avec ta grand-mère, si c'est nécessaire. Tu ne veux pas monter avec moi et m'aider à choisir ce que je vais mettre ce soir ? Je ne tiens pas à faire honte à la famille Taylor.
Alison lui jeta un regard extasié.
— Tu veux que je t'aide à choisir ta robe ?
— Tu sauras sans doute mieux que moi trouver celle qui convient.
Kasey se mit debout et glissa son bras sous celui d'Alison.
Quelques heures plus tard, du seuil du salon, Kasey observait ses occupants.
Béatrice Taylor était assise dans le fauteuil recouvert de brocart doré. Vêtue de soie noire et parée de diamants. Les joyaux étincelaient sur ses oreilles et sur sa gorge. Au piano, Alison jouait avec application une pièce de Brahms. Debout devant le bar, Jordan préparait des martinis.
Une soirée familiale... Kasey fit la grimace. Elle se souvint des dîners avec son grand-père, de leurs rires et de leurs discussions. Des repas bruyants à l'université et des conversations où tous les sujets étaient abordés, depuis les plus sérieux jusqu'aux plus loufoques. L'argent était-il forcément synonyme de prison dorée ?
Kasey attendit qu'Alison soit parvenue tant bien que mal jusqu'à la dernière note pour entrer dans la pièce.
— Bonsoir. Vous savez, on pourrait errer dans cette maison pendant des jours et des jours sans rencontrer âme qui vive.

— Bonsoir, mademoiselle Wyatt. Vous auriez dû sonner les domestiques. On vous aurait menée directement au salon.

— Oh, ce n'est rien ! J'y suis arrivée finalement. J'espère que je ne suis pas en retard.

— Pas du tout, dit Jordan. Je commençais seulement à préparer de quoi boire. Que diriez-vous d'un martini ? À moins que vous ne m'expliquiez comment utiliser cette bouteille de tequila.

— Vous en avez acheté ? s'écria-t-elle en le rejoignant avec un sourire. C'est très aimable à vous. Puis-je préparer un cocktail ?

Elle prit la bouteille.

— Regardez bien. Je vais vous confier un vieux secret jalousement gardé.

— Le grand-père de Kasey est médecin, déclara abruptement Alison.

Béatrice Taylor cessa de s'intéresser au couple qui se tenait debout devant le bar et s'adressa à sa petite-fille.

— Qui est Kasey, mon enfant ? demanda-t-elle d'un ton ennuyé. L'une de tes camarades de classe ?

Kasey jeta un coup d'œil derrière elle juste à temps pour voir Alison piquer un fard.

— C'est moi, madame Taylor, intervint-elle d'un ton léger. Il faut ajouter une bonne dose de jus de citron, reprit-elle à l'adresse de Jordan. J'ai demandé à Alison de m'appeler par mon prénom, madame Taylor... Vous voulez aussi de la tequila, Jordan ?

Elle remplit deux verres sans attendre sa réponse, sourit à Béatrice, but une gorgée et se tourna à nouveau vers Jordan.

— Qu'en pensez-vous ? C'est bon, n'est-ce pas ?

Il prit une gorgée sans la quitter des yeux.

— Délicieux, murmura-t-il. Et inattendu.

Comprenant qu'il parlait d'elle et non de la boisson, elle eut un rire bref.

Il dut à nouveau batailler contre lui-même pour s'empêcher de lui caresser les cheveux.

— Vous n'aimez pas savoir d'avance ce que la vie vous réserve ?

— Ô Seigneur, non ! s'écria-t-elle vivement. J'aime être surprise. Vous n'aimez pas les surprises, Jordan ?

— Je ne sais pas, murmura-t-il.

Il effleura de son verre celui de Kasey.

— À l'inattendu, alors. Des jours à venir.

Sans trop savoir ce qu'elle acceptait, Kasey leva son verre.

— À l'inattendu, répéta-t-elle.

Les jours suivants, Jordan se contenta de travailler sérieusement avec Kasey. Harry avait eu raison sur un point : c'était indubitablement une experte dans son domaine. Elle était aussi très troublante. Il y avait en elle une sensualité vibrante qu'elle ne cherchait absolument pas à souligner car elle ne portait que des tenues décontractées et ne se maquillait pas du tout.

Il l'observait, assise sur le rebord de la fenêtre de son bureau. Le soleil inondait ses cheveux. Avec cette lumière, elle faisait penser à un tableau du Titien. Elle portait son bermuda habituel et n'était pas plus chaussée que d'ordinaire. Sur le troisième doigt de sa main droite brillait un petit anneau d'or très fin qu'il avait déjà remarqué. Qui le lui avait offert et à quelle occasion ? Elle ne semblait pas du genre à s'acheter un bijou. Cela ne devait même pas lui traverser l'esprit.

Laborieusement, il reporta son attention sur ce qu'elle disait.

— La danse du soleil tenait une place importante dans les cérémonies des tribus de la Prairie.

Sa voix était grave et paisible.

— Dans certaines, on se torturait soi-même afin d'entrer en transe et avoir des visions. Le danseur enfonçait des bâtons aiguisés dans la chair de sa poitrine et attachait l'autre extrémité de ces bâtons à un poteau. Puis il dansait, chantait et priait afin d'avoir une vision jusqu'à ce qu'à force de se démener il se libère des pointes enfoncées dans sa chair. C'était aussi un signe de courage et d'endurance. Le guerrier devait faire ses preuves envers lui-même et envers sa tribu. Cela faisait partie de leurs mœurs.

— Vous approuvez ?

Elle lui jeta un regard à la fois amusé et patient.

— Mon rôle n'est pas d'approuver ou de désapprouver. J'étudie. J'observe. En tant qu'écrivain, vous devez avoir un point de vue différent. Mais si vous voulez écrire sur ce sujet, vous devez comprendre leurs motifs.

Elle repoussa une pile de livres et s'assit sur la table.

— Si un homme pouvait endurer ce genre de souffrance, on le supposait capable de se battre sans céder ni à la peur ni à la compassion. La première des priorités était la survie de la tribu.

— La culture naît de la nécessité, dit-il en hochant la tête. Oui, je vois ce que vous voulez dire.

— Les visions et les rêves formaient une part essentielle de leur culture. Les hommes qui avaient des visions devenaient souvent des chamans, c'est-à-dire des sorciers.

Elle se mit à fouiller dans les livres empilés sur le bureau.

— Il y a une assez bonne photo... d'un chaman de la tribu des Pieds Noirs... si j'arrive à retrouver le livre.

— Vous êtes gauchère, remarqua-t-il.

— Hmm ? Non, en fait, je suis ambidextre.

— C'est peut-être une explication, dit-il d'un air songeur.

— Une explication de quoi ?

— De l'inattendu.

L'éclat de rire de Kasey émut Jordan au plus profond de lui.

— Vous devriez faire ça plus souvent.

— Faire quoi ?

— Rire. Vous avez un rire merveilleux.

Le sourire de Jordan la troubla, réduisant à néant les efforts qu'elle avait réalisés ces derniers jours pour contrôler ses émotions. Elle prit une cigarette et chercha fébrilement des allumettes.

— Si nous rions trop souvent, votre mère va planter sa tente devant la porte.

Il la regardait écarter nerveusement livres et papiers à la recherche d'allumettes.

— Pourquoi donc ?

— Voyons, Jordan. Vous savez bien qu'elle me soupçonne d'essayer de vous séduire avant de déguerpir en emportant la moitié de votre fortune. Vous n'auriez pas un briquet ?

— Aucun de ces projets ne vous tente ?

— Nous nous sommes associés uniquement en vue d'une tâche à accomplir, jeta-t-elle sèchement.

Toujours en quête d'allumettes, elle s'approcha du bureau. Une agitation inquiétante s'étant emparée d'elle, elle craignait de dire ou de faire quelque chose qu'elle regretterait.

— Et bien que vous soyez séduisant, l'argent joue contre vous.

— Vraiment ? fit-il en se levant. Normalement, les gens sont attirés par l'argent.

Percevant son agacement, elle lui fit face en soupirant. Il lui sembla préférable pour elle autant que pour lui de mettre les choses au point.

— Toute norme est relative, Jordan.

— Propos typique d'une anthropologue.

— Vos yeux deviennent très sombres lorsque vous êtes irrité, vous le saviez ? L'argent, c'est très agréable, Jordan. Je l'utilise volontiers. Mais il a tendance à jeter un voile épais sur la réalité.

— Quelle réalité ?

— C'est exactement ce que je voulais dire : le mot n'a pas une signification claire pour vous, dit-elle en s'appuyant sur le bureau. Les gens qui ont de l'argent, comme vous, ne voient jamais la réalité telle qu'elle est pour la majorité de leurs contemporains : les luttes quotidiennes, les factures à payer, les dettes à rembourser. Vous êtes loin de tout ça.

— Vous trouvez que c'est un défaut ?

— Je n'ai pas dit ça.

— C'est vrai, j'oubliais. Votre rôle n'est pas d'approuver ou de désapprouver.

Elle souffla pour écarter les boucles qui lui couvraient les yeux. Comment diable avait-elle fait pour se fourrer dans une conversation aussi périlleuse ?

— Je reconnais que cela me rend nerveuse, mais c'est mon problème. Vous ne trouvez pas que l'argent isole des problèmes quotidiens ?

— Vérifions votre théorie, fit-il en l'attirant à lui.

Sa bouche se plaqua sur celle de Kasey. Ce n'était pas le baiser qu'elle attendait de lui. Il était avide, possessif et exigeait une réponse sans réserve. Elle résista un instant. Sa tête s'opposait fermement à toute reddition. Mais son corps la trahit et elle s'entendit gémir tandis qu'il l'étreignait plus étroitement.

Il y avait quelque chose de quasi sauvage dans la façon dont il l'embrassait. Aucune tendresse, aucune manœuvre de séduction. Jordan n'était plus qu'exigence, avidité, impatience. Kasey ne put faire autrement que donner tout ce qu'il demandait. Encore et encore.

Les lèvres de Jordan s'écartèrent un instant ; elle recula et tenta de reprendre ses esprits.

— Non.

Il l'attira plus près.

— Pas encore. Je n'ai pas tout à fait fini.

Il exploitait, ravageait, possédait, extirpant sans ménagement quelque chose qu'elle n'était pas encore prête à donner. Elle avait beau désirer se reprendre, se libérer, ses bras s'accrochaient à Jordan et sa bouche en réclamait davantage.

D'une main brutale, il s'empara d'un sein. Les doigts longs et minces enflammèrent la peau de Kasey. C'était plus que du plaisir, plus que de la passion, sensations qu'elle avait déjà éprouvées. C'était autre chose qui dépassait son expérience, qui l'effrayait, lui faisait mal et la poussait à répondre avec ferveur. Puis, à l'instant précis où elle craignit de perdre définitivement la tête, il la relâcha.

Elle le regarda. Pensées et émotions diverses la déchiraient, ainsi qu'un désir inassouvi. Le goût des lèvres de Jordan s'attardait sur les siennes.

— C'est la première fois que je vous vois à court de mots, murmura Jordan.

Il posa la main sur le cou de Kasey et le caressa doucement. Elle sentit ses sens s'embraser à nouveau.

— Vous m'avez prise au dépourvu.

Elle s'écarta et se plaça hors d'atteinte. Tout ceci demandait réflexion, mais comment réfléchir dans l'état où elle était ? Il lui fallait d'abord retrouver son sang-froid.

Il la dévisageait, visiblement satisfait de l'avoir décontenancée, tout en s'avouant qu'elle aussi l'avait décontenancé. Car il n'avait pas prévu d'éprouver tant de désir dès le premier baiser.

— Je compte prendre l'habitude de vous surprendre.

Elle se retourna vers lui.

— Je ne me laisse pas surprendre facilement, Jordan. Et je n'ai pas l'intention d'avoir une aventure avec vous.

— Bien. Cela devrait pimenter la situation car, moi, j'en ai l'intention.

Je me suis trompée, se dit-elle. *Il n'est pas aussi bridé par les conventions que je le pensais. Ce vernis de bonne éducation cache une sorte de barbarie.* Il fallait désormais être plus prudente.

— Est-ce que je n'étais pas sur le point de vous montrer la photo d'un chaman ? demanda-t-elle en s'efforçant de parler calmement.

Il lui prit le livre des mains et le referma.

— Chaque chose en son temps. Que diriez-vous de prendre une journée de congé demain et d'aller faire de la voile ?

— De la voile ? répéta-t-elle d'un ton circonspect. Vous et moi seulement ?

— C'est ce que j'avais en tête.

Cette offre de liberté après des jours et des jours passés sans mettre le nez dehors, ainsi que l'occasion d'être avec lui pour autre chose que le travail étaient tentantes. Beaucoup trop. Elle secoua la tête.

— Je ne crois pas que ce serait sage.

— Vous ne me semblez pas être une femme qui ne fait que ce qui est sage.

Sa main remonta sur la joue de Kasey et plongea dans ses boucles.

— S'il vous plaît, ne recommencez pas.

Il lui déposa un petit baiser sur la tempe.

— Venez avec moi, Kasey. J'ai besoin d'une journée loin de cette pièce, loin de ces livres.

Bon, se dit-elle, *mais seulement pour une fois.*

Le yacht était exactement tel qu'elle l'avait imaginé : immaculé, merveilleusement équipé et luxueux. Il avait sûrement coûté une fortune. Jordan le manœuvrait avec une aisance qui révélait une longue expérience. Elle s'installa à l'avant afin de voir le bateau fendre l'océan. Voilà comment il s'échappait du monde dans lequel il s'était enfermé...

Elle le regarda tenir la barre. Il était torse nu. On percevait une force contenue dans ses bras musclés, dans ce regard fixé sur l'horizon. Qu'éprouverait-elle en faisant l'amour avec lui ? Elle replia les jambes sous elle et l'étudia attentivement. Il avait de belles mains. De là où elle était, fouettée par le vent, elle en sentait le contact. *Il doit être un amant exigeant,* se dit-elle en se souvenant de ses baisers sauvages. *Excitant. Mais...*

il y a un mais. Je ne sais pas trop pourquoi et je ne suis pas sûre de vouloir le savoir.

Jordan croisa son regard.

— À quoi pensez-vous ?

— Je jouais avec des hypothèses, répondit-elle en rougissant. Oh ! Regardez !

Derrière Jordan avait surgi une bande de dauphins.

— Ils sont merveilleux, non ?

Elle déplia ses jambes et se dirigea vers l'arrière. S'appuyant sur l'épaule de Jordan, elle se pencha au-dessus de l'eau.

— Si j'étais une sirène, j'irais les rejoindre.

— Vous croyez aux sirènes, Kasey ?

— Bien sûr ! s'exclama-t-elle avec un grand sourire. Pas vous ?

— C'est la scientifique qui pose la question ? demanda-t-il en posant une main sur la hanche de la jeune femme.

— La prochaine fois, vous allez me dire que saint Nicolas n'existe pas. Pour un écrivain, vous manquez d'imagination.

Elle allait s'écarter lorsqu'il la retint par le bras. Le bateau gîta un peu et les doigts de Jordan se resserrèrent pour l'empêcher de tomber. *Du calme,* s'enjoignit-elle, *essaie de ne pas réagir à son contact.*

— Vous pourrez y réfléchir pendant le déjeuner.

— Vous avez faim ?

Avec un sourire, il se mit debout. Ses mains remontèrent le long du corps de Kasey et se posèrent sur ses épaules.

— J'ai souvent faim et en plus j'aimerais voir ce que François a mis dans ce panier.

— Une minute.

Il inclina la tête et s'empara de sa bouche. Le baiser fut très différent de celui de la veille. Les lèvres de Jordan étaient toujours assurées mais plus douces et moins fébriles. Elle sentait sa peau s'imprégner de la chaleur du soleil. L'air embaumait le sel. Au-dessus d'eux, les voiles faseyaient dans la brise légère.

Elle s'égarait à nouveau. S'abandonner ainsi aux sensations était honteux. Prudemment, elle se dégagea.

— Jordan… commença-t-elle avant de souffler un grand coup pour reprendre son sang-froid.

Il souriait et la pression de ses mains sur les épaules de Kasey se mua en caresses légères.

— Vous êtes très content de vous, n'est-ce pas ? remarqua-t-elle.

— En fait, oui.

Il s'écarta et durant quelques minutes s'employa à affaler les voiles. Adossée contre la lisse, elle le regardait faire sans proposer son aide.

— Jordan, je vous ai peut-être induit en erreur ; je vous ai dit que je n'étais pas vierge. Mais je ne vais pas au lit avec n'importe qui.

— Je ne suis pas n'importe qui, répliqua-t-il sans même la regarder.

Elle rejeta ses cheveux en arrière.

— Vous n'avez pas de problèmes d'ego, il me semble.

— Pas à ma connaissance. D'où tenez-vous cet anneau sur le doigt ?

Kasey baissa les yeux sur sa main.

— C'était celui de ma mère. Pourquoi ?

— Pure curiosité, répondit-il en prenant le panier. On regarde ce que François nous a préparé ?

3

Dans le perpétuel été de Palm Springs, les jours s'écoulaient immuablement verts et dorés. Le ciel restait dégagé, l'air du désert sec et chaud. Cette uniformité inéluctable étouffait Kasey. La routine, pourtant nécessaire à la vie, lui était difficilement supportable. Chez les Taylor, l'existence se déroulait sans heurts ; il n'y avait ni virages difficiles à négocier ni cahots à encaisser. Si quelque chose rendait Kasey nerveuse, c'était bien une organisation parfaite. La condition humaine impliquait des défaillances, qu'elle comprenait et acceptait. Or, les défaillances étaient rares dans la demeure des Taylor.

Elle travaillait de longues heures avec Jordan et, tout en se rendant compte qu'il s'agaçait parfois de son indiscipline, elle savait qu'il appréciait ses compétences. Kasey connaissait son domaine. Quant à Jordan, elle en apprit un peu plus sur lui. C'était un écrivain rigoureux et organisé, un homme méticuleux et exigeant, capable d'extirper exactement ce qu'il voulait du flot de faits et de théories qu'elle lui fournissait. Et Kasey, critique sévère s'il en fut, en vint à respecter et à admirer ses capacités intellectuelles. Il lui semblait d'ailleurs préférable de concentrer son attention sur son intelligence et son talent plutôt que sur l'homme qu'il était, un être qui l'attirait et la déconcertait. Or Kasey n'avait pas l'habitude d'être déconcertée.

Elle n'était pas sûre qu'il lui plaise. Sur de nombreux points, ils étaient aux antipodes l'un de l'autre. Il était pragmatique et elle, fantaisiste. Il était réservé, elle était extravertie. Il utilisait son intelligence, Kasey ses émotions. Tous deux, néanmoins, savaient d'ordinaire se contrôler et Kasey était fort troublée de ne pouvoir juguler l'attirance qu'il exerçait sur elle.

Sans se prendre pour une idéaliste, elle avait toujours pensé que, lorsqu'elle s'intéresserait sérieusement à un homme, cela signifierait qu'il serait conforme à ses innombrables exigences. Il serait fort, intelligent et capable de s'émouvoir lorsqu'elle le désirerait. Une compréhension mutuelle était indispensable. Kasey était quasiment convaincue que Jordan ne la comprenait pas plus qu'elle ne le comprenait. Leurs styles de vie étaient incompatibles. Malgré cela, elle continuait à penser à lui, à l'observer, à se poser mille questions à son sujet.

Assise dans le bureau et lisant le premier jet d'un nouveau chapitre, Kasey reconnaissait que sur ce plan, au moins, ils s'entendaient bien. Il savait comment amalgamer les données culturelles qu'elle lui fournissait avec les sentiments de ses personnages, pour en faire une histoire passionnante. En lisant le résultat de leurs efforts communs, elle voyait la preuve de son utilité. Et être utile lui était essentiel.

Elle reposa les feuilles sur ses genoux et le regarda.

— C'est merveilleux, Jordan.

Il s'arrêta de taper à la machine et, haussant un sourcil, croisa son regard.

— Vous avez l'air surprise.

— Contente, rectifia-t-elle. Je ne m'attendais pas à tant d'intuition.

— Vraiment ?

Il se renfonça dans son fauteuil et examina la jeune femme.

Cela la mit mal à l'aise. Cette intuition qu'elle venait de souligner risquait de lui permettre de lire en elle beaucoup trop aisément. Elle se leva et s'approcha de la fenêtre.

— Je pense que vous pourriez exploiter davantage certaines caractéristiques des tribus vivant en marge de la Prairie. Tout en habitant des villages, les tribus semi-agricoles des plaines de l'Est ressemblaient sur certains points aux tribus nomades de la Prairie. Par exemple…

— Kasey?

— Oui?

Enfonçant les mains dans ses poches, elle se tourna vers lui.

— Vous êtes nerveuse?

— Bien sûr que non. Pourquoi le serais-je? s'agaça-t-elle tout en cherchant des yeux son paquet de cigarettes.

— Quand vous êtes nerveuse, vous allez à la fenêtre ou bien…

Il s'interrompit et brandit les cigarettes.

— … vous cherchez ça.

— Je vais à la fenêtre pour voir ce qui se passe dehors, répliqua-t-elle, irritée d'être percée à jour.

Elle tendit la main vers le paquet. Au lieu de le lui donner, il le reposa sur le bureau et se leva.

— Quand vous êtes énervée, dit-il en s'approchant d'elle, vous avez du mal à rester tranquille. Il faut absolument que vous remuiez quelque chose, les mains, les épaules, n'importe quoi.

— C'est fascinant, j'en suis sûre, Jordan, dit-elle en gardant les mains enfoncées dans ses poches. Vous avez suivi les cours de psychologie du docteur Rhodes? Je croyais que nous parlions des Indiens de la Prairie et de leurs proches voisins.

Il s'approcha d'elle et caressa une boucle rousse.

— Non. Je vous demandais ce qui vous rendait aussi nerveuse.

— Je ne suis pas nerveuse du tout, déclara-t-elle en s'efforçant de rester immobile. Je ne suis jamais nerveuse... Qu'est-ce qui vous amuse maintenant? ajouta-t-elle en le voyant sourire.

— Vous agacer. Ça en vaut la peine, Kasey.

— Écoutez, Jordan...

— Je crois que c'est la première fois que je vous vois en colère.

Il posa son autre main sur la gorge de Kasey dont le pouls s'emballa brusquement. Au contact de cet affolement sous sa paume, il éprouva une bouffée de désir.

— Vous n'aimeriez pas ça.

— Je n'en suis pas convaincu.

Il la désirait. Debout devant elle, il sentait le corps de Kasey s'émouvoir. Il voulait la toucher, explorer ses courbes, sentir la douceur de sa peau. Il voulait qu'elle se donne à lui avec l'enthousiasme naturel qu'elle mettait en toute chose. Il ne se souvenait pas d'avoir autant désiré une femme.

— C'est toujours intéressant de regarder une personne douée d'une forte personnalité perdre le contrôle d'elle-même, dit-il sans cesser de lui caresser la gorge. C'est excitant.

— Je ne suis pas ici pour vous exciter, déclara-t-elle malgré le démenti qu'exprimait son corps. Je suis venue pour travailler avec vous.

— Vous faites les deux à merveille. Dites-moi...

Sa voix sourde troubla Kasey autant que le contact de ses doigts.

— ... Pensez-vous à moi lorsque vous êtes seule, dans votre chambre, la nuit?

— Non.

Il sourit de nouveau. Bien qu'il ne cherchât pas à la prendre dans ses bras, Kasey sentait son corps prêt à se rendre.

— Vous mentez mal.

— Voilà encore une preuve de votre arrogance, Jordan.

— Moi, je pense à vous, dit-il tandis que ses doigts se glissaient le long de la nuque de Kasey. Trop.

— Je ne le veux pas, protesta-t-elle d'une voix dont la faiblesse l'effraya. Je ne veux pas que vous pensiez à moi... Ça ne marcherait pas, ajouta-t-elle en s'écartant.

— Pourquoi ?

— Parce que...

Sa voix se dérobant, elle s'interrompit. Personne jusqu'à présent ne l'avait mise dans cet état.

— Parce que nous ne désirons pas les mêmes choses. Vous ne pourriez pas me donner ce dont j'ai besoin.

Elle passa une main fébrile dans ses cheveux. Une chose était sûre : il lui fallait un sursis. Rompre le contact et se ressaisir.

— Je vais faire une pause. Nous reprendrons après le déjeuner.

Elle bondit hors de la pièce.

Elle a raison, bien sûr, se dit-il en regardant, le front soucieux, la porte se refermer. Ce qu'elle avait dit était plein de bon sens. *Pourquoi ne puis-je cesser de penser à elle ?* Il revint s'asseoir devant la machine à écrire. Ce n'était pas normal qu'elle le mette dans cet état. Il s'appuya sur son dossier et tenta de comprendre ce qu'il éprouvait et pourquoi. Était-ce simplement une attirance physique ? Pourtant elle ne ressemblait en rien aux femmes qu'il avait jusqu'à présent désirées. Pourquoi alors se retrouvait-il en train de penser à elle à de curieux moments, lorsqu'il se rasait ou bien lorsqu'il était en train d'écrire ? Le mieux eût été de n'y voir qu'un simple désir physique et de n'y plus penser. Dans la vie qu'il s'était faite, il n'y avait pas de place pour autre chose. Elle avait raison, ça ne marcherait pas.

Il revint à ses notes, tapa deux phrases et lâcha un juron.

Comme elle traversait à toutes jambes le vestibule, Kasey remarqua Alison, assise très dignement, plongée dans un livre. L'enfant releva la tête et son regard s'éclaira.

— Bonjour, fit Kasey qui se sentait encore en proie à un mélange de fébrilité et de désir frustré. Tu fais l'école buissonnière ?

— C'est samedi, répondit Alison.

Elle regardait Kasey avec une sorte d'hésitation. Il aurait fallu être aveugle pour ne pas voir l'attente anxieuse de quelque chose de plus amusant qu'une lecture imposée par l'école. Écartant ses propres problèmes, la jeune femme vint s'asseoir à côté de l'enfant.

— Qu'est-ce que tu lis ?

— *Les Hauts de Hurlevent.*

— Un vrai pavé, commenta Kasey en feuilletant le livre, ce qui lui fit perdre la page où en était Alison. À ton âge, je lisais des bandes dessinées de Superman... Ça m'arrive encore, d'ailleurs, dit-elle en passant la main dans les cheveux de la fillette.

Celle-ci la regardait avec un mélange de crainte et d'envie. Kasey s'inclina pour l'embrasser sur la tête. Elle examina le pantalon et la veste en lin bleu qu'elle portait.

— Alison... Tu aimes cet ensemble ?

Alison examina sa tenue avec perplexité.

— Je... je ne sais pas.

— Est-ce que tu as des vieilles nippes ?

— Des vieilles nippes ? répéta Alison avec délectation.

— Tu sais bien, un vieux jean, un tricot avec des trous ou une tache de chocolat qui ne s'en va pas.

— Non. Je ne crois pas.

— Tant pis, fit Kasey en posant le livre de côté. Avec tous les habits que tu as, s'il en manque un, ça ne se remarquera pas. Viens.

Elle se leva, prit la main d'Alison et l'entraîna vers le patio.

— Où allons-nous ?

— Nous allons demander au jardinier de nous prêter son tuyau d'arrosage et modeler de la glaise. Je veux vérifier si tu es capable de te salir.

— Modeler de la glaise ? répéta Alison en la suivant dans le jardin.

— Prends ça comme un cours d'art plastique. Une expérience éducative.

— Je ne sais pas si Haverson acceptera de te prêter son tuyau, prévint Alison.

— Ah bon ? fit Kasey avec une grimace amusée. C'est ce qu'on va voir.

— Bonjour, mademoiselle, dit Haverson.

Il s'arrêta de tailler un arbuste et porta un doigt à sa casquette.

— Bonjour, monsieur Haverson, répondit Kasey en lui décochant un sourire charmeur. Je voulais vous féliciter pour votre jardin. Les azalées, en particulier, sont magnifiques. Dites-moi, est-ce que vous entourez les pieds de feuilles de chêne ?

Quinze minutes plus tard, Kasey avait son tuyau et, accroupie derrière un massif de rhododendrons, fabriquait un tas de boue.

— Comment est-ce que tu sais tout ça ? lui demanda Alison.

— Tout ça quoi ?

— Comment est-ce que tu sais tout ça sur les fleurs ? Tu es une anthropologue.

— Tu crois que le plombier ne s'y connaît qu'en tuyaux et en éviers bouchés ?

L'expression grave d'Alison la fit sourire.

— Apprendre, c'est merveilleux. Tu peux tout savoir, si tu le désires.

Elle ferma le robinet.

— Qu'est-ce que tu aimerais faire ?

Alison s'assit à côté d'elle et planta un doigt timide dans la glaise.

— Je ne sais pas comment on fait.

Kasey éclata de rire.

— Ce n'est pas de l'acide, chérie.

Elle y plongea la main jusqu'au poignet.

— Qui peut affirmer que Michel-Ange n'a pas débuté ainsi ? Je crois que je vais faire un buste de Jordan.

Avec un soupir, elle se reprocha de l'avoir à nouveau laissé envahir ses pensées.

— Il a un visage fascinant, tu ne trouves pas ?

— Peut-être bien. Mais il est vieux, quand même, répondit Alison en commençant prudemment à pétrir un morceau de glaise.

— Oh ? Il n'a que quelques années de plus que moi et je suis à peine sortie de l'adolescence.

— Tu n'es pas vieille, Kasey, dit Alison en lui jetant un regard scrutateur. Tu n'es pas assez âgée pour être ma mère, quand même ?

Pour Kasey, ce fut le déclenchement d'un coup de foudre. Ça y était, son cœur était pris, définitivement. Quelqu'un avait besoin d'elle.

— Non, Alison, je ne suis pas assez âgée pour être ta mère, répondit-elle d'une voix douce et compréhensive. Comme l'enfant baissait les yeux, elle lui releva le menton du doigt.

— Mais je le suis assez pour être ton amie. Ça me ferait plaisir.

— Pour de vrai ?

Cette petite fille avait follement besoin d'être aimée. Et Jordan ne s'en était pas rendu compte ! Furieuse contre lui, Kasey prit le visage d'Alison dans ses mains.

— Pour de vrai.

Elle vit un sourire s'esquisser puis s'épanouir sur les traits fins de l'enfant.

— Montre-moi comment faire un chien, dit Alison en plongeant résolument ses mains dans la glaise.

C'est en gloussant comme deux gamines qu'une heure plus tard, elles regagnèrent la maison, les chaussures lourdes de boue. Kasey avait retrouvé son calme et sa bonne humeur naturelle. *J'ai autant besoin d'elle qu'elle de moi,* se dit-elle en baissant les yeux sur Alison. Le visage souillé de boue de la fillette la fit éclater de rire.

— Tu es splendide, dit Kasey en lui déposant un baiser sur le nez. Mais ta grand-mère risque de ne pas approuver. Monte vite prendre un bain.

— Elle est à une réunion de comité, répondit Alison qui ne put s'empêcher de rire devant la figure sale de Kasey. Elle est tout le temps à des réunions.

— On n'a donc pas à se tracasser, dit Kasey en reprenant la main de l'enfant. Bien sûr, il ne faut pas lui mentir. Si ta grand-mère te demande si tu as modelé de la glaise derrière les rhododendrons, tu dois dire: « Oui, grand-mère, il est vrai que j'ai modelé de la glaise derrière les rhododendrons. »

Alison coinça une mèche rebelle derrière son oreille.

— Jamais elle ne me posera une question pareille.

— Voilà qui simplifie les choses, n'est-ce pas ? remarqua Kasey en ouvrant la porte du patio. J'aime bien le chien que tu as fait. J'ai l'impression que tu as du talent.

Comme elles traversaient le vestibule, Kasey se mit à fouiller ses poches, en quête de cigarettes et d'allumettes. Cette pièce raffinée la rendait nerveuse.

— Moi, je préfère ton buste. Il ressemblait vraiment à... *oncle Jordan !*

— Oui, il n'était pas mal.

Kasey s'arrêta au pied des marches pour explorer la poche arrière de son pantalon.

— Tu sais, je ne trouve jamais d'allumettes quand j'en ai besoin. Je me demande à quoi ça tient.

Puis, remarquant l'expression pétrifiée d'Alison, elle leva les yeux.

— Oh, bonjour, Jordan, fit-elle avec un sourire aimable. Auriez-vous un briquet ?

Il descendait à pas lents l'escalier tout en examinant successivement la fillette et la jeune femme. L'ensemble en lin bleu d'Alison était couvert de boue ainsi que ses cheveux hirsutes. Le visage strié de terre, elle le regardait avec un certain effroi. Quant à ses mains, elles étaient marron. Et Kasey était dans le même état. Une dizaine d'explications raisonnables lui traversèrent l'esprit, qu'il écarta aussitôt. S'il avait appris quelque chose sur Kasey ces derniers jours, c'était qu'il fallait commencer par explorer le déraisonnable.

— Que diable avez-vous fait ?

— Nous avons testé nos compétences artistiques, répondit-elle. La séance a été très éducative. Tu ferais bien d'aller prendre un bain, ajouta-t-elle à l'adresse d'Alison en lui pressant la main.

Les yeux de l'enfant passèrent de son oncle à la jeune femme. Puis, un peu inquiète de la suite des événements, elle se rua dans l'escalier et disparut.

— Vous avez testé vos compétences artistiques ? répéta-t-il. On dirait plutôt que vous vous êtes roulées dans la boue.

— Jordan, nous avons créé, rectifia-t-elle en repoussant une mèche rebelle. Nous avons modelé de la glaise. Alison est très douée.

— Modelé de la glaise ? Vous jouiez dans la boue ? Il n'y en a pas beaucoup par ici.

— Nous en avons fabriqué. C'est très facile. Vous prenez un peu d'eau.

— Pour l'amour de Dieu, Kasey, je connais la formule.

— Je n'en doute pas, Jordan, dit-elle d'une voix calme et apaisante qui démentait la lueur narquoise de son regard. Vous êtes un homme intelligent.

— Ne changez pas de sujet, grommela-t-il, au bord de l'exaspération.

— Lequel ?

Elle lui adressa un sourire effronté qui faillit se muer en éclat de rire en constatant qu'il était sur le point de perdre son habituel contrôle.

— La glaise, Kasey. Nous parlions de la glaise.

— Eh bien, je ne peux guère vous en dire plus. Vous m'avez dit savoir comment on la fabrique.

Il poussa un juron et serra les poings.

— Kasey, ne trouvez-vous pas puéril de la part d'une grande personne d'emmener une fillette de onze ans passer l'après-midi sur un tas de boue ?

Tu sais au moins quel âge elle a, songea Kasey en lui jetant un regard insistant.

— Eh bien, Jordan, ça dépend.

— De quoi ?

— Eh bien, si vous voulez pour nièce une fillette de onze ans ou bien une quadragénaire en miniature.

— De quoi parlez-vous, bon sang ? J'ai du mal à vous suivre.

— Cette enfant a beau n'avoir que onze ans, elle se comporte comme si elle en avait trente de plus, et vous vous préoccupez tellement de vous que vous ne vous en rendez pas compte. Elle lit *Les Hauts de Hurlevent* et joue du Brahms. Elle est propre, sage et ne trouble en rien votre existence.

— Une minute. Répétez un peu.

— Répéter ! explosa Kasey en repoussant à nouveau une mèche folle. Ce n'est qu'une petite fille. Elle a besoin de vous. Elle a besoin de quelqu'un. Quand lui avez-vous parlé pour la dernière fois ?

— Je lui parle tous les jours.

— Vous lui adressez la parole, répliqua Kasey avec colère. Il y a une sacrée différence.

— Êtes-vous en train d'essayer de me dire que je la néglige ?

— Je n'essaie rien. Je vous le dis.

— Elle ne s'est jamais plainte.

— Oh, zut !

Elle se campa devant lui.

— Comment un homme intelligent peut-il dire de telles sottises ? Êtes-vous réellement aussi insensible ?

— Faites attention, Kasey.

— Si vous ne voulez pas qu'on vous traite d'imbécile, ne vous conduisez pas comme tel.

Sa propre colère, son sens aigu de la justice lui faisaient oublier toute prudence.

— Pensez-vous que cela suffise d'être nourrie, logée et habillée ? Alison n'est pas un petit chien, et pourtant même les petits chiens ont besoin d'affection. Elle en est tellement privée qu'elle dépérit sous vos yeux. Maintenant, si vous voulez bien m'excuser, je vais me laver.

Jordan la rattrapa par le bras et l'entraîna vers le cabinet de toilette situé au fond du vestibule. Sans mot dire, elle ouvrit le robinet et commença à se savonner. Jordan la regardait faire et, gardant le silence, repensait à ce qu'elle venait de dire. Kasey fulminait intérieurement, furieuse d'avoir perdu son sang-froid.

Elle avait bien prévu de lui parler d'Alison mais de façon posée et diplomate. Mais pas de se laisser déborder par sa propre violence. Plus on criait, moins on était entendu ; elle l'avait toujours pensé. Combien de fois s'était-elle interdit de s'abandonner à ses émotions lorsqu'elle avait affaire à Jordan Taylor ? Elle prit la serviette qu'il lui tendait et s'essuya soigneusement les mains.

— Jordan, je vous présente mes excuses.

— Pour quoi, précisément ?

— Précisément pour avoir crié.

— Pour la forme et non pour le fond, dit-il en hochant lentement la tête.

Kasey soupira. Ce n'était pas un homme facile.

— Exactement. Je manque parfois de tact.

Il remarqua la façon dont elle promenait nerveusement la serviette sur ses mains. Elle avait beau être mal à l'aise, elle n'ôterait rien de ce qu'elle avait dit. Il en éprouva, malgré lui, de l'admiration.

— Pourquoi ne recommenceriez-vous pas ? suggéra-t-il. Mais sans crier, cette fois.

— D'accord.

Elle prit le temps de réfléchir à la meilleure façon d'aborder le sujet.

— Le soir de mon arrivée, Alison est venue dans ma chambre. J'ai vu une enfant impeccablement vêtue, coiffée et élevée, mais aux yeux mornes et pleins d'ennui.

À ce souvenir, son affection pour Alison se réveilla.

— Je ne peux pas supporter l'ennui, Jordan. Pas chez une enfant qui a toute la vie devant elle. Cela m'a brisé le cœur.

Sa voix vibrait à nouveau, mais ce n'était plus de la colère. Jordan se demanda si elle était consciente de l'intensité de son regard. Visiblement, elle ne pensait qu'à l'enfant et tant de compassion et de sincérité l'émurent. C'était une surprise de plus.

— Continuez, dit-il lorsqu'elle s'interrompit. Dites tout ce que vous avez sur le cœur.

— Bien sûr, cela ne me regarde pas, poursuivit-elle en reprenant la serviette pour s'essuyer à nouveau les doigts, l'un après l'autre. Vous êtes tout à fait en droit de me le dire mais cela ne changera pas mes sentiments. Je sais ce que c'est que de perdre ses parents ; je sais ce que l'on éprouve. On a besoin de réconfort, d'amour. Il n'y a rien de plus terrible que d'avoir perdu son père et sa mère.

Elle se mordit les lèvres. Malgré elle, elle lui livrait trop d'elle-même mais s'arrêter n'était plus possible.

— Ce n'est pas quelque chose dont on se remet en un jour ou une semaine, reprit-elle.

— J'en suis bien conscient, Kasey. C'était mon frère.

Elle chercha son regard et y lut une douleur inattendue. Ses défenses s'écroulèrent et elle tendit la main vers lui.

— Elle a besoin de vous, Jordan. Les enfants ne mettent aucune condition à leurs affections. Ils donnent tout simplement, avec une candeur que nous perdons, hélas, en grandissant. Alison attend d'aimer à nouveau quelqu'un.

Baissant les yeux sur la main qui reposait sur la sienne, il la retourna et examina la paume.

— Et vous, donnez-vous votre affection sans condition ?

— Une fois que je l'ai donnée, il n'y a ni réserve ni condition, répondit-elle sans baisser les yeux.

Il la regarda un instant attentivement.

— Vous aimez sincèrement Alison, n'est-ce pas ?

— Oui, bien sûr.

— Pourquoi ?

Elle lui jeta un regard étonné.

— Pourquoi ? répéta-t-elle. C'est une enfant, un être humain. Comment pourrais-je ne pas l'aimer ?

— C'est la fille de mon frère, répliqua-t-il. Et il semblerait que je ne l'ai pas assez aimée.

Émue, elle posa les mains sur les épaules de Jordan.

— Non. Ne pas comprendre et ne pas aimer sont deux choses complètement différentes.

Ce simple geste le toucha.

— Pardonnez-vous toujours aussi facilement ?

Quelque chose dans ses yeux prévint Kasey de se méfier. Il devinait ses pensées les plus intimes. Elle devait rester sur ses gardes sinon elle ne pourrait plus jamais se libérer de lui, elle le savait et le craignait.

— Ne me canonisez pas, Jordan, railla-t-elle pour se défendre. Je ferais une sainte épouvantable.

— Les compliments vous mettent mal à l'aise, on dirait.

Elle s'apprêtait à baisser les mains mais il les retint sur ses épaules, en les recouvrant des siennes.

— Au contraire, je les adore. Dites-moi que je suis brillante et aussitôt j'ai les chevilles qui gonflent.

— Oh, des compliments sur votre intelligence. J'imagine que vous y êtes habituée, dit-il en souriant. Par contre, si je vous dis que vous êtes une personne très chaleureuse, très généreuse à laquelle j'ai du mal à résister, vous ne voudrez rien entendre.

— Ne faites pas ça, Jordan, protesta-t-elle.

Il était trop près d'elle et la porte les isolait du reste de la maison.

— Je suis quelqu'un de vulnérable, ajouta-t-elle.

— Oui, cela aussi est une surprise.

Il se pencha vers Kasey pour l'embrasser. Au premier contact, il sentit ses doigts se crisper. Puis elle se détendit et lui rendit le baiser. Pour la seconde fois de la journée, Kasey tomba amoureuse. Son cœur lui échappait, sensation douloureuse semblable à un déchirement. *Il te fera souffrir,* lui chuchota une petite voix dans la tête, mais il était déjà trop tard.

— Vous sentez le savon, murmura-t-il en promenant ses lèvres sur le visage de Kasey. Et il y a une douzaine de taches de rousseur sur votre nez. Je vous désire plus que je n'ai jamais désiré personne... Flûte, je n'y comprends rien.

Il reprit ses lèvres et, cette fois-ci, Kasey y sentit le goût de la colère. La langue de Jordan se faisait insistante. Pour la première fois de sa vie, elle s'abandonna.

Quand ses mains se mirent à parcourir son corps, elle n'opposa aucune résistance. Le bon sens reviendrait trop vite et, avec lui, le désenchantement inéluctable. Comme pour s'imprégner de lui et de sa force, elle l'étreignit plus étroitement. Elle plongea les doigts dans ses cheveux puis lui caressa la nuque.

Il glissa les mains sous son chemisier pour s'emparer de ses seins. Elle avait une peau incroyablement douce, aussi douce et chaude que l'intérieur de sa bouche. Comme ses pouces lui caressaient la pointe des seins, il l'entendit gémir. C'était une folie, il le savait bien, mais il la voulait à tout prix. Le désir l'habitait. Il pensa à l'allonger sur le carrelage et à la prendre, là, rapidement, sauvagement, et que ce soit fini.

Il la repoussa brusquement et la regarda. Elle respirait vite et la vulnérabilité avouée un instant plus tôt se lisait dans ses yeux.

— J'ai besoin de vous, dit-il d'une voix tendue. Et cela ne me plaît pas.

Elle comprit parfaitement ce qu'il voulait dire.

— Ça ne me plaît pas non plus.

— Et si je venais vous retrouver dans votre chambre cette nuit ?

— Non.

Elle repoussa ses cheveux des deux mains. Cet afflux de sensations violentes l'empêchait de réfléchir.

— Nous ne sommes pas prêts.

— Je ne suis pas sûr que nous ayons le choix.

Elle inspira un grand coup tandis que ses pensées s'éclaircissaient.

— Peut-être pas. Mais on pourrait commencer par sortir de ce cabinet de toilette, non ?

Il rit et lui prit le visage dans les mains. Jamais personne ne l'avait fait autant rire.

— Vous croyez vraiment que ça va nous aider ?

Elle secoua la tête.

— Je crains que non, mais c'est tout ce à quoi je pense pour l'instant.

4

Assise sur le dessus-de-lit en satin rose, Alison regardait Kasey se maquiller. Les pots et les tubes de couleur éparpillés sur la coiffeuse la fascinaient. Elle s'approcha et, timidement, se mit à les tripoter.

— Quand est-ce que tu crois que je serai assez grande pour me maquiller ? demanda-t-elle en prenant un crayon d'ombre à paupières.

— Pas avant quelques années, répondit Kasey qui se faisait les cils. Mais, jolie comme tu es, tu n'auras pas besoin de tricher.

Alison se pencha pour examiner leurs deux visages dans le miroir.

— Mais, toi, tu te maquilles. Et tu es beaucoup plus jolie que moi. D'abord, tu as les yeux verts.

— Comme les chats, commenta Kasey avec une grimace. Les yeux bruns sont plus émouvants, surtout chez une blonde. Rien n'émeut plus un homme que de grands yeux bruns bordés de longs cils. Les garçons seront tous à tes pieds quand tu auras quinze ans.

Voyant Alison rougir, elle sourit.

— Ne joue pas à la séductrice trop tôt, ajouta-t-elle en tirant légèrement sur une mèche d'Alison. Et pas de battements de cils ce soir. Le Dr Rhodes n'y survivrait

Alison pouffa de rire et s'assit sur le bord du canapé.

— Grand-mère trouve le Dr Rhodes très distingué. Elle dit qu'il fait partie de la bonne société.

Ça ne m'étonne pas, se dit Kasey en prenant son rouge à lèvres.

— Moi, il me fait plutôt penser à un nounours.

Alison éclata de rire.

— Kasey, tu dis vraiment de drôles de choses.

— Ah bon? dit-elle en cherchant sa brosse à cheveux. L'image me semblait assez exacte. Il est tout rond et il a l'air douillet. Winnie l'Ourson avec des lunettes. J'ai toujours aimé Winnie l'Ourson. Un personnage plutôt mignon, à la fois innocent et sage. Tu vois ma brosse quelque part?

Alison la trouva sur le canapé et la tendit à Kasey.

— Il me tapote toujours la tête, dit-elle en lâchant un soupir.

Kasey retint un sourire.

— C'est plus fort que lui. Les célibataires endurcis d'un certain âge ont tendance à tapoter la tête des enfants. C'est parce qu'ils sont intimidés et ne savent pas comment s'y prendre.

Elle saisit son flacon de parfum et en envoya une giclée sur Alison, ravie.

— Allons voir si Winnie l'Ourson est déjà là.

Elles pénétrèrent ensemble dans le salon. Repérant Harry Rhodes de l'autre côté de la pièce, Kasey adressa un clin d'œil complice à Alison.

Cet échange n'échappa pas à Jordan qui en perdit le fil de sa conversation avec Harry. Quand donc avait-il vu sourire Alison ainsi? Quand avait-il pris le temps de la regarder? Un bref accès de remords l'envahit. En tant que tuteur, on ne pouvait rien lui reprocher. Mais comme père suppléant, il avait échoué. Le moment était venu de rattraper le temps perdu, pour elle comme pour lui.

Il posa la main sur le bras de Harry pour s'excuser de l'interrompre puis s'avança vers sa nièce.

— Eh bien, je ne m'attendais pas à voir deux aussi belles représentantes du sexe féminin.

D'un doigt, il souleva le menton d'Alison et l'examina avec curiosité. Elle était vraiment jolie. Et plus adulte qu'il ne le pensait.

— D'ici peu, il va falloir que je t'enferme à double tour si je veux te garder pour moi.

Les yeux d'Alison s'écarquillèrent. Ce seul regard fit honte à Jordan. Comment avait-il pu vivre si longtemps à côté d'elle sans lui prêter attention ? Il remarqua le regard inquiet qu'elle jetait à Kasey. Était-il trop tard ? Les yeux bruns d'Alison se reportèrent sur lui.

— Oh, oncle Jordan..., lâcha-t-elle dans un élan de tendresse.

L'amour sans réserve. Il sentit quelque chose s'ouvrir en lui.

— Eh bien, oui, dit-il en effleurant la joue d'Alison, je crois que je vais te garder pour moi.

— Alison, appela Béatrice de l'autre extrémité de la pièce, que sont devenues tes bonnes manières ? Viens dire bonsoir au Dr Rhodes.

Alison s'empressa d'obéir à sa grand-mère.

— Bravo, Jordan, fit Kasey, la gorge nouée. Vous avez été formidable.

Il la dévisagea avec un petit sourire ironique.

— Des larmes, Kasey ?

— Je vous en prie, supplia-t-elle en secouant la tête. N'insistez pas, je vais me couvrir de ridicule.

— Je dois vous remercier pour ce que vous m'avez fait découvrir, dit-il en lançant un regard vers sa nièce.

— Oh, non ! Je vous en prie.

Elle secoua de nouveau la tête avec l'énergie du désespoir.

Il prit sa main et la porta à ses lèvres.

— Cette dette sera difficile à rembourser. J'avais de l'amour sous mes yeux et je ne le voyais pas.

Et il y en a un autre que tu ne vois toujours pas, compléta-t-elle en son for intérieur. Mais celui-ci comportait quelques complications.

— Jordan, à moins que vous ne vouliez que votre mère et le Dr Rhodes n'aient une attaque et que je ne souille définitivement de mascara votre ravissante pochette, changez de sujet et préparez-moi un verre.

— D'accord, dit-il en lui baisant à nouveau les doigts. Pour une fois, je céderai.

Durant le dîner, composé d'une soupe à l'oignon et d'un gigot d'agneau accompagné de champignons, Harry Rhodes bombarda Kasey de questions sur l'anthropologie. Il n'arrivait toujours pas à croire que Kathleen Wyatt dont il avait lu et admiré les publications était la jeune femme assise à côté de lui. Sa conversation brillante était émaillée de remarques qui le laissaient momentanément sans voix. Connaissant bien Jordan, il se rendit compte que l'intérêt que ce dernier portait à sa voisine n'était pas strictement professionnel. Et comme Kasey était entrée chez les Taylor sur sa recommandation, cette découverte devint pour lui un sujet de préoccupation. Aurait-il posé un problème à Jordan au lieu de l'aider ?

En tout cas, les connaissances de cette jeune personne étaient impressionnantes, ce dont Jordan pourrait tirer profit. Lorsqu'on en vint au dessert, des pêches flambées, Harry commençait à se détendre.

— L'anthropologie n'a rien à voir avec la psychologie, répliqua Kasey à l'une de ses remarques. En tant que psychologue, docteur Rhodes, vous vous appuyez sur des constantes culturelles afin d'explorer l'âme et l'esprit. En tant qu'anthropologue, je m'appuie sur des constantes psychologiques pour explorer une culture. J'ai ici un bon livre sur ce sujet. Voulez-vous que je vous le prête ?

— Volontiers, fit-il, épaté de sa lucidité. Cela me ferait très plaisir, mademoiselle Wyatt.

— Je vais essayer de mettre la main dessus après le dîner et vous pourrez l'emporter ce soir.

Elle se resservit du dessert.

— Je crains que tout ceci ne me passe au-dessus de la tête, remarqua Béatrice en décochant à Harry un sourire. Mais je trouve vos théories fascinantes.

— Voyons, Béatrice, mes théories n'ont rien de particulièrement original, répliqua modestement Harry.

— Je suis curieux de savoir ce que peut être la philosophie de la vie de Kasey, intervint Jordan. Je suis sûr que ce doit être passionnant.

Kasey lécha le dos de sa cuiller.

— Du point de vue de l'anthropologue, Jordan...

Elle fit une pause pour avaler une gorgée de vin.

— ... la vie compte moins que les manifestations culturelles qu'elle engendre. Il y a des jours où je trouve cela plutôt déprimant.

Jordan éclata de rire tandis que Harry vidait d'un trait la moitié de son verre.

Trente minutes plus tard, les deux hommes étaient seuls dans la salle de billard. Jordan préparait les boules tandis que Harry s'empêtrait dans des considérations embarrassées concernant Kasey.

— Harry, tu n'as pas à t'inquiéter, dit Jordan. Kasey me donne entièrement satisfaction. La quantité de connaissances que contient cet étrange cerveau est extraordinaire.

— C'est bien ce que je voulais dire, fit Harry, d'un air soucieux. Elle est étrange.

— C'est peut-être nous qui sommes étranges, murmura Jordan qui, depuis que Kasey était entrée dans sa vie, n'était plus sûr de rien. En tout cas, elle connaît son domaine.

Il se pencha pour viser.

— Grâce à elle, mon roman aura une ampleur que je n'aurais pu atteindre sans son aide.

Il tira, toucha une boule et se déplaça le long de la table pour reprendre position.

— En outre, c'est la femme la plus surprenante que j'aie jamais rencontrée.

— Tu ne vas pas t'attacher à elle ?

— Je fais de mon mieux, répliqua Jordan en regardant la boule numéro 5 passer devant le trou sans y tomber.

— Jordan, une aventure avec cette femme pourrait nuire à ton travail. Je te l'ai dit quand j'ai lu ton synopsis. C'est un futur prix Pulitzer. Ne va pas tout gâcher en commettant une folie que tu regretteras.

— Il serait plus sage de finir le livre avant que nous ne pensions au Pulitzer. À toi de jouer, Harry.

Harry s'exécuta ; deux boules tombèrent mais il manqua la troisième. Tout en jouant, il réfléchissait à ce qu'il allait dire.

— Jordan, je t'ai trouvé un peu tendu ces derniers temps. Je crois que tu devrais prendre des vacances.

Un sourire sur les lèvres, Jordan se coucha en travers de la table pour mieux viser.

— Tu essaies de me protéger de Kasey, Harry ?

— Ce n'est pas ce que je voulais dire, enfin, pas exactement. Je constate que Mlle Wyatt est très séduisante, et d'une façon inhabituelle. Elle est même troublante.

— *Troublante*, répéta pensivement Jordan. Que veux-tu que j'y fasse ? Je ne suis même pas sûr de vouloir m'en protéger. Mais, par contre, je suis sûr d'une chose, c'est qu'elle m'a promis d'ouvrir des portes que j'avais fermées sans le vouloir.

— Tu n'es pas en train de...

Harry hésita, en quête d'un terme adéquat.

— ... de t'empêtrer sentimentalement ?

— De tomber amoureux, tu veux dire ?

Jordan fronça les sourcils et tira.

— Je n'en ai pas la moindre idée. Mais je sais que je la

— Mon cher garçon, commença Harry, le sexe est...

Très gêné, il s'interrompit et se gratta la gorge.

— Je t'écoute, fit Jordan sans pouvoir retenir un sourire.

— Un élément nécessaire à la vie, acheva Harry avec raideur.

— Harry, tu me stupéfies. À toi de jouer.

La porte s'ouvrit, leur faisant lever les yeux.

— Seigneur, Jordan, vous devriez coller aux murs des cartes de la maison, s'écria Kasey en entrant, un gros livre à la main. Je n'ai jamais vu autant de couloirs. Voici votre livre, docteur Rhodes.

Elle le posa sur la table et souffla pour écarter ses boucles des yeux.

— Ai-je mis le pied sur un territoire sacré?

Jordan s'appuya sur sa canne.

— Est-ce que par hasard cela vous ennuierait?

— Non, bien sûr. Je passe ma vie à m'aventurer sur des territoires sacrés. Puis-je avoir un verre?

— Du vermouth? Je n'ai pas de tequila ici.

— Oui, merci.

Elle avait déjà entrepris d'examiner la pièce.

Les proportions étaient belles et on n'y trouvait, grâce au ciel, ni soie ni brocart. Contrairement au salon, le parquet était nu et les fenêtres n'étaient munies que de simples stores en bambou. Malgré la propreté extrême, des signes de vie y étaient visibles. Une bougie à demi consumée était restée plantée dans un bougeoir en étain. Sur une étagère, Kasey aperçut une collection de disques que, manifestement, on écoutait souvent.

— J'aime bien cette pièce, dit-elle en s'approchant d'une vitrine qui contenait quelques poteries de facture primitive. Beaucoup même, ajouta-t-elle en se retournant pour prendre le verre que lui tendait Jordan. Merci.

Sans qu'il sût pourquoi, le compliment le toucha. Elle inclina la tête sur le côté, comme pour le regarder sous un autre angle.

— Cette pièce vous ressemble, murmura-t-elle. Comme le bureau.

— Je suis ravi que vous le trouviez agréable.

— Bien, fit-elle avant de prendre une gorgée. Je commence à vous apprécier, Jordan. Tout en le regrettant un peu.

— On dirait que nous avons le même problème.

Avec un hochement de tête, elle s'écarta.

— Une partie de billard ? Ne vous interrompez pas pour moi. Je vais finir mon verre avant de replonger dans le labyrinthe.

Elle regarda de nouveau autour d'elle. C'était vraiment le seul endroit de la maison, en dehors du bureau, où elle se sentait à l'aise.

— J'aimerais que vous me disiez ce que vous avez pensé de ce livre quand vous l'aurez fini, docteur Rhodes.

Le sourire de la jeune femme le fit tressaillir de gratitude.

— Volontiers... Peut-être aimeriez-vous faire une partie avec nous, mademoiselle Wyatt, s'entendit-il proposer à sa grande surprise.

— C'est très aimable à vous. Mais vous misez sans doute de l'argent.

— Ce n'est pas nécessaire.

— Je ne veux pas que vous changiez les règles pour moi. Combien misez-vous ? C'est peut-être dans mes possibilités.

— Nous pouvons nous adapter, Kasey, dit Jordan en allumant un cigare. Que diriez-vous d'un dollar la boule ?

Elle s'approcha de la table.

— Un dollar la boule ? Voyons, combien y en a-t-il ? Quinze. C'est dans mes moyens. Comment jouez-vous ?

— Chacun à son tour, c'est ce qu'il y a de plus simple, dit Jordan en adressant un clin d'œil à Harry.

— Parfait, fit celui-ci.

Il prit une queue et passa de la craie sur son extrémité avant de la tendre à Kasey.

— Chacun à son tour, répéta-t-elle. Quelles sont les règles ?

— L'objectif est d'envoyer les boules dans une des poches en respectant leur numérotation, expliqua Jordan.

Elle portait des boucles d'oreilles, ce soir. De petits anneaux en argent qui étincelaient. La pièce embaumait déjà de son parfum. Il se ressaisit.

— La technique principale consiste à utiliser la boule blanche pour en frapper une autre et la faire tomber. Et ainsi de suite, depuis le plus petit chiffre jusqu'au plus élevé. Le but est de débarrasser la table de toutes les boules numérotées.

— Je vois, fit-elle en scrutant le tapis vert. Ça paraît assez simple, non ?

— Vous attraperez vite le truc, mademoiselle Wyatt, s'écria galamment Harry. Voulez-vous vous exercer un peu d'abord ?

— Non. Je préfère me jeter à l'eau tout de suite. Qui commence ?

— À vous l'honneur, dit Harry en veine d'amabilité tandis que Jordan disposait les boules. Tirez dans le tas. Celle qui tombe est la vôtre.

— Eh bien, merci, docteur Rhodes, dit Kasey en se dirigeant vers l'extrémité de la table.

— Tenez la queue de cette façon, expliqua Jordan en lui plaçant les doigts. Maintenez-la stable mais en la laissant coulisser, d'accord ?

— Oui… Il faut que je l'envoie toucher la boule numéro un, c'est ça ?

— C'est une des façons de procéder.

Troublé par le parfum de ses cheveux et la peau douce de son épaule, il faillit en profiter pour l'embrasser, là, tout de suite, quitte à causer une crise d'apoplexie chez Harry.

— Je n'arriverai à rien si vous continuez à me regarder comme ça, murmura-t-elle. Et le Dr Rhodes est en train de piquer un fard.

Il recula. Kasey attendit deux secondes que son pouls se calme puis s'inclina au-dessus de la table et tira.

Elle fit tomber trois boules du premier coup. Se déplaça et tira à nouveau avec succès. Elle se redressa, parut réfléchir et reprit position. Encore un coup gagnant. Elle contourna la table, s'inclina, ferma à demi les yeux pour évaluer l'angle de tir et envoya proprement la boule suivante dans la poche. Tout en passant de la craie sur l'extrémité de sa queue, elle examina la table afin de mettre au point sa tactique. Un silence absolu régnait dans la pièce.

Elle prit son verre, avala une gorgée et se remit à l'œuvre. Il y eut un bruit d'entrechoquement suivi d'un petit cri étouffé sortant de la bouche de Harry lorsqu'elle réussit à en faire tomber trois. Appuyé sur sa canne, Jordan admirait le spectacle. À demi couchée sur la table, elle envoya dans la poche la boule suivante. Puis, d'un seul coup, elle envoya les deux dernières dans la poche opposée. Après quoi, elle se redressa et, se frottant le nez du dos de la main, décocha un sourire ravageur à ses adversaires.

— Voyons, ça fait quinze dollars chacun, non ? Voulez-vous commencer cette fois-ci, Harry ?

Jordan rejeta la tête en arrière et éclata de rire.

— Harry, dit-il en tapotant l'épaule de son ami, c'est ce qui s'appelle se faire posséder, non ?

5

Jordan regardait Kasey. Elle lisait un chapitre et vingt minutes au moins s'étaient écoulées sans qu'elle ait prononcé un mot. Sa faculté de concentration était étonnante. Aucune femme ne l'avait jamais autant intrigué. Lorsqu'il lui posait une question personnelle, elle lui répondait aimablement mais sans révéler grand-chose de précis sur elle.

Quels secrets dissimule-t-elle ? se demanda-t-il. *Que me cache-t-elle alors qu'elle a toujours l'air de dire tout ce qui lui traverse l'esprit ? Et pourquoi suis-je aussi intrigué ?* Le front soucieux, il réfléchit aux changements qu'elle avait déjà apportés dans sa vie.

À présent, une enfant vivait réellement dans cette maison. On entendait des rires, des cavalcades, des exclamations. Depuis combien de temps la situation se dégradait-elle ? Les trois ans qu'Alison avait passés avec lui ? Et, avant, tout était-il déjà aussi mort et ennuyeux ?

Il avait laissé sa mère veiller à la bonne marche de la maison et lui avait abandonné l'éducation de sa nièce. C'était plus simple. D'ailleurs sa vie, dans l'ensemble, était plus simple avant l'arrivée de Kasey. Pas de souci, pas de tracas autres que ceux de son métier. Une routine dont il s'était satisfait. Mais, il s'en rendait soudain compte, tout comme Alison, il s'ennuyait. Selon Harry, depuis l'arrivée de Kasey, il était devenu fébrile. C'était un fait que l'irruption de la jeune femme avait causé de grands changements et que personne n'avait été épargné. Pas même sa mère...

Jordan fronça à nouveau les sourcils et sortit un cigare. Béatrice s'était déjà plainte à plusieurs reprises. Mais depuis longtemps, il avait appris à ne pas tenir compte de ses remarques. D'aussi loin qu'il se souvienne, Béatrice consacrait ses journées à des comités, des déjeuners, des cocktails. Son éducation et celle de son frère avaient été déléguées à une succession de nounous et de précepteurs. Situation que Jordan avait acceptée sans se poser de question. Maintenant, il se demandait s'il avait eu raison de confier Alison à sa mère. Cela lui avait, certes, simplifié la vie, mais ce n'était pas forcément une bonne chose.

— Vous êtes très perspicace et sensible, Jordan, dit Kasey en repoussant ses lunettes sur son front.

— Vous trouvez ?

Jadis, il aurait acquiescé. À présent, il se demandait combien de choses il avait laissé passer devant lui sans les remarquer.

— Vous avez une manière admirable d'exposer les motivations de votre personnage. C'est remarquablement bien écrit. Je vous envie.

— Vous m'enviez ? s'étonna-t-il en tirant une longue bouffée de son cigare. Pourquoi ?

— À cause des mots, Jordan, fit-elle avec un sourire. Chacun des mots que vous employez est juste. C'est cela que je vous envie.

— Je ne crois pas que, sur ce plan, vous ayez quoi que ce soit à m'envier.

— Oh si ! Je ne serais pas capable d'écrire comme vous le faites.

Elle reprit le manuscrit et parcourut à nouveau quelques paragraphes.

— Dans cette partie, vous mettez parfaitement en valeur le rôle primordial de la parenté dans la culture indienne, souligna-t-elle cinq minutes plus tard.

— Le poids de la famille, murmura Jordan en pensant à la sienne.

— Dans beaucoup de tribus, c'était à la famille de sanctionner une faute. Le plus souvent, les coupables étaient exilés. Ce qui équivalait à une exécution car, si une tribu ennemie tombait sur un homme isolé, elle n'hésitait pas à le tuer.

— Un père pouvait envoyer son fils à la mort ?

— Pour sauver l'honneur, Jordan. C'était un peuple fier et soucieux de son honneur, ne l'oubliez pas.

Elle replia les jambes sous elle et croisa les doigts.

— Un meurtre était un crime commis contre la tribu entière. L'exil était le châtiment normal. Ce qui n'est guère différent de ce que nous faisons aujourd'hui. Le comportement à l'intérieur d'une famille suivait en général un code très strict.

— Kasey ?

— Oui ?

— Puis-je vous poser une question personnelle ?

Elle redressa les épaules, prête à se défendre.

— À condition que je ne sois pas obligée d'y répondre.

Il regarda un instant la cendre qui s'allongeait à l'extrémité de son cigare.

— Pourquoi êtes-vous devenue anthropologue ?

Soulagée, elle sourit.

— Vous appelez ça une question personnelle ? C'est très simple, en fait. C'était ça ou bien le patin à roulettes.

Il soupira. Une fois de plus, elle allait tourner autour du pot et l'entraîner dans des divagations amusantes mais très éloignées du sujet.

— Bien que je doute que vous y répondiez, je vais quand même poser la question : qu'est-ce que les patins à roulettes ont à voir avec l'anthropologie ?

— Ai-je dit que ça avait quelque chose à voir ?

Elle ôta ses lunettes et les balança négligemment du bout des doigts.

— Je ne crois pas qu'il y ait un rapport. J'avais le choix entre deux carrières. Et j'ai renoncé aux patins à roulettes parce que c'est un métier dangereux. Je suis assez douillette et je n'aime pas souffrir.

— Et l'anthropologie offrait une alternative logique?

— C'était la mienne.

Elle l'observa et reprit:

— Saviez-vous que vos joues se creusent quand vous souriez? C'est très séduisant.

— Je vous désire, Kasey.

Les lunettes cessèrent de se balancer.

— Oui, Jordan, je le sais.

— Et c'est réciproque.

Elle sentit le désir monter en elle, exactement comme si les bras de Jordan l'étreignaient, comme si sa bouche se posait sur la sienne.

— Peut-être bien.

Baissant les yeux sur le manuscrit, elle commença à remettre les feuilles en ordre.

— Kasey?

Elle releva la tête et lui jeta un regard interrogatif.

— Quand?

Comprenant fort bien la question, elle se sentit incapable de rester plus longtemps immobile et se leva d'un bond.

— Ce n'est pas aussi simple que vous voulez me le faire croire, Jordan.

— Pourquoi?

Elle se tourna vers la fenêtre. *Parce que je vous aime,* répondit-elle en son for intérieur. *Parce que vous me ferez souffrir. Parce que j'ai terriblement peur de ne pouvoir m'en aller quand notre collaboration aura pris fin. Une fois que je vous aurai ouvert mon cœur, il n'y aura plus pour moi de possibilité de retour en arrière.*

— Jordan, répondit-elle d'un ton calme, je vous ai dit que je ne supporte pas de souffrir.

— Vous croyez que je vais vous faire souffrir?

Percevant la surprise dans sa voix, elle appuya le front contre la vitre.

— Ô mon Dieu, oui ! Je le sais.

Lorsqu'il posa les mains sur ses épaules, il la sentit se crisper.

— Je n'ai pas du tout l'intention de vous faire souffrir.

La brûlure du désir s'éveillait déjà, se répandait en elle, insinueuse et tenace.

— L'intention, Jordan ? répéta-t-elle d'une voix que la montée des larmes faisait trembler. Non, je ne crois pas que ce soit intentionnel de votre part mais le mal sera fait, quand même.

Les doigts de Jordan s'aventurèrent sur son cou. Elle sentait le contrôle de ses émotions lui échapper peu à peu.

— Jordan, non, s'il vous plaît.

Elle voulut s'écarter mais il la retint et l'obligea à se retourner. Il l'observa attentivement et, du pouce, essuya une larme qui perlait.

— Pourquoi pleurez-vous ?

— Jordan, je vous en prie, protesta-t-elle, d'une voix désespérée. Je ne supporte pas de perdre la face.

De trop fortes émotions la submergeaient. Et le regard de Jordan se faisait trop direct et trop exigeant. Elle sentit le sol osciller sous ses pieds. Désir, besoins, frayeurs se ruaient sur elle et, bientôt, elle n'aurait plus d'autre choix que de lui céder, corps et âme, sans restriction.

— Laissez-moi, dit-elle en s'efforçant de reprendre ses esprits. J'ai été assez généreuse pour la matinée.

— Non, fit-il en la retenant fermement. Ce n'est pas suffisant. Expliquez-moi pourquoi vous vous décomposez littéralement sous mes yeux ?

— Vous expliquer ? s'écria-t-elle, prise de colère. Je ne vous dois aucune explication. Pourquoi vous devrais-je une explication ?

— À mon avis, la bonne question est : pourquoi me la refusez-vous ?

L'exaspération l'emporta sur la souffrance.

— Comment ai-je pu vous trouver sensible alors que vous ne voyez pas ce qui pourtant devrait vous sauter aux yeux ? Je vous aime !

Abasourdie par son aveu, elle se tut brutalement. Ils se dévisagèrent deux secondes tandis que les mots faisaient leur chemin.

— Je n'avais pas l'intention de dire ça, murmura-t-elle enfin en tentant de se dégager. J'ai perdu la tête. Je ne voulais pas. Laissez-moi, Jordan.

— Non.

Il la secoua pour la contraindre à se calmer. Ses yeux étaient sombres et la regardaient intensément.

— Vous croyez pouvoir me lâcher ça en pleine figure et puis vous en aller tranquillement. Vous n'aviez pas l'intention de le dire, d'accord, mais étiez-vous sincère ?

Le désespoir avait séché les larmes de Kasey.

— Et si je dis non ?

— Je ne vous croirais pas.

— Alors la question est de pure forme.

Elle voulut s'écarter mais il la retint.

— Ne me racontez pas d'histoires. Ça ne marchera pas.

— Jordan, reprit-elle d'une voix calme, qu'attendez-vous de moi exactement ?

— Exactement, je ne sais pas.

Conscient soudain qu'il lui faisait mal, il desserra les doigts.

— Vous m'aimez, Kasey ?

Elle fit mine de reculer.

— Non, insista-t-il. Regardez-moi dans les yeux et répondez-moi franchement.

Elle prit une profonde inspiration.

— Je vous aime, Jordan. Mais cela n'implique ni lien ni obligation, ni de votre part ni de la mienne. Bien que je ne le comprenne pas, je sais qu'être aimé met certaines personnes mal à l'aise.

— C'est aussi simple que ça ? murmura-t-il.

— Aussi simple que ça, répéta-t-elle avec un sourire, soulagée d'avoir avoué la vérité. Ne prenez pas cet air soucieux, Jordan. Être aimé est facile. C'est aimer qui est difficile.

— Kasey...

Elle l'avait ému et déconcerté au point qu'il ne savait plus ce qu'il éprouvait.

— Je ne sais que vous dire.

— Alors le mieux est de se taire.

Ceci n'était facile pour aucun des deux, se dit-elle.

— Jordan, j'aimerais m'expliquer mais je m'en sortirais mieux si vous ne me touchiez pas.

Il la relâcha et elle recula prudemment. L'absence de contact l'aida à se calmer.

— Je vous ai dit que je vous aimais. C'était peut-être une erreur, mais je ne peux pas l'effacer. J'aimerais que vous acceptiez ce fait, tout simplement.

Kasey vit qu'il ne comprenait pas. L'amour, donné sans restriction, était difficile à comprendre. Comment lui expliquer ce que son cœur avait, alors que sa logique y objectait ?

— Toute ma vie, poursuivit-elle, on m'a enseigné qu'aimer et l'exprimer n'est pas tant un choix qu'un devoir. Je vous en prie, acceptez-le et ne me posez plus de questions.

— Je ne sais même pas quelles questions poser.

Il aurait voulu la reprendre dans ses bras mais l'expression de son regard l'en dissuada. Il ne voulait pas la faire souffrir et lui donner raison sur ce point.

— Kasey, n'attendez-vous vraiment rien de moi ?

— Non, répondit-elle aussitôt comme si elle avait prévu la question. Je vous ai dit que cela n'impliquait aucune obligation, Jordan. Vous êtes libre, et moi aussi. Je parlais sérieusement. Je doute que nous puissions travailler encore aujourd'hui et il ne me paraît pas raisonnable de prolonger cette conversation. Il est tard, de toute façon. J'ai promis à Alison que je la laisserai me battre au tennis avant le dîner.

Elle se dirigeait déjà vers la porte.

— Kasey?

La main sur la poignée, elle fit appel à tout ce qu'il lui restait de courage pour se retourner.

— Oui?

Le cerveau vidé des mille pensées qui l'avaient obsédé peu auparavant, Jordan se sentit stupide.

— Merci.

— Je vous en prie.

Il faisait complètement nuit lorsque Kasey put enfin s'isoler. Debout devant la fenêtre de sa chambre, elle regardait la lune se lever. Une lune pleine et d'une teinte orangée, qui la fit penser à des champs moissonnés parsemés de meules. *Je suis restée trop longtemps dans cette maison, piégée par un amour qui ne me mènera nulle part*, pensa-t-elle. *Qu'ai-je donc fait? En un seul mois, j'ai perdu ce que toute ma vie j'ai chéri plus que tout: ma liberté.*

Kasey serra les bras autour d'elle et se retourna vers la chambre. *J'aurai beau partir, le quitter, je ne recouvrerai pas cette liberté.*

Et, lui, qu'éprouve-t-il à présent? Que nous dirons-nous demain matin? Pourrai-je continuer à me comporter avec désinvolture, lâcher des plaisanteries comme si rien n'avait changé? Il le faudra bien, pourtant. Toujours finir ce qu'on a commencé, n'est-ce pas la première des règles de Kasey Wyatt? Je suis venue pour exécuter un travail et ce travail doit être fait. Je lui ai donné mon amour sans y mettre de conditions, sans rien exiger en retour; il ne me reste plus qu'à aller jusqu'au bout de ma tâche. Ô mon Dieu! Comme je déteste souffrir. Faut-il que je sois lâche!

Pressant une main sur sa tempe, elle alla chercher une aspirine dans la salle de bains. À défaut de régler les autres problèmes, on pouvait quand même soulager la migraine. Elle prenait un verre lorsqu'un petit bruit venant de la chambre d'Alison attira son attention. Elle s'immobilisa et tendit l'oreille.

Le bruit était discret et étouffé mais on ne pouvait s'y tromper : il s'agissait de pleurs. Kasey reposa son verre et ouvrit la porte. Alison était roulée en boule sous les couvertures et sanglotait, le nez dans son oreiller. Kasey oublia instantanément ses soucis. Elle s'assit sur le bord du lit et effleura les cheveux blonds emmêlés.

— Alison, qu'y a-t-il ?

— J'ai fait un cauchemar, balbutia la petite fille en jetant les bras autour de Kasey. C'était horrible. Il y avait des araignées partout, qui se faufilaient dans mon lit.

Kasey l'étreignit tendrement et lui caressa le dos.

— Des araignées ? C'est terrible. Personne ne devrait avoir à les affronter toute seule. Pourquoi ne m'as-tu pas appelée ?

Sentant contre elle les battements réguliers du cœur de Kasey, l'enfant s'apaisa.

— Grand-mère dit que c'est mal élevé de déranger quelqu'un en plein sommeil.

Kasey retint une exclamation de colère.

— Pas si tu fais un cauchemar. Moi, je hurlais comme une folle quand ça m'arrivait.

— Vraiment ? s'étonna Alison en relevant la tête. Tu faisais des cauchemars ?

— Les pires qui soient. Grand-père disait que c'était le prix à payer pour une imagination créative. Il arrivait à m'en rendre presque fière.

Elle repoussa les cheveux d'Alison.

— Encore une chose : n'aie pas peur de m'appeler, tu ne me dérangeras jamais.

Rassurée, Alison reposa la tête sur la poitrine de Kasey.

— C'étaient de grosses araignées, toutes noires, avec des pattes velues.

— Affreuses, mais elles sont parties maintenant. Essaie plutôt les kangourous. Penser à des kangourous, c'est beaucoup mieux qu'à des araignées.

— Des kangourous ? dit Alison d'une voix amusée.

— Absolument. Recouche-toi maintenant.

Alison obéit et Kasey se glissa dans le lit à côté d'elle.

— Tu vas rester avec moi ? s'étonna Alison d'une petite voix ravie.

— Un peu, répondit Kasey en la serrant contre elle. Pensons à ces kangourous.

— Kasey ?

— Hmmm ?

Elle baissa les yeux et se heurta au regard grave de l'enfant.

— Je t'aime.

Et voilà. Sans condition ni exigence. L'amour pur. Elle découvrit soudain combien elle en avait eu besoin.

— Moi aussi, je t'aime, Alison. Ferme les yeux.

Du seuil de la chambre, Jordan regardait les deux silhouettes endormies, la tête de l'enfant reposant sur l'épaule de la jeune femme. Fasciné par ce spectacle, il resta là, immobile, de longues minutes. Elles se faisaient face et semblaient comblées, comme si elles avaient trouvé ce qu'elles cherchaient.

Elles sont miennes, toutes les deux, se dit-il, envahi d'une brusque chaleur qui le surprit. Toutes deux l'aimaient et il n'avait rien vu. Maintenant qu'il savait, que devait-il faire ? L'amour n'était pas aussi simple que l'avait dit Kasey. Il se souvint de la façon dont elles l'avaient regardé : Alison, pétrifiée mais avec un regard plein d'espoir ; Kasey, vulnérable et effrayée. Il s'approcha du lit sur la pointe des pieds.

Il s'inclina et déplaça doucement Alison qui fit un mouvement avant de retomber dans le sommeil profond de l'enfance. Précautionneusement, Jordan prit Kasey dans ses bras et la souleva. Elle murmura quelque chose, s'accrocha à son cou et s'appuya sur sa poitrine. Ce geste confiant le troubla plus que toute manœuvre de séduction. Il s'arrêta, hésitant, au milieu de la pièce.

— Jordan ?

Elle ne savait plus où elle était et sa voix était embrumée de sommeil.

— Oui, Kasey.

Il l'embrassa sur le front. Comment pouvait-elle passer de l'innocence absolue à cette séduction rien qu'en ouvrant les yeux ?

— Que faites-vous ?

— Je me demandais si j'allais vous emmener dans votre chambre ou dans la mienne. Et vous, que faisiez-vous dans le lit d'Alison ?

— C'est à cause des araignées, se souvint Kasey, le cerveau encore ouaté de sommeil.

— Comment ?

— Elle a eu un cauchemar, expliqua-t-elle brièvement. Et vous, que faisiez-vous là ?

Il traversa la salle de bains et poussa la porte de la chambre de Kasey.

— J'ai pris l'habitude d'aller jeter un œil dans sa chambre avant de me coucher. Ce que j'aurais dû faire depuis longtemps.

En souriant, elle lui effleura la joue.

— Vous êtes gentil, Jordan. Je n'en étais pas sûre.

Elle bâilla et se blottit à nouveau contre son épaule.

— Reposez-moi quand vous voudrez, dit-elle, toute prête à se laisser engloutir par le sommeil.

Il remarqua l'oreiller et les couvertures disposés sur le canapé.

— Kasey, pourquoi est-ce que vous ne dormez pas dans le lit ?

— Claustrophobie. Entre le baldaquin et les rideaux du lit, j'ai l'impression d'être dans un cercueil et qu'on va m'incinérer.

— On peut changer les meubles si vous le souhaitez.

Elle se blottit plus étroitement contre lui, ce qui éveilla son désir.

— Non, ça n'a pas d'importance. Le canapé est parfait et le personnel me trouve déjà assez excentrique comme ça.

— Je me demande bien pourquoi, fit-il en la déposant sur le canapé et en s'asseyant à côté d'elle. Vous sentez toujours la violette.

Cherchant sa bouche, il perçut le moment exact où le sommeil la quitta.

— Jordan, dit-elle, bien réveillée à présent et le cœur battant, vous m'avez prise au dépourvu.

Elle leva les mains et s'en couvrit la poitrine.

— Oui, je sais. Je me demandais si j'y arriverais jamais.

Il prit l'une de ses mains et la porta à ses lèvres.

— J'ai bien l'intention d'en profiter, Kasey.

Il promena un doigt sur son épaule et descendit sur la poitrine. Les seins s'érigèrent sous le mince tissu.

— Ce soir, murmura-t-il. Maintenant.

— Jordan, soupira-t-elle, déjà embrasée d'un désir quasi douloureux, nous n'y sommes pas obligés.

— Vous m'avez dit, il y a quelques heures, que vous m'aimiez.

Il approcha les lèvres de celles de Kasey. Il la voulait tant. Aucune autre femme ne l'avait torturé ainsi. Peut-être ne se sentait-elle pas obligée de coucher avec lui ; mais lui, si.

— Je vous ai dit que je vous aimais, dit Kasey en faisant appel à ses dernières forces. Mais je n'ai pas dit que nous ferions l'amour. Laissez-moi au moins ce choix-là, Jordan.

Elle avait la certitude que, si elle se donnait à lui, elle serait liée de façon si étroite qu'elle ne pourrait plus se retrouver. Il ne s'agissait pas d'un pur désir physique, d'une quête de plaisir, mais du besoin d'être sienne.

Jordan l'observait en silence tout en lui tenant la main. Elle était à nouveau sans défense, comme lorsqu'elle dormait avec Alison. Il ne la ferait pas souffrir; il s'en fit le serment. Mais la laisser lui était impossible. Lorsqu'il se leva pour aller fermer la porte qui menait à la chambre d'Alison, Kasey crut qu'il s'en allait et poussa un petit soupir. Mais il se contenta de tourner la clé et revint vers elle. Elle bondit sur ses pieds, de nouveau combative.

— Kasey, dit-il en se retenant de la toucher, laissez-moi vous aimer ce soir. J'ai besoin de vous. C'est la première fois de ma vie que j'ai autant besoin de quelqu'un.

Comment l'envoyer promener à présent ? Elle aurait pu résister à des manœuvres de séduction. Elle aurait pu refuser une exigence. Mais une prière la laissait impuissante. Elle ouvrit les bras.

La bouche de Jordan se pressa avidement sur la sienne et il l'étreignit avec une sorte de désespoir, comme s'il craignait qu'elle ne s'échappe. Mais elle n'était pas femme à reprendre ce qu'elle avait donné. Il lui dégagea les épaules de la chemise de nuit et remarqua à nouveau combien elle était mince. Il avait beau s'exhorter à la douceur, ses mains refusèrent d'obéir.

Kasey n'éprouvait plus que du plaisir. Sentant combien il la désirait, elle l'attira vers le lit.

La seconde suivante, il était couché sur elle. Elle l'embrassa avec fougue, longuement, passionnément. Puis il cessa de la caresser et tous deux se calmèrent un instant pour se regarder.

Doucement, avec délicatesse, il commença à la dévêtir. Il voulait la savourer. Il posa les lèvres sur sa gorge et le petit soupir de plaisir qu'elle laissa échapper le bouleversa. Puis il s'attarda sur les seins. Kasey tira sur la robe de chambre de Jordan afin de sentir sa peau contre la sienne.

Elle se prêta aux caresses plus fougueuses que tendres. Ni l'un ni l'autre n'était en quête de tendresse pour l'instant. Ce serait pour plus tard, peut-être, lorsque le brasier se serait apaisé. Il embrassa ses seins, en goûta la texture et le parfum. Elle lui glissa les bras hors de la robe de chambre et il se retrouva aussi nu qu'elle. Il promena sa langue sur sa poitrine puis remonta vers le cou, s'enivrant de son goût.

Elle l'explora des mains, tâtant les muscles, caressant les hanches étroites. Sensations dans lesquelles elle s'égarait. Il était tout ce qu'elle désirait et la caresse de ses lèvres sur son cou l'entraînait dans un délire de plaisir. Voulant le goûter à nouveau, elle réclama un baiser dans un murmure.

L'excitation montait. Elle le sentit dans son baiser et son corps se mit à se mouvoir sous celui de Jordan qui en gémit d'excitation. Il glissa une main sur ses seins, puis sur sa hanche et s'aventura le long des cuisses fermes et minces. Les doigts de Kasey se crispèrent sur les épaules de Jordan tandis que son corps se creusait de désir. Elle s'ouvrit pour lui.

Les choses allaient trop vite. Jordan tenta de calmer la frénésie et se redressa légèrement pour la regarder. Il voulait continuer à la caresser, à la goûter, il voulait qu'elle prononce son nom en gémissant. Cela le rendait quasiment fou. Le sang en ébullition, il s'attardait, embrassant ventre et seins, hanches et cuisses. Il l'entendait haleter. Elle se mouvait sous lui dans un abandon complet. Elle était totalement sienne. Il en fut terriblement heureux et ne se demanda pas pourquoi.

Lorsqu'il reprit les lèvres de Kasey, il sut qu'elle avait perdu toute réserve, tout contrôle. Savoir que lui, et lui seul, possédait la clé de son plaisir lui donna un sentiment de puissance enivrant. Puis il cessa de penser et ce fut lui qui lui appartint.

Kasey se blottit contre Jordan et s'abandonna à une délicieuse sensation de plénitude. Elle n'éprouvait aucun regret. Elle aimait et n'éprouvait plus qu'une certitude : elle avait enfin trouvé l'homme qu'elle cherchait depuis toujours. Elle le garderait tant qu'elle en aurait le droit et ferait face, vaille que vaille, aux conséquences lorsqu'elles se présenteraient. Ce soir, elle était comblée.

Jordan reposait immobile dans l'obscurité. Après des semaines de tension, son corps était enfin détendu.

Il vivait une expérience nouvelle qui le stupéfiait. *Je ne peux le lui avouer*, se dit-il. *Elle ne le croirait pas et, moi-même, je ne suis pas sûr d'y croire. Elle me possède corps et âme ; je ne devrais pas me laisser faire.* Il ferma les yeux et tenta de faire le vide dans son esprit. Mais le corps tiède blotti contre lui et la main qui reposait sur son cœur ne se laissaient pas oublier. *Seigneur, je viens tout juste de la prendre et voilà que je crève d'envie de recommencer. Cette femme est comme une drogue.* Il voulut s'irriter contre ce pouvoir étrange qu'elle exerçait sur lui mais le désir qui s'éveillait l'emportait sur tout autre sentiment. Un souffle tiède lui caressa l'oreille ; la tête de Kascy s'était tournée vers lui.

— Jordan ?

— Oui ? fit-il tandis que, malgré lui, sa main se posait sur elle.

— J'ai complètement oublié le baldaquin. Ce n'est pas bizarre, ça ?

Baissant les yeux, il vit son regard brillant. Ses doutes l'abandonnèrent aussitôt. Il sourit, incapable de lui résister.

— Aurions-nous découvert le traitement de la claustrophobie ?

— C'est bien possible.

Elle se hissa sur lui.

— Mais, pour être vérifiée, une théorie doit être testée plusieurs fois. Serais-tu d'accord pour prêter ton corps à une expérimentation scientifique ?

— Absolument, déclara-t-il en s'emparant de sa bouche.

6

— Les tribus nomades des Grandes Plaines vivaient essentiellement de la chasse. Elles ne pratiquaient aucune agriculture et pêchaient peu.

Kasey bâilla dans son fauteuil.

— Pardon, fit-elle avec un sourire, j'ai eu une nuit courte et agitée.

Sa décontraction n'était pas feinte. Elle se sentait à l'aise. L'aveu de ses sentiments à Jordan, la veille, l'avait libérée de la tension, qui éprouvait ses nerfs depuis plusieurs jours.

— Je me demande, Jordan, si je ne pourrais pas momentanément renoncer à mes principes et sonner pour demander du café.

Il l'observa tandis qu'elle s'étirait.

— Tu n'aimes guère les domestiques, on dirait ?

— Mais si, protesta-t-elle en repliant ses jambes pour s'accouder sur les genoux. Ce que je n'aime pas, c'est en avoir. J'irais volontiers préparer moi-même mon café mais François n'aime pas qu'on aille fureter dans sa cuisine.

— Pourquoi n'aimes-tu pas en avoir ?

— Jordan, je suis incapable de raisonner correctement après trois heures de sommeil. Tiens, sais-tu seulement de quelle couleur sont les yeux de Millicent ?

— Je ne vois pas le rapport.

— Je voulais simplement souligner qu'on ne prête pas attention aux gens qui nous servent. J'ai travaillé à la cafétéria de l'université, et...

— Tu as été serveuse ?

— Oui, cela te surprend ?

— Cela me sidère, répondit-il d'un air narquois. Je ne te vois pas balançant des plateaux à droite et à gauche et prenant des commandes.

— J'étais une serveuse sensationnelle.

Elle fronça les sourcils et repoussa les lunettes sur son nez.

— Qu'est-ce que j'essayais de dire ?

— Quand ?

— Comment fais-tu pour avoir le regard aussi clair et perspicace alors que tu n'as pas plus dormi que moi ?

Il se leva et s'approcha d'elle.

— Parce que je suis resté là, à t'écouter me parler des Arapahos et d'autres tribus de la Prairie, tout en me disant que la seule chose que je voulais vraiment, c'était faire l'amour avec toi... Tout de suite, ajouta-t-il en l'obligeant à se mettre debout.

Elle accepta son baiser en gémissant de plaisir. Sa seule déception, ce matin, avait été de ne pas se réveiller à côté de lui. Mais il fallait ménager Alison.

— Je doute que nous abattions beaucoup de travail de cette manière, murmura-t-elle.

— Nous n'allons pas travailler du tout, déclara-t-il en lui enlevant ses lunettes, qu'il posa sur le bureau. Viens.

— Où ça ?

— En haut.

Il l'entraînait déjà vers la porte.

— Jordan, protesta-t-elle. Il est onze heures du matin.

— Moins dix, rectifia-t-il après un coup d'œil à l'horloge du vestibule.

— Jordan, tu ne parles pas sérieusement.

— Tu me diras ça dans une demi-heure, dit-il en la poussant dans l'escalier. Alison est à l'école, ma mère à l'un de ses innombrables comités et je te veux... Dans mon lit, acheva-t-il en ouvrant la porte de sa chambre.

Elle se retrouva dans ses bras. Le désir de Jordan était évident. Sa bouche la dévorait comme s'il mourait de faim.

— Jordan, souffla-t-elle lorsqu'il s'écarta de ses lèvres pour embrasser sa gorge, nous ne sommes pas vraiment seuls.

— Je ne vois personne d'autre, murmura-t-il en remontant vers l'oreille de Kasey.

— À cette heure de la matinée, les domestiques vadrouillent dans toute la maison.

Il la pressa contre lui pour un bref et ardent baiser puis la relâcha. Kasey sentit la terre osciller sous ses pieds.

En deux enjambées, Jordan avait rejoint le téléphone. Il décrocha et, sans quitter Kasey des yeux, appuya sur un bouton.

— John, accordez une journée de congé au personnel. Oui, tout le monde. Et dès maintenant. Je vous en prie. Voilà, c'est fait, dit-il en reposant le téléphone. Une quinzaine de personnes vont m'être très reconnaissantes.

— Seize, corrigea Kasey. Merci, Jordan.

— Pour quelle raison me remercies-tu ? demanda-t-il en revenant auprès d'elle.

— Pour avoir compris que j'ai besoin d'être seule avec toi. Vraiment seule. Cela compte beaucoup pour moi.

Il leva la main pour lui caresser la joue et s'aperçut avec effarement qu'elle aussi comptait beaucoup pour lui.

— Tu seras obligée de préparer toi-même ton café, murmura-t-il.

— Quel café ? demanda-t-elle en commençant à déboutonner la chemise de Jordan. Tu veux savoir ce que je pense du café ?

— Pas maintenant.

Comme les doigts de Kasey s'attaquaient au second bouton, il sentit l'urgence de son désir.

— Eh bien, voilà, j'ai trouvé comment t'ennuyer : en te faisant une conférence sur le café, dit-elle en passant au troisième bouton.

— La seule chose dont je te crois incapable est de m'ennuyer.

Les doigts de Kasey s'immobilisèrent et un sourire illumina son visage.

— Merci, Jordan. C'est très gentil.

— Mais si je te disais que tu es la personne la plus généreuse et la plus sincère que j'aie jamais connue, tu t'empresserais de changer de sujet.

Une joie inattendue emplit Kasey et brouilla ses pensées. Maîtriser ses émotions lorsqu'on était amoureuse était bien difficile et pourtant il le fallait.

— Oui, sans doute. Je dirais quelque chose comme : où achètes-tu tes chemises ? Le tissu est très beau.

— Kasey… tu es très belle.

Elle éclata de rire.

— Ne dis pas n'importe quoi.

— Quand tu souris, une fossette se creuse à droite de ta bouche. Et pendant l'amour, tes yeux s'assombrissent et se voilent jusqu'à effacer tout éclat doré.

Elle sentit son pouls s'accélérer et sa peau s'échauffer.

— Ne serais-tu pas en train d'essayer de me faire perdre mon sang-froid, Jordan ?

Il lui dégagea les épaules du chemisier puis glissa les mains le long des seins jusqu'à la taille.

— Est-ce que j'y parviens ?

Elle tremblait. Ce qui la stupéfia. Il l'avait à peine touchée et déjà son corps le réclamait. Le pouvoir qu'il avait sur elle l'affola. Elle tenta de résister. Elle lui avait donné son amour mais refusait de céder à cette emprise. Il fallait qu'il la désire autant qu'elle le désirait. Elle défit le dernier bouton de sa chemise.

— Tu me fais perdre mon sang-froid, Jordan, chuchota-t-elle en promenant ses mains lentement sur son ventre et sa poitrine.

Puis, tout en lui ôtant sa chemise, elle l'embrassa sur l'épaule.

— Tu me tortures.

Elle déboutonna son pantalon et le fit glisser sur les hanches étroites. Il gémit lorsque les lèvres de Kasey se posèrent sur son torse. Elle le poussa un peu, l'obligeant à s'allonger sur le tapis.

La peau de Jordan était chaude et humide des baisers de Kasey. Elle percevait ses battements de cœur sous sa langue. Comme dans un rêve, elle se sentait le corps drogué et l'esprit vif. Désirant tout savoir de lui, ce qui lui faisait plaisir, ce qui l'excitait, elle laissa ses mains vagabonder. Lorsqu'elle percevait une réaction, elle s'attardait, le temps de l'attiser. Ce corps mince et musclé l'émouvait. Et son désir évident, qui le rendait aussi vulnérable qu'elle, la bouleversait littéralement.

Le picorant de baisers, elle remonta vers son cou. Le souffle rauque de Jordan lui emplissait les oreilles. Plongeant les doigts dans les boucles de Kasey, il murmura son nom et attira son visage. Baiser passionné. Elle se sentit fouettée d'un mélange détonant de plaisir et de souffrance. Les dents de Jordan se plantèrent dans ses lèvres et elle ne put retenir un petit cri. Ce n'était pas un rêve mais la réalité bouleversante de l'amour fou. D'un geste sauvage, il la fit basculer sur le dos puis la pénétra avec violence et s'enfouit en elle avec une fougue éperdue. Elle s'abandonna à lui, à la fois impuissante et forte du pouvoir qu'elle se découvrait sur lui. Soudés l'un à l'autre, ils s'élevèrent lentement vers une jouissance fulgurante.

Il reposait sur elle, le visage dans ses boucles, incapable de bouger quoiqu'il se sût trop lourd pour elle. Le corps de Kasey frémissait encore sous le sien. Jordan redressa la tête ; il voulait voir son visage à la lumière du jour après qu'il l'eut aimée.

Ses traits étaient détendus et ses yeux voilés. Une douleur inattendue lui creusa le ventre. Elle sourit et la douleur s'accentua. Pouvait-il la désirer encore ? Si rapidement ? Sûrement, cela expliquerait la douleur qu'il sentait en la regardant. Il inclina la bouche sur celle de Kasey mais ce fut la tendresse qui l'accueillit, non le désir.

— Kasey...

Il se tut et l'embrassa sur la joue, ne sachant ce qu'il allait dire. La nouveauté de ce qu'il éprouvait le déconcertait. Du coin de l'œil, il aperçut un bleu sur la peau tendre de l'épaule de Kasey et releva la tête pour l'examiner. L'empreinte de son doigt. Il en fut horrifié. À sa connaissance, c'était la première fois qu'il meurtrissait une femme.

— Qu'y a-t-il ?

Elle suivit son regard et sourit en découvrant le bleu.

— Tu as une forte poigne, commenta-t-elle.

Confus, il la regarda dans les yeux. Meurtrir une femme ! Il ne se trouvait aucune excuse. Tout à coup, il se rappela qu'elle lui avait dit qu'il la ferait souffrir.

— Kasey, je ne voulais pas te faire de mal. Je ne le veux pas.

Elle comprit le sens profond de cette déclaration et lui caressa la joue.

— Oui, je sais.

Elle posa la tête sur son épaule.

— Ne pensons pas à demain. Contentons-nous d'aujourd'hui.

Il l'attira contre lui et ferma les yeux.

— Tu es fatiguée, je l'entends à ta voix.

— Est-ce que tu n'avais pas dit quelque chose à propos d'un lit ? répliqua-t-elle, sans bouger, heureuse de rester contre lui.

Il se leva et, prévenant toute protestation, la souleva.

— Tu as besoin de dormir un peu.

Lorsqu'il l'eut posée sur le lit, elle tendit la main.
— Reste avec moi.
Jordan se glissa à côté d'elle et la prit dans ses bras.

L'après-midi était bien avancé lorsque Kasey se réveilla. Elle se souvenait du moment où Jordan s'était levé en lui conseillant de rester au lit et de dormir. Elle l'avait attiré à elle pour un dernier baiser qui les avait menés à une nouvelle étreinte passionnée. Un coup d'œil au réveil posé sur la table de chevet lui apprit qu'il était parti depuis plus d'une heure.

Quelle paresseuse ! songea-t-elle en s'étirant. S'il était resté avec elle, Kasey se serait rendormie sans peine. Mais, imaginant Jordan à sa table de travail, elle fut prise de remords. D'un bond, elle sortit du lit et s'habilla.

Dans l'escalier, elle entendit Alison travailler son piano. Du Beethoven, cette fois. Un beau morceau mais joué sans le moindre sentiment. Elle s'arrêta sur le seuil du salon, pensive. *Une enfant obéissante qui fait ses devoirs*, se dit-elle dans un élan de compassion.

— Sais-tu que Beethoven était considéré comme un révolutionnaire à son époque ?

La tête d'Alison se redressa brusquement au son de la voix de Kasey. Depuis son retour de l'école, elle l'attendait avec impatience.

— Sa musique est d'une puissance extraordinaire, reprit Kasey en rejoignant l'enfant devant le piano.

Alison baissa les yeux sur le clavier.

— J'essaie de ne pas faire trop de bruit. Oncle Jordan m'a dit que tu dormais.

— C'est vrai, dit Kasey en lui caressant la tête. Tu joues très bien, Alison, mais sans te donner à ce que tu fais. Avec trop d'application, je dirais.

— C'est important d'avoir de solides bases pour jouer les classiques, déclara Alison.

Reconnaissant les propos de Béatrice, Kasey étouffa un soupir d'exaspération.

— La musique procure l'un des plus grands plaisirs de la vie.

Haussant les épaules, Alison jeta un regard irrité à la partition.

— Pas pour moi. Je dois être imperméable à la musique.

Cette fois-ci, c'est un sourire que dut réprimer Kasey.

— Alors, c'est un vrai problème… Attends une minute, ajouta-t-elle comme une idée lui venait à l'esprit.

Elle se rua hors de la pièce. Docilement, Alison reprit ses exercices. Elle luttait toujours avec les notes lorsque Kasey revint, un étui à guitare sous le bras.

— Je te présente l'un de mes plus fidèles compagnons de voyage, dit-elle en sortant l'instrument au bois éraflé. Il me suit partout, sans se lasser et sans ronchonner.

Elle vit avec satisfaction qu'elle avait suscité l'intérêt d'Alison.

— Quand je vais faire des fouilles ou donner des conférences, je peux l'emporter plus facilement qu'un piano. Où que je sois, j'ai besoin de musique.

Elle entreprit d'accorder la guitare. Alison se leva de son tabouret et s'approcha.

— Cela me détend, me rend heureuse et me calme les nerfs. Et puis, c'est agréable de jouer pour les autres.

— Je n'avais pas pensé à ça, fit Alison en tendant la main pour effleurer l'instrument. Mais on ne peut pas jouer du Beethoven avec ça.

— Ah non ?

Faisant appel à sa mémoire, Kasey commença le morceau que travaillait Alison. Celle-ci écarquilla les yeux et s'agenouilla pour suivre de près le jeu des doigts.

— Ça ne sonne pas pareil.

— L'instrument est différent, répondit Kasey en s'interrompant pour relever le menton de l'enfant. Les sensations qu'il éveille aussi. La musique est diverse mais c'est toujours de la musique.

Pourquoi est-ce que personne ne prend le temps de parler avec cette enfant? songea Kasey. *Elle s'imprègne de tout ce qu'on dit comme une éponge.*

— Tu veux bien jouer un autre morceau? demanda Alison. C'est magnifique.

Du seuil de la pièce, Jordan les observait. Cette femme allait-elle cesser de le surprendre? Ce n'était pas le fait qu'elle joue qui l'étonnait. On lui aurait dit qu'elle avait conduit un orchestre philharmonique qu'il n'aurait pas sourcillé. Mais sa capacité à donner et à susciter l'amour le stupéfiait. Était-elle née ainsi? Était-ce dû à son éducation? Était-elle seulement consciente de posséder ce don?

Alison l'aimait. Il pouvait le lire dans ses yeux. Elle acceptait Kasey telle qu'elle était, il n'y avait ni question ni doute. Et Kasey le lui rendait aussi naturellement. *Mais moi j'ai des doutes*, se dit-il. *Et des questions. Sur ce point aussi, elle avait raison. En vieillissant, nous perdons le don d'aimer sans réserve.*

Levant les yeux, Kasey l'aperçut. Un sourire éclaira son visage.

— Bonsoir, Jordan. C'est l'heure de la musique.

Il lui rendit son sourire.

— Suis-je invité?

— Oncle Jordan, s'écria Alison, qui bondit sur ses pieds, en oubliant complètement de lisser sa jupe comme à l'accoutumée. Tu devrais écouter Kasey jouer. C'est superbe.

— J'ai entendu... Tu es formidable, ajouta-t-il en regardant Kasey.

— Alison avait quelques difficultés avec Beethoven, expliqua-t-elle. Aussi je suis allée chercher mon ami. Il m'a aidée à lui faire apprécier la musique.

— Il? s'étonna Jordan en s'asseyant sur le canapé et en attirant Alison sur ses genoux. Tu ne trouves pas bizarre la manière dont elle parle de sa guitare?

— Si, fit Alison en pouffant de rire. Mais je n'ai pas voulu le dire.

— Très discrète, remarqua-t-il en l'embrassant dans le cou.

Alison répondit en lui jetant les bras autour des épaules. Il en fut bouleversé. Kasey lui avait dit qu'il n'existait rien de comparable à l'amour d'un enfant mais il n'avait pas parfaitement compris ce que cela signifiait. À présent, avec cette fillette cramponnée à lui, il découvrait un bonheur inouï. Comment avait-il pu l'ignorer ? S'en priver et en priver la fillette ? Fermant les yeux, il la serra contre lui et s'abandonna au plaisir de cette tendresse. Elle sentait le savon et ses cheveux étaient doux et soyeux contre sa joue. L'enfant de son frère. La sienne, à présent. Quel temps perdu !

— Je t'aime, Alison, murmura-t-il.

Il sentit les bras frêles se resserrer.

— Pour de vrai ? demanda-t-elle d'une voix étouffée contre le col de sa chemise.

— Oui, pour de vrai, dit-il avant de l'embrasser sur la tête.

Il l'entendit soupirer et sentit le corps fluet se détendre. Elle garda le visage pressé contre lui. Il ouvrit les yeux et croisa le regard de Kasey.

Des larmes silencieuses ruisselaient sur ses joues. Puis, se voyant observée, elle secoua énergiquement la tête, comme pour nier cet accès d'émotion, et se leva, prête à fuir.

— Reste.

Elle se retourna et se mit à fouiller ses poches en quête d'une cigarette puis, comme elle ne trouvait pas plus d'allumettes que d'ordinaire, il l'entendit jurer, ce qui lui parut inhabituel de sa part. Décontenancée, Kasey se campa devant la fenêtre, en feignant un profond intérêt pour le paysage.

Je les aime tous les deux, se dit-elle en appuyant le front contre la vitre. *Beaucoup trop.* À les voir ainsi se découvrir l'un l'autre, elle éprouvait une grande joie. La stupéfaction de Jordan, lorsque Alison s'était jetée dans ses bras, avait été évidente. Kasey avait remarqué l'émotion qui se peignait sur ses traits.

Combien de temps me reste-t-il avant de les perdre ? Elle tenta de se ressaisir. *Je ne vais pas y penser maintenant. Je ne peux pas me le permettre. Lorsque j'ai ouvert cette porte, je savais bien qu'elle allait me claquer au nez tôt ou tard.*

Sentant la douleur poindre, elle essuya ses joues et se retourna au moment précis où Béatrice entrait dans la pièce.

— Jordan, je m'en vais. C'est la soirée des Conway.

Puis, découvrant sa petite-fille lovée sur les genoux de son fils, elle fronça les sourcils.

— Alison est malade ?

L'enfant se crispa et il la maintint contre lui.

— Non, non. Elle va très bien. Passe une bonne soirée !

Elle haussa les sourcils.

— Tu devrais y aller, toi aussi. Depuis quelque temps, tu négliges tes obligations mondaines.

— Je compte les négliger encore un peu. Transmets mes amitiés aux Conway.

Béatrice soupira. Elle se retourna et remarqua la guitare de Kasey.

— Qu'est-ce que c'est que ça ?

— C'est une guitare, madame Taylor, dit Kasey.

— Je le vois bien, mademoiselle Wyatt, répliqua Béatrice d'un air offensé. Mais que fait-elle ici ?

— C'est celle de Kasey, dit Alison qui se sentait en sécurité dans les bras de Jordan. Elle m'apprend à en jouer.

Elle tourna vers Kasey un regard enchanté.

— Oh, vraiment ? fit Béatrice d'une voix glaciale. Et quel profit tireras-tu à jouer d'un tel instrument ?

— Il est essentiel d'éveiller les enfants le plus tôt possible à la musique, vous ne trouvez pas, madame Taylor ?

Le sourire de Kasey fit ravaler à Jordan la réplique sèche qu'il avait sur le bout de la langue. Il vit le front de sa mère se creuser de rides puis se détendre.

— Naturellement.

— Je pense qu'il faut initier les enfants, dès le plus jeune âge, aux œuvres classiques, ainsi qu'à toute forme de musique. De très intéressantes études ont été publiées sur ce sujet.

— Je n'en doute pas, fit Béatrice, légèrement déconcertée en regardant à nouveau la guitare. Mais.

— La guitare espagnole, celle-ci précisément, a été conçue au XVIIIe siècle, à partir d'un modèle oriental.

Le ton de conférencière de Kasey amena Jordan au bord du fou rire. Sa mère, d'ordinaire si à l'aise, était visiblement désarçonnée.

— Durant le XIXe et le XXe siècle, des virtuoses espagnols, dont Andrés Segovia, que vous connaissez sûrement, ont mis la guitare au rang des instruments les plus nobles. Élargir les connaissances musicales d'Alison lui fournit un atout essentiel pour le jour où elle devra faire ses premiers pas dans la société. Vous serez sûrement d'accord sur ce point.

À présent, Béatrice semblait complètement désorientée. Kasey lui décocha un sourire radieux.

— Vous portez une robe ravissante, madame Taylor, ajouta-t-elle d'un ton convaincu.

Béatrice baissa les yeux sur la soie mauve.

— Merci, fit-elle en lissant machinalement la jupe. Je pensais mettre une robe en voile blanc mais il fait plutôt froid ce soir. On ne porte pas de blanc lorsqu'il fait froid.

— Ah bon? s'étonna Kasey en haussant les sourcils. Cette robe n'a pas l'air très chaude.

Béatrice lui jeta un regard méprisant.

— J'ai une étole de vison.

Elle tourna les talons et quitta la pièce, pas vraiment persuadée d'avoir eu le dessus.

— Sapristi, souffla Kasey, quelle idiote j'ai fait, non ?

— Une idiote très rusée, remarqua Jordan.

Sa mère avait agacé Kasey, c'était évident, mais la jeune femme était parvenue à conserver son calme mieux qu'il n'aurait pu le faire. Et, dans ses yeux, il restait une trace d'amusement. Il éclata de rire.

— Ta grand-mère a trouvé son maître, déclara-t-il à Alison. Les guitares orientales et le XVIIIe siècle, c'était un coup de génie. Y a-t-il des lacunes dans cette encyclopédie que tu transportes dans ta tête ?

Kasey fit semblant de réfléchir.

— Non, je ne crois pas. Que voudrais-tu savoir ?

Amusé par le défi, il redressa la tête.

— Quelle est la capitale de l'Arkansas ?

Alison pouffa de rire et lui murmura quelque chose à l'oreille.

— Arkansas, répéta Kasey en levant les yeux au plafond. Voyons... centre sud des États-Unis. Bordé au nord par le Missouri. À l'est, par le Mississippi et le Tennessee. Au sud, par la Louisiane. À l'ouest, par le Texas et l'Oklahoma. Devenu le vingt-cinquième État de l'union en 1836. Agriculture et nombreux gisements de minéraux, dont l'unique mine de diamants que possèdent les États-Unis. On y trouve aussi de grandes zones forestières. Le nom vient d'une tribu sioux, les Quapaw. Aucun grand lac naturel. Climat doux. Quoi d'autre ? Ah, oui, ajouta-t-elle en levant le doigt, la capitale s'appelle Little Rock et c'est aussi la plus grande ville de l'État.

Ses yeux quittèrent le plafond et elle jeta un regard innocent à Jordan.

— Quelqu'un a-t-il envie de faire une promenade avant le dîner ?

7

Le climat de Palm Springs était sec, chaud et ensoleillé. Les domestiques des Taylor, efficaces et méticuleux. La nourriture, invariablement délicieuse. Et la monotonie de cette vie rendait Kasey folle.

Si elle avait moins aimé Jordan, elle aurait pris la fuite. Mais chaque jour renforçait les liens qui la retenaient ici. Le temps passé à travailler avec Jordan était stimulant, ainsi que celui consacré à Alison. Mais il restait de longues heures inoccupées, et faire face à l'oisiveté n'était pas son fort.

La nuit, dans les bras de Jordan, elle parvenait à tout oublier. Mais ces moments étaient trop brefs et lorsqu'il quittait son lit, elle se retrouvait seule avec ses pensées. Il lui était difficile d'admettre que, malgré son éducation anticonformiste et ses idées libérales, cette aventure amoureuse la mettait mal à l'aise. S'ils n'avaient pas dû se cacher, elle aurait peut-être eu moins de doutes. Mais il leur fallait penser à l'enfant.

Décembre commençait déjà. Le temps dont disposait Kasey s'amenuisait. D'ici un mois, au maximum six semaines, sa présence ne serait plus nécessaire. Que se passerait-il ensuite? Quand allait-elle se décider à envisager l'avenir? Elle aurait déjà dû organiser une autre tournée de conférences pour janvier. Et vérifier si les fouilles de Patterson étaient maintenues pour le mois de mars.

Enfonçant ses mains dans ses poches, elle fit mine d'examiner un palmier qui ne l'intéressait aucunement. Il fallait qu'elle s'en aille ! Et qu'elle se concentre sur son avenir. Par exemple, sur sa thèse de doctorat qui attendait toujours d'être rédigée. Aveuglée par le soleil, elle ferma les yeux.

Si elle ne se préparait pas à la rupture dès maintenant, elle souffrirait beaucoup trop le moment venu. Qu'éprouverait Jordan lorsqu'elle partirait ? Kasey quitta le patio et se dirigea vers le jardin. Serait-il triste ? Ou bien ne resterait-il de leur liaison que le souvenir d'un automne agréable ?

Elle qui avait l'habitude d'étudier le comportement humain, trouvait étrange de ne pouvoir saisir ce qu'il pensait. Peut-être était-ce parce qu'il comptait pour elle plus que n'importe qui d'autre. Les sentiments brouillaient son intuition et elle n'y voyait plus clair. Elle n'était sûre que d'Alison.

L'amour de la fillette lui était acquis. À onze ans, un enfant ne se cache pas derrière un masque. *Mais lui, combien en a-t-il ? Et moi ? Pourquoi avons-nous besoin de nous dissimuler ?* Elle regarda la pelouse bien tondue, les arbres parfaitement taillés et les plates-bandes impeccables. Il faut que je m'en aille d'ici. Je ne supporte plus une telle perfection.

— Kasey !

Elle se retourna. Alison dévalait les marches du perron, suivie de Jordan.

Quand je m'en irai, ils auront au moins établi des liens. Cette certitude, je peux l'emporter avec moi.

— On te cherchait partout, dit Alison en lui prenant la main. Viens nager avec nous.

Cette simple requête la bouleversa. Elle garda les yeux fixés sur l'enfant afin d'éviter le regard de Jordan.

— Pas aujourd'hui, ma chérie. J'allais courir.

— La nage fait travailler plus de muscles, commenta Jordan. Et, surtout, on ne transpire pas.

Kasey croisa le regard de Jordan et sentit qu'il avait plus ou moins deviné son humeur. Elle n'aimait pas être percée à jour aussi facilement.

Elle serra la main d'Alison et lui sourit.

— Je crois que je préfère courir, dit-elle avant de s'élancer sur l'allée.

Alison remarqua que son oncle suivait la jeune femme des yeux.

— Kasey a un problème, dit-elle. Elle a l'air triste.

Touché qu'elle ait exprimé ce qu'il pensait, il sourit à l'enfant.

— Oui, c'est vrai.

— C'est nous qui l'avons rendue triste, oncle Jordan ?

La question le frappa ; il releva les yeux juste à temps pour voir Kasey disparaître par la porte de côté. *Nous l'avons rendue triste ?* Elle était dotée d'une vive sensibilité. Fallait-il en déduire une aussi vive capacité à souffrir ? Jordan secoua la tête. Il accordait sans doute trop d'importance à un bref vague à l'âme.

— Tout le monde a ses humeurs, Alison.

L'air chagriné, l'enfant regardait toujours la porte par où Kasey avait disparu. Jordan la hissa sur ses épaules afin de la dérider.

— Ne me jette pas à l'eau ! s'écria-t-elle en riant.

— Te jeter à l'eau ? répéta Jordan comme si l'idée ne l'avait jamais traversé.

Il monta les quelques marches qui menaient à la piscine.

— Qu'est-ce qui te fait penser que je pourrais faire une chose pareille ?

— Tu l'as faite hier.

— Oh, vraiment ?

Il jeta un coup d'œil par-dessus la haie et le mur qui longeaient la propriété. Savoir Kasey de l'autre côté, séparée de lui, le mit mal à l'aise. Avec effort, il reporta son attention sur Alison.

— Je déteste faire deux fois la même chose, déclara-t-il en la jetant à l'eau.

Une heure plus tard, il retrouva Kasey au salon. La course n'avait pas amélioré son humeur. Elle marchait d'une fenêtre à l'autre avec une nervosité évidente.

— Tu cherches à t'évader ?

Sa voix fit sursauter la jeune femme.

— Je ne t'avais pas entendu entrer.

Elle tenta de feindre une aisance qu'elle n'éprouvait pas, puis, n'y parvenant pas, se détourna.

— J'ai changé d'avis, jeta-t-elle. Cette maison n'est pas un musée mais un mausolée.

Haussant un sourcil, Jordan prit place sur le canapé.

— Pourquoi ne me dis-tu pas ce qui ne va pas ?

Il nota l'éclat irrité de son regard. Se réfugier dans la colère était plus facile qu'assumer le chagrin.

— Comment peux-tu supporter tout ça ? s'exclama-t-elle. Ce soleil éternel ne te met pas les nerfs en boule ?

Il l'observa un instant puis s'appuya sur les coussins.

— C'est le temps qui te met dans cet état ?

— Non, rectifia-t-elle. Au moins, le temps change parfois.

Elle repoussa ses cheveux des deux mains. Des élancements douloureux lui traversèrent la nuque.

— Kasey, fit Jordan d'une voix posée, assieds-toi et explique-moi ce qui ne va pas.

Elle fit un geste de dénégation. Dans l'immédiat, elle n'avait aucune envie de se montrer raisonnable.

— Ce qui me stupéfie, reprit-elle, ce qui me stupéfie complètement, c'est que tu puisses écrire comme tu le fais alors que tu t'es coupé de tout.

Il haussa à nouveau un sourcil.

— En voilà une curieuse déclaration. C'est parce que je vis dans une région au climat agréable que je me suis coupé de tout ?

— Comme tu es content de toi ! s'écria-t-elle en se détournant, les poings enfoncés dans les poches. Tu restes là, dans ton petit monde aseptisé, sans penser une minute aux luttes quotidiennes que tant de gens doivent mener pour simplement survivre. Si ton réfrigérateur rend l'âme, tu n'as pas à te tracasser.

Jordan commençait à perdre patience.

— Tu changes de sujet une fois de plus.

Elle pivota et le dévisagea. Pourquoi ne pouvait-il pas comprendre ?

— Tout le monde n'a pas la chance de pouvoir se reposer sur ses lauriers et dormir au soleil.

— Oh, nous y voilà de nouveau, dit-il en se levant pour s'approcher d'elle. Pourquoi considères-tu mon argent comme une tache indélébile ?

— J'ignore combien de taches tu portes, répliqua-t-elle. Ce qui me déplaît, c'est que tu utilises ta fortune pour t'isoler.

— C'est ton point de vue.

— Très bien. De mon point de vue, cette région de Californie n'est qu'un énorme outrage à la misère humaine : golfs, demeures de milliardaires, jacuzzis...

— Excusez-moi...

Du seuil de la pièce, Alison les regardait avec effroi. C'était la première fois qu'elle les voyait s'emporter. Jordan ravala une réplique cinglante et se tourna vers l'enfant.

— C'est important, Alison ? demanda-t-il d'une voix calme que démentait son regard. Kasey et moi sommes en pleine discussion.

— Dispute, rectifia Kasey. Ça arrive à tout le monde de se disputer et la différence c'est que, lors d'une discussion, je ne crie jamais.

— Très bien, fit Jordan. Nous nous disputons. Peux-tu nous laisser quelques minutes, le temps de finir ?

Alison recula d'un pas puis s'arrêta.

— Vous allez crier l'un contre l'autre, et tout ça ?

Il y avait plus de curiosité dans la question que d'inquiétude. Jordan retint un sourire.

— Oui, dit Kasey.

Alison les regarda attentivement l'un après l'autre, puis sortit.

Jordan éclata de rire.

— Apparemment, la perspective d'une bonne bagarre lui plaît.

— Elle n'est pas la seule, dit Kasey.

Il la regarda un instant.

— Je le constate. Peut-être aimerais-tu casser quelque chose ? Ça agrémente joliment les scènes.

— Que préfères-tu perdre ? répliqua-t-elle, furieuse de le voir si calme alors qu'elle n'y parvenait pas. Le vase Ming ou bien la boîte de Fabergé ?

Il posa les mains sur ses épaules. Cette scène avait assez duré.

— Kasey, assieds-toi et explique-moi de quoi il s'agit.

Exaspérée, elle se dégagea brusquement.

— Ne prends pas ce ton condescendant avec moi, Jordan ! Celui de ta mère me suffit.

Il n'y avait rien à rétorquer à cette vérité. Jordan comprit soudain que l'attitude hautaine de sa mère ne cessait de blesser Kasey. Ce dont il n'avait pas eu idée. Il lui restait sans doute beaucoup de choses à apprendre sur Kasey. C'était lorsque la colère lui faisait baisser la garde qu'il pouvait en apprendre le plus.

— Ma mère n'a rien à voir avec toi et moi, Kasey, dit-il d'une voix radoucie, tout en s'abstenant de la toucher.

— Tu trouves ?

Comment ne comprenait-il pas qu'elle souffrait de coucher avec lui dans une maison où elle devait constamment affronter une désapprobation évidente ?

— Bon, ce n'est qu'un des points qui nous opposent, lâcha-t-elle.

— Quels sont les autres ?

— Cela ne t'ennuie pas de penser que dans cinq ans Alison n'aura comme important sujet de réflexion que le choix de la robe à mettre ?

— Bon sang, Kasey, de quoi parles-tu maintenant ? s'exclama-t-il, irrité. Vas-tu enfin en venir au vif du sujet ?

— Le vif du sujet ?

Elle criait à présent, aussi furieuse de sa propre impuissance à exprimer ses sentiments que de l'incompréhension de Jordan.

— À quoi ça sert que je continue, alors que tu n'as aucune idée de ce que j'éprouve et de ce dont j'ai besoin ? Il n'y a pas de vif du sujet. Rien. Il n'y a rien.

Sur ces mots, elle sortit en courant.

Dix minutes plus tard, Kasey, assise sous un chêne, tentait de reprendre le contrôle de ses émotions. Elle détestait s'emporter. Rien de ce qu'elle avait dit à Jordan n'était compréhensible, ni pour lui ni pour elle. L'honnêteté l'obligeait à reconnaître que seule la peur l'avait retenue de dire ce qu'elle avait sur le cœur. Elle l'aimait trop pour rester sereine.

Le cœur ou la raison, que devait-elle écouter ? La raison lui disait de cesser d'aimer Jordan. Il ne l'aimait pas. Il la désirait, il avait besoin d'elle et, peut-être, s'intéressait-il à elle. Termes pâles et de peu de poids en comparaison de l'amour. La raison lui rappelait qu'il existait entre eux trop de différences fondamentales pour que cela débouche sur autre chose qu'une liaison momentanée. Elle ne devait songer qu'à son avenir professionnel : son doctorat, son travail sur le terrain, ses conférences.

Mais son cœur imposait l'amour. Et voilà. Elle était prise entre les deux, cœur et raison, et se retrouvait, peut-être pour la première fois de sa vie, incapable de prendre une décision.

Elle posa le front sur les genoux et ferma les yeux. Lorsqu'elle entendit Jordan s'asseoir à côté d'elle, elle ne bougea pas. Estimant qu'elle avait encore besoin de réfléchir, il demeura silencieux. Ils restèrent ainsi, un long moment, sans se toucher. Un oiseau se mit à chanter juste au-dessus de leurs têtes. Kasey poussa un soupir.

— Je suis désolée, Jordan.

— Pour la forme mais pas pour le fond ? répliqua-t-il en se rappelant la dernière fois où elle s'était excusée.

Elle eut un rire bref, tout en gardant le front sur les genoux.

— Je ne sais pas exactement.

— J'accepte plus facilement de me faire engueuler quand je sais pourquoi.

— Impute ça au déclin de la lune.

Il glissa une main sous son menton et lui releva le visage.

— Kasey, explique-moi.

Elle ouvrit la bouche mais il reprit avant qu'elle ait pu prononcer un mot.

— Explique-moi vraiment. Sans échappatoire. Si je ne te connais pas, si j'ignore ce dont tu as besoin, c'est peut-être parce que tu fais de ton mieux pour m'empêcher de le découvrir.

Elle le regarda droit dans les yeux, sans ciller.

— J'en ai déjà dit trop et je crains d'aller plus loin, trop loin.

Sa candeur déconcerta Jordan. Il s'adossa au tronc du chêne et attira Kasey contre lui. La meilleure façon de la comprendre était peut-être de commencer par sa famille et son passé.

— Parle-moi de ton grand-père, demanda-t-il. Alison m'a dit qu'il était médecin.

— Mon grand-père ?

Blottie contre lui, elle sentit ses nerfs se détendre. Le sujet lui parut sans danger.

— Il habite dans le fin fond de la Virginie. Dans les montagnes.

Ses yeux errèrent sur la pelouse bien entretenue. Que les montagnes étaient loin...

— Cela fait près de cinquante ans qu'il exerce son métier. Tous les printemps, il s'occupe de son potager et, l'automne venu, il coupe du bois. L'hiver, la maison embaume le feu de cheminée.

Elle ferma les yeux et s'abandonna aux souvenirs.

— L'été, il y a des géraniums sur le rebord de la fenêtre de la cuisine.

— Et tes parents ?

Il sentit son corps se crisper, tandis que l'oiseau au-dessus d'eux se grisait de sa sérénade.

— Ils sont morts dans un accident. J'avais huit ans.

Chaque fois qu'elle pensait à eux, elle maudissait le destin cruel qui les avait emportés.

— Ils étaient partis pour un week-end en amoureux. J'étais chez mon grand-père. Ils revenaient me chercher lorsqu'une voiture a franchi la ligne blanche et les a heurtés de plein fouet. Le conducteur était ivre. Il s'en est sorti avec un bras cassé. Eux ne s'en sont pas sortis du tout.

Bien qu'estompé par le temps, le chagrin persistait.

— J'ai toujours trouvé réconfortant qu'ils aient eu ce week-end à eux avant de mourir.

Jordan garda le silence un instant. Qu'elle ait si vite et si aisément compris Alison ne l'étonnait plus.

— Ensuite, tu as vécu avec ton grand-père ?

— Oui, à partir de la deuxième année.

— Et la première ?

Kasey hésita. Elle n'avait pas prévu de raconter cette histoire sordide, mais le ton neutre de ses questions lui rendait la confidence aisée. Avec un haussement d'épaules, elle poursuivit.

— J'avais une tante, la sœur de mon père. Elle était plus âgée que lui, de dix ou quinze ans, je ne sais plus.

— Tu as vécu chez elle l'année qui a suivi la mort de tes parents ?

— Cette année-là, j'ai dû me partager entre elle et mon grand-père. La garde a fait l'objet d'un procès. Ma tante s'opposait à ce qu'une Wyatt végète dans un trou perdu. C'est ainsi qu'elle appelait l'endroit où vit mon grand-père. Elle habitait Georgetown, à Washington, D.C.

Un souvenir s'éveilla chez Jordan.

— Ton père était Robert Wyatt ?

— Oui.

Jordan garda le silence tandis que les pièces du puzzle se mettaient en place. Les Wyatt de Georgetown : une famille ancienne, riche et bien établie. Dans les affaires et la politique. Le grand-père paternel de Kasey, Samuel Wyatt, avait fait fortune dans la banque avant de devenir l'un des conseillers du Président. Robert Wyatt était son plus jeune fils. Deux frères aînés avaient été élus sénateurs. La sœur devait être Alice Wyatt Longstream, l'épouse d'un membre du Congrès et organisatrice d'innombrables mondanités officielles. Une famille très fortunée et très conservatrice. Selon ses souvenirs, il avait été question, à un moment donné, de pousser le jeune Robert vers les plus hautes fonctions de Washington.

Il avait étudié le droit et était devenu un brillant jeune avocat. La presse en avait beaucoup parlé lorsqu'il était mort. Et sa femme... Jordan tenta de se souvenir de ce qu'il avait lu et entendu, dix-sept ans plus tôt. Sa femme aussi était avocate. Ils avaient ouvert ensemble un cabinet, ce que la famille Wyatt n'avait pas approuvé.

— Je me rappelle avoir lu des articles sur l'accident, murmura Jordan. Puis d'autres, ensuite, sur le procès pour la garde. Mon père et ma mère en ont discuté à plusieurs reprises. Ma mère est apparentée à ta tante. On en a beaucoup parlé à l'époque.

— Bien sûr, fit Kasey en haussant les épaules. Une famille fortunée et connue dans le monde de la politique se chamaille avec un petit médecin de campagne au sujet de la garde d'un enfant. Quoi de plus passionnant ?

Jordan perçut l'amertume de ses propos.

— Raconte-moi.

Elle aurait dû se relever à présent mais le bras de Jordan la maintenait fermement contre lui.

— Qu'y a-t-il à dire ? Les procès pour la garde d'un enfant sont une chose affreuse, surtout pour l'enfant ballotté entre les deux adversaires.

— Tes parents étaient tous deux des juristes. Ils avaient sûrement désigné un tuteur légal.

— Bien sûr qu'ils l'avaient fait. C'était mon grand-père maternel.

Kasey secoua la tête. Comment parvenait-il à lui extirper autant de choses ? Elle n'avait livré cette partie de sa vie à personne d'autre.

— On peut toujours contester un testament, surtout si on a beaucoup d'argent et des relations influentes. Ma tante me voulait. Non pour moi, mais parce que je m'appelle Wyatt. J'avais beau n'avoir que huit ans, je l'avais bien compris. Ce n'était pas difficile, d'ailleurs ; elle avait toujours refusé de voir ma mère. Mes parents avaient fait connaissance à la faculté de droit. Le coup de foudre. Ils se sont mariés deux semaines plus tard. Ma tante n'a jamais pardonné à son frère d'avoir épousé une étudiante inconnue, boursière de surcroît.

— Tu as dit que la première année, tu t'étais partagée entre ta tante et ton grand-père. Que veux-tu dire ?

— Jordan, c'est une longue histoire.

— Kasey, insista-t-il en l'obligeant à le regarder, raconte-moi.

Elle s'appuya contre son épaule et ferma les yeux, les muscles à nouveau tendus.

— Ma tante a entamé le procès et aussitôt les choses sont devenues affreuses. Il y avait des journalistes qui campaient devant l'école, devant la maison de mon grand-père, partout où je me rendais. Ma tante a fait appel à des détectives privés pour tenter de prouver qu'il s'occupait mal de moi. Tout ceci était très pénible. Mon grand-père a pensé que je souffrirais moins si j'allais m'installer quelque temps chez ma tante. Il y aurait moins de pression et peut-être découvrirais-je que je souhaitais vivre avec elle, finalement. À l'époque, je lui en ai beaucoup voulu de me renvoyer. J'ai pensé qu'il me rejetait. Mais, ensuite, j'ai compris qu'il avait agi avec courage. J'étais tout ce qu'il lui restait de sa fille.

Elle s'arrêta et caressa du pouce l'anneau d'or qu'elle portait au doigt.

— Ma tante avait une magnifique maison à Georgetown. Avec de hauts plafonds et des cheminées dans chaque pièce ; des meubles anciens et de la porcelaine de Sèvres ; une collection de poupées anciennes ; et un maître d'hôtel noir appelé Lawrence.

Éprouvant le besoin de bouger, elle voulut se lever. Jordan la retint. Il savait qu'une fois debout, elle trouverait le moyen d'éluder la suite du récit.

— Non. Reste ici. Que s'est-il passé ?

— Elle m'a acheté des robes en organdi, des souliers vernis et m'a promenée de salon en salon. J'ai été inscrite dans une école privée et on m'a donné des leçons de piano. Ce fut la période la plus triste de ma vie. Je ne m'étais pas encore remise de la mort de mes parents et ma tante était loin d'être douce et tendre. Elle voulait une enfant sage qu'elle pourrait habiller à son goût et montrer à ses amis. Mon oncle était absent la plupart du temps. Il était plutôt gentil mais trop absorbé par son travail. Je suis peut-être injuste, car il avait beaucoup de responsabilités. En tout cas, ni l'un ni l'autre ne pouvait me donner ce dont j'avais besoin et, moi, je ne correspondais pas à ce qu'ils cherchaient. Je n'arrêtais pas de poser des questions incongrues qui les agaçaient horriblement.

Il lui embrassa la tempe en riant.

— Ça ne m'étonne pas !

— Elle voulait me modeler et je refusais d'être manipulée. C'est aussi simple que ça. J'étais environnée de choses magnifiques que je n'avais pas le droit de toucher. Des gens passionnants venaient à la maison mais je ne devais prendre la parole que pour répondre : « oui, monsieur » ou « non, madame ». J'avais l'impression d'être dans une cage.

— Finalement, ta tante a renoncé à poursuivre son procès.

— Il lui a fallu trois mois pour s'apercevoir qu'elle ne supportait pas de vivre avec moi. Elle a dit que, s'il y avait un seul gène Wyatt en moi, il était bien caché et m'a renvoyée à mon grand-père. J'ai eu l'impression de pouvoir respirer à nouveau.

L'air soucieux, Jordan regardait devant lui. De là où ils étaient assis, il ne pouvait apercevoir que le toit de la maison. Est-ce qu'elle se sentait dans une cage ici aussi ? Il la revit allant d'une fenêtre à l'autre dans le salon. Il lui fallait un peu de temps pour assimiler ce qu'il venait d'apprendre.

— Tu es restée très proche de ton grand-père ?

— Durant toute ma jeunesse, il a été l'ancre à laquelle je me raccrochais. Et aussi le moteur qui me propulsait en avant, dit-elle avec un sourire en arrachant un brin d'herbe. C'est un homme affectueux et intelligent qui peut exposer trois points de vue différents du même problème, avec la même bonne foi. Il me connaît bien, m'accepte telle que je suis et m'aime sans restriction.

Elle remonta ses genoux à nouveau et y appuya le front.

— Il a soixante-dix ans et cela fait presque un an que je ne suis pas rentrée à la maison. Dans trois semaines, ce sera Noël. Il y aura de la neige et quelqu'un lui donnera un sapin en guise d'honoraires. Toute la journée, ses patients envahiront sa maison, les bras chargés de cadeaux, depuis du pain fait à la maison ou du whisky distillé dans une arrière-cuisine.

Elle pense à partir, conclut-il dans un accès de panique. Il regarda ses cheveux dans lesquels le soleil, filtré par le feuillage, allumait des éclats fauves. *Non, pas encore ! Pas encore...*

Il lui effleura la tête.

— Kasey, je n'ai aucun droit de te demander de rester. Mais, s'il te plaît, reste.

Rester? répéta-t-elle en son for intérieur. *Mais combien de temps encore? Je ferais mieux de rentrer chez moi et c'est là que je devrais rester jusqu'à ce que je me sois remise de cette folie, que j'aie guéri de lui.*

Kasey releva la tête, prête à dire ce qu'elle jugeait nécessaire.

Elle se heurta au regard de Jordan, limpide et anxieux. Il ne le lui redemanderait pas; il n'insisterait pas. Et, d'ailleurs, c'était inutile. Son silence, son regard étaient suffisamment éloquents.

— Serre-moi dans tes bras, murmura-t-elle en se jetant à son cou.

Non, elle ne le quitterait pas. Elle ne partirait que lorsqu'elle y serait obligée. Elle s'était livrée à lui, donnée sans réserve. Se reprendre était impossible.

Puis il l'embrassa, sans l'avidité habituelle. Et, ses mains, pour la première fois, la tenaient avec douceur comme un objet très fragile et très précieux. Non, elle ne le quitterait pas à présent. Le cœur de Kasey avait sur sa vie plus de pouvoir que son esprit. L'amour la rendait vulnérable et, lorsqu'elle était vulnérable, sa raison n'avait plus son mot à dire. Elle l'enlaça étroitement.

Le baiser devint plus ardent, toujours tendre. Les mains de Jordan caressaient la joue de Kasey et en savouraient la douceur. Peu à peu, il sentit le désir s'éveiller en lui. Il murmura son prénom et ses lèvres descendirent vers la gorge chaude, au goût merveilleux, de Kasey.

Comment faisait-elle pour donner tant et demander si peu? Mais il y avait quelque chose qu'il pouvait lui donner, qu'il pouvait donner à tous les deux.

— Kasey, il faut que j'aille à New York, ce week-end. Pour voir mon éditeur. Viens avec moi.

Il n'ajouta pas qu'il repoussait ce voyage depuis plusieurs semaines.

— New York ? C'est la première fois que tu en parles.
— Oui. Cela dépendait de la manière dont mon livre avançait.

Il l'embrassa de nouveau, pour l'empêcher de poser d'autres questions.

— Viens avec moi, reprit-il. Je voudrais passer un peu de temps seul avec toi. Quelques heures par nuit ne me suffisent plus. Je veux dormir à tes côtés, me réveiller et t'admirer.

Elle aussi le voulait. Être avec lui, loin de cette maison. Pouvoir passer une nuit entière dans ses bras, sans craindre d'être surprise. En toute liberté.

— Et que fait-on d'Alison ?
— Il se trouve qu'elle m'a demandé tout à l'heure la permission d'aller passer le week-end chez une amie de classe.

Il sourit et repoussa en arrière les boucles de Kasey.

— Appelons ça le destin, Kasey, et profitons-en.
— Le destin, répéta-t-elle tandis qu'un sourire se dessinait lentement sur ses lèvres et gagnait peu à peu son regard. Je crois très fort au destin.

8

New York. L'avion avait atterri sous une pluie glaciale qui avait rapidement fait place à la neige. Toute la circulation semblait bloquée et les voitures klaxonnaient désespérément au milieu des embouteillages provoqués par une chaussée glissante. Mais le bruit et la foule ravissaient Kasey. Elle aimait l'agitation new-yorkaise et paraissait enchantée par les décorations de Noël. Toute la ville s'était parée de sapins, de guirlandes électriques et de cheveux d'ange scintillants. À chaque coin de rue, surgissait un père Noël.

Kasey s'était amusée de ce spectacle durant le trajet en taxi et, à présent, le nez collé à la vitre de la chambre d'hôtel, elle contemplait, fascinée, les lumières des néons et le grouillement de la foule sur les trottoirs. Tout ce mouvement l'étourdissait mais elle réalisait soudain à quel point il lui avait manqué ces derniers temps.

Cet enthousiasme surprit Jordan. D'après ce qu'elle lui avait raconté de son enfance, il l'imaginait plus à l'aise dans un décor champêtre. Mais elle semblait ne pouvoir se rassasier du spectacle de la ville.

— Tu te comportes comme si tu n'avais jamais mis les pieds à New York, remarqua-t-il.

Elle se retourna et sourit, l'air si heureuse qu'il aurait presque pu oublier le chagrin qui assombrissait ses yeux quelques jours plus tôt.

— C'est un endroit merveilleux, non ? Tant de gens, tant de vie. Et la neige. Je crois que je n'aurais pas pu supporter un mois de décembre sans neige.

— C'est pour ça que tu es venue ? demanda-t-il en lui caressant les cheveux. Pour voir la neige ?

— Bien sûr. Je ne vois pas d'autre raison. Et toi ? Elle leva la tête pour lui effleurer la bouche des lèvres.

— J'en vois une ou deux autres, murmura-t-il. Elle s'écarta et fit quelques pas dans la chambre.

Une odeur d'encaustique flottait dans l'air.

— Pas mal, cet endroit. Rien à voir avec mes conditions de travail habituelles.

— Nous ne sommes pas venus pour travailler.

— Ah bon ?

— Une réception, quelques rendez-vous, c'est tout. Mais j'aurais très bien pu m'excuser de ne pas assister à la réception et régler mes affaires par téléphone.

— Jordan, tu as fait ça pour moi ? Je te suis très reconnaissante.

— Pour moi aussi.

Il la prit dans ses bras. Que lui avait-elle donc fait ? Il ne la connaissait que depuis deux mois et, déjà, elle était en train de devenir l'élément essentiel de sa vie.

— Nous sommes vraiment seuls ! murmura-t-elle avec soulagement. Mon Dieu, enfin seuls !

— Seuls, acquiesça-t-il avant de l'embrasser.

— Dans combien de temps a lieu cette réception ? Elle lui ôta sa veste et s'attaqua aux boutons de sa chemise.

— Dans une heure environ, fit-il, les mains sous le chandail de Kasey.

— Dis-moi… Arriver en retard, tu trouves ça grossier ou très chic ?

— Grossier, répondit-il en défaisant la boucle de la ceinture qu'elle portait. Très grossier.

Elle ouvrit la chemise et enlaça son torse nu.

— Soyons grossiers, Jordan. Terriblement grossiers.

Lorsqu'ils se retrouvèrent nus sur le lit, il décida de prendre son temps. Kasey s'enfonça dans un abîme de plaisir. Chaque caresse l'embrasait ; chaque baiser attisait son désir. Se souvenant des bleus qu'il lui avait infligés la première fois, il s'efforçait de modérer son ardeur. Elle paraissait si forte, si énergique, qu'il avait du mal à se souvenir de sa fragilité.

Sa peau était lisse et pâle, à peine bronzée bien qu'elle passât presque toutes ses heures de loisir dehors. Il regarda le contraste que formaient ses mains avec la blancheur laiteuse de ses seins. Sa bouche s'y promena, la faisant gémir. Elle réagissait plus vite et plus fort que toutes les femmes qu'il avait connues. Aucune inhibition ne la retenait. Elle aimait librement.

Très doucement, il prit un sein entre ses dents et la sentit se cambrer sous lui. Les doigts crispés sur les épaules de Jordan, elle le supplia de ne plus attendre. Mais il déplaça sans hâte sa bouche sur l'autre sein.

— Jordan, balbutia-t-elle entre deux vagues de plaisir. Je te veux maintenant.

— C'est trop tôt, murmura-t-il en descendant sur son ventre. Beaucoup trop tôt.

Ses lèvres continuèrent à errer, la faisant frémir tout entière. Puis quand les doigts de Jordan s'introduisirent entre ses cuisses, elle sursauta dans un paroxysme de sensations.

Du délire. Kasey savait qu'elle avait basculé hors de toute raison. Pourtant, il continuait à l'entraîner dans un tourbillon éperdu. Chaque parcelle de son corps était vivante, frémissante. Prise d'une sorte de frénésie, elle le désirait plus que jamais.

Puis la bouche de Jordan se posa sur la sienne, affamée, fougueuse. Incapable de résister davantage, il la pénétra et oublia toutes ses bonnes résolutions.

Jordan s'apercevait qu'au lieu de s'habituer à Kasey, elle l'intriguait de plus en plus. L'appartement élégant qui dominait Central Park fourmillait de personnalités du monde de l'édition : éditeurs, agents littéraires et auteurs. Mais Kasey était de toute évidence le centre de l'attention générale. Les autres femmes étincelaient de bijoux – diamants, saphirs et émeraudes. Elle n'en avait nul besoin.

Assise sur l'accoudoir d'un fauteuil, une coupe de champagne à la main, elle bavardait gaiement avec Simon Germain, le directeur d'une des plus importantes maisons d'édition du pays. De peur de perdre une seule de ses remarques, l'écrivain J.R. Richards restait à demi incliné au-dessus d'elle. Il avait écrit son quatrième best-seller dont les précédents avaient tous été portés à l'écran. À côté de Kasey, se trouvait Agnès Greenfield, l'un des agents littéraires les plus réputés du moment. Elle représentait Jordan depuis dix ans et c'était la première fois qu'il la voyait rire franchement. Il l'avait vue sourire du bout des lèvres, ricaner ou ronchonner, rire jamais. Soudain, Kasey posa la main sur l'épaule de Simon Germain et lui dit quelque chose qui lui fit rejeter la tête en arrière en hurlant de rire.

Elle leva les yeux et croisa le regard de Jordan dans la foule. Avec un sourire heureux, elle leva sa coupe et but une gorgée de champagne. Un élan de désir le traversa si brutalement qu'il faillit chanceler. *Pourquoi me bouleverse-t-elle autant ?* se demanda-t-il, ahuri. *Comment peut-elle susciter mon désir alors que mon corps est encore chaud du sien ? Quand est-ce que j'en serai rassasié ?* Écartant ces questions, il calcula le temps qu'il fallait encore attendre avant de pouvoir s'éclipser. Il se rapprocha du groupe et tendit l'oreille.

— L'écart croissant entre la littérature élitiste et les livres populaires empêche les lecteurs d'apprécier sans culpabilité une lecture légère et distrayante, disait J.R. Richards.

Kasey le regarda d'un air faussement surpris.

— J'ai lu tous vos livres sans éprouver le moindre remords.

Sur ce, elle s'octroya une nouvelle gorgée de champagne. J.R. Richards pouffa de rire.

— Voilà ce qui s'appelle se faire remettre à sa place. Si j'arrivais à me trouver un partenaire comme elle, Jordan, moi aussi je pourrais envisager d'écrire un livre en collaboration.

— J'ai essayé de convaincre Kasey d'écrire un livre, dit Simon Germain.

Il vida son verre de scotch d'une seule traite, sans sourciller. Avec son large visage rubicond et sa moustache grise, il rappelait à Kasey l'animateur d'une émission enfantine qu'elle regardait jadis.

— J'aimerais beaucoup, Simon, répondit-elle en repoussant ses cheveux derrière ses oreilles. Mais j'ai toujours pensé que pour être un bon écrivain il fallait un style, ce que je ne suis pas sûre d'avoir.

— Vous savez raconter de bonnes histoires et vous ne manquez pas d'esprit, répliqua-t-il en lui tapotant le genou, ce qui fit hausser les sourcils à Jordan. Et pour ce qui est du style, j'ai une très bonne équipe de nègres.

— Et je suis lunatique aussi, déclara Kasey.

Elle finit son champagne et J.R. Richards lui tendit aussitôt une nouvelle coupe. Elle le remercia d'un sourire.

— Quel écrivain ne l'est pas ? dit Simon Germain avec un soupir, tout en sortant de sa poche un gros cigare. Et vous, Jordan, vous êtes lunatique ?

— Par périodes.

— Il est difficile de travailler longtemps avec moi, ce qui me rend, au moins, prévisible, reprit Kasey dans un souci de modestie.

— Une chose que j'ai découverte chez toi, c'est que tu n'es justement pas prévisible du tout, déclara Jordan en levant sa coupe.

— Merci pour le compliment... Jordan, il y a sur le buffet du caviar qui a l'air délicieux. Je m'en voudrais de ne pas en profiter.

Ils traversèrent la pièce jusqu'au somptueux buffet. Jordan la regarda entasser une couche épaisse de caviar sur un cracker.

— Vous aviez l'air de bien vous entendre, Simon et toi.

— Il est très gentil, répondit-elle, la bouche pleine, tout en se préparant un autre cracker. Seigneur, je meurs de faim. Tu te rends compte de l'heure qu'il est actuellement sur la côte Ouest ? Est-ce qu'on a mangé dans l'avion ? Je ne peux jamais me souvenir de ce qui s'est passé à trente mille pieds d'altitude.

— Gentil ? répéta Jordan que l'adjectif surprenait. C'est la première fois que je l'entends qualifié ainsi.

— Ah oui ? C'est vrai que j'ai entendu pas mal d'histoires sur son compte...

Cherchant autre chose à avaler, Kasey découvrit un plat de crevettes dans lequel elle plongea une pique en bois.

— Hum... délicieux ! Il paraît qu'il est plutôt coriace et âpre au gain. Mais cela ne se voyait pas ce soir. Qu'est-ce que c'est que ça ?

— De la langue de bœuf.

— Bon, n'y pensons plus, fit-elle en attrapant une autre crevette. En tout cas, je l'aime bien, ce type.

— Ce sentiment m'a paru réciproque.

Kasey s'arrêta de manger le temps de boire un peu de champagne.

— Tu as été froissé lorsqu'il a posé la main sur mon genou. Tu es très mignon quand tu prends cette attitude pincée, Jordan. Ça t'embarrasserait beaucoup si je t'embrassais, là, tout de suite ?

Les yeux brillants de malice, elle le provoquait. Il la prit par la nuque et l'attira à lui pour un long et ardent baiser. Ses lèvres gardaient les arômes exotiques du buffet. Lorsqu'il s'écarta, elle souriait toujours.

— Le caviar est bon, n'est-ce pas ?

— Excellent. Surtout comme ça.

Elle lui prépara un canapé.
— Reprends-en. Moi-même, je ne m'en lasse pas.
Il mordit dans la tartine qu'elle approchait de sa bouche.
— J'ai très envie de t'emmener loin d'ici, dit-il. Me retrouver seul avec toi dans un endroit où je pourrais ôter tes vêtements un par un.
— Proposition intéressante, fit-elle en posant un doigt sur sa cravate. Suis-je autorisée à faire de même avec toi ?
— C'est même fortement recommandé.
— Jordan !
Une femme se glissa entre eux ; la quarantaine bien conservée, cheveux d'un blond décoloré et poitrine agressive. Au bout d'une seconde de réflexion, Kasey reconnut Serena Newport, l'auteur à succès de deux livres pleins de violence et de sexe, et dont la photo apparaissait régulièrement dans la rubrique littéraire des journaux.
Serena embrassa chaleureusement Jordan sur les deux joues.
— On ne te voit pas assez dans ce genre de réceptions. Tu me manques. J'aime être vue avec des hommes bon chic bon genre.
— Serena, je suis content de te rencontrer.
— Et qui est-ce ? s'exclama-t-elle en détaillant Kasey de la tête aux pieds. Grand Dieu, mince comme un fil et absolument étourdissante. Vous êtes écrivain, ma chère ? Quelle est la couleur naturelle de vos cheveux ?
— Je suis une admiratrice, mademoiselle Newport, et je suis née avec cette couleur de cheveux.
— Mon Dieu, c'est déprimant, dit-elle en plantant le poing sur sa hanche. Pas d'être une admiratrice, chérie, mais d'avoir ces cheveux. C'est affreusement injuste. Et de qui êtes-vous l'admiratrice ? De Jordan ou de moi ?
— Des deux, répondit Kasey que l'humour de cette femme enchantait.

Serena lâcha un rire bref.

— Voilà qui est inhabituel. Il n'y a pas beaucoup de gens qui lisent aussi bien *Jeûne et abstinence* que *La Victoire de la passion*. Tu n'es pas de mon avis, Jordan ?

— Kasey ne fait rien comme tout le monde. Permettez-moi de faire les présentations : Serena Newport, Kathleen Wyatt.

— Et que faites-vous dans la vie ? Non, ne me le dites pas, je sais, enchaîna Serena avant que Kasey ait pu répondre. Vous êtes mannequin... Ou comédienne. Votre visage est très expressif.

— Merci, mais je ne joue pas la comédie professionnellement. Seulement lorsque ça m'arrange.

— Et vive, avec ça, fit Serena. Vous ne seriez pas un agent littéraire en train d'essayer de piquer Jordan à Agnès ?

— Non, j'aime trop la vie.

— Eh bien, ma chère, je suis fascinée et époustouflée.

Serena fit signe à un maître d'hôtel qui passait à proximité et s'empara d'une coupe de champagne. De grosses pierres étincelaient sur ses doigts et ses ongles étaient peints d'un rouge vif.

— Alors, que faites-vous dans la vie ?

— Je suis anthropologue.

— Vous vous moquez de moi !

Elle se tourna vers Jordan en quête de confirmation.

— Elle se moque de moi ?

— Tu ne poserais pas la question si tu l'avais entendue parler des rites d'initiation des Sioux, répondit-il avant de finir son verre.

— Extraordinaire, souffla Serena.

— Kasey collabore avec moi pour un nouveau livre.

Serena vida d'un trait la moitié de sa coupe.

— Dites-moi, ne sauriez-vous pas deux ou trois choses intéressantes sur les Algonquins, par hasard ?

— C'était une tribu nord-américaine qui a été dispersée par les Iroquois au XVIIe siècle. La plupart se sont installés ensuite au Québec et dans l'Ontario.

— C'est le destin ! s'exclama Serena en agrippant le bras de Kasey. Croyez-vous au destin, très chère ?

Kasey décocha un regard malicieux à Jordan.

— En fait, oui.

— Je viens tout juste de commencer un nouveau livre. La première partie se passe en Angleterre mais dans la seconde partie, le héros, un aristocrate fauché, va faire fortune aux colonies. Il crève la faim et se retrouve à deux doigts de la mort lorsqu'il tombe sur un groupe d'Algonquins. Auraient-ils été du genre à le scalper ou à le martyriser d'une façon ou d'une autre ?

— En général, les Algonquins se montraient plutôt amicaux envers les pionniers blancs, du moins pendant quelque temps. Tout dépend de quelle tribu vous parlez. Cependant...

— Parfait, merveilleux, s'écria Serena en glissant son bras robuste sous celui de Kasey. Je te la vole pour une heure, Jordan. C'est trop intéressant pour que je n'en profite pas. Reprends du champagne... Je te la rendrai quand j'aurai fini, ajouta-t-elle en tapotant maternellement la joue de Jordan.

Propulsée en avant, Kasey n'eut que le temps de lui adresser un clin d'œil par-dessus son épaule.

— C'est la première fois que je rencontre quelqu'un qui parle plus que moi, déclara Kasey en s'affalant dans le taxi. Voilà qui me rend plus modeste.

— Après avoir attendu une heure, j'ai sérieusement envisagé de l'étrangler.

Elle était enfin contre lui, tiède, un peu assoupie et légèrement ivre. Le parfum de ses cheveux l'enivrait.

— Elle t'a pompé tout ce dont elle avait besoin pendant deux heures et dix minutes, grommela-t-il.

— C'est quelqu'un de merveilleux, dit Kasey avec un petit rire.

— Je l'ai toujours pensé, jusqu'à ce soir.

— Elle t'aime beaucoup. Elle m'a dit que tu étais un excellent écrivain, un type merveilleux, surtout quand tu oubliais d'être poli... Je n'ai pu qu'acquiescer.

— Si l'on en juge par ses livres, elle préfère... un genre plus fruste.

— Oh, Jordan, j'adore quand tu prends cet air pincé, s'écria-t-elle en lui mordillant l'oreille. Embrasse-moi comme tu l'as fait à la réception. En macho dominateur.

— Bon sang de bon sang, grogna-t-il en l'enlaçant.

— Hum, traite-moi de tous les noms et je suis à toi, murmura-t-elle.

— Fais attention, prévint-il. Ma patience est à bout depuis une heure.

Un peu étourdie, Kasey appuya sa tête contre son épaule.

— « Et il brûlait de désir, brûlait d'une chaleur infernale qu'elle seule pouvait apaiser... » Serena Newport, dans *La Femme de Chesterfield.*

C'est le champagne, se dit Jordan.

— Kasey, tu as trop bu.

— C'est vrai, approuva-t-elle. Vous autres, écrivains, vous êtes si perspicaces... Tu comptes profiter de mon état ? ajouta-t-elle en levant la tête pour lui effleurer les lèvres.

— Exactement.

— Bien... Vas-y !

Elle l'enlaçait avec ardeur lorsque le taxi s'arrêta.

— Et si je payais d'abord la course ?

— Détail.

Elle descendit de la voiture avec l'aide du portier. L'air froid, qui sentait encore la neige, lui fouetta les joues mais sans éclaircir ses idées.

— Jordan, dit-elle en glissant son bras sous le sien, j'y pense maintenant, tu parlais tout à l'heure de l'œuvre de Serena. Tu lis donc ses livres ?

— Bien sûr. Cela t'étonne ? dit-il en la guidant dans le hall de l'hôtel.

— Ça me stupéfie.

— Ce qui me stupéfie, c'est que tu parviennes à rester debout.

— Mais j'ai du mal à t'imaginer en train de lire *La Femme de Chesterfield*, expliqua-t-elle en se laissant pousser dans l'ascenseur.

— Et pourquoi donc ? Pour citer Simon Germain, elle sait raconter de bonnes histoires, et elle ne manque pas d'esprit.

Il la prit dans ses bras et l'embrassa avec une avidité et une passion qui la firent chanceler. Même sans champagne, la tête lui aurait tourné. Les mains qui le caressaient rallumèrent en elle le brasier qui couvait. Le désir additionné de champagne composait un mélange explosif. Jordan s'enfouissait éperdument dans la douceur de cette bouche offerte. Les jambes flageolantes, étourdie, elle se sentait tournoyer, flotter et brûler en même temps. Incapable de se tenir debout plus longtemps, elle se laissa aller dans ses bras.

— Kasey, je n'ai jamais vu un ascenseur aussi lent.

Il s'écarta légèrement pour tenter de reprendre son sang-froid. Elle était si douce, si désireuse de se laisser aimer qu'il avait l'impression d'être son dieu. Après avoir été d'abord séduit par sa vitalité et son énergie, il était bouleversé par sa vulnérabilité.

La porte de l'ascenseur s'ouvrit et il la guida dans le couloir.

— Jordan…

Appuyée contre lui, elle tourna la tête et le regarda. Un sourire éclaira ses yeux embrumés.

— Oui ?

— Te rappelles-tu ce que Chesterfield a fait à Mélanie au chapitre huit, juste après que le bateau a été attaqué par une frégate anglaise ?

Le souvenir le fit sourire.

— Oui, je m'en souviens. Pourquoi ?

— Eh bien, fit-elle en jetant ses bras autour de son cou, je me demandais, spéculation purement académique, si la fiction pouvait devenir réalité. C'est un sujet sur lequel j'ai l'intention d'écrire un article.

— Et tu voudrais que je t'aide à vérifier cette hypothèse ?

— Exactement. Ça t'ennuie ?

— Dans l'intérêt de la science, je peux me laisser persuader, dit-il en la soulevant. Est-ce que ça ne commençait pas comme ça ?

Il ouvrit la porte et emporta Kasey à l'intérieur.

9

Elle dormait encore lorsqu'il s'éveilla et sentit la chaleur de son corps et le chatouillement de ses cheveux sur son épaule. Les rideaux épais masquaient la lumière du jour mais les aiguilles lumineuses de sa montre lui apprirent qu'il ne lui restait qu'une heure avant son rendez-vous. Il soupira et regarda Kasey.

Elle dormait profondément. Il lui dégagea le front, ce qui ne la fit même pas ciller.

Des souvenirs de la nuit dernière lui revinrent : sa sensualité, le son rauque de sa voix, son regard lourd. Elle avait l'air d'une sorcière. Il y avait en elle quelque chose de surnaturel. Chaque fois qu'il avait cru la dominer, c'était lui qui s'était retrouvé pris au piège.

Mais, à présent, blottie contre lui, elle n'était plus qu'une femme dormant après une soirée bien arrosée et une nuit d'amour. Alors pourquoi le troublait-elle autant ? Le sommeil l'empêchait de faire usage de son charme et de décocher l'un de ses regards qui tenaient autant du défi que de la séduction. Et pourtant, immobile, les yeux fermés, silencieuse, elle continuait à l'attirer. Il posa sa bouche sur la sienne très doucement. Elle ne bougea pas. C'était cela qu'il avait désiré : se réveiller à ses côtés. Et la réveiller. Ses lèvres étaient si tendues qu'il eut l'impression de sombrer. Il murmura son prénom et l'embrassa de nouveau. Son visage était pâle, et une nuée de taches de rousseur parsemait son nez. Il l'embrassa sur la joue et chercha ses seins. Elle ne se réveilla pas, mais soupira dans son sommeil comme si elle rêvait de lui. Il s'aventura sur sa gorge et sentit son pouls battre lentement. Le sien commençait déjà à s'emballer.

Il la caressa doucement et descendit le long du corps tendre. Sa peau était douce entre ses cuisses. Il se mordit les lèvres tant il la désirait.

Après avoir promené sa bouche sur son oreille, il revint à ses lèvres. Extirpée de son rêve, elle réagit lentement, avec un gémissement étouffé. Soudain, le cœur de Kasey se mit à battre plus fort sous sa main. Il la pénétra avant qu'elle ne se réveille complètement et l'entraîna dans un tourbillon de sensations.

Elle était blottie de nouveau contre lui, la tête reposant à sa place préférée dans le creux de son épaule.

— Bonjour, murmura-t-elle.

Elle éveillait en lui quelque chose de primitif qui le surprenait. Jamais personne ne l'avait mis dans cet état de passion sauvage. Le rire perceptible dans sa voix était irrésistible.

— Bonjour. Comment te sens-tu ?

— Hum. Merveilleusement bien. Et toi ?

— Bien, mais ce n'était pas *moi* qui titubais hier.

Il s'écarta juste assez pour la regarder. Ses yeux étaient clairs. La fossette se creusa sur sa joue tandis qu'elle souriait.

— Pas de gueule de bois ? Pourtant, tu devrais, ce matin.

— Je n'ai jamais la gueule de bois, je ne connais même pas cette expression.

Elle l'embrassa puis se redressa pour le regarder dans les yeux.

— Te rends-tu compte de tous les ennuis que nous éviterions si nous refusions tout simplement d'admettre l'existence de certains termes ?

— C'est une théorie intéressante.

— J'en ai des douzaines.

— Je l'ai remarqué, fit-il en lui caressant la joue du bout du doigt. Celle d'hier soir était particulièrement intéressante.

Éclatant de rire, Kasey laissa tomber son front sur la poitrine de Jordan.

— En tout cas, elle a marché.

— Magnifiquement.

— Faut-il que nous le disions à Serena ?

Elle releva la tête, les yeux brillants de malice.

— Je ne crois pas.

Elle l'embrassa de nouveau en prenant son temps.

— Tu te souviens, je t'ai dit un jour que tu avais un corps splendide ?

— Oui. Et, d'ailleurs, cette déclaration m'a beaucoup surpris. Mais je te connaissais à peine à ce moment-là.

Elle sentit les mains de Jordan descendre le long de ses hanches et soupira.

— Eh bien, je le pense toujours.

Elle resta un instant immobile, la joue posée sur la poitrine ferme de Jordan, baignant dans une béatitude jamais éprouvée jusque-là.

— Tu as des rendez-vous aujourd'hui, il me semble ?

Il leva la main pour regarder sa montre.

— Oui. J'en ai un dans... une demi-heure environ. Je vais être en retard.

— Si nous étions aux îles Fidji, murmura-t-elle, nous pourrions rester ainsi la journée entière et tu n'aurais pas besoin de montre.

— Si nous étions aux îles Fidji, répliqua-t-il, tu n'aurais pas eu de neige.

— Que tu es logique, remarqua-t-elle en fermant les yeux. C'est l'une des choses que j'apprécie chez toi.

Il garda le silence un instant. Depuis le jour où elle avait avoué l'aimer, elle n'en avait plus parlé. Il aurait voulu qu'elle s'y risque à nouveau afin de sonder ses propres sentiments. Mais, pour l'instant, elle semblait plutôt sur le point de se rendormir.

— Ça m'ennuie de te laisser seule.

— Il y a quelques millions de personnes à proximité, dit-elle en bâillant. Je ne serai pas seule.

— Je préférerais rester avec toi.

— Ne t'inquiète pas pour moi, Jordan. Je vais chercher un chandail et un blue-jean à offrir à Alison. Des habits bon marché pour traîner dehors sans avoir peur de se salir.

— Pour travailler la glaise ?

Au souvenir de l'expression de Jordan lorsqu'il les avait découvertes couvertes de boue, elle ne put retenir un sourire.

— Et je veux aussi voir les décorations de Noël. Je vais passer une journée beaucoup plus amusante que toi.

— Peux-tu interrompre ton emploi du temps surchargé pour me retrouver à l'heure du déjeuner ?

— Peut-être. Où ?

— Où tu veux.

Il savait qu'il aurait dû bondir du lit et se préparer en vitesse mais bouger lui parut impossible.

— Au Rajah. Dans la 48e rue Ouest.

— À deux heures ?

— D'accord. Est-ce que j'ai emporté ma montre ?

— Je ne t'ai jamais vu en porter.

— Je la laisse dans mon sac pour ne pas me laisser impressionner.

Il l'embrassa.

— Il faut que je me lève. Si je reste une minute de plus, je vais te faire l'amour.

Elle releva la tête et le regarda.

— C'est une menace ou une promesse ?

Il l'attira à lui.

— Vingt minutes de retard, dit sévèrement Agnès en jetant un regard à sa montre. Cela ne te ressemble pas, Jordan.

— Excuse-moi, Agnès, dit-il en s'asseyant.

Agnès trônait derrière un énorme bureau encombré de manuscrits et de papiers divers. Un général organisant ses batailles, telle était l'impression qu'elle avait toujours donnée à Jordan.

Elle remarqua la lueur malicieuse qui éclairait ses yeux et se renfonça dans son fauteuil.

— J'espère que ça en valait la peine.

Jordan se contenta de hausser un sourcil. Agnès n'en attendait pas plus. Elle n'avait jamais pu le pousser à se découvrir. *Un tempérament froid*, se dit-elle une fois de plus. Elle se souvint de la femme qui l'accompagnait la veille au soir et l'association lui parut intéressante.

— À propos de ta collaboratrice, commença-t-elle en repoussant quelques papiers, est-elle aussi bonne que tu le pensais ?

— Meilleure.

Elle hocha la tête.

— Alors c'est de l'argent bien dépensé.

— Justement, je voudrais qu'elle touche un pourcentage des droits d'auteur.

— Un pourcentage des droits d'auteur ? s'étonna Agnès. Tu as signé pour un forfait.

— Elle l'aura aussi, dit Jordan en croisant les doigts.

— Jordan, la somme que tu lui as offerte est très élevée, protesta-t-elle avec douceur. Ta vie privée est une chose, les affaires sont les affaires.

— Il s'agit d'affaires, répliqua-t-il tout aussi gentiment mais fermement.

Agnès se résigna. Jordan Taylor était non seulement froid et avisé, mais aussi très obstiné. Elle était payée pour le savoir.

— Quand nous avons établi le contrat, je ne me suis pas rendu compte à quel point cette collaboration pouvait être fructueuse. Agnès, c'est presque autant son livre que le mien. Elle a le droit d'en profiter.

— Quel sens de la justice, soupira Agnès. Tu es d'une droiture étonnante, Jordan.

— Toi aussi, Agnès, répondit-il avec un sourire. Sinon tu ne serais pas mon agent.

Vaincue, elle haussa les épaules.

— À quel pourcentage pensais-tu ?

Kasey se fraya un chemin dans la foule d'acheteurs qui encombrait le grand magasin Gimbel's. Profitant des soldes, elle acheta trois chandails et deux jeans. Il était rare qu'elle fasse des courses mais, quand cela lui arrivait, elle s'y livrait avec passion. Elle était capable de lâcher sans sourciller trois cents dollars pour une robe et marchander pour un chandail à cinq dollars. Elle ressortit et continua ses emplettes.

Une licorne en étain haute de trois centimètres attira son attention. Kasey se rua dans la boutique, avec la ferme intention de marchander. L'affaire conclue, la faim l'incita à fouiller dans son sac à la recherche de sa montre.

— Six heures vingt-sept ! Ce n'est pas possible !

Elle la fourra dans son sac et se tourna vers l'employé qui emballait la licorne.

— Avez-vous l'heure, s'il vous plaît ?

— Une heure cinquante, répondit-il aimablement.

En marchant d'un bon pas, le trajet ne lui prendrait pas plus de dix minutes et elle renonça à héler un taxi. Les joues rouges et les yeux brillants, elle franchit l'entrée majestueuse du Rajah.

Après le froid mordant du dehors, la chaleur la surprit agréablement.

— Vous désirez, madame ? demanda le maître d'hôtel en s'approchant.

— J'ai rendez-vous avec M. Jordan Taylor.

— M. Taylor vient d'arriver, dit-il en s'inclinant. Par ici, s'il vous plaît.

Trois heures de courses l'avaient affamée. Jordan se leva dès qu'il l'aperçut et vint à sa rencontre.

— Salut, fit-elle en l'embrassant tandis qu'il la débarrassait de son manteau.

— Je vois que tu ne plaisantais pas quand tu parlais de faire des courses, remarqua-t-il devant les paquets qui débordaient de son sac.

— J'étais tout à fait sérieuse.

Elle s'assit et glissa le sac sous la table.

— Je t'ai acheté un cadeau. Tu pourras l'avoir quand j'aurai lu la carte. Je meurs de faim.

— Un peu de vin d'abord ?

Il passa la commande au maître d'hôtel qui attendait et laissa Kasey éplucher la carte.

— Le crabe de Goa, c'est toujours bon. Et le Barra Kabab aussi... Je crois que je vais prendre les deux. Faire des courses m'ouvre l'appétit, expliqua-t-elle en reposant la carte.

— Tout, il me semble, commenta Jordan avec une grimace. Je t'ai observée plusieurs fois quand tu mangeais. C'est un spectacle stupéfiant.

Brûlant du désir de la toucher, il prit la main de Kasey et la porta à ses lèvres.

— Tu m'as vraiment acheté un cadeau ?

— Oui. C'est dans le sac, avec les vêtements pour Alison.

Elle se pencha sous la table et, après avoir fourragé une minute, sortit la boîte.

— Si tu promets de passer la commande tout de suite, tu peux l'ouvrir maintenant.

— Promis.

Il ouvrit la boîte et découvrit la licorne.

— C'est pour te porter chance, dit Kasey. Il n'arrive rien de fâcheux quand on a une licorne. J'ai failli t'acheter un autocollant pour pare-chocs avec une maxime lubrique mais j'ai pensé que ça n'irait pas sur ta Mercedes.

Touché qu'elle ait pensé à lui, il lui reprit les mains.

— Kasey, tu es adorable.

Le maître d'hôtel avait apporté la bouteille de vin et en versait un fond dans le verre de Jordan. Il le goûta et approuva d'un hochement de tête.

— Madame prendra un crabe de Goa et un Barra Kabab. Et moi, un poisson au curry.

— Tu as très faim ? demanda-t-elle comme le maître d'hôtel s'éloignait.

— Un peu, oui. Pourquoi ?

— Je me demandais si tu me laisserais goûter un peu de ton poisson ?

Il éclata de rire et glissa la boîte dans sa poche.

— Tu as acheté une licorne pour moi et des vêtements pour Alison. As-tu acheté quelque chose pour toi ?

— Non.

Elle secoua la tête pour repousser ses cheveux, planta les coudes sur la table et posa le menton dans ses mains.

— Il y avait des boucles d'oreilles dans la boutique où j'ai acheté la licorne, de ravissantes petites gouttes d'or ciselé mais ils n'ont pas voulu marchander. Or, j'étais justement en humeur de marchander. Et en plus, j'avais faim... Comment s'est passé ton rendez-vous ? demanda-t-elle en prenant son verre.

— Très bien.

Il avait décidé de ne pas lui parler du pourcentage sur les droits d'auteur. Elle protesterait sûrement en lui réfutant qu'il n'y avait aucune raison de modifier les clauses du contrat. En outre, il préférait ne pas parler affaires durant le temps qu'il leur restait à passer ensemble. Une seule nuit.

— J'en ai un autre à quatre heures avec Simon Germain. Il va sans doute me demander d'user de mon influence pour te pousser à écrire.

Kasey secoua la tête en riant.

— Je trouve que tu es plus qualifié que moi pour cela. Mais transmets-lui mes amitiés.

— Qu'aimerais-tu faire ce soir ? Tu voudrais qu'on aille au théâtre ?

Un serveur déposa un panier de pain sur la table. Kasey y plongea aussitôt la main.

— *Mum*, une comédie musicale.

Elle beurra un morceau de pain et lui proposa à Jordan d'y mordre. Il refusa et la regarda avec amusement y planter les dents sans attendre.

— Quelque chose d'enlevé, de coloré et qui finisse bien, reprit-elle.

— On se retrouve à l'hôtel à six heures ?

— D'accord, fit Kasey en reprenant du pain.

Elle fronça les sourcils. Il faudrait prévoir un souper tardif après le théâtre.

Kasey était en train de rêver. C'était un rêve familier, trop familier, hélas, et son cerveau s'efforçait de l'écarter avant qu'il ne se soit imposé : elle était seule sur une barque, au milieu d'un océan d'un blanc limpide. Connaissant la suite, elle tenta d'effacer l'image. En vain.

Le vent se leva et le bateau se mit à tanguer. Kasey n'avait ni voile ni rames pour se guider. L'eau s'étendait à perte de vue. Impossible de nager jusqu'à la terre. Elle était seule, perdue, effrayée, et elle n'était qu'une petite fille.

Lorsqu'elle aperçut le bateau, elle poussa un cri de soulagement. Son grand-père était à la barre ; il leva la main et lui lança un filin. Avant qu'elle ait pu l'attraper, un autre bateau passa sur sa droite. Le sillage des deux navires fit osciller dangereusement son misérable esquif. L'eau gicla sur son visage et emplit la coque. Elle se retrouvait prise entre les bateaux qui tous deux semblaient vouloir la happer.

Les vagues secouaient furieusement son bateau ; elle hurla, suppliant son grand-père de venir à son secours. Il fit non de la tête et remonta le filin. La coque du second navire semblait aspirer Kasey. Et les vagues grossissaient,

grossissaient jusqu'à la faire basculer par-dessus bord. L'eau se referma sur sa tête, la privant d'air et de lumière.

— Non !

Elle se redressa sur le lit et se couvrit le visage.

— Kasey ? Qu'y a-t-il ?

Le cri avait réveillé Jordan. Il tendit la main. La jeune femme était glacée.

— Un rêve, c'est tout, balbutia-t-elle en s'efforçant de se calmer. Je vais bien, ce n'est rien.

Sa voix tremblait aussi désespérément que son corps et, bien qu'elle résistât, il l'attira contre lui.

— Non, ça ne va pas. Viens contre moi.

Elle n'aurait pas demandé mieux mais une peur sourde l'envahissait. Peur de dépendre de lui. Elle avait affronté ce cauchemar seule à maintes reprises. Pourquoi aurait-elle besoin d'aide désormais ?

— Non, ça va, répliqua-t-elle d'une voix tendue.

Elle se dégagea de son étreinte, sortit du lit et enfila sa robe de chambre. Jordan alluma sa lampe de chevet et la vit qui cherchait fébrilement ses cigarettes. Il l'observa tout en essayant de trouver sa propre robe de chambre. Le visage de Kasey était livide et la frayeur avait assombri son regard. Elle tremblait de la tête aux pieds et respirait difficilement.

Ayant enfin trouvé son paquet de cigarettes, elle déchira maladroitement le papier pour en prendre une.

— Je suis une scientifique ; je sais ce qu'est un rêve.

Épouvantée par le son de sa propre voix, elle se couvrit la bouche de la main. Elle claquait des dents.

— Une suite de sensations, d'images ou de pensées qui traversent le cerveau d'une personne endormie. Sans aucune réalité.

Elle prit le briquet de Jordan mais sa main tremblait trop pour qu'elle pût l'actionner.

Il s'approcha d'elle, lui ôta des mains la cigarette et le briquet et les posa sur la table. Puis il la prit par les épaules.

— Kasey ! Calme-toi. Laisse-moi t'aider.

— Ça va aller dans une minute... Jordan, s'il te plaît, protesta-t-elle, crispée, comme il l'attirait à lui. Je ne supporte pas de m'écrouler de cette façon. Je déteste ça.

— Dois-tu vraiment faire face à tout, toute seule ? demanda-t-il en lui caressant le dos pour la réchauffer. En quoi le fait d'avoir besoin de réconfort peut-il t'affaiblir ? Si j'avais besoin de réconfort, tu me laisserais tomber ? Kasey, laisse-moi t'aider.

Sanglotant, elle se cramponna à lui et cacha son visage contre le torse de Jordan.

— Ce n'est qu'un rêve mais il me fait aussi peur que la première fois.

Sans mot dire, il la souleva et la déposa sur le lit. Puis, il l'allongea à ses côtés.

— Tu l'as déjà fait ?

— Plusieurs fois depuis mon enfance, chuchota-t-elle contre sa poitrine. Ça m'arrive rarement maintenant. Parfois il s'écoule plusieurs années sans que je le refasse.

Il sentait les battements désordonnés de son cœur. Elle ferma les yeux et s'efforça de respirer plus calmement.

— C'est toujours le même scénario, si vivant, si réel.

Elle avait cessé de trembler mais il ne desserra pas son étreinte. Elle lui faisait découvrir quelque chose de nouveau : le besoin de la protéger.

— Raconte-le-moi.

— C'est trop bête, dit-elle en secouant la tête.

— Raconte quand même.

Elle garda le silence un instant avant de se décider. Son récit fut bref, précis. Une histoire enfantine, simple à comprendre, mais n'était-ce pas le rêve qui avait hanté les nuits d'une enfant malheureuse ?

— Je n'en ai jamais parlé à mon grand-père, poursuivit-elle d'une voix plus assurée. Je savais que cela le bouleverserait. Quand j'étais à l'université, je ne l'ai fait que deux fois. Puis une autre fois lorsqu'un de mes oncles a voulu se faire réélire et qu'un journaliste en a profité pour ressortir cette histoire de procès. Et encore la nuit précédant la remise de mon diplôme. J'ai mis ça sur le compte d'un excès de boisson et de l'angoisse à l'idée du discours d'adieu que je devais prononcer au nom de toute ma promotion.

Elle soupira, enfin détendue.

— Et depuis ?

Il avait senti la peur et la tension la quitter. Son corps s'était réchauffé.

— Deux fois. Une fois quand mon grand-père a été hospitalisé pour une pneumonie. J'étais morte de peur ; c'était un homme en si bonne santé ! Une autre fois lors d'une fouille. Nous avions dû abattre un chien enragé ; cela m'a brisé le cœur.

Enfin apaisée, elle sentait le sommeil la gagner. Après lui avoir donné son amour, elle lui offrait sa confiance. Et, dans l'immédiat, même si c'était contraire à ses principes, elle était heureuse qu'on se soucie d'elle.

— La dernière fois, c'était il y a deux ans. Je ne sais pas ce qui l'a déclenché ce soir.

Il entendit sa voix s'assourdir. Elle allait se rendormir, se dit-il en fixant le plafond. Pas lui. Il était trop préoccupé par Kasey Wyatt.

Lors de leur première rencontre, il n'avait vu en elle qu'une excentrique, plutôt marrante et séduisante. À présent, il se rendait compte que cette impression était superficielle.

La respiration de Kasey s'était apaisée. Ils repartaient à Palm Springs le lendemain, pour achever leur travail. Dans quelques semaines, Kasey aurait terminé la tâche pour laquelle il l'avait engagée. Ensuite, ce serait à lui de décider.

Il tendit la main et attrapa un cigare et des allumettes. Les yeux au plafond, il fuma en silence, bercé par la respiration de Kasey.

10

Plus que deux semaines avant Noël. Kasey sentait le temps la rattraper inexorablement. Ce bref intermède à New York l'avait rassérénée et elle pouvait à présent considérer la situation d'un œil plus serein. Ce qu'elle vivait avec Jordan, elle pouvait désormais l'accepter sans souffrir des doutes et des malaises qui la minaient auparavant. Elle l'aimait et elle était heureuse avec lui. Un jour viendrait pourtant où il lui faudrait payer pour ce bonheur. Eh bien, elle paierait ! Néanmoins, elle aurait préféré que le temps ne s'écoule pas aussi vite.

Pour l'amour d'Alison, elle avait hâte d'être à Noël, mais pour elle, rien ne pressait. Au contraire, elle aurait voulu que chaque journée, chaque heure s'étire lentement. Après Noël, viendrait le nouvel an. Avec le nouvel an, le moment de partir…

En voyant le plaisir qu'Alison prenait à préparer Noël, elle parvenait à oublier momentanément ses problèmes. Durant deux courtes semaines, elle consacra ses loisirs à égayer les vacances de l'enfant. L'élégante guirlande rouge et les clochettes en argent qu'avaient précautionneusement déballées les domestiques n'évoquaient pas vraiment la fête. Kasey avait déjà passé un Noël triste et ennuyeux dans sa vie, cela suffisait.

— Jordan ! s'écria-t-elle en déboulant dans son bureau. Il faut que tu voies ça. Viens tout de suite.

— Kasey, je suis en plein milieu de…
— Laisse tomber, ordonna-t-elle. De toute façon, tu travailles trop.
Elle se pencha pour lui donner un baiser bref mais passionné.
— C'est vraiment formidable ! Tu vas adorer. Viens, Jordan, tu seras de retour avant que ta machine à écrire se soit rendu compte de ton absence.
Il était déjà difficile de ne pas lui céder en toutes circonstances, mais lorsqu'elle lui agrippait le bras en riant comme ça, c'était carrément impossible.
— Très bien, fit-il en la suivant. Qu'y a-t-il ?
— Une surprise, bien sûr. J'adore les surprises.
Arrivée au premier étage, elle poussa la porte de sa chambre et lui fit signe d'entrer. Il obéit et examina la pièce en silence.
Des guirlandes rouges et vertes étaient suspendues d'un mur à l'autre et se croisaient au milieu du plafond. Elles s'enroulaient autour des piliers du baldaquin et entouraient les fenêtres. Des angelots, des saint-nicolas et des lutins en carton pendaient des poignées de porte et des tiroirs ; accroché devant la cheminée, un bas en grosse laine rouge débordait de sucres d'orge. Une grosse étoile dorée étincelait au-dessus de leurs têtes.
Jordan tourna un regard ébahi vers Kasey.
— Tu as redécoré ta chambre ?
Elle se hissa sur la pointe des pieds et l'embrassa.
— Ce n'est pas moi. C'est Alison. Tu ne trouves pas ça merveilleux ?
— À vrai dire, je suis surpris, répondit-il en secouant la tête. Je n'ai jamais rien vu de pareil.
— Tu devrais voir la salle de bains. Elle est spectaculaire !
Il sourit et fit tournoyer un lutin sur sa ficelle.
— Bien sûr, tu lui as dit que ça te plaisait beaucoup.
— Ça me plaît beaucoup, affirma Kasey. C'est vraiment gentil de sa part. Elle voulait que je me sente

comme chez moi pour Noël. Eh bien, l'objectif est atteint.

— Si j'avais su que des guirlandes colorées pouvaient te faire autant de plaisir, j'en aurais fabriqué.

Elle jeta les bras autour de son cou.

— Tu saurais en faire ?

— J'imagine que je pourrais me débrouiller.

— Et enfiler des pop-corn ?

— Quoi ?

— Enfiler des pop-corn, répéta-t-elle en nouant les doigts derrière sa nuque. Ce que j'aimerais vraiment faire pour Noël, c'est enfiler des pop-corn pour décorer le sapin. Et je voudrais aussi offrir un chien à Alison.

— Attends une minute, s'écria Jordan en s'écartant. Quand tu te lances comme ça, il me faut parfois une minute pour comprendre ce que tu racontes.

— Contente-toi d'approuver, ça nous évitera des soucis. Jordan, c'est très simple : un, je ne peux supporter un sapin sans guirlandes de pop-corn. J'ai l'impression qu'il est tout nu. Deux, Alison a besoin d'un animal domestique.

— Pourquoi ?

— Pourquoi quoi ?

Avec un soupir, Jordan se frotta le nez entre le pouce et l'index. Cette jeune personne le faisait tourner en bourrique, le pire étant que cela ne lui déplaisait pas.

— Pourquoi Alison a-t-elle besoin d'un chien ?

— D'abord, parce qu'elle en veut un. Ce qui est une excellente raison, répliqua-t-elle en lui souriant. J'ajoute qu'un chien serait un bon compagnon pour une petite fille qui n'a ni frère ni sœur. En outre, il lui donnerait le sens des responsabilités. Que penses-tu d'un cocker ?

Jordan éprouva le besoin de s'adosser à la porte.

— Je dois reconnaître que je n'y avais guère songé.

— Eh bien, je t'accorde une minute, dit-elle généreusement. Les cockers sont très gentils avec les enfants. Et il est très important d'avoir un animal quand on est jeune, Jordan. Cela enseigne une quantité de valeurs...

— Attends, fit-il en levant la main pour l'interrompre. Je pense qu'il serait beaucoup plus simple que je dise oui tout de suite ; ça gagnerait du temps.

— Je t'ai déjà dit combien je te trouvais logique, déclara Kasey, enchantée d'elle-même.

Il posa les mains sur les épaules de la jeune femme.

— Je pense aussi que c'est très délicat de ta part.

— Je le pense aussi, dit-elle. Je suis une femme délicate, c'est bien connu.

— Tu l'es, insista-t-il en la prenant dans ses bras. Que cela te plaise ou pas. Tu as apporté de grands changements dans la vie d'Alison, et dans la mienne.

Incapable de dire quoi que ce soit, elle posa la tête sur sa poitrine. *Je vous aime tous les deux*, pensa-t-elle en fermant les yeux.

— Est-ce que c'est oui aussi pour les pop-corn ? demanda-t-elle quelques secondes plus tard.

Elle se sentait si bien, tellement en sécurité dans ses bras qu'elle avait du mal à imaginer son départ.

— Je doute de pouvoir faire face à un sapin de Noël tout nu, déclara-t-il d'un ton solennel.

Elle l'étreignit avec gratitude.

— Merci.

— Et maintenant, j'ai quelque chose à te demander.

Elle releva la tête et sourit.

— Tu n'aurais pu mieux choisir ton moment. Je ne peux rien te refuser.

— Peut-être t'en souviendras-tu lors d'un moment plus approprié mais pour l'instant il y a autre chose : tu as probablement remarqué que ma mère se lamente régulièrement parce que je ne suis allé à aucune des réceptions données à l'occasion des fêtes de Noël.

— Pour dire la vérité, Jordan, répondit Kasey d'un ton badin, j'ai aussi remarqué l'habileté avec laquelle tu ignores ses remarques.

— J'ai une longue expérience. Mais, à la fin de la semaine, il y a une soirée dansante au club. Il faudrait que j'y aille. Viens avec moi.

— Tu m'invites ? C'est un rendez-vous en bonne et due forme ?

— C'est un peu ça, avoua-t-il en éclatant de rire. Kasey, tu me donnes l'impression d'avoir de nouveau seize ans. Tu viendras avec moi ?

— J'aime danser, déclara-t-elle en se pendant à son cou. J'adorerais danser avec toi.

Elle l'embrassa longuement jusqu'à ce qu'elle l'entende demander grâce.

— Du coup, je crois que je vais m'acheter une nouvelle robe, murmura-t-elle. As-tu une couleur préférée ?

— Le vert, dit-il, la bouche collée contre sa gorge. Comme tes yeux.

Elle rit doucement en se pressant contre lui.

— Jordan, il y a autre chose que je dois t'avouer.

— Hum ! Qu'est-ce que c'est ? demanda-t-il, contre la bouche de Kasey.

— C'est au sujet d'Alison. Après avoir décoré ma chambre, elle est allée dans la tienne.

— Faire quoi ?

— Décorer ta chambre, tiens !

— Décorer ma chambre ? s'exclama-t-il en s'écartant pour la regarder. Ma chambre ?

Il leva la tête et regarda les guirlandes et les personnages en carton. L'incrédulité se répandit sur son visage tandis qu'il baissait les yeux sur Kasey.

— *Ma* chambre ?

— Jordan, tu te répètes.

Son expression catastrophée la fit éclater de rire. Glissant les bras autour de sa taille, elle l'étreignit avec tendresse.

— Tu vas adorer, promit-elle. Il y a un bonhomme de neige en mousse qui t'attend au milieu de la pièce.

Le lendemain après-midi, Kasey regardait Alison jouer de la guitare. La technique était encore maladroite mais elle y mettait de l'enthousiasme. Kasey revit l'enfant, quelques semaines auparavant, assise droite comme un i sur le tabouret du piano et jouant du Brahms avec précision et ennui.

Son regard n'est plus vide, se dit-elle en tendant la main pour caresser les cheveux de la fillette. *Comment serait-ce d'avoir un enfant à soi ?*

— Non.

Il fallait éviter ces excès de sentimentalité et trop s'attacher à cette fillette était imprudent.

— Formidable ! s'écria-t-elle quand Alison acheva son morceau. Tu apprends très vite.

— Est-ce que j'arriverai à jouer aussi bien que toi ?

— Mieux, et bientôt, affirma Kasey en rangeant l'instrument dans son étui. Moi, j'aime la musique. Tu l'aimes aussi et, en plus, tu as du talent.

— Je croyais que non.

Alison s'assit devant le piano et promena ses doigts sur les touches.

— Maintenant, je peux jouer des morceaux au piano et à la guitare.

— Alison, il faut que j'aille faire des courses. Veux-tu venir avec moi ?

— Des courses ? s'écria Alison, très intéressée. Des courses pour Noël ? J'ai fini les miennes mais ça m'amuserait de t'aider à finir les tiennes.

— Finir ? Je n'ai pas encore commencé.

— Pas du tout ? s'étonna Alison. Mais il ne reste que dix jours.

— Tant que ça ? fit Kasey en se levant pour s'étirer. Eh bien, pour une fois, je vais commencer plus tôt. D'habitude, j'attends la veille de Noël. J'adore l'agitation du dernier jour.

— Mais que fais-tu si tu ne trouves pas ce que tu veux ?

Tel oncle, telle nièce! Logique, ordre et ponctualité étaient inscrits dans les gènes de la famille.

— C'est ça qui est amusant. Ça relève du défi. Il m'arrive de faire perdre la tête aux vendeuses. En tout cas, j'ai besoin d'une robe. Si on a faim, on pourra avaler un hamburger. Il y a sûrement un McDonald's dans le coin.

— Un McDonald's? répéta l'enfant, partagé entre la prudence et l'excitation. Je ne suis jamais allée chez McDonald's.

— Tu n'es jamais allée chez McDonald's? s'exclama Kasey en affichant une stupéfaction excessive. C'est scandaleux. Viens, il te faut une leçon d'instruction civique.

Elle prit la main d'Alison et l'entraîna à sa suite.

Quelques heures plus tard, Kasey gara la voiture dans une place de parking.

— Je t'avais bien dit que j'en trouverais une, dit-elle en coupant le contact.

Alison sortit et Kasey verrouilla les portes.

— J'espère qu'oncle Jordan ne sera pas fâché que nous ayons pris sa voiture.

— Il m'a dit que je pouvais la prendre quand je voulais.

— Mais d'habitude, c'est Charles qui conduit tout le monde, sauf oncle Jordan.

— Pourquoi aurions-nous traîné ce pauvre Charles dans nos pérégrinations? On a bien dû faire cent trente-sept boutiques. Je meurs de faim, s'exclama-t-elle en poussant la porte vitrée. Ça fait une éternité que je n'ai pas mangé de hamburger.

Alison regarda autour d'elle, fascinée par la foule et le bruit.

— Ça sent rudement bon.

En riant, Kasey la poussa dans la queue.

— Sentir n'est pas suffisant. J'ai envie de frites.

Alison examina le menu suspendu au-dessus du comptoir et s'arrêta sur l'image d'un énorme hamburger.

— J'aimerais en avoir un comme ça. C'est bon ?
— Fantastique ! J'espère que tu n'as pas les yeux plus gros que le ventre.
— C'est vrai qu'il est énorme, remarqua Alison en posant son plateau sur une table libre.
Elle s'assit, prit une bouchée et sourit.
— C'est bon.
— Tu as un goût très sûr.
Kasey mordit dans le sien et ferma les yeux de satisfaction.
— Ça fait longtemps que je n'en avais pas mangé, dit-elle en soupirant. Crois-tu qu'on pourrait persuader François de nous en faire ?
— Toi, tu pourrais.
— Pourquoi dis-tu ça ?
— Tu es capable de persuader n'importe qui de faire n'importe quoi.
Kasey éclata de rire en secouant la tête.
— Quelle petite futée tu fais !
Alison la remercia d'un sourire avant de tremper les lèvres dans son milk-shake.
— Je n'ai jamais rien vu de pareil au cadeau que tu as acheté pour oncle Jordan.
— La crécelle de sorcier ? demanda Kasey en grignotant une frite. C'est une vraie trouvaille.
L'objet, d'origine apache, était d'une facture superbe : une pièce très rare. Cette trouvaille avait tellement excité Kasey qu'elle n'avait même pas songé à marchander.
— Cela le protégera des esprits mauvais.
Le visage d'Alison était enfoui aux trois quarts dans l'épais hamburger.
— J'aime aussi la robe que tu t'es achetée. Le vert te va bien.
— J'en mets rarement. C'est tellement évident avec ma couleur de cheveux et d'yeux. Mais, de temps en temps, ça ne me gêne pas de tomber dans l'évidence.

— Elle est très chic et très moulante, ajouta Alison entre deux bouchées.

— J'aimais bien l'autre aussi. Tu sais, celle en velours fripé.

— Velours frappé, corrigea Alison en gloussant.

— Comme tu veux. As-tu envie d'une tarte aux pommes ?

Alison s'adossa à son siège avec un soupir d'aise.

— Non, je ne crois pas. Et toi ?

— Si je veux entrer dans cette robe, il ne vaut mieux pas. Qu'est-ce que tu m'as acheté pour Noël ?

— C'est un... Kasey ! s'exclama Alison, indignée.

— J'espérais te prendre par surprise.

— C'est un secret, fit Alison én s'essuyant les mains d'un air guindé. Ça gâcherait tout de le dire.

— Vraiment ? Et pourquoi alors est-ce que tu t'es faufilée dans toutes les pièces de la maison pour fouiller les placards ?

Alison piqua un fard puis éclata de rire.

— Je voulais seulement secouer les boîtes.

— C'est une vieille histoire qui ne marche plus.

— Avec toi, Kasey, Noël est vraiment amusant, déclara l'enfant en la regardant d'un air grave. Tu vas rester pour toujours ?

Kasey sentit une fêlure s'ouvrir dans son cœur. Comment expliquer à cette petite fille ce qu'elle-même se refusait à envisager ?

— Pour toujours, c'est très long, Alison, répondit-elle d'une voix calme en la regardant dans les yeux. Quand mon travail sera fini, il faudra que je parte.

— Mais tu ne peux pas rester et continuer à travailler pour oncle Jordan ?

— Il n'a pas besoin d'une anthropologue à demeure. Et j'ai du travail qui m'attend.

Elle vit le regard de l'enfant s'éteindre et se détourner.

— Les amis restent amis, Alison, quelle que soit la distance qui les sépare. Je t'aime. Ça, ça ne changera pas.

Elle posa la main sur celle d'Alison.

— Tu reviendras ? demanda celle-ci. Tu viendras me voir ?

Je ne peux pas, songea Kasey. *Comment peux-tu me demander une chose pareille ? Tu ne comprends pas combien cela me serait douloureux ?*

— Toi, tu pourras venir me voir, répondit-elle. Ça te ferait plaisir ?

— Vraiment ! s'écria Alison, le visage à nouveau rayonnant. Et ton grand-père ?

— Il sera enchanté, affirma Kasey en empilant la vaisselle en carton sur les plateaux. Tu es bien mieux élevée que je ne l'ai jamais été. Tiens, va jeter tout ça dans la poubelle, là-bas.

Restée seule à la table, Kasey en profita pour tenter de se ressaisir. C'était mieux ainsi. Alison était déjà préparée. *Et moi ?* Elle ferma les yeux un instant. *J'ai dit que je paierais le prix quand le moment serait venu. Il faut que je m'en tienne à ça, sans me gâcher la vie d'ici là.*

Alison revint vers elle.

— Prête ? demanda Kasey. Maintenant, il faut trouver un bureau de poste pour que j'envoie les cadeaux que j'ai achetés à mon grand-père. Tu crois qu'il aimera ce petit nain avec les dents qui avancent ?

C'est en riant à gorge déployée qu'Alison pénétra dans la maison, ensevelie sous les innombrables paquets de Kasey.

— Je vais t'aider à les emballer, dit-elle en rattrapant une boîte qui lui échappait.

— Montons-les d'abord, répondit Kasey.

C'est alors qu'elle aperçut Béatrice au milieu de l'escalier. Elle fixait un regard indigné sur les cheveux hirsutes de sa petite-fille.

— Alison, où étais-tu ?

— Alison m'a aidée à faire mes courses de Noël, madame Taylor.

Le regard de Béatrice se déplaça comme à regret sur la jeune femme.

— Je n'apprécie pas que vous emmeniez Alison sans m'en parler auparavant.

Elle se tourna de nouveau vers l'enfant et jeta sèchement :

— Va dans ta chambre et donne-toi un coup de peigne. De quoi as-tu l'air, Seigneur !

— Oui, grand-mère.

Kasey la regarda monter docilement l'escalier puis s'adressa d'une voix calme à Béatrice.

— Je suis désolée que vous vous soyez inquiétée, madame Taylor. Vous n'étiez pas là quand nous sommes parties et j'ai averti Millicent de nos projets.

Béatrice haussa les sourcils.

— Je n'aime pas être informée par les domestiques des faits et gestes de ma petite-fille.

— Je pensais que vous ne remarqueriez pas son absence.

Le visage de Béatrice s'empourpra.

— Est-ce une critique, mademoiselle Wyatt ?

— Bien sûr que non, madame Taylor, protesta Kasey en s'efforçant de conserver un ton serein. J'apprécie la compagnie d'Alison, et c'est réciproque. Nous avons passé l'après-midi ensemble. Je regrette que cela vous ait causé de l'inquiétude.

— Je trouve votre attitude impertinente.

— Je ne peux que me répéter : je regrette, répondit poliment Kasey. Maintenant, si vous voulez bien m'excuser, j'aimerais ranger toutes ces affaires.

— Vous seriez avisée de vous souvenir de votre position dans cette maison, mademoiselle Wyatt.

Cette remarque cingla Kasey de plein fouet. Elle s'immobilisa au pied des marches et reposa ses paquets. Apparemment, le litige n'était pas clos.

— Vous n'êtes qu'une employée, reprit Béatrice, et, à ce titre, aisément remplaçable.

— Je suis venue pour accomplir une tâche précise, madame Taylor, et je ne suis l'employée de personne à moins que je ne décide de l'être. Est-ce là tout ce que vous avez à me dire ? ajouta-t-elle après une brève pause.

Béatrice n'avait pas l'habitude qu'une personne qu'elle considérait comme une employée, c'est-à-dire à peine plus qu'une domestique, la regarde en face aussi froidement.

— Je ne tolérerai pas votre insubordination, dit-elle en serrant la balustrade au point que ses phalanges blanchirent. Je ne supporte pas non plus l'influence néfaste que vous exercez sur ma petite-fille.

— Je croyais que la garde d'Alison avait été confiée à Jordan.

Instantanément, elle regretta ses mots. *Qu'est-ce que je fais ? Je mets Alison entre nous, en plein milieu du conflit.*

— Madame Taylor..., reprit-elle dans l'idée d'arranger les choses pour le bien de l'enfant.

— Que se passe-t-il ? demanda Jordan en sortant à cet instant du salon.

Le bruit de la dispute lui était parvenu au moment où il quittait son bureau.

— Cette femme est d'une grossièreté insupportable, dit sa mère en se tournant vers lui.

Jordan haussa les sourcils.

— Kasey ?

— Peut-être bien, marmonna celle-ci.

— Mlle Wyatt a pris sur elle d'emmener Alison tout l'après-midi et a eu l'effronterie de me critiquer lorsque j'ai exprimé mon inquiétude.

Partagé entre l'amusement et l'agacement, Jordan regarda la jeune femme.

— Tu as été très occupée, à ce que je vois ?

— Nous sommes seulement allées faire des courses pour Noël, oncle Jordan, s'écria Alison en dévalant l'escalier jusqu'à ce que le regard courroucé de sa grand-mère la fige à mi-chemin.

— Ceci ne te regarde pas, Alison. Retourne dans ta chambre.

— Je ne crois pas que ce soit nécessaire, coupa Jordan.

Contournant sa mère, il tendit la main à l'enfant.

— En tout cas, tu ne parais pas avoir souffert de cette équipée. As-tu passé une bonne journée ?

— C'était merveilleux, déclara Alison avec un grand sourire. Nous sommes allées chez McDonald's.

— Non, c'est vrai ?

Il jeta un coup d'œil à Kasey. Il la connaissait suffisamment à présent pour deviner ce qui bouillonnait sous cet air insouciant. Elle fulminait et souffrait sans doute aussi. Quelles paroles avaient été prononcées, avant qu'il n'intervienne ? Il lui sourit pour l'apaiser.

— Tu aurais dû me prévenir. Je vous aurais accompagnées.

Kasey s'efforçait de contrôler son irritation. Elle savait fort bien que la colère ne l'aiderait pas à manœuvrer Béatrice Taylor. Et manœuvrer Béatrice Taylor était indispensable pour le bien d'Alison. Voir celle-ci blottie contre Jordan l'aida à se reprendre.

— Tu travaillais et je n'avais pas l'impression que la perspective de courir les magasins te plairait.

— Kasey t'a acheté un cadeau, oncle Jordan, claironna Alison.

— Vraiment ?

Il serra l'enfant contre lui sans quitter Kasey des yeux.

— Des cookies au chocolat, dit Kasey. Alison les a trouvés délicieux.

— Manifestement, tu as l'intention de traiter ce problème à la légère, déclara Béatrice d'un air sévère.

— Mère, il n'y a pas de quoi s'inquiéter. Alison est en pleine forme, il me semble.

— Très bien, fit-elle en remontant l'escalier.

Kasey regarda Alison qui suivait sa grand-mère des yeux.

— Je suis désolée, oncle Jordan. Je ne savais pas que grand-mère se fâcherait. Elle n'était pas là quand nous sommes parties et nous avons prévenu Millicent, au cas où vous vous demanderiez où nous étions.

— Tu n'as rien fait de mal, dit-il en s'inclinant pour l'embrasser sur la joue. Ta grand-mère est sans doute un peu fatiguée, c'est tout. Elle a besoin de se reposer un moment. Maintenant, tu devrais monter là-haut toutes ces affaires.

Alison rassembla les sacs et les boîtes éparpillés sur le sol.

— Je vais les mettre dans ta chambre, dit-elle à Kasey. Et ensuite j'irai chercher du papier cadeau.

— Merci.

Les enfants oublient vite, se dit-elle. Alison se souciait davantage des cadeaux à emballer que des états d'âme de sa grand-mère.

La fillette ayant disparu à l'étage, Jordan posa les mains sur les épaules de Kasey.

— Dois-je aussi m'excuser ? demanda-t-il tandis qu'il sentait les muscles se décrisper sous ses doigts.

— Bien sûr que non.

Elle avait conscience que cet affrontement était dû au fait que Béatrice ne l'aimait pas. Mais tout était finalement sa faute. Elle aurait dû se montrer plus adroite.

— Je t'ai mis dans une situation désagréable et Alison aussi. Je n'en avais pas du tout l'intention, Jordan.

— Laisse-moi régler les problèmes avec ma mère, dit-il tranquillement. Je fais ça depuis très longtemps et j'ai acquis une certaine dextérité. Et la prochaine fois que tu vas faire un tour en ville, préviens-moi. J'aurais peut-être trouvé amusant d'avaler un hamburger avec vous.

— Très bien, dit-elle, rassérénée. La prochaine fois, je le ferai.

Il s'apprêta à la serrer contre lui puis s'interrompit et sourit.

— Des cookies au chocolat ?

11

Kasey s'arrêta sur le seuil du salon. Elle avait pris tout son temps pour s'habiller pour la soirée du country club dans l'espoir que Béatrice serait partie lorsqu'elle descendrait.

Durant un instant, elle observa Jordan qui préparait des cocktails devant le bar. La tenue de soirée, chemise blanche et smoking d'une coupe parfaite, lui allait bien. Il se mouvait avec aisance, en homme habitué à porter ce genre de vêtements et à parader dans les salons élégants. *Néanmoins, il y a en lui plus de choses que je n'imaginais à mon arrivée. Plus de profondeur, plus de caractère, plus de force. Si j'avais eu le choix de l'homme dont je voulais m'éprendre, je n'aurais pu choisir mieux.*

Brusquement rassérénée, elle entra dans la pièce.

— J'arrive à point, il me semble.

Jordan se retourna pour la contempler. La robe lui allait superbement. Le décolleté profond mettait sa poitrine en valeur et, à chaque pas, une fente s'ouvrait sur le côté, révélant ses jambes ravissantes.

— Je t'ai soupçonnée un jour d'être une sorcière, dit pensivement Jordan. Maintenant, j'en suis sûr.

Kasey prit le verre qu'il lui tendait et y trempa les lèvres.

— Tu aimes ma robe ?... Jordan, tu as attrapé le truc pour les cocktails. Tu pourrais passer pour un véritable professionnel.

— Oui, j'aime beaucoup ta robe.

Il lui reprit son verre, le posa et enlaça la jeune femme pour l'embrasser avec ardeur.

— J'ai une idée, dit-il en lui caressant la joue des lèvres. Fermons les portes du salon et restons ici.

— Oh, non ! protesta Kasey. Tu m'as invitée à danser. Tu dois tenir ta promesse.

— On pourrait arriver en retard ?

Il l'embrassa de nouveau en prenant son temps. Depuis leur retour de New York, les heures passées ensemble se faisaient rares.

— Ça nous est déjà arrivé d'être en retard, reprit-il.

Mais ici ce n'est pas possible, songea-t-elle, en proie à un léger vertige. *Ici, nous ne sommes pas seuls.*

Elle se dégagea à regret et reprit son verre.

— Quelqu'un m'a dit un jour qu'il était grossier d'être en retard. D'ailleurs, tu as promis de danser avec moi. À mon avis, tu dois être un bon danseur.

La perspective de devoir la partager durant cette soirée lui déplut. Il écarta aussitôt cette idée. Se rappelant que la jalousie était étrangère à son caractère, il chassa sa morosité.

— Très bien. Quand on n'a pas décliné une invitation, il faut s'y rendre. Je tiendrai parole.

Kasey lui prit la main et le suivit.

— Pourrons-nous ensuite aller dans un endroit tranquille et rester un peu ensemble ? demanda-t-elle.

— Avec plaisir, répondit-il en l'entraînant dehors.

Jordan saisit deux verres du plateau que portait un maître d'hôtel.

— Du champagne ?

— Oui, merci... C'est magnifique ici. Je suis contente que tu m'aies invitée.

Il appuya le bord de son verre contre celui de Kasey.

— À l'anthropologie. Une science fascinante.

Elle lâcha un petit rire et porta la coupe à ses lèvres. Du coin de l'œil, elle aperçut une mince jeune femme brune, vêtue d'une robe blanche quasiment transparente, qui se faufilait vers eux à travers la foule. Arrivée près de Jordan, elle se haussa sur la pointe des pieds pour l'embrasser sur la joue.

— Jordan, te voilà enfin sorti d'hibernation.

— Bonsoir, Liz. Tu es splendide, comme d'habitude.

— Je m'étonne que tu n'aies pas oublié à quoi je ressemblais depuis tout ce temps. Des mois et des mois !

En souriant, elle se tourna vers Kasey. Elle avait de grands yeux bruns de biche et une peau blanche comme de la crème. Suspendu à une chaîne très fine, un diamant ornait son cou. Jordan fit les présentations.

— Kathleen Wyatt, Elisabeth Bentley.

— Kathleen Wyatt ? répéta Liz, intriguée. Votre nom m'est familier mais nous ne nous sommes jamais rencontrées, il me semble ?

— Non, mademoiselle Bentley, nous ne nous sommes jamais rencontrées, répondit Kasey avec un sourire amical. Voulez-vous du champagne ? Il est délicieux.

Elle attrapa une coupe au passage.

— Merci, fit Liz sans cesser d'observer Kasey.

— Kasey travaille avec moi sur mon prochain roman, expliqua Jordan.

— Ah oui ! s'écria la jeune femme dont le regard s'éclaira soudain. Harry Rhodes a parlé de vous l'autre soir, au dîner... Il a dit que vous étiez extraordinairement intelligente, ajouta-t-elle après une brève hésitation.

— C'est parce que je l'ai battu au billard.

Les yeux de Kasey brillaient de malice.

— Et vous, vous jouez ? demanda-t-elle.

— Au billard ? s'étonna Liz en fronçant les sourcils dans un effort de concentration. Non. Vous êtes archéologue, c'est ça ?

— Non, anthropologue.

Ne pouvant résister à la tentation, elle enchaîna.

— Un archéologue est quelqu'un qui étudie la vie et la culture de peuples disparus en mettant au jour les vestiges de leurs villes et tous les objets leur ayant appartenu. Un anthropologue étudie les races avec leurs caractéristiques physiques et morales, leur répartition, leurs mœurs, leurs relations humaines.

Elle s'interrompit, le temps d'avaler une gorgée de champagne.

— Quelle robe sensationnelle ! reprit-elle en souriant. Elle vient de Paris ?

— Tu as réussi à la décontenancer, remarqua Jordan quand il put enfin l'entraîner sur la piste de danse.

— Tu crois ?

Elle écarta sa joue de celle de Jordan. Son air mi-figue mi-raisin la fit éclater de rire.

— C'est une jeune femme ravissante, Jordan, et tout à fait charmante. Elle me plaît.

— Tu te fais rapidement une opinion.

— Ça gagne du temps... J'étais sûre que tu étais un danseur merveilleux. Et j'avais raison, ajouta-t-elle après qu'il l'eut fait tournoyer avec grâce.

— Si je te dis que je n'ai jamais autant apprécié une valse, tu me croiras ?

— Peut-être.

— Il va falloir que je te laisse danser avec tous ces hommes qui te dévorent des yeux. Je n'aime pas ça.

— Il y en a beaucoup ? demanda-t-elle pour l'asticoter, bien qu'un peu troublée par cette déclaration.

— Trop. Tu entres dans une pièce et tous les yeux se portent sur toi, y compris les miens.

Elle secoua la tête en riant.

— Voilà bien l'imagination d'un écrivain.

— Et d'un homme, murmura-t-il. Je ne cesse de penser à toi.

Oubliant la musique et les gens qui dansaient à côté d'eux, elle le regarda droit dans les yeux.

— Tu voudrais t'en empêcher ?

Il ne put détourner son regard.

— Je ne sais pas.

Quand elle était dans ses bras, pressée contre sa poitrine, il ne parvenait pas à penser de façon cohérente.

— J'aimerais le vouloir. Contente-toi de savoir qu'aucune femme n'a jamais autant compté pour moi.

Kasey comprit qu'il venait de faire un pas important vers elle et n'en souhaita pas plus. Elle lui effleura la joue.

— Je m'en contenterai, Jordan.

Kasey ne resta pas une seconde seule de la soirée. Où qu'elle aille, elle suscitait un vif intérêt. Répondre aux questions, converser aimablement, renvoyer la balle à ceux qui esquissaient un léger flirt, tout l'amusait. Elle aimait cette ambiance élégante et gaie, elle aimait ce déploiement de luxe, tout comme elle aimait passer la soirée au cinéma du coin. Pop-corn et champagne faisaient également partie de la vie.

— Mademoiselle Wyatt ?

Kasey se détourna d'une discussion avec un fanatique de la voile et son épouse pour sourire à Harry Rhodes.

— Bonsoir, Harry. Je suis contente de vous voir.

— Tout le plaisir est pour moi. Vous êtes splendide.

— Et vous, très élégant, fit-elle en effleurant le revers de son smoking.

— J'aimerais que nous parlions du livre que vous m'avez prêté. Il m'a passionné.

— Quand vous voudrez, Harry.

Devant ce visage sympathique, Kasey félicita Jordan d'avoir choisi cet homme pour ami.

— Je me suis exercé au billard, vous savez, annonça-t-il. Je vais pouvoir vous lancer un défi.

— Avec plaisir, dit-elle. Et cette fois-ci, nous essaierons avec huit boules.

— Mademoiselle Wyatt… Kathleen… Kasey, finit-il par dire, encouragé par son sourire. C'est comme ça que Jordan vous appelle, n'est-ce pas ?

— Tous mes amis le font.

Tripotant son verre, il l'examinait d'un regard chaleureux qui rappela une fois de plus à Kasey Winnie, l'ourson gentil et raisonnable.

— Vous n'avez peut-être pas envie de vous hasarder sur une piste de danse avec un vieux professeur à moitié gâteux ?

— Je n'en vois aucun dans les parages, riposta-t-elle en posant son verre. Mais j'adorerais danser avec vous, Harry.

— Jordan a de la chance de vous avoir trouvée, dit-il comme ils rejoignaient la piste.

— Mais c'est *vous* qui m'avez trouvée, Harry.

— Alors je m'en félicite.

Il aimait la fossette qui se creusait au coin de sa bouche et les boucles souples, qui encadraient son visage.

— J'espère que Jordan vous apprécie à votre valeur.

— C'est un homme charmant, n'est-ce pas ? Gentil, attentionné et aimable.

— Il aimait beaucoup son frère, vous savez, dit Harry avec un soupir. Ils étaient très proches. Allen, leur père, était un grand ami du mien. Il est mort il y a longtemps et Béatrice n'a jamais été du genre maternel. Les garçons formaient une vraie paire. Un peu odieux de temps à autre mais…

— Odieux ? s'écria Kasey, surprise. Jordan a été odieux ?

— Il a eu sa période, ma chère, comme tous les jeunes garçons.

Se souvenant de quelques détails, il jugea plus discret de ne pas s'attarder.

— Ça a été très pénible pour lui quand il a perdu son frère. Ils étaient jumeaux.

— Je ne savais pas, il ne m'en a jamais parlé.

Perdre un frère devait déjà être douloureux, mais la mort d'un jumeau devait donner l'impression d'avoir été amputé d'une partie de soi-même.

— Après ça, il s'est replié sur lui-même. Ce n'est que récemment que je l'ai vu s'ouvrir aux autres. Grâce à vous, ma chère, ajouta Harry en baissant les yeux sur Kasey. Vous l'aimez bien, n'est-ce pas?

Kasey lui répondit franchement.

— Je l'aime, tout court.

Il hocha la tête. Sa franchise ne le surprenait pas.

— Il lui faut quelqu'un comme vous pour se remettre à vivre. S'il ne se méfie pas, il va devenir un vieux croûton célibataire comme moi.

— Vous êtes un type formidable, Harry.

La musique s'arrêta; Kasey se rapprocha de son partenaire et l'embrassa sur la joue.

— Eh bien, eh bien? fit Jordan en surgissant à leurs côtés. À peine j'ai tourné le dos que tu en profites pour flirter avec ma petite amie. Je croyais pouvoir te faire confiance, Harry.

Harry s'empourpra.

— Pas avec cette dame, mon garçon. Je me mets sur les rangs. Et je n'ai pas encore perdu la main, déclara-t-il avant de s'éloigner.

— Qu'est-ce que tu lui as fait? demanda Jordan en regardant Harry disparaître dans la foule. J'ai l'impression qu'il parlait sérieusement.

— Je l'espère bien, répliqua-t-elle. Serais-tu jaloux? Ce serait un merveilleux cadeau de Noël, Jordan.

— Ce n'est pas encore Noël. Viens, sortons avant que je n'aie à affronter un autre rival.

— Rien n'est plus sain que la compétition, dit Kasey d'un ton grave tandis qu'ils franchissaient les portes-fenêtres donnant sur la terrasse. Quand on fait des expériences avec les souris blanches...

Il l'embrassa fougueusement, interrompant la conférence.

— Du diable si j'ai envie de rivaliser avec des souris blanches !

Sa main plongeait dans les boucles de Kasey et sa bouche se faisait exigeante. Sentant qu'il avait besoin de se rassurer, Kasey ne résista pas. Elle leva les bras pour nouer les mains sur sa nuque. Soumission momentanée ; plus tard, viendrait le temps du défi, de l'agression, du combat à forces égales. Dans l'immédiat, il avait besoin d'autre chose. Il était simple de lui céder alors qu'elle connaissait son propre pouvoir. Leurs deux cœurs battaient de façon précipitée, l'un contre l'autre.

Jordan l'écarta légèrement pour la regarder.

— Qui es-tu ? Je ne le sais toujours pas.

— Tu en sais plus que quiconque, répondit-elle en s'appuyant sur la balustrade. C'est ravissant, ici, Jordan. L'air est doux et on sent un parfum... de verveine, il me semble. Et les étoiles sont toutes proches, ajouta-t-elle en levant les yeux. Chez nous, je restais souvent dehors pendant des heures à les contempler. Un jour, mon grand-père m'a acheté un télescope. J'avais décidé d'être la première femme à marcher sur la lune.

— Qu'est-ce qui t'a fait changer d'avis ?

Il y eut le déclic d'un briquet et une odeur de tabac s'éleva. Elle frémit. Cette odeur la hanterait toute sa vie.

— Durant une semaine entière, j'ai essayé de ne manger que de la nourriture déshydratée. C'est épouvantable.

Il éclata de rire. Elle désigna un point sur le ciel.

— Voici Pégase. Tu le vois ? Il s'envole. Et la tête d'Andromède effleure son aile.

Elle baissa le bras et soupira. Une lassitude délicieuse la gagnait.

— Merveilleux spectacle, n'est-ce pas ? Et c'est réconfortant de penser qu'il sera encore là demain.

Jordan se rapprocha d'elle et posa la main sur son épaule. Sa peau était douce et fraîche dans l'air nocturne.

— Est-ce pour cela que tu te plonges dans le passé ? Parce qu'il crée un lien avec l'avenir ?

Elle haussa les épaules.

— Peut-être.

Il jeta son cigare et la prit dans ses bras. Elle posa la tête sur son épaule.

— Accorde-moi encore une danse, Jordan. La nuit est presque finie.

12

Kasey se préparait à la féerie de Noël. Elle se retrouvait au milieu de palmiers au lieu d'un paysage enneigé mais ce n'était pas la première fois qu'elle passait un Noël sans neige.

Elle se rendait bien compte que sa tâche était achevée, ou presque. Jordan travaillait de plus en plus longtemps sans elle. Une lettre ou un simple coup de téléphone aurait suffi pour lui procurer les quelques renseignements manquants. Elle temporisait et savait, qu'il s'en rende compte ou non, que Jordan faisait de même. La séparation était inévitable, mais il ne fallait pas gâcher les fêtes de Noël. Lorsque les vacances seraient achevées, elle emballerait ses affaires et le préviendrait. Dans cet ordre. Il était préférable que tout soit organisé avant que les mots ne soient prononcés.

Ce plan bien concocté dans sa tête, Kasey se sentit mieux. Elle avait droit à une semaine de sursis. Le premier de l'an, elle s'en irait, quitterait Jordan et Alison, et redémarrerait à zéro. Elle était forte; elle avait déjà survécu à des deuils. Mais à présent c'était Noël et elle avait une famille, même si ce n'était que pour une semaine.

Assise sur le tapis du salon, elle regardait Alison tripoter les paquets entassés sous l'arbre en jacassant comme une pie. Qu'est-ce que c'était que ça? Qu'est-ce que ça *pouvait* bien être ? C'était dur ou c'était mou ? Est-ce que ça se mangeait ? Combien d'heures restait-il à attendre ?

— Pas tout à fait une de moins que la dernière fois que tu as posé la question, répondit Jordan en l'attirant sur ses genoux. Pourquoi n'ouvrons-nous pas tout maintenant ?

— Oh, non, oncle Jordan, il ne faut pas !

Elle jeta un coup d'œil à Kasey, craignant qu'elle ne se rallie à la suggestion de son oncle.

— Non, il ne faut pas, confirma celle-ci. Saint Nicolas serait très fâché. On n'irrite pas un personnage aussi important. C'est dangereux.

Éclatant de rire, Alison se blottit contre Jordan.

— Kasey, tu sais bien qu'il n'existe pas.

— Je ne sais rien de ce genre. Et vous, mademoiselle Taylor, vous êtes une cynique.

— Vraiment ?

Alison prit un air songeur et enregistra ce mot nouveau. Elle tendit la main vers la table basse et s'empara d'une petite boule en verre qui contenait une minuscule scène de forêt. Quand elle la retourna, la neige se mit à tomber.

— Je n'avais jamais vu ça.

— Non, fit Jordan, heureux qu'elle l'ait enfin remarquée. Je l'ai trouvée dans le grenier ce matin. Elle appartenait à ton père quand nous étions enfants.

— C'est vrai ?

— Oui, c'est vrai. J'ai pensé que ça te ferait plaisir de l'avoir.

— Je peux la garder ? demanda-t-elle en refermant les doigts sur la boule.

— Tu peux. Elle est à toi.

Alison retourna à nouveau l'objet et regarda la neige se déverser mollement.

— Il aimait la neige, dit-elle tout à coup. Quand nous étions à Chicago, nous faisions des batailles de boules de neige. Il me laissait toujours gagner.

Elle s'appuya contre la poitrine de Jordan et secoua encore l'objet.

Kasey les regardait silencieusement. Il avait pris le temps de fouiller le grenier pour donner à Alison un souvenir de son père. Si elle ne l'avait pas déjà aimé, elle serait tombée amoureuse immédiatement. En plus de toutes ses qualités, il était généreux.

Désirant les laisser seuls un instant, elle se leva.

— Kasey?

Le regard de Jordan la fit s'arrêter.

— Il me reste deux ou trois choses à envelopper, dit-elle.

Il devina ses pensées et sourit.

— Quelqu'un n'a pas parlé d'enfiler des pop-corn?

— Des pop-corn? répéta Alison. Pour l'arbre?

— Kasey affirme qu'un arbre de Noël n'en est pas un s'il n'a pas des guirlandes de pop-corn, expliqua Jordan. Qu'est-ce que tu en penses?

— On peut les faire maintenant?

— Moi, je suis d'accord, mais Kasey semble avoir quelque chose d'autre à faire, dit-il en souriant malicieusement.

— Oh, j'ai un caractère très accommodant, répliqua Kasey. Il nous faut des kilomètres de fil solide et trois aiguilles. Crois-tu pouvoir trouver ça? ajouta-t-elle à l'adresse d'Alison.

— Et on pourra en manger?

— Absolument.

Sans lâcher la boule de verre, Alison se rua hors de la pièce.

— Parfois, tu es complètement transparente, Kasey, dit Jordan en se levant pour s'approcher d'elle. Tu allais pleurer et tu n'as pas voulu que ça t'arrive devant Alison. Ni devant moi.

— C'est merveilleux ce que tu as fait.

— Alison était avec moi, le Noël dernier, et je n'y ai pas pensé. Merci.

Il souleva le menton de Kasey et l'embrassa.

— Ne me fais pas pleurer, Jordan. Nous sommes la veille de Noël.

— Je les ai trouvés ! cria Alison en déboulant dans la pièce.

Elle brandissait une boîte d'aiguilles et une grosse bobine de fil.

— La bataille est à moitié gagnée, dit Kasey en se levant. Tu viens avec nous, Jordan ?

— Je ne veux pas manquer ça.

Comme ils approchaient de la porte de la cuisine, Jordan crut bon de prévenir :

— Tu sais, je ne sais pas comment François va prendre ça. Sa cuisine est sacrée.

— Pas de problème, fit Kasey en poussant la porte.

François se retourna et s'inclina. Il ne portait pas la toque blanche mais il avait quand même la moustache.

— Bonjour, monsieur, dit-il en saluant Jordan. Puis-je vous aider ?

Jordan hésita. Au fil des ans, il avait été témoin d'un certain nombre d'accès de colère peu agréables.

— François, il nous faudrait fabriquer quelque chose d'un peu spécial pour l'arbre de Noël.

— Quoi donc, monsieur ?

— Nous voudrions enfiler des pop-corn.

— Des pop-corn ? Vous voulez faire ça dans ma cuisine ?

— François ?

S'interrompant, il se tourna vers Kasey.

— Mademoiselle ?

— Votre cuisine est une vraie merveille, lui dit-elle avec son plus beau sourire.

Elle poursuivit en louant l'agencement de la cuisine, l'inventivité de ses menus, la finesse exquise des plats et goûta un peu du ragoût qui mijotait sur un coin du fourneau.

Quand elle eut fini, il était conquis. Après s'être incliné devant Jordan et avoir écarté du feu la cocotte de ragoût, François quitta la pièce.

Ébahi, Jordan vit la porte se refermer puis regarda Kasey qui prenait une poêle et la posait sur le feu.

— Je n'en reviens pas. Comment as-tu fait ?

— Ce n'était pas difficile, j'ai dit la vérité et il est charmant. Où est rangé le maïs ?

En riant, il ouvrit un des placards du haut.

— J'en ai chipé un peu à mes risques et périls.

— Tu es un type rudement fort, Jordan, dit-elle en prenant la boîte qu'il lui tendait. Il me faudrait aussi de l'huile.

Il fit signe à Alison d'en chercher puis murmura quelque chose à l'oreille de Kasey. Elle ne put s'empêcher de sourire.

— Je suis très choquée. Intéressée mais choquée. Je ne te demanderai pas où tu as appris ça.

Quelques minutes plus tard, la pétarade des grains de maïs chauffés emplissait la cuisine. Jordan regardait Alison assise sur la table qui préparait avec soin des fils de toute taille et écoutait ce bruit réconfortant. Quand l'avait-il entendu pour la dernière fois ? À l'université ? Non, chez son frère, cinq ou six ans plus tôt. Kasey avait peut-être raison. Il s'était isolé de tout.

— Encore un chef-d'œuvre, déclara Kasey en versant une fournée de pop-corn dans un plat.

— Où est le beurre ? demanda Jordan en plongeant la main dans le plat en même temps qu'Alison.

— Prenez une aiguille, leur ordonna Kasey.

Ce ne fut pas un travail exécuté en silence. Alison pépiait allégrement entre deux bouchées tandis que sa guirlande s'allongeait. Kasey eut l'impression qu'ils avaient déjà passé d'autres veilles de Noël, assis ensemble et travaillant gaiement, et que d'autres suivraient, tout aussi chaleureuses. Mais non, c'était un rêve. Elle frissonna, brusquement dégrisée.

— Tu as froid ? demanda Jordan.
— Non, fit-elle. Dis donc, tu ne te débrouilles pas trop bien, Jordan. Ta guirlande n'avance pas.
— J'ai besoin d'un stimulant.
— C'est la mienne qui va être la plus longue, déclara Alison. Elle va faire au moins un kilomètre de long.
— Comment fais-tu ça, Jordan ? demanda soudain Kasey. C'est naturel ou bien tu t'es beaucoup entraîné ?
Perplexe, Jordan secoua la tête.
— Je parlais de soulever un seul sourcil, expliqua Kasey. C'est merveilleux. J'aimerais pouvoir en faire autant mais les miens sont complètement synchronisés. Et si nous nous faisions un peu de chocolat ?
Elle bondit sur ses pieds et se mit à fouiller les placards. Jordan reposa sa guirlande pour la regarder s'affairer.
— Kasey, viens là une minute.
— Jordan, préparer du chocolat chaud nécessite soin et concentration.
Elle mesura le lait. Il se leva, la prit par le bras et, l'emmenant sur le seuil de la pièce, désigna le haut du chambranle. Découvrant la branche de houx, Kasey sourit.
— C'est du vrai ? demanda-t-elle.
— Tout à fait authentique, assura-t-il.
— Dans ce cas...
Elle effleura doucement sa bouche du bout des lèvres.
— C'est pas comme ça qu'ils s'embrassent dans les films, déclara Alison en plongeant la main dans le plat de pop-corn.
— Exact, dit Jordan.
Il attira Kasey contre lui et l'embrassa avec fougue. Elle l'étreignit avec la même passion, convaincue de se souvenir de ce baiser jusqu'à la fin de ses jours.
— C'est beaucoup mieux, commenta Alison. Et ma guirlande est finie.

Plus tard, ils se retrouvèrent à nouveau dans le salon. Blottie contre Jordan sur le canapé, la guitare sur les genoux, Alison sombrait dans le sommeil, tandis que les lumières du sapin éclairaient ses joues d'une lueur chaude.

— Elle a eu une longue journée, remarqua Kasey.

— J'ai hâte de voir sa réaction lorsqu'elle déballera ses cadeaux demain, dit Jordan en rattrapant la guitare avant qu'elle ne tombe. Le tien est bien caché ?

— Charles le garde dans le garage. Je ne suis pas sûr qu'il s'en sépare facilement. Je vais monter Alison et la mettre au lit, ajouta-t-elle en se levant.

— Je vais le faire, dit Jordan en soulevant sa nièce. Mets-nous un peu de musique pendant ce temps, tu veux bien ?

Lorsqu'il fut sorti, Kasey ouvrit le petit meuble qui renfermait la chaîne stéréo et examina les disques. Chopin. Cette nuit se prêtait au romantisme.

La maison était silencieuse. Les domestiques avaient regagné leurs quartiers et Béatrice était allée à une soirée. C'était comme s'ils avaient eu la maison pour eux seuls. En soupirant, Kasey mit un disque. Ce soir, elle pouvait feindre de croire au bonheur. Elle s'approcha de la fenêtre et écarta les rideaux pour regarder dehors. La lune était haute et la nuit claire. Retrouvant Pégase, elle le regarda longuement avec le même enchantement que lorsqu'elle était enfant. Le bruit de la porte qui se refermait la fit sursauter. Jordan tournait la clé dans la serrure.

— Tu l'as bien bordée ?

Son cœur s'emballait déjà. *Quelle sotte je suis !* se dit-elle. *Je me comporte comme si c'était la première fois que je me retrouvais seule avec lui.*

— Elle est bien au chaud. Elle ne se réveille jamais. En fait, elle dort comme toi. Comme des enfants que vous êtes.

Il posa sur le bar une bouteille de vin et l'ouvrit. Puis il s'agenouilla devant la cheminée et alluma le feu.

— Maintenant, on peut faire semblant d'être environné de neige, dit-il en lui souriant.

— Tu devines facilement mes pensées ?

— Parfois.

Il emplit deux verres et alla s'installer devant le foyer. Kasey s'assit à côté de lui.

— Comment te sens-tu ? demanda-t-il comme elle s'appuyait contre lui.

— Comme si j'étais bloquée par la neige, murmura-t-elle en prenant le verre de vin qu'il lui tendait. Pelotonnée dans un petit chalet dans les Adirondacks, loin du monde et de ses problèmes.

— Y a-t-il de la place pour moi dans ton petit chalet ?

Elle releva la tête pour lui sourire.

— Quand tu veux.

— Il y a du bois, du vin et nous sommes ensemble.

Il l'embrassa sur le coin de la bouche. Puis il s'allongea par terre.

— Nous n'avons besoin de rien d'autre, ajouta-t-il.

— Non, fit Kasey en l'étreignant. De rien d'autre.

Elle s'abandonna aux sensations, se livra, savoura la peau, les caresses de Jordan. Cœur, corps, esprit vibrèrent en harmonie. Elle fut sienne, il fut sien. D'une autre pièce de la maison, leur parvint le tintement d'une horloge. Il était minuit. Le jour de Noël commençait.

Combien de temps s'aimèrent-ils, cette nuit-là, Kasey ne le saurait jamais. Ni l'un ni l'autre ne souhaita déverrouiller la porte du salon et s'ouvrir au monde extérieur. Jordan somnolait lorsqu'il entendit la porte d'entrée se refermer derrière sa mère. Puis la maison fut à nouveau silencieuse. À eux. Il se tourna vers Kasey et la caressa jusqu'à ce qu'elle brûle de désir.

Kasey se rendormit. Lorsque Jordan la souleva, elle entrouvrit les paupières.

— Je t'emmène dans ta chambre, murmura-t-il.

— Je ne veux pas te quitter, marmonna-t-elle tout contre lui. Les nuits sont trop courtes.

Puis elle replongea dans un sommeil aussi profond que celui d'Alison lorsqu'il l'avait mise au lit.

Le matin vint trop vite. Seuls, un grand élan de courage et l'excitation d'Alison empêchèrent Kasey de rester sous ses couvertures. Le salon, d'ordinaire si bien rangé, était jonché de papiers déchirés, de boîtes ouvertes, de rubans effilochés. Un cocker, le cadeau de Kasey à Alison, courait comme un fou autour de l'arbre tandis que sa jeune maîtresse restait assise, pétrifiée de joie, la guitare que lui avait offerte Jordan sur les genoux.

— Il ne faudrait pas que tu réveilles ta mère, Jordan ? demanda Kasey en repoussant quelques papiers dans un coin.

— À six heures du matin ? s'exclama-t-il en riant. Ma mère n'ouvre jamais l'œil avant dix heures, Noël ou pas Noël. Et ensuite, nous aurons droit à un brunch très raffiné.

Fronçant les sourcils, Kasey prit une boîte.

— À mon tour, annonça-t-elle, sachant que ce cadeau venait d'Alison. J'ai entendu beaucoup de chuchotements au sujet de ce paquet. Et surpris beaucoup de regards qui en disaient long.

Alison se mordit la lèvre inférieure en jetant un coup d'œil à Jordan.

— Comme celui que vous venez d'échanger, par exemple, poursuivit Kasey en déchirant le papier d'un geste impatient.

Elle ouvrit la boîte et en sortit une grande écharpe en laine vert clair.

— C'est le premier cadeau que j'ai fabriqué de toute ma vie, expliqua Alison d'un ton anxieux. C'est Rose, la fille de cuisine, qui m'a appris le crochet. J'ai fait quelques erreurs.

Kasey tenta de lever les yeux, de parler mais ne put faire ni l'un ni l'autre. Elle caressa l'écharpe crochetée maladroitement.

— Elle te plaît ?

Kasey parvint enfin à la regarder, les yeux pleins de larmes.

— Les femmes..., commença Jordan, qui se reprit aussitôt. Enfin, certaines femmes ont tendance à pleurer lorsqu'elles sont particulièrement heureuses. Kasey est comme ça.

— C'est vrai ?

— C'est vrai, balbutia Kasey. Voici le plus beau cadeau qu'on m'ait jamais fait.

Elle attira la fillette et la serra dans ses bras.

— Merci, ajouta-t-elle dans un bredouillement confus.

— Elle a l'air de vraiment l'aimer, fit Alison en adressant un sourire à Jordan par-dessus l'épaule de la jeune femme. Tu crois qu'elle va pleurer quand elle va ouvrir ton cadeau ?

— C'est ce qu'on va voir, dit Jordan en ramassant sous l'arbre une petite boîte carrée. Mais il est possible qu'elle n'ait pas envie d'autres cadeaux.

— Mais si, mais si, protesta Kasey en se dégageant des bras d'Alison.

Retenant son souffle, elle prit la boîte.

Sur le velours de l'écrin reposaient des boucles d'oreilles en or finement ciselé, semblables à celles qu'elle avait vues le jour où elle avait acheté une licorne pour Jordan. Elle le regarda avec stupéfaction.

— Comment t'en es-tu souvenu ?

— Je n'oublie jamais rien de ce que tu me dis. Et puis j'ai pensé qu'il manquait quelque chose. Voilà qui ira bien avec les boucles d'oreilles.

Il lui tendit une autre boîte, longue et plate. L'hésitation de Kasey le fit sourire.

Kasey ouvrit la boîte et découvrit trois chaînes en or, soigneusement entrelacées pour n'en former qu'une seule.

— C'est magnifique ! s'exclama-t-elle.

Il prit la chaîne et la lui mit autour du cou.

Émue, elle appuya sa joue contre celle de Jordan.

— Merci.

Puis elle se mit debout.

— Je vais voir si on peut avoir un peu de café.

— Elle aime bien tes cadeaux aussi, assura Alison en prenant sa guitare. Elle pleure de nouveau.

Lorsque, quinze minutes plus tard, Millicent apporta du café et des croissants, elle s'arrêta pile en écarquillant les yeux. De toutes les années passées au service des Taylor, elle n'avait jamais vu un tel spectacle. Des morceaux de papiers, des rubans déchirés, des boîtes éventrées jonchaient le sol. Et M. Taylor jouait avec un chien en plein milieu de ce fouillis. *M. Taylor!* Mlle Alison et Mlle Wyatt riaient aux éclats. Non, elle n'avait jamais rien vu de semblable dans cette maison.

13

Kasey avait l'intention de se replonger dans le travail après son départ de Palm Springs. D'abord, elle irait chez elle. Elle avait pris sa décision : le 31 décembre serait sa dernière journée passée auprès de Jordan. Il ne lui restait plus qu'à le prévenir. Après avoir envisagé la question sous tous les angles, le sien, celui de Jordan, celui d'Alison, Kasey avait jugé préférable d'attendre le premier de l'an. Son vol était réservé. La souffrance serait moindre si elle quittait ces lieux tout de suite après avoir annoncé son départ.

— Je t'aurais battu dans le second set si je n'avais pas fait une double faute.

Elle lança sa raquette en l'air tandis que Jordan et elle quittaient le court.

— Et si tu n'avais pas servi sur mon revers au troisième set, j'aurais remporté celui-là aussi. Quel joueur vicieux tu fais, à monter tout le temps au filet.

— Regarde, Alison est près de la piscine. Elle a l'air de faire son travail avec application.

Les entendant approcher, Alison agita la main puis lâcha un gros soupir.

— Oncle Jordan, je ne sais pas quoi faire pour ce devoir.

— Ah bon ? dit-il en posant la raquette sur une table. De quoi s'agit-il ?

— Il faut que je trouve cinq objets typiques des années 1980. Des choses que je mettrais dans une capsule à l'épreuve du temps pour montrer aux sociétés futures ce qu'était notre culture.

— Alison, dit-il en lui chatouillant le nez, pourquoi tu demandes ça à un écrivain alors que tu as une anthropologue sous la main ?

— Oh, j'ai oublié ! s'écria-t-elle en se tournant vers Kasey. Qu'est-ce que tu choisirais ?

— Voyons...

Kasey ferma à demi les yeux et réfléchit.

— Un épi de blé, un baril de pétrole, une puce électronique, une cassette de rock et une paire de mocassins Gucci.

Jordan éclata de rire.

— C'est ça ta vision des années 1980 ?

Le front soucieux, Alison se mit à griffonner sur son cahier.

— Qu'est-ce que c'est qu'une puce électronique ?

— C'est un...

— Oh, non ! protesta Jordan. Ne la provoque pas, Alison. On va en avoir pour une heure au moins.

— Bon, fit la fillette en regardant sa liste d'un air sceptique, je ferais mieux de réfléchir encore un peu.

Elle jeta à Kasey un regard déçu et rentra dans la maison.

— Je doute qu'Alison et son professeur soient mûres pour accepter ta vision de notre société, commenta Jordan.

— C'est ainsi que j'analyse notre société. Tu sais, Jordan, tu m'as l'air d'avoir vraiment chaud après ce match de tennis. Tu devrais te rafraîchir un peu.

Elle lui décocha un grand coup de coude qui l'envoya dans la piscine. Elle le vit refaire surface et repousser ses cheveux.

— Je n'ai jamais pu contrôler mes impulsions, balbutia-t-elle, prise d'un fou rire.

Il regagna le bord sans rien dire.

— Je suis désolée, Jordan, mais tu avais vraiment l'air d'avoir trop chaud. Je suis sûre que l'eau est bonne. Tu n'es pas fâché ? Je vais t'aider à sortir.

À peine avait-elle tendu la main qu'elle comprit son erreur. Il la prit fermement et tira d'un coup sec. Kasey bascula, tête en avant, dans la piscine.

— Je l'avais bien cherché, reconnut-elle en remontant à la surface.

— Exactement. Comment trouves-tu l'eau ?

— Formidable.

Elle brassait l'eau d'une main tout en ôtant ses chaussures qu'elle envoya atterrir sur le rebord de la piscine.

— J'ai toujours pensé que, lorsqu'on n'a pas pu éviter une situation, il faut en profiter.

Débarrassée de ses chaussures, elle plongea et s'élança sous l'eau.

Les mains de Jordan se glissèrent sur sa taille et la firent pivoter. Elle se retrouva prisonnière de ses bras tandis qu'il l'embrassait avec passion. Lorsqu'elle put reprendre sa respiration, son pouls battait furieusement.

— Moi aussi, je sais profiter de la situation, dit Jordan en lui mordillant le lobe de l'oreille.

— Tu m'as fait peur, souffla-t-elle. Je n'aurais jamais dû aller voir ce film avec le requin.

— Nous n'avons pas de requin en stock, l'hiver.

Il lui passa la main dans les cheveux.

— Ils sont quasiment cuivrés quand ils sont mouillés et que le soleil les éclaire. Le premier jour après ton arrivée ici, j'étais à ma fenêtre et je t'ai regardée nager. Dès que je t'ai vue, je n'ai cessé de penser à toi.

Elle appuya la tête sur son épaule. Qu'il était donc difficile d'être forte quand il se montrait aussi tendre. Elle aurait voulu lui dire qu'elle l'aimait et que cela lui brisait le cœur de devoir le quitter. Elle ne savait toujours pas ce qu'elle ferait s'il lui demandait de rester. Ou peut-être le savait-elle et c'était pourquoi elle avait pris sa décision sans lui en parler. Ils ne pouvaient continuer ainsi. S'il l'aimait. Kasey secoua la tête et s'éloigna de lui.

— Faisons une course, dit-elle. Je vais te battre. Je nage mieux que je ne joue au tennis.

— Très bien. Je te laisse partir la première.

— Voilà bien la présomption masculine, s'écria-t-elle en repoussant ses cheveux en arrière. Bon, d'accord.

Dans un grand éclaboussement, elle s'élança comme une fusée. Malgré l'avantage accordé, Jordan atteignit l'autre extrémité avant elle. Kasey soupira.

— Évidemment, si j'étais née dans une piscine!

Elle remarqua qu'il n'écoutait pas ce qu'elle disait. Suivant son regard, elle baissa les yeux.

Le tee-shirt décent avec lequel elle avait joué au tennis collait à présent à ses seins. Au lieu de les dissimuler, il les révélait d'une façon provocante. Son short moulait étroitement ses hanches et ses cuisses. Nue, elle eût semblé moins tentatrice. L'eau dégoulinait lentement de ses cheveux.

— Je crois que cette tenue convient mieux à des eaux plus profondes, dit-elle en s'écartant du bord.

Il la rattrapa avant qu'elle n'ait atteint la moitié de la piscine. La bouche de Jordan s'empara de la sienne avec une avidité désespérée. Ils s'enfoncèrent à nouveau, soudés l'un à l'autre. Kasey se cramponnait à lui, en proie à un mélange de passion et de frayeur. Elle se sentait à la fois légère, prisonnière et vulnérable. Sentiments contre lesquels elle aurait pu lutter mais toute volonté l'avait désertée et elle s'accrocha à lui éperdument. Il l'entraîna à la surface.

— Tu trembles, remarqua-t-il. Je t'ai fait peur?

— Je ne sais pas, dit-elle sans le lâcher. Oh, Jordan, j'ai envie de toi.

Un désir urgent et puissant s'était brutalement emparé d'elle. Il l'embrassa, bouleversé par cet élan inattendu.

— Combien de temps peux-tu retenir ton souffle ? murmura-t-il.

— Pas assez longtemps, fit-elle avec un petit rire haletant. Pas tout à fait assez longtemps. Est-ce qu'on va se noyer ?

— C'est probable. Ça t'ennuie ?

Ses mains erraient fébrilement sur le corps de Kasey.

— Pas pour le moment. Embrasse-moi encore. Embrasse-moi et ne dis rien.

Elle ne pouvait supporter l'idée que, le lendemain à la même heure, elle serait dans l'avion. Elle ne pourrait plus le toucher, sentir ses mains sur elle. Il ne lui resterait que des souvenirs. Ces trois mois de sa vie seraient peu à peu engloutis par ce qui surviendrait ensuite. Comment partir ? Comment rester ? Le prix à payer lui semblait déjà excessif. Il lui fallait un présent en échange, un ultime souvenir. Une dernière nuit. Une nuit complète pour la dernière fois.

— Jordan, n'allons pas à cette réception ce soir, dit-elle en s'écartant. J'ai besoin d'être seule avec toi, comme à New York. Est-ce qu'on ne pourrait pas passer la nuit quelque part, ailleurs ? Demain commence une nouvelle année. J'aimerais passer la dernière nuit de celle-ci avec toi. Seulement toi et moi.

— Une suite au Hyatt ? suggéra-t-il. Champagne et caviar ? Je crois me souvenir que tu aimes le caviar.

— Oui, fit-elle en s'agrippant à lui d'un geste désespéré. Ou bien pizza et bière au motel de La Dernière Chance. Ça n'a pas d'importance. Je t'aime… Oh, je t'aime tant, répéta-t-elle.

Avant qu'il ait pu répondre, elle l'embrassa fiévreusement.

— Jordan !

La voix de Béatrice avait rompu le silence. La bouche de Jordan s'écarta sans hâte de Kasey.

— Oui, mère ? demanda-t-il sans lâcher la jeune femme. Déjà de retour ?

— Qu'est-ce que tu fais ?
— Eh bien, je nage, répondit-il d'un ton léger. Et j'embrasse Kasey. Tu désires quelque chose ?
— Est-ce que tu te rends compte que les domestiques peuvent sortir à tout instant et te voir ?
— Oui, mère. Il y a autre chose ?
Les yeux de Béatrice étincelèrent de rage mais elle sut garder sa dignité. Kasey ne put que l'admirer.
— Harry Rhodes a téléphoné. Il veut te voir dans une heure pour affaires. Il dit que c'est très important.
— Très bien. Merci.
— Tu l'as mise en colère, Jordan, remarqua Kasey comme Béatrice s'éloignait.
— Et ça n'est probablement pas fini, répliqua-t-il d'un air songeur.
Le temps était venu d'effectuer quelques changements. Des changements importants et définitifs. La maison était à lui mais il serait peut-être plus sage de la laisser à sa mère et d'emmener Alison vivre ailleurs. Quant à Kasey… Kasey, c'était autre chose. Ils avaient toute la nuit pour en parler.
— Nous pourrions partir tout de suite après mon rendez-vous avec Harry, dit-il en la serrant de nouveau contre lui.
— Alors, file !

Kasey venait de se sécher les cheveux lorsqu'on frappa à la porte de sa chambre.
— Entrez.
Elle ouvrit sa penderie. La robe verte pour ce soir ?
— Bonjour, Millicent.
Les mains croisées sur le ventre, Millicent restait plantée sur le seuil, l'air mal à l'aise.
— Mme Taylor voudrait vous voir… dans son boudoir.
— Tout de suite ? demanda Kasey en caressant la robe qu'elle tenait devant elle.

— Oui, s'il vous plaît.

Autant en finir maintenant, se dit Kasey en remettant la robe dans la penderie. De toute façon, ce ne serait pas une entrevue agréable.

— Très bien, j'y vais dans une minute.

Millicent s'éclaircit la gorge.

— Je dois vous y conduire.

Kasey soupira. La femme de chambre n'y était pour rien.

— Conduisez-moi, dit-elle en la suivant dans le couloir.

Millicent frappa à la porte de Béatrice, tourna la poignée et s'enfuit à toute vitesse. Kasey prit une profonde inspiration et entra.

— Madame Taylor ?

— Entrez, mademoiselle Wyatt, dit Béatrice sans se détourner de son bureau blanc ivoire. Et fermez la porte.

Tout en obéissant, Kasey se surprit à chercher une cigarette dans ses poches. L'atmosphère de la pièce était oppressante, à l'image de la femme qui y habitait.

— Que puis-je pour vous, madame Taylor ?

— Asseyez-vous, mademoiselle Wyatt, dit Béatrice en désignant un fauteuil tarabiscoté.

Kasey prit place et attendit l'inévitable.

— Vous avez prolongé votre séjour ici autant que vous l'avez pu, dit Béatrice en se tournant enfin vers elle.

— Vous vous inquiétez pour le travail de Jordan, madame Taylor ?

Vous ne pouvez plus me blesser, poursuivit-elle en son for intérieur. *C'est mon dernier jour.*

— Dites-moi plutôt ce que vous avez en tête, reprit-elle. Cela nous fera gagner du temps à toutes les deux.

— J'ai vérifié vos références, déclara Béatrice en tapotant son stylo contre son bureau, ce qui révélait une nervosité inhabituelle. Vous semblez être une experte dans votre domaine.

— Vous avez donc enquêté sur moi.

Kasey luttait déjà contre la colère.

— Ce qui m'a permis d'apprendre que vous êtes la petite-fille de Samuel Wyatt. Je suis une parente éloignée de sa fille, votre tante. Il y a eu un véritable scandale autrefois à votre sujet. Une regrettable affaire. Quel dommage que vous ne soyez pas restée chez votre tante au lieu d'aller vivre avec votre grand-père maternel !

Le stylo frappait le bureau avec une cadence accélérée.

— Je vous en prie, dit Kasey d'une voix étouffée. Ne me poussez pas à bout.

Béatrice nota avec plaisir que le calme affiché par Kasey se fissurait déjà. Son premier objectif était atteint.

— Vous n'avez pas figuré dans le testament de votre grand-père paternel.

— Je vois que vous avez effectué une enquête approfondie.

— Je suis une femme consciencieuse, madame Wyatt.

— Mais pas rapide quand il s'agit d'aborder le vif du sujet.

— Très bien, venons-en aux faits, acquiesça Béatrice. Apparemment, vous êtes solvable mais pas…

— Bourrée de fric ? suggéra Kasey.

— Selon votre langage, oui. Votre séjour ici s'est révélé un arrangement très lucratif pour vous. Il est tout à fait compréhensible que vous couriez après d'autres gratifications en vous mettant dans les bonnes grâces de Jordan et d'Alison.

— D'autres gratifications ? répéta Kasey, au bord de l'explosion.

— Je ne crois pas qu'il soit utile de vous faire un dessin, dit Béatrice en reposant son stylo pour croiser les doigts. Jordan est un homme fortuné et Alison fera un héritage important à sa majorité.

— Je vois, dit Kasey. Selon vous, je chercherais à profiter financièrement de Jordan et d'Alison en nouant avec eux des liens étroits.

Son regard se fit plus insistant.

— Vous êtes une femme dépourvue de sensibilité, madame Taylor. Il ne vous est donc pas venu à l'esprit que je pouvais m'intéresser à eux quel que soit le montant de leur compte en banque ?

— Non, répliqua sèchement Béatrice. J'ai déjà eu affaire à des gens de votre espèce. La mère d'Alison en faisait partie mais mon fils n'a pas voulu m'écouter. Malgré mes objections, il a tenu à l'épouser et est parti vivre au loin... Bien sûr, ajouta-t-elle en prenant une pose plus décontractée, le problème est différent, cette fois-ci. Jordan n'a aucunement l'intention de vous épouser. Une aventure lui suffit. Vous avez visé trop haut.

Kasey se raidit pour mieux se contrôler.

— Je suis parfaitement consciente des limites de mes relations avec Jordan, madame Taylor. Je l'ai toujours été. Vous n'avez pas à vous inquiéter.

— Je ne tolérerai pas plus longtemps votre présence sous mon toit. Il me faudra des mois pour remettre Alison sur le droit chemin.

— Toute la vie, je l'espère, dit Kasey qui, éprouvant le besoin urgent de sortir de cette pièce, se mit debout. Elle ne s'adaptera plus jamais à votre moule.

— C'est Jordan qui a la garde d'Alison.

Ce fut le ton, et non les mots, qui fit s'arrêter Kasey. Une frayeur encore indistincte s'insinua en elle.

— Oui, je sais.

Béatrice se déplaça légèrement sur son fauteuil de façon à regarder la jeune femme bien en face.

— Si vous ne partez pas aujourd'hui, cet après-midi même, je me verrais obligée, pour le bien d'Alison, de réclamer en justice la garde de ma petite-fille.

Kasey se sentit soudain glacée.

— C'est absurde, s'écria-t-elle. Aucune cour n'ôtera la garde à Jordan pour vous l'accorder.

— Peut-être que si, peut-être que non, fit Béatrice avec un gracieux mouvement des épaules. Mais vous savez d'expérience combien un procès peut être angoissant, surtout quand il y a un enfant en jeu. Une plainte pour conduite immorale rendrait les choses encore plus déplaisantes.

— Il s'agit de votre fils, dit Kasey, sidérée. Vous ne pourriez pas lui faire une chose pareille. Ni à Alison. Jordan ne lui a jamais fait de mal. Il ne lui en fera jamais.

— Alison a besoin d'être protégée, déclara Béatrice en lui jetant un regard froid. Et Jordan aussi.

— Protégé ? Manipulé, vous voulez dire ?

Elle s'approcha de Béatrice. C'était sûrement un rêve. Même le cauchemar qui la hantait régulièrement n'était pas aussi douloureux.

— Vous ne pouvez vous conduire de la sorte. Ce n'est pas possible. Alison n'est qu'une enfant. Et elle l'aime.

Elle s'interdit de fondre en larmes. Pas devant cette femme.

— Vous n'avez rien à gagner dans cette affaire. Vous n'aimez pas Alison autant que Jordan. Vous n'avez pas besoin d'elle. Si vous saviez seulement ce que c'est que de voir des adultes se battre pour vous garder, vous ne le feriez pas.

— C'est à vous de décider, déclara placidement Béatrice.

Tout ceci avait beau être incroyable, impossible, Kasey comprit qu'elle parlait sérieusement.

— Je comptais m'en aller demain, dit-elle enfin. Je ne veux pas que vous vous lanciez dans une telle bagarre, madame Taylor.

— Et, moi, je vous demande de partir aujourd'hui, avant le retour de Jordan. Il ne doit rien savoir de notre discussion.

— Très bien, dit Kasey, la voix chargée de larmes. Je m'en irai aujourd'hui parce que je suis capable de ce dont vous êtes incapable. Les aimer assez pour ne pas les séparer. Ils ont trop besoin l'un de l'autre.

Béatrice lui tourna le dos.

— Millicent doit avoir fini vos bagages et Charles est prêt à vous conduire où vous le désirez.

Elle ouvrit son carnet de chèques.

— J'ai l'intention de vous dédommager pour votre discrétion et le dérangement que ceci vous procure, mademoiselle Wyatt...

La main de Kasey referma brutalement le carnet. Surprise, Béatrice leva les yeux.

— N'allez pas trop loin, fit Kasey en relevant lentement la main. Je vous ai donné ma parole. Un jour viendra où vous devrez payer pour ce que vous venez de faire. Vous avez plus perdu que moi, madame Taylor.

Elle franchit la porte dignement. Dans le couloir, elle s'adossa au mur. Il lui fallait un peu de temps pour se ressaisir avant de voir Alison. Elle ne partirait pas sans lui dire au revoir. *Mon Dieu, aidez-moi à trouver les mots justes,* suppliait-elle en titubant comme une somnambule. *Et à ne pas pleurer devant elle.*

Assommée par le chagrin, elle tourna la poignée de la porte d'Alison.

— Kasey ! s'écria l'enfant, en levant les yeux.

Le petit chien était couché en boule sur le dessus-de-lit et écoutait gravement sa maîtresse jouer de la guitare.

— J'ai appris un nouvel air. Tu veux que je te le joue ?

— Alison, commença Kasey en s'asseyant à côté d'elle.

L'enfant l'examina en fronçant les sourcils.

— Qu'est-ce qu'il y a ? Tu as l'air bizarre.

— Alison, tu te souviens que je t'ai dit qu'un jour je devrais partir ?

Elle vit le regard de l'enfant s'assombrir et leva la main pour lui caresser la joue.

— C'est aujourd'hui, reprit-elle.

— Non, protesta Alison en lui prenant la main. Tu n'es pas obligée de partir. Tu peux rester.

— Je te l'ai déjà expliqué, tu ne te souviens pas ? J'ai du travail qui m'attend.

— Tu ne veux pas rester?

Voyant les larmes affluer, Kasey sentit poindre la panique.

— Alison, ce n'est pas que je ne veux pas. Je ne peux pas.

— Tu pourrais. Tu le pourrais si tu le voulais.

— Alison, regarde-moi, insista Kasey, sur le point de fondre en larmes. Parfois, il arrive qu'on ne puisse pas faire ce qu'on veut. Je t'aime, Alison, mais je dois partir.

— Qu'est-ce que je vais faire? gémit la fillette en se jetant dans ses bras.

— Tu as Jordan. Et je t'écrirai, c'est promis. Peut-être pourras-tu venir me voir pendant l'été. Comme nous en avons parlé l'autre jour.

— L'été, c'est loin, dans des mois et des mois.

Kasey la serra contre elle.

— Le temps passe vite, tu vas voir.

Elle ôta l'anneau d'or de son doigt et le glissa dans la main d'Alison.

— C'est pour toi. Chaque fois que tu penseras que je ne t'aime plus, regarde-le et tu sauras que c'est faux.

Elle se leva et se dirigea vers la porte. Il lui fallait se hâter. La main sur la poignée, elle se retourna.

— Alison, dis à Jordan que je...

Secouant la tête, elle ouvrit la porte.

— Non. Veille seulement sur lui, à ma place.

Bien qu'il n'y ait qu'une seule lampe allumée dans sa chambre d'hôtel, ses yeux la brûlaient. Elle ne pouvait trouver la force d'aller éteindre. Pleurer l'avait épuisée. De tout l'hôtel, des bruits de fête lui parvenaient.

Il était presque minuit.

J'aurais dû être avec lui, en ce moment, se dit-elle. *Avoir une dernière nuit. Qu'a-t-il pensé en ne me trouvant pas à son retour? Il ne comprendra jamais que je sois partie sans même lui laisser un mot. Sera-t-il malheureux ou seulement irrité ?* Elle secoua la tête. Inutile d'émettre des hypothèses. Tout était fini.

Entendant la clé tourner dans la serrure, elle se retourna et vit Jordan entrer. Bouleversée, elle ne put dire un mot.

— La prochaine fois que tu veux fermer ta porte à quelqu'un, mets la chaîne, dit-il. Des clés, c'est facile à obtenir. Vingt dollars et un bon baratin suffisent. D'ailleurs, tu t'y connais en baratin.

Elle ne fit pas un geste. La menace de Béatrice la retenait de se ruer dans ses bras.

— Comment m'as-tu trouvée ?

— Grâce à Charles, dit-il en fixant la chaîne sur la porte. Mais j'ai dû faire le tour de quelques bars avant de le trouver. Il avait sa soirée de libre.

— Tu n'y as pas perdu ton temps, il me semble.

Il avait bu, c'était évident. Elle s'exhorta au calme. Jordan examina la petite chambre.

— Je vois que tu n'as pas choisi le Hyatt, finalement.

— Non.

Elle se leva et chercha ses cigarettes.

— Ridicule, non ? D'habitude, dans les hôtels, il y a des boîtes d'allumettes sur tous les meubles et, là, pas moyen d'en trouver une.

Il l'empoigna et la tourna face à lui. Elle retint son souffle.

— Pourquoi es-tu partie ?

— Il fallait bien que je parte un jour ou l'autre, Jordan. Notre travail était terminé, tu le sais aussi bien que moi.

— Notre travail ?

Il lui serrait fort les bras de peur de la frapper. Elle lui avait fait plus de mal qu'il n'imaginait pouvoir en éprouver. Elle l'avait ouvert à la douleur. Il la secoua sauvagement.

— C'est tout ce qu'il y a eu entre nous ?

Elle se mit à trembler de tous ses membres, ce qu'il ne parut pas remarquer. Elle ne l'avait jamais vu ainsi :

brutal, furieux. Eh bien, qu'il la frappe un bon coup si cela pouvait mettre un point final à cette scène.

— Merde ! fit-il en la secouant de nouveau avec violence. Tu ne pouvais pas au moins me le dire ? Il fallait vraiment que tu te tires en douce, sans un mot d'explication ?

Prise de nausée, Kasey s'agrippa à la coiffeuse.

— C'est mieux comme ça, Jordan. Je...

— Mieux ? hurla-t-il. Mieux pour qui ? Si tu n'avais pas la décence de penser à moi, tu aurais pu penser à Alison.

Accablée par ce reproche immérité, Kasey ferma les yeux.

— J'ai pensé à Alison, Jordan. Tu dois me croire.

— Comment puis-je croire un seul mot sorti de ta bouche ? (Elle était anéantie.) Regarde-moi.

Il la prit par les cheveux pour lui relever la tête.

— J'ai passé une heure à essayer de la consoler, de lui faire comprendre l'incompréhensible.

— J'ai fait ce que je devais faire.

La tête lui tournait. Il fallait qu'il parte, et vite.

— Jordan, tu as trop bu, dit-elle d'une voix très calme. Et tu me fais mal. Va-t'en.

— Tu disais que tu m'aimais.

— J'ai changé d'avis, répondit-elle en se raidissant.

Elle vit le visage de Jordan blêmir.

— Changé d'avis ? répéta-t-il lentement comme si ces mots n'avaient aucune signification.

— Oui. Maintenant, va-t'en, laisse-moi tranquille. J'ai un avion à prendre demain matin.

— Espèce de garce, jeta-t-il en la serrant contre lui. Je m'en irai quand j'en aurai fini avec toi. Nous avions rendez-vous.

— Non, protesta-t-elle, paniquée. Non, Jordan.

— Nous allons mettre le point final à ce que tu as commencé. Ici. Tout de suite.

Sa bouche se plaqua sur celle de Kasey, étouffant ses protestations. Terrorisée, elle tenta de le repousser.

Fallait-il aussi qu'elle se fasse dépouiller de ses plus beaux souvenirs d'amour et de tendresse ? Il la poussa vers le lit. Elle résistait de toutes ses forces mais il était plus fort qu'elle et la rage le rendait insensible. *Nous sommes en train de tout détruire.* Abasourdie, elle sentit les doigts brutaux arracher son chemisier, pétrir ses épaules, déchirer sa jupe, griffer ses cuisses tandis qu'elle luttait désespérément.

Le souvenir du visage calme et froid de Béatrice lui revint. *Je ne vous laisserai pas nous faire ça.*

Kasey cessa de résister. Sous la bouche de Jordan, ses lèvres se desserrèrent. *Je peux te donner cela*, lui dit-elle silencieusement tandis que sa panique s'estompait. *Une dernière nuit. Elle ne nous l'a pas prise, finalement.* Kasey cessa de penser et se laissa aimer.

14

La lumière du jour réveilla Kasey. Elle protesta d'un gémissement et se retourna. Sa main rencontra le vide, elle ouvrit les yeux et examina la pièce, cherchant quelque signe de vie de Jordan. Mais l'oreiller à côté d'elle était déjà froid.

Quand donc était-il parti ? Elle se rappelait seulement qu'ils s'étaient aimés durant des heures, dans un silence désespéré. Et ensuite ? Ensuite, il avait dû s'endormir. Kasey se raccrocha à l'idée qu'ils avaient eu un moment de paix côte à côte.

Personne ne pouvait la dépouiller du souvenir de cette nuit. S'il n'y avait pas eu de tendresse, au moins y avait-il eu du désir et de la passion. Ce qui s'était passé avait peut-être débarrassé Jordan de sa souffrance, sinon de sa colère. Mais il était peu probable qu'il lui pardonne. Kasey se leva. Il lui fallait prendre l'avion.

Un message l'attendait sur le bureau. Elle le regarda craintivement. Peut-être était-il préférable de faire comme si elle ne l'avait pas vu. Malgré elle, sa main s'empara de la feuille pliée. Elle l'ouvrit et lut :

Kasey,

Des excuses pour cette dernière nuit ne signifieraient pas grand-chose mais je n'ai rien d'autre à offrir. La colère ne peut excuser ce que j'ai fait. Je peux seulement t'assurer que je regrette ma conduite.

Je te laisse un chèque pour les services que tu m'as rendus ces derniers mois. Tu m'as beaucoup donné.

Jordan

Kasey relut la lettre puis la froissa et la jeta à terre. Elle ne s'était pas trompée en prévoyant une nouvelle vague de souffrance. *N'y pense plus*, se dit-elle en prenant le chèque. Elle se sentait calme à présent. Toute sa réserve d'émotion avait été épuisée. Le montant du chèque la fit rire.

— Tu es généreux, Jordan.

Elle le déchira en mille morceaux qu'elle laissa s'éparpiller sur le sol.

— Voilà qui devrait rendre fou ton comptable.

Elle ne pleurerait plus. Il ne lui restait plus de larmes à verser. Fébrilement, elle chercha ses cigarettes.

— Le Montana, décida-t-elle. Au Montana, il y aura trois mètres de neige et il gèlera à pierre fendre.

Ce n'était pas le moment de rentrer chez elle. Elle s'y serait écroulée. Décrochant le téléphone, elle se prépara à modifier son itinéraire.

Le Dr Edward Brennan coupa le contact de sa vieille Pontiac. Le soleil commençait à se coucher et il avait eu une longue journée. Son dos lui faisait mal. *C'est ça, vieillir,* se dit-il en restant assis quelques instants. Il y avait eu une époque où il pouvait mettre au monde trois bébés, opérer deux gamins des amygdales, remettre un tibia en place et vacciner trois familles contre la grippe, tout cela sans dételer. Mais il avait soixante-dix ans et le temps était venu de ralentir la cadence.

Peut-être devrait-il prendre un associé, un jeune médecin avec des idées neuves. Le Dr Brennan aimait la nouveauté. Il sourit tout en contemplant le coucher de soleil. Dommage que Kasey n'ait pas choisi la médecine! Elle aurait fait un sacré médecin.

Des rayons orangés fusaient entre les branches des arbres qui couvraient ses montagnes. Il éprouvait des sentiments très possessifs envers cette portion de territoire. Son coucher de soleil, ses montagnes. Il en était toujours ainsi lorsqu'il restait assis à les contempler. Sentiments agréables qui le confortaient.

Il ouvrit la portière et prit le pain et les conserves maison que lui avait fourrés dans les bras Mme Oates après qu'il eut soigné son garçon de la varicelle. Il allait savourer ses honoraires avec une bonne tasse de café. Ensuite, pensa-t-il en s'étirant, il prendrait peut-être un verre du whisky distillé illégalement que M. Oates lui avait glissé en partant.

Savourant déjà le goût du pain frais, il poussa la porte, qu'il ne verrouillait jamais.

— Bonjour, grand-père.

Le Dr Brennan sursauta et écarquilla les yeux en découvrant la jeune femme assise dans la cuisine.

— Kasey !

Sidéré, il la regardait et se demandait pourquoi elle n'avait sauté à son cou comme elle le faisait immanquablement lors de chaque retrouvaille, qu'ils aient été séparés une journée ou une année.

— Je te croyais toujours dans le Tennessee.

— Eh non, je suis là, fit-elle en souriant. Ça sent bon, ajouta-t-elle en lorgnant le pain frais. Ce sont tes honoraires ?

— De la part de Mme Oates, expliqua-t-il.

— Ah ? Alors tu as sûrement reçu quelque chose de plus revigorant de la part de son époux. Comment se porte ton estomac ?

— Suffisamment bien pour accueillir un verre ou deux.

Elle posa la main sur la sienne.

— Comment vas-tu, grand-père ?

— Très bien, Kasey.

Il examinait attentivement son visage avec un mélange de tendresse et de professionnalisme. Quelque chose n'allait pas. Il lui pressa la main. Elle lui parlerait quand elle se sentirait prête. Il la connaissait depuis trop longtemps pour savoir qu'il était inutile de la brusquer.

— Et toi ? Qu'as-tu fait tout ce temps ? Cela fait presque un mois que je n'ai pas reçu une de tes lettres.

— Pas grand-chose, répondit-elle avec un haussement d'épaules. J'ai passé deux semaines dans le Montana. J'y ai acheté un manteau sensationnel, de quoi avoir chaud dans les îles Aléoutiennes. J'ai rejoint l'équipe de Phiefer en Utah. Molly Phiefer est plus solide que jamais. Elle a fêté son soixante-huitième anniversaire au camp. J'ai participé à des conférences à St. Paul et pêché la truite dans le Tennessee. Et j'ai arrêté de fumer.

Ses yeux s'assombrirent. Elle inspira un grand coup.

— Grand-père... je suis enceinte.

— Enceinte ? répéta-t-il en écarquillant les yeux. Qu'est-ce que tu veux dire ?

Elle reprit sa main.

— Allons, grand-père, tu es médecin. Tu sais ce que signifie le mot « enceinte ».

Le Dr Brennan s'aperçut soudain qu'il avait besoin de s'asseoir.

— Kasey, comment est-ce arrivé ?

— De la façon la plus traditionnelle, répondit-elle en esquissant un sourire. Les méthodes modernes ne sont pas absolument fiables, ajouta-t-elle, anticipant l'inévitable question.

Il ne releva pas ce point.

— Depuis combien de temps ?

— Quel jour sommes-nous ?

— Le 17 mai.

— Quatre mois et dix-sept jours.

— C'est précis, remarqua-t-il avec un hochement de tête.

— J'en suis sûre.

Elle ne cessait de croiser et de décroiser les mains. Ce geste nerveux le poussa à poser des questions plus professionnelles.

— Tu as vu un médecin ? Tu as des malaises ?

Apaisée par ces questions pratiques, elle sourit.

— Oui, j'ai vu un médecin. Non, je n'éprouve aucun malaise. J'ai eu de vagues nausées le premier mois mais plus maintenant.

— Et le père ?

— Je suis sûr qu'il se porte très bien, lui aussi.

Il posa les mains sur les siennes pour calmer leur fébrilité.

— Kasey, quels sont ses projets pour le bébé ? Manifestement, tu as décidé d'aller jusqu'au bout de ta grossesse. Le père du bébé et toi, vous avez bien dû prendre quelques décisions.

— Non, nous n'avons fait aucun arrangement d'aucune sorte, répondit-elle en lui jetant un regard où il perçut sa vulnérabilité. Je ne le lui ai pas dit.

— Tu ne lui as rien dit ?

Ceci ne ressemblait pas à Kasey.

— Quand as-tu prévu de le faire ?

— J'ai décidé de ne pas le faire.

Elle sortit une cigarette de son sac et se mit à la déchiqueter en mille morceaux.

— Kasey, il a le droit de le savoir. C'est son enfant.

Elle le regarda droit dans les yeux.

— Non. C'est mon bébé. Un bébé a des droits, j'ai des droits. Jordan peut prendre soin de lui-même.

— Cela n'est pas digne de toi, Kasey, remarqua-t-il d'un ton calme.

Elle secoua la tête et écrasa les restes de sa cigarette dans son poing.

— S'il te plaît, n'insiste pas. Je n'ai pas pris cette décision à la légère. J'y ai réfléchi pendant des mois. Mon bébé ne sera pas tiraillé de droite et de gauche simplement parce que son père et moi avons commis une erreur. Je sais ce qui arriverait si je mettais Jordan au courant.

Sa voix commençant à trembler, elle s'interrompit, le temps de se calmer.

— Il proposerait de m'épouser. C'est un homme d'honneur. Je refuserais parce que je ne pourrais supporter…

Sa voix se brisa. Elle secoua la tête avec impatience.

— Je ne pourrais supporter qu'il se sente obligé d'assumer quelque chose qu'il n'a pas désiré. Ensuite, il insisterait pour m'aider financièrement. Je n'en ai pas besoin. Mon bébé n'en a pas besoin. Il faudrait se mettre d'accord sur un droit de visite et cet enfant serait ballotté d'un coin à l'autre du pays, sans savoir où est sa maison. Ce n'est pas bien. Je ne veux pas. C'est mon bébé.

Il lui prit à nouveau les mains et la regarda attentivement.

— Tu aimes le père de ton enfant ?

Elle se recroquevilla sous ses yeux.

— Oui, Ô mon Dieu, oui.

Kasey fondit en larmes.

Son grand-père la laissa pleurer tout son soûl. Il ne l'avait pas vue aussi malheureuse depuis qu'elle était enfant. Il garda ses mains dans les siennes et attendit. Quelle sorte d'homme était ce Jordan dont elle portait l'enfant ? Si elle l'aimait, pourquoi se retrouvait-elle ici, en train de pleurer, au lieu de partager avec lui la joie d'avoir bientôt un enfant ?

Il tenta de rassembler les bribes d'informations qu'avaient contenues ses lettres. Jordan, c'était l'écrivain avec lequel elle avait travaillé avant Noël. Le Dr Brennan admirait son œuvre. Les lettres de Kasey avaient été à la fois enthousiastes et confuses. Ce dont il avait l'habitude.

Pourquoi n'avait-il pas lu entre les lignes ? Depuis des mois, elle affrontait seule la décision la plus importante de sa vie. Il détestait la voir ainsi, perdue, malheureuse, en larmes. Une fois déjà, il avait dû la renvoyer de chez lui. Elle s'était sentie perdue et avait pleuré. Il avait cru prendre la bonne décision et, lorsque les choses s'étaient tassées et que Kasey était revenue, il n'avait pu que s'en féliciter. Mais ces mois de séparation avaient marqué l'enfant. Et il était évident que sa présente décision était due à cette expérience. Il ne pouvait à présent lui offrir que son soutien et son amour. En espérant que cela suffirait.

Kasey avait cessé de pleurer. Elle se calmait progressivement, la tête toujours appuyée sur la table. Cela faisait des mois qu'elle n'avait pas cédé aux larmes. Elle se redressa lentement et reprit :

— Je l'aimais. Et je l'aime. C'est pourquoi j'ai pris cette décision.

Elle soupira. Depuis qu'elle était sortie de la chambre de Béatrice, des mois auparavant, elle éprouvait le besoin de se confier.

— Je vais t'expliquer et peut-être comprendras-tu.

La voix raffermie, elle exposa calmement les circonstances de son séjour chez les Taylor et la façon dont on y vivait. Lorsqu'elle en vint à Alison, il comprit la similitude et garda le silence. Il n'explosa que lorsqu'elle raconta son dernier entretien avec Béatrice.

— Elle t'a menacée ? s'écria-t-il en bondissant, prêt à la bagarre malgré son dos douloureux.

— Pas moi. Mais Jordan et Alison. Contre moi, elle était impuissante. Elle ne pouvait rien me faire.

— C'était du chantage, Kasey. Un chantage ignoble, gronda-t-il, indigné. Tu aurais dû aller trouver Jordan et tout lui raconter.

— Sais-tu ce qu'il aurait fait ? Il aurait explosé, comme toi maintenant. Une horrible scène aurait éclaté, avec Alison en plein milieu. Crois-tu que je pouvais prendre le risque de déclencher une bataille judiciaire ? Ce n'est qu'une petite fille. Je sais ce qu'elle aurait éprouvé en voyant son nom et sa photo sur la première page des journaux et en entendant mille chuchotements dans son dos.

Son regard en disait long mais ses larmes avaient séché.

— Mets-toi à ma place, grand-père. Tu as déjà connu ça. Si tu pouvais changer ce qui s'est passé autrefois, le ferais-tu ?

En soupirant, il la prit dans ses bras.

— Kasey, je n'avais pas imaginé une seconde que tu endurerais ce genre de choses.

Elle avait éprouvé le besoin de rentrer à la maison et de sentir sur elle ces bras solides et ces mains douces. Elle avait eu besoin d'un rocher et n'en connaissait pas de plus solide.

— Je t'aime, grand-père.

— Et moi aussi, je t'aime, Kasey.

Tandis qu'il la serrait contre lui sans mot dire, il se rendit compte qu'un ventre rond avait remplacé sa minceur extrême. Bien qu'il soit médecin, ce changement le surprit.

— Dis donc, si je comprends bien, je vais être arrière-grand-père ?

— Tu as été le meilleur des grands-pères. Tu sauras bien être le meilleur des arrière-grands-pères.

— Tu vas rester jusqu'à la naissance en tout cas.

Avec un soupir, elle se détendit dans ses bras.

— Oui, je vais rester.

— Tu prends des vitamines ?

Elle sourit et l'embrassa sur la joue.

— Oui, docteur.

— Et tu bois du lait ?

Elle l'embrassa sur l'autre joue.

— Que penses-tu de Bryan ? demanda-t-elle. C'est un prénom qui va aussi bien aux garçons qu'aux filles ; je trouve que Bryan Wyatt sonne bien.

Il haussa les sourcils.

— Je vois que tu as déjà réfléchi à tout.

— Ou bien Paul, reprit-elle comme il allait ouvrir le réfrigérateur. Mais alors il faudrait que ce soit un garçon.

Elle le regarda remplir un grand verre de lait.

— Bon, et si on goûtait aux friandises de Mme Oates ? s'écria-t-elle en saisissant un pot en verre. Des prunes ! J'adore la compote de prunes.

— Très bien, dit le Dr Brennan en lui tendant le verre. Tu peux en prendre un peu avec ton lait avant que je t'examine.

15

Juillet arriva sans que Kasey ait vu le temps passer. Les fleurs sauvages emplissaient les bois et les géraniums de la cuisine resplendissaient. La nuit, les grillons chantaient à qui mieux mieux. Allongée dans son lit, elle les écoutait tandis que le bébé remuait dans son ventre. *Il a hâte d'arriver,* songea-t-elle. *Ou bien ils ont hâte.* Son grand-père était à peu près convaincu qu'il y en avait deux.

Il y avait longtemps qu'elle n'avait pas dormi à poings fermés. Le bébé ne le permettait pas. *Ils* ne le permettaient pas. Kasey n'avait pas besoin d'appareil sophistiqué pour savoir qu'ils étaient deux. Aucun bébé ne pouvait être aussi actif. Quand l'un dormait, l'autre était bien réveillé et pédalait autant que l'espace le lui permettait. Et elle était énorme.

Elle posa les mains de part et d'autre de son ventre. *Je n'irai pas jusqu'au terme,* se dit-elle. *En général, les jumeaux débarquent plus tôt.* Fermant les yeux, elle s'abandonna aux rêveries. Elle aimait les mouvements qui agitaient son ventre ; elle aimait sentir la vie se développer en elle. Un garçon et une fille, avec des yeux bleus et des cheveux bruns. Lorsqu'elle les regarderait, elle penserait à Jordan.

Que faisait Jordan en ce moment ? Quelle heure était-il en Californie ? Encore assez tôt pour qu'il soit en train de travailler ? Avait-il fini son livre ? Kasey avait hâte de le trouver dans une librairie et de s'enfermer dans sa chambre pour le dévorer. La lecture ferait revivre les longues heures passées ensemble dans son bureau. Elle le mettrait de côté pour ses enfants. Ils ne sauraient jamais que l'auteur était leur père mais ils apprendraient à l'admirer et à le respecter à travers son œuvre. Elle le voulait, pour eux autant que pour Jordan.

Quant à Alison… Comme promis, elle avait écrit à la fillette. Ses propres pérégrinations à travers le pays avaient empêché celle-ci de lui répondre. Je devrais recevoir bientôt de ses nouvelles, pensa Kasey. Cela fait presque deux mois que je ne bouge plus et j'ai écrit il y a trois semaines déjà.

Elle sortit du lit et s'approcha de la fenêtre. La chaleur la rendait insomniaque. Il serait peut-être préférable qu'Alison m'oublie. Je ne peux guère lui demander de venir me voir, maintenant. Comment lui expliquer cette grossesse et comment l'empêcher de prévenir Jordan ? Il s'occupera d'elle et la rendra heureuse.

Les gesticulations dans son ventre cessèrent. Kasey retourna se coucher et s'endormit.

Le Dr Brennan regardait Kasey, agenouillée entre deux rangées de légumes qu'elle désherbait. Elle était resplendissante. Il n'éprouvait aucune inquiétude pour elle sur le plan physique. Elle était l'image même de la santé et de la force. Elle avait repris sa vie en main avec l'enthousiasme qui la caractérisait. Il était fier de sa petite-fille.

Néanmoins, il doutait un peu de la sagesse de sa décision. Il avait prévu de lui reparler de Jordan, mais seulement lorsqu'elle aurait accouché et serait de nouveau sur pied. Pour l'instant, il ne se souciait que des bébés. Et de la mère des bébés.

— Je me demande pourquoi j'ai planté des fèves, marmonna-t-elle en arrachant une herbe obstinée. Je déteste les fèves, j'aime seulement la façon dont elles sont bien rangées dans leur cosse.

Elle s'assit sur les talons, s'essuya les mains puis regarda son grand-père en souriant.

— Il y a déjà des tomates mûres. On pourrait en manger ce soir avec le maïs que t'a donné Lloyd Cramer pour son appendicite.

— C'est moi qui ai gagné dans l'affaire. Son appendice était en très vilain état.

— Quel requin tu fais!

Elle tendit la main pour qu'il l'aide à se relever puis elle l'embrassa avec son exubérance habituelle.

— Tu crois que je devrais arroser le jardin? Il n'a pas plu de la semaine.

Il examina brièvement le ciel.

— Arroser le jardin, c'est la meilleure façon de faire venir la pluie. C'est une bonne idée. La chaleur t'empêche de dormir?

— Oui, entre autres choses. Et, non, je ne suis pas fatiguée, ajouta-t-elle, anticipant la question du médecin. J'ai assez d'énergie pour nous tous.

— Tu as pris ton lait aujourd'hui?

— Mes carottes ont une sale tête, répondit-elle. Je vais chercher le tuyau.

— J'arroserai ce soir quand il fera moins chaud. Va boire ton lait maintenant.

— Je vais le vomir, menaça-t-elle.

— Ça ne marche plus depuis tes douze ans.

Elle le défia du regard. Il était aussi têtu qu'elle.

— Pour le dîner, je vais préparer un gratin de pommes de terre et de la crème à la vanille. Ça suffira comme lait.

— Tu vas devenir énorme.

— Je *suis* énorme.

Elle rentra dans la maison avant qu'il ait pu répliquer.

Installée devant la table de cuisine, elle se mit à éplucher les pommes de terre. Une petite montagne s'élevait devant elle. Il y avait quelque chose d'apaisant dans cette tâche simple qui ne demandait aucun effort intellectuel et elle en éplucha plus que son grand-père et elle ne pourraient en manger en un seul repas. *Nous aurons des restes*, estima-t-elle en regardant le tas. *Pour toute la semaine. Allez, c'est la dernière. Ou bien il faudra que nous invitions tout le voisinage.*

Entendant la porte s'ouvrir, elle poursuivit sa tâche sans lever la tête.

— Tu n'as plus qu'à te trouver des malades affamés, dit-elle à haute voix. Tu savais que, dans l'armée, on n'épluche plus les pommes de terre à la main ? Les traditions se perdent. Ils ont des machines et...

Elle leva les yeux et se figea.

Jordan vit son visage perdre toute couleur. Ses yeux s'emplirent de surprise, et aussi de peur. Ce dont il eut honte. Elle laissa tomber son couteau et ses mains glissèrent sous la table.

Ô mon Dieu, mon Dieu, pensait-elle désespérément. *Que dois-je faire ? Que dire ?*

Il gardait les yeux rivés sur son visage. Elle avait laissé pousser ses cheveux jusqu'aux épaules. Quand donc était-elle devenue aussi belle ? Il se souvenait d'une jeune femme séduisante, bouleversante, inoubliable. Mais maintenant, elle était tout simplement belle, très très belle. Ses yeux ne pouvaient se détacher d'elle. Des semaines et des semaines, il avait désiré revoir ce visage, le voir s'éclairer à sa vue. Ce qui n'était pas du tout le cas, à présent. Au contraire, elle avait une expression sombre et apeurée. C'était sa faute mais il n'était pas trop tard. Il ne pouvait pas être trop tard. Tous ces mois de quête désespérée ne pouvaient être vains.

Sa peau était-elle aussi douce que dans ses souvenirs ? Allait-elle se recroqueviller s'il la touchait ? Il se contenta de la regarder.

Kasey gardait les mains crispées sous la table. Il aurait fallu qu'elle fasse ou dise quelque chose. Elle attendit un instant, de peur que sa voix ne la trahisse.

— Bonjour, Jordan, dit-elle enfin en souriant, les ongles plantés dans la paume de sa main. Tu passais par là ?

Il fit quelques pas mais, craignant de la toucher malgré ses résolutions, évita de contourner la table.

— Cela fait des mois que je te cherche.

Les mots avaient jailli sur un ton accusateur qu'il se reprocha aussitôt. Il s'était juré de garder son calme mais cette bonne résolution s'était envolée dès qu'elle avait levé les yeux sur lui.

— C'est vrai ? fit Kasey en s'efforçant de le regarder dans les yeux. Je suis désolée. J'ai un peu voyagé. C'est à cause du livre ? Je ne vois pas ce que nous aurions pu oublier.

— Arrête, s'il te plaît !

Il avait crié. Comment pouvait-il lui parler sur ce ton ? C'était plus fort que lui. Tout ce qui l'avait maintenu en vie s'était écroulé à l'instant où il l'avait revue.

— J'ai passé six mois horribles. Comment peux-tu rester assise là, en me regardant comme si j'étais un voisin s'arrêtant pour une petite visite ?

Il contourna la table et la força à se mettre debout.

— Oh... Kasey...

Sa voix s'éteignit tandis que ses yeux s'attardaient sur le ventre protubérant de Kasey.

— Mon Dieu..., reprit-il dans un murmure. Tu es enceinte.

— Oui.

Elle sentit les doigts de Jordan la lâcher et son regard la scruter comme s'il ne l'avait jamais vue.

— Tu... tu portes mon enfant et tu ne me l'as pas dit.

Elle recula d'un pas.

— Mon enfant, Jordan. Je n'ai jamais dit que c'était le tien.

Il l'attira si brusquement à lui qu'elle en eut le souffle coupé.

— Regarde-moi, exigea-t-il en desserrant à peine les dents. Regarde-moi en face et répète que ce n'est pas mon enfant.

À nouveau, il lut la peur dans ses yeux et il la lâcha. Pourquoi ne pouvait-il s'empêcher de répéter l'erreur par laquelle il l'avait perdue ? Il se détourna pour mieux se ressaisir. Il ne s'était pas préparé à ça. Comment l'aurait-il pu ? Un long, très long moment s'écoula avant qu'il ne se risque à reprendre la parole.

— Au nom de Dieu, Kasey, dit-il enfin, d'une voix radoucie, comment as-tu pu me le cacher ? Peu importaient tes sentiments envers moi, j'avais le droit de savoir.

— Mon bébé aussi a des droits, répondit-elle d'une voix que le désespoir rendait froide et insensible.

Il lui fit face à nouveau, prêt à plaider sa cause si nécessaire. Cela faisait des mois qu'il avait renoncé à toute fierté.

— Ne me repousse pas, Kasey. Je t'en prie.

Il s'apprêtait à la toucher mais, comme elle se crispait, il laissa retomber sa main. Il avait préparé une centaine de choses à lui dire lorsqu'il la reverrait mais il n'en trouva plus qu'une. La seule qui comptât réellement.

— Je t'aime.

— Non ! jeta-t-elle avec fureur en le giflant. Ne me dis pas ça ! Pas maintenant ! J'aurais tout donné pour entendre ces mots il y a six mois. *Tout !* Et tu n'as trouvé à me laisser qu'un petit mot bref et un chèque pour services rendus comme si j'étais une...

Elle ne retenait plus ses larmes.

— Kasey, je t'en prie, ne crois pas...

— Je n'ai pas connu beaucoup d'hommes dans ma vie, reprit-elle. Ça t'étonne ? Mais tu es le seul qui ait voulu me payer.

— Kasey, non, ce n'est pas ça du tout, protesta-t-il, bouleversé. Laisse-moi t'expliquer.

Elle s'éloigna en secouant la tête.

— Je ne veux pas d'explications. Je veux que tu t'en ailles. Je t'ai déjà demandé de me laisser tranquille. Aujourd'hui encore, je te le demande.

— Je ne le pouvais pas alors, je ne le peux pas non plus aujourd'hui. Tu ne comprends pas ?

— Je ne veux pas comprendre, riposta-t-elle d'une voix calme mais en lui tournant le dos. Je n'en ai pas besoin. Je regrette de t'avoir giflé. C'est la première fois.

Il se hasarda à lui effleurer l'épaule.

— Kasey, je t'en prie, assieds-toi et écoute-moi. Tu m'as aimé. Je ne peux pas partir ainsi.

Elle ne bougea pas et garda le silence. Soudain pris d'angoisse, Jordan insista.

— Écoute-moi seulement jusqu'au bout et, ensuite, je m'en irai si c'est ça que tu veux.

— Très bien, fit-elle en s'asseyant. Je t'écoute.

Il ne savait par où commencer ni comment. Qu'était devenue sa facilité à manier les mots ?

— Quand je me suis réveillé ce matin-là...

Il hésita. Elle portait son enfant. Et, à cet instant même, elle croisait les mains sur le ventre, comme si elle voulait le protéger de son père.

— Quand je me suis réveillé, reprit-il, je me suis haï. Je me suis souvenu que je m'étais introduit de force dans ta chambre. Tout ce que j'avais dit, tout ce que j'avais fait m'est revenu à l'esprit. Tu dormais encore. J'ai laissé un message parce que j'ai pensé que tu ne voudrais plus me revoir.

— Pourquoi as-tu pensé ça ?

— Mon Dieu, Kasey, je...

Après avoir mis six mois à s'avouer la réalité, il devait à présent l'avouer à haute voix.

— Je t'ai prise de force. J'ai vu les bleus que mes doigts avaient faits sur tes bras.

Ce fut son tour de se détourner. Il s'approcha de la fenêtre et ses doigts se crispèrent sur le rebord.

— Je me le reprocherai jusqu'à mon dernier souffle.

Kasey garda le silence. *C'est un homme d'honneur*, se dit-elle. *Et un homme d'honneur souffre le martyre s'il sait qu'il a accompli un acte déshonorant.* Si elle-même n'avait pas souffert autant ce matin-là, dans cette horrible petite chambre, peut-être aurait-elle perçu la souffrance de Jordan dans le texte bref de son message.

— Jordan…

Elle attendit qu'il se retourne pour poursuivre.

— Ce qui s'est passé cette nuit-là ne ressemble en rien à un viol. J'aurais pu t'arrêter, ou au moins me débattre. Tu sais bien que je ne l'ai pas fait.

— Ça n'aurait rien changé, répliqua-t-il d'une voix amère en revenant vers elle. J'étais ivre et fou de rage. Je t'ai fait du mal. Et, dès le premier jour, tu avais prévu que je te ferais du mal… Il faut que tu saches que j'avais l'intention de te demander de m'épouser ce soir-là, ajouta-t-il après une pause.

Il vit les yeux de Kasey s'emplir de larmes avant de se fermer.

— En revenant de chez Harry, j'ai découvert avec stupéfaction que tu étais partie. Je me suis tout de suite abandonné à la colère ; c'était plus facile. Tu m'avais réveillé à la vie, aux sensations, aux émotions et puis, alors que tu représentais ce que j'avais de plus précieux, tu étais partie. Je voulais te punir, te faire mal.

Elle gardait les yeux clos ; il regardait son visage tout en poursuivant :

— Durant les premières semaines après que tu fus entrée dans ma vie, je me suis dit que je n'étais sûrement pas amoureux de toi. C'était trop rapide. Je n'étais qu'attiré, intrigué. Si je n'avais pas été aussi stupide, peut-être ne t'aurais-je pas perdue. Tu m'as donné ton amour sans réserve, spontanément, et moi, comme un crétin, j'ai eu peur de me livrer.

Elle rouvrit les yeux et le regarda.

— Il s'est passé trop de choses, Jordan. Je t'en prie, n'en dis pas plus.

— Tu as promis de m'écouter. Laisse-moi aller jusqu'au bout.

Il vit les mains de Kasey sur son ventre et sentit quelque chose se déchirer en lui. Il lui fallut une seconde pour reprendre.

— Après cette dernière nuit au motel, j'ai essayé d'oublier. Je me suis dit et répété que tu m'avais menti, que tu t'étais amusée, un point, c'est tout. Puis je me suis souvenu de ton expression le jour où, pour la première fois, tu m'avais dit que tu m'aimais. J'ai compris que tu étais partie parce que je ne t'avais rien donné et parce que, lorsqu'une dernière chance s'était présentée, je n'avais fait que te blesser.

— Jordan, c'est fini. Ne...

— J'ai essayé de vivre sans toi, poursuivit-il en s'accroupissant devant sa chaise pour la regarder dans les yeux. Tout était devenu terne, incolore. Tu avais emporté toutes les couleurs avec toi. Alors je me suis mis à ta recherche.

— À ma recherche ?

— La première lettre que tu as écrite à Alison venait du Montana. Quand j'y suis arrivé, cela faisait trois jours que tu en étais partie. Trois jours ou plusieurs années, cela revenait au même. Tu n'avais pas laissé d'adresse et comme tu avais loué une voiture, impossible de te retrouver. J'ai failli engager un détective mais j'ai pensé à ta réaction. Alors, je suis rentré chez moi et j'ai prié pour que tu écrives de nouveau à Alison.

Revivant ces semaines interminables de frustration et de souffrance, son visage se crispa.

— À chacune de tes lettres, j'ai essayé de te retrouver. Une fois, je ne t'ai manquée que de quelques heures. J'ai failli devenir fou. Et je me suis dit que toute ma vie, ce serait comme ça : je courrais derrière toi sans jamais te rattraper. Et puis ta dernière lettre est arrivée. Quand tu as annoncé que tu allais rester chez ton grand-père pendant quelques mois, Alison a été tout excitée. Te perdre a été très dur pour elle.

— Arrête, supplia Kasey.

— Je suis désolé, dit-il en prenant les mains de Kasey dans les siennes. Dès qu'elle a reçu la lettre, elle a voulu te rendre visite. Elle soutenait que tu le lui avais permis.

— Oui, je lui avais promis qu'elle pourrait venir me voir.

Elle lui retira ses mains. Il ne fallait pas qu'il la touche, pas maintenant. Sinon, elle ne trouverait plus la force de le repousser.

Jordan baissa les yeux sur sa main vide puis l'enfonça dans sa poche.

— Je n'ai pas voulu la laisser avec ma mère, pas même pour quelques jours. Je lui ai dit que nous partirions ensemble.

— Alison est ici ? s'écria Kasey avec un sourire incrédule. Dehors ?

Jordan ravala sa jalousie. Le sourire s'adressait à Alison, et non à lui.

— Non. Je voulais te voir d'abord. J'en avais besoin. Elle est restée à l'hôtel. Il y a une famille, là-bas, avec deux enfants et ils s'occupent d'elle. Elle espère que je vais te ramener avec moi.

Kasey secoua la tête.

— C'est impossible. Amène-la ici ; j'aimerais tant la revoir.

Jordan sentit une nouvelle vague de douleur s'abattre sur lui. Il perdait à nouveau la bataille et ne voyait pas comment l'empêcher.

— Très bien, si c'est ce que tu veux. Nous passons le reste de l'été à nous chercher une nouvelle maison.

— Une nouvelle maison ?

De peur d'insister, de la supplier, il choisit de parler d'autre chose, de n'importe quoi.

— Il y a quelque temps, juste avant Noël en fait, j'ai estimé qu'Alison avait besoin de quitter cette maison, de s'éloigner de ma mère. J'ai fait préparer les papiers pour lui céder la maison. Nous n'aurons pas besoin d'une habitation aussi grande. J'ai dit à Alison que nous chercherions ensemble et essaierions de nous installer avant la rentrée scolaire.

Il se tourna vers elle, le visage tendu par la passion.

— Ne me demande pas de te laisser, maintenant que je t'ai retrouvée, Kasey. Ne me repousse pas. Tu ne peux pas me demander de vous abandonner toi et mon enfant.

— Mon enfant, dit Kasey en se levant pour se sentir plus forte.

— Notre enfant, corrigea Jordan. Tu ne peux rien y changer. Un enfant a le droit de connaître son père. Si tu ne veux pas penser à moi, pense au bébé.

— Je pense au bébé, répliqua-t-elle en pressant les mains sur ses tempes. Je n'imaginais pas que tu viendrais ici; je n'imaginais pas non plus que tu m'aimais. Mais je savais ce que j'avais à faire.

— Mais je suis venu. Et je t'aime.

Il posa les mains sur ses épaules, ce qui la fit reculer aussitôt.

— Non, ne me touche pas.

Elle se couvrit les yeux et ne vit pas la lueur de désespoir qui s'alluma dans ceux de Jordan.

— Je ne peux me permettre de penser à toi ou à moi, insista-t-elle. Je dois d'abord penser au bébé. Je ne veux pas prendre le risque qu'il souffre.

— Qu'il souffre?

— Je ne veux pas qu'on se le renvoie comme une balle d'un coin à l'autre du pays. Je veux qu'il sache où est sa maison. Personne ne le tiraillera d'un côté et de l'autre. Pas question. Pas cette fois-ci; cette fois-ci, c'est moi qui décide.

Elle sanglotait à présent, le visage dans les mains. Il ne voyait pas comment la réconforter.

— C'est mon bébé, reprit-elle, pas un objet qu'on peut se partager en le coupant en deux. Elle pourrait essayer de m'atteindre en s'en prenant à lui. Elle pourrait essayer de me le prendre. Je t'ai perdu, j'ai perdu

Alison mais je ne veux pas perdre ce bébé. Cela me tuerait. Ta mère ne mettra pas les mains sur mon bébé !

Oubliant toute réserve, il la prit par les épaules.

— Mais de quoi parles-tu ? Qu'est-ce que tu racontes ?

Haletante, Kasey ne répondit pas. Elle ne savait plus elle-même ce qu'elle avait dit.

— Est-ce que ma mère a quelque chose à voir avec ton départ ?

Kasey s'apprêtait à faire non de la tête mais le regard de Jordan l'arrêta.

— Tu ne sais pas mentir, alors n'essaie pas. Qu'est-ce qu'elle t'a dit ? Qu'est-ce qu'elle a fait ?

Comme elle gardait le silence, il s'efforça de parler calmement. Il lisait à nouveau de la peur dans ses yeux mais du moins savait-il qu'il n'en était pas la cause.

— Tu vas me dire exactement ce qu'il s'est passé.

— Voilà une excellente idée, déclara le Dr Brennan en entrant dans la pièce.

Jordan le regarda mais sans lâcher Kasey. Personne n'allait l'empêcher d'apprendre enfin la vérité.

— Inutile de s'emporter, mon garçon, dit le Dr Brennan avec un sourire amusé. C'est exactement ce que je lui ai recommandé lorsqu'elle est arrivée ici.

— Grand-père, ne t'en mêle pas.

— Ne t'en mêle pas, répéta-t-il en faisant les gros yeux à sa petite-fille. Tu as toujours été une gamine insolente.

D'un geste brusque, Kasey se dégagea de l'étreinte de Jordan.

— Grand-père, s'il te plaît, reste en dehors de tout ça.

— Eh bien, non ! explosa-t-il. Cet homme a le droit de savoir ce qu'il s'est passé. Fini de jouer toute seule, Kasey. Cette affaire le concerne.

Secouant la tête, elle s'approcha de lui.

— Mais il y a Alison.

— Il prendra soin d'Alison. N'importe quel crétin peut s'en rendre compte. Alors, tu vas lui dire ou je m'en charge ?

— Allez-y, dit Jordan. Dites-moi tout, sans fioritures.

— C'est ce qu'il y a de mieux à faire. Kasey, assieds-toi et ferme-la, ordonna son grand-père.

— Non, je ne...

— Assieds-toi !

Le ton la fit se raidir mais des années d'obéissance la contraignirent à obtempérer.

— Bon, commença le vieil homme. Ça ne va pas être agréable à entendre, Jordan. Voulez-vous vous asseoir ?

— Non, jeta-t-il, puis se reprenant, il ajouta : Non merci, docteur.

— Moi, je vais m'asseoir, je vieillis... Voilà : votre mère a placé Kasey devant un choix. Étant perspicace, elle savait d'avance ce que choisirait ma petite-fille entre son propre bonheur, le vôtre et celui d'Alison.

— Je ne comprends pas.

— Dans ce cas, il vaut mieux que j'aille droit au fait. Votre mère a menacé de réclamer la garde d'Alison en justice si Kasey ne ramassait pas ses affaires et ne partait pas sur-le-champ.

— En justice..., souffla Jordan, décontenancé. C'est incroyable. S'occuper d'Alison l'ennuie et, de toute façon, elle n'aurait aucune preuve à porter contre moi pour qu'un juge décide de m'enlever la garde de ma nièce.

— Comme je vous l'ai dit, elle est perspicace.

Le regard du Dr Brennan se porta sur Kasey ; Jordan comprit tout.

— Ô mon Dieu, fit-il en se frottant le visage d'un geste las. Kasey aurait dû m'en parler. Je n'aurais jamais laissé ma mère la menacer ainsi... Elle aurait dû m'en parler, répéta-t-il avec fébrilité.

— Oui, bien sûr, concéda le Dr Brennan. Mais elle n'a pas voulu mettre en danger les deux personnes qu'elle aimait. Votre mère menaçait de vous accuser de conduite immorale.

— Grand-père..., protesta faiblement Kasey.
— Ne m'interromps pas, Kasey, j'ai l'intention de tout dire. Jordan, votre mère a aussi sorti son carnet de chèques. Ce fut sa seule erreur.
Jordan s'approcha de la fenêtre et regarda fixement les montagnes bleutées.
— Je la savais capable de beaucoup de choses mais pas de ça, dit-il d'une voix tendue. Je vous remercie de me l'avoir dit.
Il avait cru connaître la rage et la souffrance, mais il s'était trompé. À présent, il ne savait ce qui l'emportait en lui, de la douleur ou de la fureur.
— Je vais mettre les choses au point avec ma mère, docteur Brennan, vous pouvez en être sûr.
— Je n'en doute pas.
Il jeta un dernier coup d'œil à sa petite-fille et se leva.
— J'ai un jardin à arroser, annonça-t-il en quittant la pièce.
Kasey soupira. Tout était dit, à présent. Il n'y avait plus rien à ajouter.
— Je vais préparer une infusion, dit-elle en se levant.
— Kasey, je ne vois pas ce que je pourrais dire ou faire pour réparer cela.
— Ce n'était pas ta faute, Jordan, et ce n'est pas à toi de réparer.
Elle mit la bouilloire sur le feu et sortit une boîte du placard.
— C'est de la tisane. Grand-père m'a supprimé tout excitant.
— Kasey, s'il te plaît, reste tranquille une minute.
Elle se tourna vers lui. Jordan devait agir vite et s'en aller tant qu'il en était capable.
— D'abord, je te promets que ma mère ne s'approchera jamais de notre... de ton bébé.
Renoncer à ses droits suscita en lui une violente douleur.

— Je n'exigerai rien. Je t'aiderai financièrement mais seulement si tu le veux bien. Si tu refuses, je le comprendrais.

— Jordan...

— Non, attends, ne dis rien, protesta-t-il. Ce bébé est le tien, uniquement le tien. Je l'accepte. Tu as ma parole que je ne le réclamerai pas. Je sais combien tu aimes Alison. Si tu veux, je te la laisserai quelques jours pendant que j'irai régler cette affaire avec ma mère.

— Cela n'a pas d'importance, Jordan...

— Pour moi, si ! Quand j'aurai trouvé une maison pour Alison et moi, j'enverrai l'adresse à ton grand-père. Je ne demande qu'une chose, être prévenu de la naissance du bébé et savoir que vous allez bien tous les deux.

Pour Kasey, ces mots changeaient tout. Ce qui paraissait raisonnable une heure plus tôt semblait absurde à présent. Les gens qui s'aiment doivent vivre ensemble.

— Jordan, commença-t-elle avant de se replier brusquement en deux.

— Qu'y a-t-il ? cria-t-il, paniqué. C'est le bébé ? Ô mon Dieu, je n'aurais pas dû venir ! Je t'ai bouleversée. Je vais appeler ton grand-père.

— C'est inutile, dit-elle en souriant. Ce ne sont que des coups de pieds. C'est un bébé très actif.

Jordan baissa les yeux et leva lentement la main pour la poser sur le ventre de Kasey. En sentant la vie frémir avec impatience sous sa paume, un émerveillement subit l'envahit. Un peu de lui se développait en elle. Et un peu de Kasey. À eux deux, ils avaient créé un être humain. Il crut sentir le contour d'un petit pied gigotant avec frénésie.

Il leva les yeux et Kasey y vit scintiller des larmes d'émotion. En souriant, elle posa sa main sur celle de Jordan.

— Tu devrais le sentir quand il se donne à fond !

Le chagrin tomba sur Jordan comme une chape de plomb. Ce serait son premier et dernier contact avec son enfant. La dernière fois qu'il aurait touché la femme qu'il aimait. Le visage livide, il s'écarta et se dirigea vers la porte. Son expression désespérée n'avait pas échappé à Kasey.

Ne le laisse pas partir, lui cria son cœur. *Ne sois pas idiote. Il y a un risque*, lui rappela une petite voix dans sa tête. *Pour toi, pour vous tous. Cours ce risque*, insista son cœur. *Tu es assez forte pour l'assumer. Vous êtes tous assez forts.*

— Jordan, appela-t-elle avant qu'il n'ait atteint la porte. Reste.

Comme il se retournait, elle fit deux pas en avant et ajouta :

— Nous avons besoin de toi… J'ai besoin de toi, insista-t-elle en jetant les bras autour de son cou.

Bien qu'il mourût d'envie d'accepter ce qu'elle lui offrait, il se retint.

— Kasey, tu n'es pas obligée, je ne veux pas…

— Tais-toi et embrasse-moi. On a déjà trop parlé. Ça a été trop long.

Elle trouva sa bouche et l'entendit soupirer de soulagement.

— Je t'aime, dit-il en la couvrant de baisers. Tu ne passeras plus une journée sans m'entendre le dire et le répéter. Je t'aime.

— Embrasse-moi vraiment, murmura-t-elle. Tu ne risques pas de faire mal à nos bébés.

Il l'étreignit et s'abandonna au bonheur retrouvé. Elle était sienne, enfin complètement sienne.

— Nos bébés ? s'exclama-t-il soudain.

— Je ne t'ai pas dit qu'il y en avait deux ?

Jordan secoua la tête en éclatant de rire.

— Non.

Il rit de plus belle et la serra dans ses bras. Les petites vies s'agitèrent avec impatience contre lui.

— Non, tu ne me l'as pas dit. Comment ai-je pu vivre sans toi pendant si longtemps ? Ce n'était pas vivre, d'ailleurs. C'est maintenant que je commence à vivre.

Il l'embrassa fiévreusement, comme pour combler le plus vite possible six mois de vide. Puis il la regarda avec intensité.

— Et, cette fois-ci, je ne veux pas de cet amour sans lien ni obligation dont tu me parlais. Je veux qu'il nous ligote à jamais.

— À jamais, acquiesça-t-elle en se blottissant dans ses bras.

Épilogue

Le feu qui ronflait dans la cheminée répandait dans le salon une chaleur douillette. Dehors, un épais tapis de neige recouvrait déjà le sol, et il continuait à neiger. Kasey glissa un cadeau de dernière minute sous le sapin et recula pour l'admirer. Des guirlandes de pop-corn s'entrecroisaient sur les branches. Au souvenir du chaos qui avait transformé la cuisine le soir où ils les avaient enfilés, elle sourit. Le chaos demeurait l'un de ses états préférés.

Elle s'inclina et tripota une boîte dont l'étiquette portait son nom.

— Tu triches ? demanda la voix de Jordan derrière elle.

— Mais non, voyons, protesta-t-elle en se redressant. Je tisonne, c'est tout. Tisonner n'est pas tricher. C'est même recommandé à Noël.

Il s'approcha d'elle et l'enlaça en l'embrassant dans le cou.

— Est-ce votre opinion de spécialiste, docteur Taylor ?

— Exactement. Comment va ton livre ?

— Bien. Mon personnage principal est fascinant.

Il l'écarta pour la regarder. Elle resplendissait. Était-ce dû à l'approche de Noël ?

— Je t'aime, Kasey, dit-il en l'embrassant tendrement. Et je suis fier de toi.

— Pourquoi donc ? demanda-t-elle en nouant les mains sur sa nuque. J'aime les compliments précis.

— Pour avoir passé ton doctorat, pour élever une famille, pour faire de cette maison un vrai foyer.

— Bien sûr, j'ai réussi tout ça toute seule, plaisanta-t-elle. Jordan, tu es un amour. Je suis folle de toi.

Elle l'attira jusqu'à ce que leurs lèvres se rejoignent. Il ne fallut pas longtemps pour que le baiser n'éveille de vives sensations.

— Il neige, murmura Jordan.

— J'ai remarqué, soupira-t-elle tandis que sa bouche descendait sur son cou.

— Nous avons plein de bois.

— Tu l'as coupé comme un chef. Je suis toujours impressionnée par tes talents de bûcheron.

Elle releva la tête afin de retrouver sa bouche.

— Il y a du vin dans le cellier, reprit-il.

Le désir, qui semblait ne jamais vouloir s'apaiser, l'envahissait une fois de plus. Il glissa sa main sous le chemisier de Kasey et lui caressa le dos.

— Tu te souviens de ce que nous avions rêvé il y a deux ans, la veille de Noël ?

— Mmm, fit-elle en l'étreignant. Engloutis dans la neige. Du bois, du vin et nous deux.

Le cocker déboula dans la pièce, suivi de deux petits enfants titubants.

Si tu tiens à la vie, sauve-toi vite, lui conseilla mentalement Kasey, la tête sur l'épaule de Jordan.

— Bryan, Paul, revenez, cria Alison qui les rattrapait. Il ne faut pas embêter Maxwell.

Avec un soupir, elle secoua la tête en voyant les jumeaux s'écrouler sur le chien.

Le spectacle des enfants jouant avec cet animal patient et affectueux fit sourire leur père. Il serra plus étroitement Kasey.

— Ils sont magnifiques, murmura-t-il. Je n'en reviens pas.

— Et tellement bien élevés, dit Kasey tandis que Bryan repoussait Paul pour agripper plus fermement le cou du chien.

Alison s'accroupit pour arbitrer. En riant, Jordan souleva le visage de sa femme vers lui.

— À propos de ce rêve d'il y a deux ans…

— Rendez-vous à minuit, murmura-t-elle. Ici.

— Tu apporteras le vin et moi, le bois.

— Marché conclu.

Les enfants s'excitant de plus en plus, Kasey comprit qu'une conversation intime serait impossible. En outre, elle avait envie de les rejoindre et de se mêler à leurs jeux.

— J'ai encore une chose à te dire, ajouta-t-elle en décochant à son mari l'un de ses sourires innocents.

Il la regarda avec perplexité tandis qu'elle approchait sa bouche tout contre ses lèvres.

— Nous allons avoir un autre bébé… Enfin, un ou deux, parvint-elle à articuler avant qu'il ne la fasse taire d'un baiser.

La rivale

Traduit de l'anglais (États-Unis)
par Béatrice Pierre

1

« Une source autorisée de la Maison-Blanche nous confirme la démission imminente du secrétaire d'État George Larkin pour raison de santé. Le secrétaire d'État Larkin a subi la semaine dernière une grave opération à cœur ouvert, dont il se remet actuellement à l'hôpital naval de Bethesda. Sur place, Stan Richardson. »

Liv attendit qu'apparaisse sur l'écran la façade de l'hôpital pour se tourner vers son collègue.

— Brian, voilà qui pourrait bien faire le plus gros coup depuis le scandale Malloy d'octobre dernier. Il y a au moins cinq remplaçants possibles pour Larkin. La bagarre va commencer.

Brian Jones relisait son texte tout en le comparant au temps d'antenne dont il disposait. Ce jeune Noir de trente-cinq ans, toujours très soucieux de sa tenue vestimentaire, travaillait depuis dix ans comme présentateur des informations télévisées. Bien qu'il eût grandi à New York, il considérait Washington comme sa vraie patrie.

— Et il n'y a rien que tu aimes tant qu'une bonne bagarre.

— Rien, confirma Olivia.

Lorsque le signal s'alluma sur le panneau de contrôle, elle se tourna vers la caméra.

« Le Président n'a fait aucun commentaire sur le remplacement du secrétaire d'État Larkin. Parmi les successeurs possibles, les noms qui reviennent le plus souvent sont ceux de Beaumont Dell, ancien ambassadeur à Paris, et du général Robert J. Fitzhugh. Aucun des deux n'a pu être joint. »

« Cet après-midi, un homme de vingt-cinq ans a été découvert assassiné dans son appartement, au nord-est de Washington. »

Brian enchaîna.

Tout en l'écoutant d'une oreille, Olivia réfléchissait. Beaumont Dell lui semblait être le candidat le mieux placé. Ses collaborateurs avaient beau avoir tenté dans l'après-midi de brouiller les pistes, ce qui était prévisible, elle avait décidé de camper devant sa porte dès le lendemain matin. Son expérience de reporter l'avait habituée aux rebuffades et aux longues attentes devant des portes qu'on lui claquait au nez. Rien, absolument rien, ne l'empêcherait d'interviewer Beaumont Dell.

Son tour venu, Olivia se tourna vers la caméra 3. Les téléspectateurs voyaient la tête et les épaules d'une élégante jeune femme brune qui s'exprimait d'une voix grave et posée. Ne se doutant aucunement du soin avec lequel cette minute et ces quinze secondes d'antenne avaient été programmées, ils n'étaient sensibles qu'à son ton sincère et à sa beauté. Pour un présentateur d'informations à la télévision, séduire est aussi important que le reste. Les cheveux courts et bien coiffés d'Olivia encadraient un visage à l'ossature fine. Son regard bleu, à la fois sérieux et franc, faisait croire à chaque téléspectateur qu'elle s'adressait à lui en particulier.

Son public la trouvait distinguée, un peu distante peut-être, mais très convaincante. Son succès en tant que coprésentatrice des nouvelles du soir la satisfaisait mais, comme reporter, elle avait de plus hautes ambitions.

Un collègue avait un jour parlé d'un ton légèrement railleur de son « allure d'héritière du Connecticut ». Il était vrai qu'elle venait d'une famille fortunée de la Nouvelle-Angleterre et qu'elle avait obtenu son diplôme de journaliste à Harvard. Néanmoins, c'était un par un qu'elle avait gravi les échelons du journalisme télévisé.

Elle avait commencé au salaire minimum, en lisant la météo et de brefs messages publicitaires dans une toute petite chaîne indépendante du New Jersey. Ensuite, elle avait pratiqué le sport classique qui consiste à passer de chaîne en chaîne, de ville en ville, en obtenant chaque fois un peu plus d'argent et un peu plus de temps d'antenne. Ce qui lui avait permis de décrocher un poste dans une filiale de CNC à Austin et, au bout de deux ans, elle était devenue présentatrice attitrée. Lorsqu'on lui avait proposé de partager la présentation des informations régionales à WWBW, la filiale de CNC à Washington D.C., Olivia avait sauté sur l'occasion. Depuis des années, aucune attache sérieuse ne la retenait à Austin ni ailleurs.

Elle avait toujours voulu se faire un nom dans le journalisme télévisé. Pour cela, rien ne valait un poste à Washington. Bien que ses mains fines eussent l'air de n'avoir connu que les soies et les satins de la vie, le sale boulot ne lui faisait pas peur. Sa peau blanche et ses traits distingués dissimulaient un cerveau vif et tenace. Le rythme rapide de ce métier l'enchantait malgré son allure réservée. Image que durant ces cinq dernières années elle s'était efforcée de croire authentique.

À vingt-huit ans, elle estimait n'avoir plus besoin de bouleversements dans sa vie privée. Les seules montagnes russes qu'elle s'autorisait désormais à franchir concernaient sa vie professionnelle. Les amis qu'elle s'était faits depuis son arrivée à Washington, seize mois plus tôt, n'avaient eu droit qu'à de très brefs aperçus de son passé.

— C'était Olivia Carmichael, conclut-elle, face à la caméra.

— Et Brian Jones, compléta son collègue avant de conseiller aux téléspectateurs : Restez sur CNC pour les informations internationales.

Le thème musical du générique prit la suite et la lumière rouge de la caméra s'éteignit. Olivia détacha son micro et repoussa sa chaise du bureau semi-circulaire qu'elle partageait avec son collègue.

— Bien ficelé, fit le cameraman sur son passage.

Au-dessus d'eux, les spots lumineux s'éteignirent. Écartant ses préoccupations, Liv regarda le technicien et lui adressa un sourire qui transforma complètement sa beauté froide. Sourire qu'elle n'utilisait qu'en de rares occasions et toujours à dessein.

— Merci, Ed. Comment va ta fille ?

— Elle potasse ses examens, fit-il en ôtant son casque. Ça ne lui laisse pas beaucoup de temps pour moi.

— Tu seras fier d'elle quand elle aura obtenu son diplôme.

— Oui... À propos, Liv ? Elle voulait que je te demande quelque chose...

L'air embarrassé, il hésita.

— Oui ?

— Qui est ton coiffeur ? lâcha-t-il.

Puis, gêné par sa question, il secoua la tête et tripota nerveusement sa caméra.

— Ah, les femmes... grommela-t-il, comme pour s'excuser.

Olivia lui tapota le bras en riant.

— Armond's, sur Wisconsin. Dis-lui qu'elle peut se recommander de moi.

Elle quitta le studio, monta un escalier et suivit le couloir tortueux qui menait à la salle de rédaction où régnait, en raison du changement d'équipes, un niveau sonore très élevé.

Assis sur les bureaux, des journalistes buvaient du café tandis que d'autres tapaient frénétiquement sur le clavier de leur ordinateur afin d'être prêts pour l'émission de onze heures. Une odeur de tabac, de sueur et de café froid flottait dans l'air. Alignés sur l'un des murs, des écrans de télévision transmettaient, son coupé, ce que diffusait chaque chaîne de la métropole. Sur l'écran numéro un s'affichait déjà le générique des informations internationales CNC. Olivia fendit la foule jusqu'au bureau vitré du chef de rédaction.

— Carl ? fit-elle en passant la tête par la porte. Tu as une minute ?

Vautré sur sa table, mains croisées, Carl Pearson fixait un écran dans l'angle de la pièce. Les lunettes qu'il aurait dû porter gisaient sous une pile de papiers. En équilibre précaire sur une autre pile oscillait une tasse de café, tandis qu'une cigarette se consumait entre ses doigts. Il grommela, ce qui pouvait passer pour un acquiescement, et Olivia entra.

— Bon travail, ce soir, jeta-t-il sans quitter l'écran des yeux.

Olivia s'assit et attendit. La voix ferme de Harris McDowell, le présentateur vedette de la station de New York, s'éleva. Il était inutile de parler à Carl lorsqu'un gros bonnet était à l'antenne. Et Harris McDowell était un gros bonnet.

Personne n'ignorait que Carl et lui avaient démarré ensemble dans une chaîne de Kansas City, Missouri. Mais ce fut à Harris McDowell que l'on demanda de couvrir le cortège présidentiel qui devait traverser Dallas en 1963. L'assassinat d'un président et le reportage en direct qu'il en avait fait l'avaient propulsé d'une relative obscurité à un rôle national. Carl Pearson était resté un gros poisson dans une mer de petits poissons. D'abord dans le Missouri, puis dans quelques autres États, jusqu'à se voir attribuer un bureau directorial à Washington.

C'était un bon chef de rédaction, exigeant et sensible. Si l'évolution de sa carrière lui inspirait quelque amertume, il prenait soin de le cacher. Olivia l'avait respecté dès les premiers jours et, au fil des mois, elle en était venue à éprouver pour lui une certaine affection. Elle aussi avait eu sa part de déceptions. La pause publicitaire interrompit les informations.

— Oui ? fit Carl.

— Je voudrais continuer sur Beaumont Dell. J'ai déjà pas mal enquêté sur le sujet et, lorsqu'il sera nommé secrétaire d'État, j'aimerais bien être la première à l'annoncer à l'antenne.

Carl se renversa sur son dossier et croisa les mains sur sa bedaine. Huit ou dix kilos superflus qu'il imputait aux trop longues heures passées assis derrière un bureau. Le regard qu'il dirigea sur Olivia était aussi direct et inflexible que celui avec lequel il scrutait l'écran une demi-minute plus tôt.

— Ça me paraît prématuré.

Des années de tabagisme avaient rendu sa voix rocailleuse. Bien qu'un mégot continuât à se consumer dans le cendrier plein, il alluma une nouvelle cigarette.

— Et Fitzhugh ? Et Davis et Albertson ? Ils pourraient s'agacer que tu désignes déjà Dell. Officiellement, Larkin n'a toujours pas remis sa démission.

— C'est une question de jours. D'heures sans doute. Tu as entendu la déclaration du médecin. Boswell, le suppléant de Larkin, n'aura pas le poste. Il ne fait pas partie des chouchous du Président. Ça sera Dell. Je le sais.

Carl se frotta le nez d'un air songeur. L'intuition de Carmichael ne lui avait pas échappé. Malgré son air bon chic bon genre, elle possédait un esprit aiguisé et perspicace. Et c'était une fille consciencieuse. Mais il manquait de personnel et le budget était serré. Il ne pouvait se permettre de lâcher l'un de ses meilleurs reporters sur une simple hypothèse. Pourtant… Il hésita un instant puis se pencha à nouveau sur son bureau.

— Ça vaudrait peut-être le coup, marmonna-t-il. Voyons ce que Thorpe va dire. Ça va être à lui.

Que sa mission dépendît de ce qu'allait dire Thorpe agaça profondément la jeune femme. L'amour-propre d'un collaborateur ne pesant d'aucun poids dans les décisions de Carl, elle se retint de protester.

Les informations nationales étaient émises d'un studio situé au-dessus de leurs têtes, au décor beaucoup plus raffiné que celui du local qu'elle venait de quitter. Toute la différence entre les nouvelles régionales et les nouvelles nationales était là. Enfin, pas tout à fait. Elle résidait aussi dans l'ampleur des budgets.

Après un court générique, l'écran montra T. C. Thorpe sur le terrain. Les sourcils froncés, Liv l'observa attentivement.

Il avait beau faire zéro degré et souffler un vent glacial, le journaliste se pavanait manteau ouvert et tête nue. Typique.

Il avait les traits rudes et la peau burinée qu'Olivia associait aux alpinistes, et le corps élancé d'un coureur de fond. Sports qui exigeaient de l'endurance, tout comme le journalisme. Or T. C. Thorpe était avant tout un journaliste. Ses yeux sombres fixaient et retenaient captifs les téléspectateurs, tandis que ses cheveux noirs, voletant au vent, donnaient à son reportage une impression d'urgence. Mais sa voix restait nette et posée. Ce contraste lui était plus bénéfique que les astuces de certains collègues.

Son charme était indéniable. Athlétique, il était juste assez beau pour plaire à la fois aux hommes et aux femmes. Ses yeux intelligents inspiraient confiance, ainsi que sa voix grave et bien timbrée. Il paraissait accessible. Olivia connaissait les catégories dans lesquelles le public classait les journalistes : il y avait les distants, les mystiques, les tout-puissants et les accessibles. Thorpe était un homme de chair et de sang, que les téléspectateurs pouvaient accueillir sans gêne dans leur salon et croire sur parole. À cela, s'ajoutait l'impression que, si le monde s'écroulait, T. C. Thorpe serait là pour raconter l'événement sans en rater une étape.

Correspondant principal à Washington pendant cinq ans, il s'était bâti une réputation enviable. Il possédait les deux caractéristiques essentielles du bon journaliste : la crédibilité et de bonnes sources d'information. Si

T. C. Thorpe disait une chose, c'est qu'elle était vraie. Si T. C. Thorpe avait besoin d'un renseignement, il savait qui appeler.

La rancœur qu'éprouvait Olivia à son égard était instinctive. S'étant spécialisée dans les scoops politiques, elle ne cessait de se heurter à Thorpe qui protégeait son territoire avec la férocité d'un chien de garde. Il était bien enraciné à Washington ; elle n'était qu'une nouvelle venue. Et il n'avait manifestement pas l'intention de lui faire un peu de place. Il paraissait inévitable que, dès qu'elle serait sur une piste sérieuse, il la devancerait.

Olivia avait passé des mois à chercher ce qu'elle pourrait bien lui reprocher de plausible. Ses vêtements n'avaient rien de voyant. Il s'habillait sobrement afin de ne pas distraire l'attention de son public. Il s'exprimait sans détour. Ses reportages avaient de la profondeur et du mordant, tout en restant objectifs. Sa façon de travailler était quasiment parfaite. La seule chose qu'Olivia pouvait critiquer était son arrogance.

Debout devant la Maison-Blanche, Thorpe était en train de récapituler l'histoire Larkin. Olivia comprit vite qu'il connaissait personnellement le secrétaire d'État alors qu'elle-même, en dépit de toutes ses tentatives, n'était jamais parvenue à le rencontrer. Cela suffit à l'irriter. Thorpe énuméra ensuite les candidats possibles et Dell vint en premier.

Carl hocha la tête. L'hypothèse d'Olivia devenait moins hasardeuse.

— C'était T. C. Thorpe, de la Maison-Blanche.

— Va dire au secrétariat que tu as une mission, fit Carl avant de tirer sur son mégot.

Olivia se tourna vers lui. Il fixait toujours l'écran.

— Prends l'équipe deux.

— Parfait.

Que l'influence de Thorpe et non sa propre perspicacité lui eût obtenu ce qu'elle désirait lui gâchait la moitié de son plaisir. Elle se garda bien de le montrer.

Carl avait trop à faire pour apprécier les états d'âme de ses collaborateurs.

— Je vais prendre les dispositions nécessaires.

— Rapporte-moi quelque chose pour les informations de midi, dit-il tout en louchant sur le reportage suivant.

— Promis, assura-t-elle en ouvrant la porte.

Il était huit heures du matin lorsque, par un froid glacial, Olivia et deux techniciens arrivèrent à Alexandria, en Virginie, devant le portail de la demeure de Beaumont Dell. Olivia s'était levée à cinq heures pour préparer ses questions. Il lui avait fallu passer une demi-douzaine de coups de téléphone la veille au soir pour obtenir d'un des collaborateurs de Dell la promesse d'une interview de dix minutes. Ce qui était suffisant pour un bon journaliste. Elle sauta de la camionnette et s'approcha du gardien.

— Olivia Carmichael, de WWBW, dit-elle en montrant sa carte de presse. M. Dell m'attend.

L'homme examina la carte puis son propre panneau d'affichage, et hocha la tête. Sans mot dire, il appuya sur un bouton et les grilles s'écartèrent.

Le genre amical, songea-t-elle en remontant dans la camionnette.

— Bon, préparez-vous rapidement. Nous n'aurons pas beaucoup de temps.

La camionnette s'engagea dans l'allée pendant qu'Olivia relisait une dernière fois ses notes.

— Bob, j'aimerais un panorama de la maison et un autre du portail quand nous repartirons.

— J'ai déjà pris le portail... Ainsi que tes jambes, ajouta-t-il avec un sourire. Tu as de sacrées belles jambes, Liv.

— Tu trouves?

Elle les croisa tout en leur jetant un regard critique.

— Tu as peut-être raison.

Elle appréciait ce flirt bon enfant. Avec Bob, cela ne présentait aucun risque. Il était heureusement marié et père de deux enfants. Une cour plus assidue l'eût glacée. Elle classait les hommes en deux catégories : les inoffensifs et les dangereux. Bob était inoffensif. Avec lui, elle se sentait à l'aise.

— Bien, dit-elle comme la camionnette s'arrêtait devant la maison en brique de deux étages. Tâchez de ressembler à deux membres respectables de la presse laborieuse.

Bob marmonna un bref juron et sauta de la camionnette.

Une fois devant la porte d'entrée, Olivia reprit son air distant de professionnelle et plus personne n'aurait osé émettre de commentaires sur ses jambes. Laissant son équipe décharger le matériel, elle frappa.

— Je suis Olivia Carmichael, de WWBW, annonça-t-elle à la domestique qui ouvrit la porte. J'ai rendez-vous avec M. Dell.

— Oui, fit la femme en jetant un regard dédaigneux sur les deux jeunes hommes en blue-jean qui montaient les marches, les bras chargés d'instruments divers. Par ici, mademoiselle Carmichael. M. Dell va vous recevoir tout de suite.

Son expression désapprobatrice ne surprit pas Olivia. Sa propre famille et beaucoup de ses amis d'enfance tenaient sa profession en piètre estime.

Le vestibule somptueux ne la surprit pas non plus. Elle en avait vu des dizaines de semblables lorsqu'elle était enfant. Sa jeunesse avait été saturée de goûters insipides, de petites sauteries guindées et de sorties soigneusement organisées qui l'avaient toutes ennuyée à périr. Elle ne jeta même pas un coup d'œil au Matisse suspendu au mur de gauche. Bob, en revanche, émit un sifflement étouffé.

— Sacrée baraque !

Olivia acquiesça d'un grognement indistinct. Elle avait grandi dans une maison bien peu différente de celle-ci. Sa mère préférait le Chippendale au Louis XIV mais cela revenait au même. L'odeur aussi était identique: encaustique au citron et fleurs fraîchement coupées. De vieux souvenirs s'éveillaient.

Liv n'avait pas fait deux pas à la suite de la domestique qu'un rire masculin se fit entendre.

— Vraiment, T. C., vous en connaissez de bonnes! Il faudra que je fasse attention à ne pas raconter cette histoire-là à proximité de la femme du Président.

La soixantaine élégante, Dell descendait alertement l'escalier en compagnie de Thorpe.

Liv sentit ses abdominaux se crisper. Toujours un pas devant moi, se dit-elle dans un brusque accès de colère. Merde!

Sans faiblir, elle croisa le regard de Thorpe. Il lui adressa un sourire qui ne ressemblait pas du tout à celui dont il avait gratifié son hôte en haut des marches.

— Ah, mademoiselle Carmichael, s'écria Dell en traversant le vestibule, la main tendue.

Sa voix était aussi lisse que sa paume mais ses yeux étaient vifs et rusés.

— Vous êtes très ponctuelle. J'espère que je ne vous ai pas fait attendre.

— Non, monsieur Dell. J'aime l'exactitude... Bonjour, monsieur Thorpe, ajouta-t-elle tandis que ses yeux se déportaient à contrecœur sur le journaliste.

— Bonjour, mademoiselle Carmichael.

— Je sais que vous êtes un homme très occupé, monsieur l'ambassadeur, reprit-elle en lui souriant. Aussi je ne vous retiendrai pas longtemps.

D'un geste discret, le technicien lui mit le micro dans la main.

— Préférez-vous que nous parlions ici? demanda-t-elle tandis que son équipier réglait le son.

— Ce sera parfait, fit Dell, le visage illuminé d'un sourire généreux.

Affabilité dans laquelle on reconnaissait l'ancien diplomate. Olivia vit Thorpe sortir du champ de la caméra et se poster près de la porte. Ses yeux fixés sur sa nuque la mirent mal à l'aise. Elle se tourna vers Dell et commença l'interview.

L'ambassadeur conserva une attitude ouverte, coopérative, sympathique, mais qui ne menait pas à grand-chose. Olivia eut l'impression d'être un dentiste essayant d'arracher une dent à un patient souriant mais la bouche hermétiquement close.

Bien entendu, il savait qu'on parlait de lui comme d'un successeur possible de Larkin. Naturellement, il était très flatté d'être ainsi cité... par la presse. Olivia remarqua qu'il n'avait pas parlé du Président. De phrases creuses en propos urbains, il la faisait tourner en rond. Tout aussi aimablement, elle faisait machine arrière et repartait à l'assaut sous un angle différent. Et elle finit par obtenir le ton qu'elle désirait entendre, sinon les mots précis.

— Monsieur Dell, le Président vous a-t-il parlé directement de la nomination du nouveau secrétaire d'État?

Elle savait fort bien qu'il ne fallait pas compter sur un oui ou un non.

— Le Président et moi n'avons pas discuté de cela.

— Mais vous l'avez rencontré?

— J'ai l'occasion de rencontrer le Président assez régulièrement.

Sur un léger signe, la domestique s'approcha, apportant son manteau et son chapeau.

— Je regrette mais je ne peux vous accorder plus de temps, mademoiselle Carmichael, dit-il en enfilant son manteau.

Olivia comprit qu'il ne lui restait plus que quelques secondes. Elle l'accompagna jusqu'à la porte.

— Devez-vous voir le Président ce matin, monsieur Dell?

La question était brutale mais Olivia guettait moins les mots que la réaction dans le regard de l'homme. Elle la vit... une brève lueur, une très courte hésitation.

— Ce n'est pas impossible, fit-il en lui tendant la main. J'ai été enchanté de parler avec vous, mademoiselle Carmichael. Malheureusement, je dois me hâter. La circulation est tellement difficile à cette heure de la matinée.

Olivia fit signe à Bob d'arrêter de filmer.

— Merci de m'avoir reçue, monsieur Dell.

Elle rendit le micro au technicien du son et suivit Thorpe et Dell sur le perron.

— Ce sera toujours avec plaisir, répondit l'ambassadeur avec un sourire charmeur.

Il lui tapota la main avant d'envoyer une claque amicale sur l'épaule de Thorpe.

— N'oubliez pas d'appeler Anna, T. C. Elle tient à avoir de vos nouvelles.

— Promis.

Dell se dirigea vers la limousine noire dont le chauffeur tenait la portière ouverte.

— Pas mal, Carmichael, fit Thorpe comme la voiture s'éloignait. Tu as fait une bonne interview... Bien sûr, ajouta-t-il avec un petit sourire, cela fait des années que Dell a appris à se dépatouiller de bonnes interviews.

Liv lui jeta un regard froid.

— Qu'est-ce que tu faisais là ?

— Je prenais le petit déjeuner. Je suis un vieil ami de la famille.

C'est avec joie qu'elle aurait écrasé son sourire d'un coup de poing. Au lieu de quoi, elle enfila ses gants avec soin.

— Dell va obtenir le poste.

Thorpe haussa les sourcils.

— C'est une affirmation ou une question ?

— Je ne te demanderais même pas l'heure qu'il est, Thorpe. Et si je le faisais, tu ne me répondrais pas.

— J'ai toujours pensé que tu étais une femme maligne.

Grands dieux, qu'elle est belle ! se disait-il. Lorsqu'il la voyait à l'antenne, il était facile d'attribuer cette beauté hors du commun à l'éclairage, au maquillage, à l'angle de la caméra. Mais, là, dans la lumière crue du matin, elle était tout simplement la plus belle femme qu'il eût jamais vue. Cette ossature incroyablement fine, cette peau parfaitement lisse... Seul son regard brûlant trahissait une fureur qu'elle contrôlait à grand-peine. Thorpe sourit de nouveau. Il aimait voir la glace se fissurer.

— Est-ce cela le problème, Thorpe ? demanda-t-elle en s'écartant pour laisser le passage à son équipe. Tu n'aimes pas les reporters féminins ?

Il secoua la tête en éclatant de rire.

— Voyons, Liv, tu le sais bien, le mot « reporter » n'a pas de genre.

Son regard avait perdu en intensité mais brillait d'humour. Ce qu'Olivia n'appréciait pas davantage. Plus exactement, elle refusait de l'apprécier.

— Pourquoi ne coopérerais-tu pas avec moi ? insista-t-elle.

Le vent soulevait les cheveux de Thorpe, tout comme la veille lors de son reportage. Il semblait ne pas sentir le froid alors qu'elle frissonnait malgré son manteau.

— Nous faisons le même boulot, et pour les mêmes gens.

— C'est mon territoire, répondit-il sans s'émouvoir. Si tu veux ta part, il faudra te battre pour l'obtenir. M'établir ici m'a pris des années. N'espère pas y arriver en quelques mois... Tu ferais mieux de rentrer dans la camionnette, ajouta-t-il en la voyant trembler.

— J'aurai ma part, Thorpe, affirma-t-elle d'un ton qui tenait autant de la menace que de l'avertissement. Et la bagarre, tu l'auras.

Il inclina la tête en signe de compréhension.

— J'y compte bien.

Il comprit qu'elle ne partirait pas avant lui. Elle était capable de trembler de froid durant une heure ou plus par pure obstination. Sans un mot d'adieu, il descendit les marches et rejoignit sa voiture.

Liv attendit qu'il eût franchi les grilles. Elle se rendit compte, et cela l'agaça souverainement, qu'elle respirait beaucoup mieux hors de sa présence. Ce type avait une personnalité à laquelle on ne pouvait rester indifférent. Et les émotions qu'il suscitait chez Olivia n'étaient pas en sa faveur.

Il ne lui barrerait pas la route. Elle ne se laisserait pas faire, décida-t-elle en descendant lentement le perron.

Anna. Le prénom que Dell avait rappelé à Thorpe lui traversa la tête. Anna Dell Monroe, la fille de Dell et l'hôtesse des réceptions officielles de l'ambassadeur depuis la mort de sa femme. Anna Dell Monroe. Elle serait forcément au courant de tout ce qui concernait son père. Accélérant l'allure, Liv monta dans la camionnette.

— Nous allons déposer la cassette au bureau et puis nous filerons à Georgetown.

2

Olivia tapait sur son ordinateur avec frénésie. Elle avait donné à Carl l'interview de Dell pour les informations de la mi-journée mais elle avait plus, beaucoup plus, à lui fournir pour celles de la soirée. Son idée d'interroger Anna Monroe s'était avérée très fructueuse. Anna connaissait parfaitement la vie de son père. Et, bien qu'elle se fût montrée très prudente, il lui manquait l'expérience de la diplomatie. En une demi-heure de conversation dans le salon des Monroe, Olivia avait rassemblé la matière d'un bon article avec ce qu'il fallait de prestige et de suspense.

La cassette était bonne. Olivia avait pu y jeter un coup d'œil pendant qu'on la montait. Bob avait saisi l'élégance raffinée de la pièce et l'allure distinguée et ouverte de la femme. Le contraste avec la ruse impénétrable de l'ambassadeur serait excellent. Le respect qu'Anna éprouvait envers son père était évident, de même que son goût pour les belles choses. Olivia s'était arrangée pour que ces deux traits fussent sensibles aux téléspectateurs. C'était un bon reportage et il donnait au public un aperçu du monde dans lequel évoluaient les hommes politiques et leurs familles.

Liv recopiait ses notes à toute allure.

— Liv, on a besoin de toi pour la voix hors champ sur la pub.

Elle leva les yeux et chercha Brian. Le regard suppliant qu'elle lui lança le fit soupirer.

— Bon, d'accord, dit-il en s'étirant. Je vais le faire. Mais à charge de revanche.

— Tu es un chef, Brian, dit-elle en se remettant à taper.

Dix minutes plus tard, elle ôtait la dernière feuille de l'imprimante.

— Carl ! cria-t-elle au chef de rédaction qui traversait la salle. Le texte du sujet principal est prêt.

— Apporte-le-moi.

La télévision était allumée, volume baissé, lorsqu'elle entra dans le bureau de Carl. Il vérifiait les textes et les temps impartis des prochaines informations.

— Vous avez vu la cassette ? demanda Olivia en lui tendant ses feuilles.

— Elle est bonne.

Il alluma une cigarette au mégot de la précédente et émit une petite toux sèche.

— Nous passerons une partie de l'interview de Dell et nous enchaînerons avec celui de sa fille.

Il parcourut avec attention le texte de Liv. C'était un bon article, bien mené, qui commençait par une rapide biographie de tous les principaux candidats avant de converger sur Beaumont Dell. Il offrait au public une vue panoramique de la situation puis l'amenait sur le seuil de la demeure de Dell.

Olivia attendait, les yeux fixés sur les ronds de fumée qui s'élevaient vers le plafond.

— Je voudrais qu'on passe des photos des autres candidats pendant que tu lis leurs biographies, dit-il en griffonnant dans la marge. Tu devrais les trouver dans nos archives. Sinon, on les demandera là-haut.

« Là-haut » désignait le bureau de Washington de CNC.

— Tu as environ trois minutes.

— Il me faut trois minutes et demie.

Elle attendit que Carl lève les yeux pour poursuivre :

— Ce n'est pas tous les jours qu'on remplace un secrétaire d'État au milieu de son mandat. Notre autre grand sujet, c'est l'éventuelle fermeture de la station d'épuration du Potomac. La succession de Larkin mérite bien trois minutes et demie.

— Va discuter avec le chef d'édition, suggéra-t-il en levant la main pour la faire taire.

Elle vit tout de suite ce qui avait distrait son attention. Le logo annonçant un flash spécial se dessinait sur l'écran. Obéissant à un signe de Carl, elle augmenta le volume. Au même instant, T. C. Thorpe la regarda dans les yeux avec une intensité qui la prit au dépourvu.

Un brusque accès de désir, tout à fait inattendu, l'envahit pour se retirer aussitôt, la laissant pantelante. Elle recula, les jambes molles, et dut prendre appui sur le bureau de Carl. Cela faisait plus de cinq ans qu'elle n'avait rien éprouvé de tel. Les yeux écarquillés, elle n'entendit pas les premiers mots du journaliste.

— ... a accepté, comme prévu, la démission du secrétaire d'État Larkin, due à son état de santé. Le secrétaire d'État Larkin se remet d'une grave opération du cœur, subie la semaine dernière à l'hôpital naval de Bethesda. Le Président a ensuite désigné l'ambassadeur Beaumont Dell pour remplir le poste vacant. M. Dell a accepté ces nouvelles fonctions il y a une heure, lors d'un entretien dans le bureau ovale. Le secrétaire d'État chargé de la Communication, M. Donaldson, donnera une conférence de presse demain matin à neuf heures.

Olivia sentit ses jambes se dérober. Elle respira à fond tandis que Thorpe récapitulait les derniers événements. Carl égrenait déjà une série de jurons.

L'article d'Olivia était mort avant d'être né. On venait de lui arracher les tripes. Et Thorpe le savait, se dit-elle en se redressant, tandis que le programme normal revenait sur l'écran. À huit heures ce matin, il le savait déjà.

— Tu réécris tout, dit Carl en décrochant le téléphone qui s'était mis à sonner. Et envoie quelqu'un chercher le texte de Thorpe. On va en avoir besoin. L'interview de la fille est foutue.

Olivia reprit ses papiers et quitta la pièce.

— On a besoin de toi au maquillage, Liv.

Sans s'arrêter, elle traversa la salle de rédaction et, devant l'ascenseur, se mit à piaffer d'impatience.

Il ne va pas s'en tirer comme ça, fulminait-elle. Il ne va pas s'en tirer impunément.

Elle continua à tourner en rond dans l'ascenseur qui l'emmenait au troisième étage. Cela faisait des années, elle aurait pu les compter, qu'elle n'avait éprouvé une telle fureur. Elle était au bord de l'explosion. Et un seul homme méritait d'en recevoir toute la puissance en pleine figure.

— Thorpe ? demanda-t-elle sèchement à la cantonade dans la salle de rédaction du troisième étage.

— Dans son bureau, répondit une journaliste en couvrant de la main l'écouteur de son téléphone.

Cette fois-ci, Olivia dédaigna l'ascenseur et, oubliant sa pondération habituelle, grimpa l'escalier à toute allure.

— Mademoiselle Carmichael ? fit la réceptionniste du quatrième étage tandis que Liv traversait la pièce sans s'arrêter. Mademoiselle Carmichael ! Qui voulez-vous voir ? Mademoiselle Carmichael !

Olivia poussa la porte de Thorpe sans se donner le mal de frapper.

— Espèce de salaud !

S'arrêtant d'écrire, Thorpe tourna la tête. Plus surpris qu'agacé, il regarda sa visiteuse s'approcher à grands pas.

— Olivia ? fit-il sans se lever.

La réceptionniste passant la tête par la porte, il lui fit signe qu'elle pouvait disposer.

— Assieds-toi, dit-il en désignant un fauteuil. Je ne crois pas que tu m'aies fait l'honneur d'une seule visite en un an.

— Tu as fusillé mon article.

Son texte toujours à la main, elle resta debout.

Il remarqua les joues inhabituellement rouges et l'éclat coléreux des yeux d'ordinaire froids. Un peu essoufflée par son escalade, elle respirait avec difficulté. Thorpe était fasciné. Jusqu'où devrait-il la pousser avant qu'elle ne lui cède ? Cela valait le coup de le découvrir.

— Quel article ?

— Tu le sais parfaitement, jeta-t-elle en se penchant sur le bureau, les paumes posées à plat sur la surface. Tu l'as fait exprès.

— Je fais presque tout exprès, répondit-il d'un ton léger. Si tu parles de l'article sur Dell, ce n'était pas ton article. C'était le mien. C'est le mien.

— Tu l'as lâché quarante-cinq minutes avant mon émission.

Sa voix avait pris un son aigu qui tranchait avec son ton d'ordinaire soigneusement modulé. S'il lui arrivait de se mettre en colère, c'était avec une sécheresse glaciale. Il l'observa placidement.

— Ah bon ? Tu as quelque chose contre mes horaires ?

— Tu m'as laissée les mains vides, dit-elle en froissant son texte avant de le jeter à terre. J'ai travaillé deux semaines pour tout rassembler. Deux semaines ! Depuis la crise cardiaque de Larkin.

— Je ne suis pas chargé de protéger ton article, Carmichael. Mais je te souhaite bonne chance pour la prochaine fois.

— Oh !

Folle de rage, elle frappa des deux poings le bureau en acajou.

— Tu es ignoble ! J'ai consacré des heures à cet article, j'ai passé des centaines de coups de téléphone, j'ai couvert des kilomètres en allées et venues. Et d'ailleurs si je dois me donner tant de mal, c'est uniquement à cause de toi.

Les paupières à demi baissées, elle reprit son accent méprisant de la Nouvelle-Angleterre.

— Je te fais donc si peur que ça, Thorpe ? Tu crains pour ton petit bout de territoire et pour l'audience de tes reportages ?

— Avoir peur, moi ?

Il se leva et se pencha jusqu'à se trouver nez à nez avec elle.

— L'idée que tu puisses t'aventurer sur mon terrain ne m'empêche pas de dormir, Carmichael. Je ne me soucie pas des reporters en herbe qui essaient de grimper les échelons trois par trois. Tout se mérite. Reviens lorsque tu auras payé ton dû.

Olivia poussa un grognement de colère.

— Ne me parle pas de payer mon dû, Thorpe. J'ai commencé à payer il y a huit ans déjà.

— Il y a huit ans, j'étais au Liban où j'essayais d'éviter les balles pendant que, toi, tu étais à Harvard en train d'éviter les avances de joueurs de football.

— Je n'ai jamais eu à éviter de joueur de football, répliqua-t-elle. Et ça n'a aucun rapport. Tu savais tout, ce matin ; tu savais ce qui se préparait.

— Et alors ?

— Tu savais déjà que j'allais me planter. Tu n'éprouves donc aucune loyauté envers la station régionale de notre chaîne commune ?

— Non.

La franchise de cette réponse la décontenança.

— C'est pourtant là que tu as démarré.

— Est-ce que tu donnerais la primeur de tes articles à WTRL, du New Jersey, tout simplement parce que tu y annonçais la météo ? Laisse tomber le complexe de l'alma mater, Liv. Ça ne paie pas.

— Tu es ignoble, gronda-t-elle d'une voix soudain menaçante. Il te suffisait de me prévenir.

— Et tu aurais poliment croisé les bras pour me céder la place ? ricana-t-il. Tu m'aurais plutôt tranché la gorge, oui.

— C'est vrai, et avec plaisir !

Il éclata de rire.

— La colère te rend franche, Liv... et splendide.

Il ramassa quelques feuilles et les lui tendit.

— Tu auras besoin de mes notes pour reprendre ton texte. Il ne te reste même pas trente minutes avant de passer à l'antenne.

— Je sais lire l'heure.

Brûlant d'envie de jeter quelque chose par la fenêtre, elle fit semblant de ne pas voir les papiers qu'il lui proposait.

— Nous réglerons ce compte, Thorpe. Si ce n'est pas maintenant, ce sera bientôt. J'en ai marre de buter sur toi à chacun de mes articles.

Bien que cela lui répugnât, elle se résigna à prendre les notes qu'il lui proposait. Toute honte bue, elle se pencha pour ramasser les feuilles froissées de son propre texte. Il ne lui restait plus qu'à sortir aussi dignement que possible.

— D'accord, entendit-elle dans son dos. Prenons un verre ce soir. Nous discuterons tranquillement.

— Jamais de la vie.

— Tu as peur!

Le ton provocant de cette repartie la fit s'arrêter devant la porte. Elle se retourna et le fusilla du regard.

— O'Riley's, huit heures.

— Entendu.

Le claquement de la porte le fit sourire.

Et voilà, se dit-il en se calant contre son dossier. Il y a donc de la chair et du sang sous cette surface lisse et soyeuse. Il commençait à en douter. En tout cas, le premier pas était fait. Avec un petit rire, il alla se camper devant la fenêtre et contempla la ville.

Elle l'avait rendu fou d'impatience. Cet esclandre tombait à point. Sinon, il en serait encore à faire du surplace. L'une des qualités essentielles que devait posséder un journaliste était la patience. Thorpe avait été patient pendant plus d'un an. Seize mois, pour être exact.

Depuis le premier soir où il l'avait vue apparaître sur l'écran. Sa beauté froide et distinguée, sa voix basse et posée l'avaient immédiatement captivé. Puis il l'avait rencontrée et aussitôt il avait décidé que cette femme serait sienne. L'intuition lui avait recommandé d'attendre et de garder ses distances. Une chose était sûre, Olivia Carmichael possédait plus de trésors qu'elle ne le laissait voir.

Bien sûr, il aurait pu enquêter sur ses antécédents. Il avait le talent et les relations nécessaires. Mais son instinct l'avait retenu. Après des années à faire le pied de grue en épiant les hommes politiques, Thorpe avait acquis de la patience. Il se rassit et alluma une cigarette. Eh bien, la patience allait peut-être enfin payer...

À huit heures pile, Olivia gara sa voiture à côté du *O'Riley's*. Elle posa le front sur le volant et réfléchit. Avec une netteté pénible, elle se revoyait traversant la salle de rédaction comme une furie et débouchant dans le bureau de Thorpe. Et, avec une netteté tout aussi désagréable, elle s'entendait crier.

Elle détestait s'emporter. Mais le pire était qu'elle l'avait fait devant Thorpe. Lorsqu'elle l'avait vu pour la première fois, elle avait tout de suite compris qu'il lui faudrait tenir cet homme à distance. Il était trop fort, et il avait trop de charme et de persuasion naturelle. Non seulement il appartenait à la catégorie des « dangereux », mais en plus il en prenait la tête.

Elle avait donc décidé de rester froide et impersonnelle, ce qui impliquait le respect de certaines règles de conduite. Or, quelques heures plus tôt, Olivia avait laissé tomber toute règle.

— Malgré mes efforts, je ne suis ni froide ni imperturbable, murmura-t-elle.

Et, à présent, Thorpe le savait.

Enfant, Olivia avait été le petit canard boiteux de la couvée. Dans une famille de gens pondérés et bien élevés, elle avait posé trop de questions, pleuré trop souvent et trop bruyamment, et ri avec trop d'exubérance. Contrairement à sa sœur, elle ne s'était intéressée ni aux robes de soirée ni aux fanfreluches. Elle avait demandé un chien pour jouer et se rouler dans l'herbe avec lui, et pas un petit caniche comme celui que sa mère dorlotait. Elle avait désiré une cabane, et non le joli petit chalet que son père avait fait construire par un architecte. Elle avait toujours voulu courir, et on lui avait constamment répété de marcher.

Olivia avait échappé aux bonnes manières et aux ambitions qu'imposait le fait d'être une Carmichael. Son séjour à l'université lui avait fait découvrir la liberté... et plus encore. Elle s'était dit alors qu'elle avait trouvé tout ce qu'elle pouvait souhaiter. Trésor qu'elle avait ensuite perdu. Ces six dernières années représentaient un nouveau tournant dans son existence. Le dernier, avait-elle décidé. Elle n'avait plus qu'à se soucier d'elle-même, et de sa carrière. Sa soif de liberté n'était pas éteinte, mais elle avait appris la prudence.

Elle se redressa et tenta de se reprendre. L'heure n'était pas aux réflexions sur le passé. Le présent et l'avenir exigeaient toute son attention. Plus question de se mettre en colère, se promit-elle en sortant de la voiture. Je ne lui ferai pas ce plaisir.

Elle poussa la porte et s'apprêta à affronter Thorpe.

Il la guettait. Tiens, elle a remis son masque, songea-t-il. Le visage imperturbable, le regard placide, elle le cherchait dans la salle. Droite au milieu de la fumée et du brouhaha, on eût dit une statue de marbre, fraîche, lisse, éblouissante. Thorpe avait envie de la toucher, de sentir sa peau, de guetter un éclair chaleureux dans ses yeux. La colère n'était pas la seule passion qu'il désirait déclencher chez elle. Le désir qu'il contenait depuis tant de mois commençait à le submerger.

Combien de temps faudrait-il pour faire tomber les défenses derrière lesquelles elle se protégeait ? Il ne se presserait pas et, persuadé de gagner, jouirait de relever ce défi. Perdre n'était pas dans ses habitudes. Il attendit tranquillement qu'elle l'eût repéré puis sourit en inclinant la tête mais s'abstint de se lever. Elle le rejoignit d'une démarche souple et sensuelle, dont elle n'avait sans doute pas conscience.

— Bonsoir, Olivia.

— Bonsoir, Thorpe, fit-elle en se glissant sur la banquette en face de lui.

— Que prendras-tu ?

— Du vin, répondit-elle en adressant un sourire au maître d'hôtel qui s'était précipité pour l'accueillir. Du vin blanc, s'il vous plaît, Lou.

— Bien, mademoiselle Carmichael. Un autre verre, monsieur Thorpe ?

— Non, merci.

Il avait remarqué le bref sourire qu'elle avait décoché au jeune homme. Tout son visage s'était éclairé. Lorsqu'elle se tourna vers lui, cette lumière s'était déjà éteinte.

— Très bien, Thorpe. Si nous devons éclaircir la situation, autant le faire tout de suite.

— Tu ne t'intéresses qu'au boulot, Liv ?

Il alluma une cigarette sans la quitter des yeux. L'un de ses talents était cette faculté de pouvoir scruter quelqu'un franchement, sans ciller. Son regard grave et patient avait mis mal à l'aise plus d'un politicien chevronné.

Olivia s'agaça de cette assurance, ainsi que du trouble qu'elle lui causait.

— Nous avons pris rendez-vous pour discuter...

— Tu n'as donc aucune idée de la façon dont on entame une conversation ? Par exemple : Comment allez-vous ? Quel beau temps pour la saison ?

— Je me fiche éperdument de ton état de santé, répliqua-t-elle d'un ton neutre. Et le temps est épouvantable.

— Une si jolie voix et une si méchante langue, quel dommage !

Un éclair s'alluma brièvement dans les yeux de la jeune femme.

— Tu as le plus beau visage que j'aie jamais vu, reprit-il.

Olivia se raidit de la nuque au bas des reins. Ce mouvement involontaire n'échappa pas à Thorpe. Il prit une gorgée de scotch.

— Je ne suis pas venue ici pour me faire complimenter sur mon aspect physique.

— Bien sûr, mais l'aspect physique fait partie du boulot, non ?

Le serveur déposa un verre de vin blanc devant Olivia dont les doigts se crispèrent autour du pied fin.

— Les téléspectateurs préfèrent inviter chez eux des gens séduisants. Cela rend les informations plus digestes. Tu y ajoutes aussi un peu de classe, ce qui n'est pas négligeable.

— Mon physique n'a rien à voir avec la qualité de mes reportages.

Sa voix restait calme mais son regard s'échauffait.

— Je suis d'accord. Mais, à l'antenne, l'aspect physique compte. D'ailleurs, à l'antenne, tu es sacrément bonne, Liv, et, comme reporter, tu te défends bien.

Elle fronça les sourcils. Était-il en train d'essayer de la décontenancer par cette avalanche de compliments ?

— Enfin, ajouta-t-il du même ton placide, tu es une femme très prudente.

— De quoi parles-tu ?

— Si je t'invitais à dîner, que dirais-tu ?

— Non.

Il approuva d'un sourire qui n'avait rien d'offensé.

— Pourquoi ?

Elle prit une gorgée de vin.

— Parce que je ne t'aime pas. Je ne vais pas dîner avec les hommes que je n'aime pas.

— Ce qui implique que tu dînes avec ceux que tu aimes.

Il tira longuement sur sa cigarette avant de l'écraser.

— Mais tu ne sors avec personne, il me semble, ajouta-t-il.

— Ça ne te regarde pas.

Furieuse, elle fit mine de se lever, les mains de Thorpe se posèrent sur les siennes.

— À peine a-t-on appuyé sur le bon bouton que tu montes sur tes grands chevaux. Rien de tel pour piquer ma curiosité, Olivia.

Il parlait d'une voix à peine audible dans le brouhaha de rires et d'exclamations qui les entourait.

— Je ne veux pas que tu t'intéresses à moi, d'aucune façon. Je ne t'aime pas, répéta-t-elle.

Les paumes dures aux callosités inattendues de Thorpe éveillaient en elle des sensations étranges.

— Je n'aime pas ton machisme contenu et ton arrogance excessive, ajouta-t-elle d'un ton péremptoire.

— Mon machisme contenu ? fit-il avec un sourire. Ça, c'est un compliment.

Le sourire trop séduisant la fit se cuirasser. Elle avait eu raison de le classer dans la catégorie des hommes dangereux.

— J'aime ton style, Liv. Et ton visage. J'aime cette sensualité qui affleure sous une surface glacée, reprit-il.

Il vit tout de suite qu'il avait touché un point sensible. Les mains d'Olivia sursautèrent sous les siennes. Son regard passa de la colère au chagrin puis redevint neutre.

— Lâche mes mains.

Il avait désiré l'asticoter, la provoquer mais pas la blesser.

— Pardon.

Le ton sincère la surprit. Comme il lui lâchait les mains, elle renonça à s'en aller et prit son verre.

— Si nous en avons fini avec les propos mondains, Thorpe, peut-être pourrions-nous parler boulot.

— Très bien, Liv. Vas-y.

Elle reposa son verre.

— Je veux que tu cesses de me barrer le chemin.

— Précise ta pensée.

— WWBW est une filiale de CNC. Ce qui devrait impliquer un minimum de coopération. Les émissions régionales ont autant d'importance que les nationales.

— Et alors ?

Il se montrait parfois si laconique que c'en était exaspérant. Elle repoussa son verre sur le côté et se pencha au-dessus de la table.

— Je ne te demande pas de l'aide. Je n'en veux pas. Mais j'en ai marre du sabotage.

— Du sabotage ?

Il prit son verre et le fit tournoyer. Oubliant ses résolutions de rester calme et inaccessible, elle s'animait de nouveau. Une pointe de rose s'alluma sous son teint ivoire ; il trouva cela charmant.

— Tu savais que je travaillais sur l'affaire Dell. Tu as suivi ma progression, étape après étape. Ne prends pas cet air de gamin innocent, Thorpe. Je sais que tu as des relations bien placées à WWBW. Tu voulais que je passe pour une idiote.

Cette déclaration le fit rire.

— Bien sûr que je savais ce que tu faisais, dit-il avec un haussement d'épaules désinvolte. Mais c'est ton problème, pas le mien. Je t'ai donné mon texte, ce qui est la procédure normale. Les informations régionales se nourrissent toujours de l'étage supérieur.

Elle se fichait éperdument de la procédure normale et de la générosité des étages supérieurs.

— Je n'aurais pas eu besoin de ton texte si tu ne m'avais pas coupé l'herbe sous le pied. Si j'avais été tenue au courant de tes intentions, j'aurais pu modifier mon interview d'Anna Monroe et l'utiliser quand même. C'était du bon boulot, et tu l'as bousillé.

— Le petit bout de la lorgnette, déclara-t-il avant de finir son verre. Ce sont les risques du métier... Mais, reprit-il après avoir allumé une cigarette, si tu avais réfléchi aux diverses éventualités, si tu avais eu une vue plus large, tu aurais posé à Anna des questions plus variées, tu l'aurais menée un peu plus par le bout du nez. Et, une fois que j'aurais lâché la nouvelle, ton interview aurait pu être remaniée. Tu aurais pu l'utiliser. J'ai vu la cassette. C'était du bon boulot; il fallait juste appuyer un peu plus sur les bons boutons.

— Ne me dis pas comment faire mon travail.

— Alors ne me dis pas comment faire le mien.

Il se pencha en avant et reprit:

— Ça fait des années que j'ai la primeur des événements politiques. Je ne vais pas t'apporter le Capitole sur un plateau. Si la manière dont je travaille ne te plaît pas, parles-en à Morrison.

Morrison était le chef de CNC à Washington. Olivia eut brusquement envie d'étrangler Thorpe.

— Quelle suffisance! À croire qu'on t'a sacré gardien du Saint-Graal.

— Il n'y a rien de sacré en politique, Carmichael. Je suis arrivé là où je suis uniquement parce que je connais les règles du jeu. Peut-être as-tu besoin de quelques leçons.

— Pas de toi.

— Tu pourrais trouver pire.

Il garda le silence et réfléchit deux secondes.

— Écoute, à titre de courtoisie professionnelle, je vais te dire une chose. Il faut plus d'un an pour planter ses racines ici. Les gens de cette ville ne se sentent pas en sécurité; leurs positions sont toujours fragiles. La politique est un vilain mot, surtout depuis le Watergate. Démasquer tel ou tel homme politique fait partie de notre boulot. Ils ne peuvent nous ignorer, du coup ils cherchent à nous utiliser tout comme nous les utilisons.

— Tu ne m'apprends rien.

— C'est possible. Mais tu as un avantage que tu n'exploites pas. Tu es belle et tu as de la classe...

— Je ne vois pas ce que…
— Ne fais pas l'idiote, s'écria-t-il avec un geste d'agacement. Un journaliste ne doit rien négliger. Tout ce qu'il peut saisir, mendier, emprunter ou voler est bon à prendre. Ton visage n'a rien à voir avec ton cerveau mais il joue sur la façon dont les gens te regardent et t'écoutent. C'est la nature humaine.
Il se tut, laissant ses mots faire leur chemin.
À contrecœur, Liv dut admettre qu'il avait raison. Le charme jouait en faveur de certains journalistes, tandis que d'autres usaient d'une certaine brutalité. À chacun ses armes. Et la classe, selon le mot de Thorpe, pouvait jouer pour elle.
— Il y a une réception diplomatique samedi soir. Je te propose de t'y emmener.
Sidérée, elle écarquilla les yeux.
— Tu me proposes…
— Tu veux franchir une porte ? Eh bien, prends celle qu'on t'ouvre, insista-t-il, amusé par son ahurissement. Après quelques coupes de champagne, on peut entendre quantité de ragots passionnants dans les toilettes pour dames.
— Et, bien sûr, tu es au courant.
— Tu serais étonnée de ce que je sais.
Mal à l'aise, elle hésitait. La tentation était grande.
— Pourquoi me rendrais-tu ce service ?
Il lui poussa son verre de vin blanc sous le nez.
— Il y a un dicton sur les chevaux qu'on vous offre, Liv.
— On parle aussi de cheval de Troie.
— Un bon journaliste aurait ouvert les portes et sauté sur le scoop, répliqua-t-il en riant.
Il avait raison, une fois de plus, et cela horripila Liv. Si l'invitation était venue de n'importe qui d'autre, elle aurait accepté immédiatement. D'un autre côté, refuser lui donnerait trop d'importance. Elle prit son sac.
— Très bien. Quelle ambassade ?

— L'ambassade du Canada, répondit-il, enchanté de l'avoir mise dans l'embarras.

— À quelle heure veux-tu que j'y sois ?

— Je viendrai te chercher.

— Non, fit-elle en se rasseyant.

— C'est moi qui t'invite, donc c'est moi qui pose les conditions. C'est à prendre ou à laisser.

Olivia n'aimait pas cela. Le retrouver là-bas aurait maintenu cette soirée sur un plan professionnel et inoffensif. Bien qu'à son avis aucune femme ne pût se sentir en sécurité avec Thorpe. Il l'acculait dans ses retranchements. Mais si elle refusait à présent, elle aurait l'air d'une idiote, et se sentirait effectivement idiote.

— Très bien, dit-elle en sortant son agenda. Je vais te donner mon adresse.

— Je la connais.

Devant son coup d'œil irrité, il ne put retenir un sourire.

— Je suis reporter, Liv. Glaner des informations, c'est mon métier… Je te raccompagne, dit-il en se levant.

Olivia se laissa prendre le bras et le suivit en silence. Avait-elle marqué des points ou reculé de deux pas ? Elle l'ignorait. En tout cas, c'était préférable au surplace.

— Tu n'es pas obligé de sortir, commença-t-elle comme il l'entraînait vers le parking. Tu n'as même pas de manteau.

— Tu t'inquiètes pour moi ?

— Pas le moins du monde, fit-elle exaspérée, en cherchant ses clés.

— On a fini de parler boulot ? demanda-t-il tandis qu'elle ouvrait la portière.

— Oui.

— Complètement ?

— Complètement.

— Bien.

L'empoignant par les épaules, il la fit pivoter face à lui. Sa bouche se plaqua sur celle de la jeune femme que la stupéfaction empêcha de protester. Rien ne l'avait préparée à ce geste ni à ce que cette bouche ferme et intraitable l'embrassât avec tant de douceur.

Le contact du corps musclé la troubla et son sang se mit à circuler plus vite. Elle leva les mains sans trop savoir si elle désirait le repousser ou au contraire l'étreindre. Elle finit par agripper sa chemise.

Thorpe ne tenta pas d'approfondir ce baiser. Sentant qu'elle se retenait de réagir, il refoula ses propres désirs et se concentra sur ceux de la jeune femme.

Lentement, les lèvres d'Olivia s'entrouvrirent. Le monde parut se brouiller autour d'elle comme si on avait changé l'objectif d'une caméra et omis de le régler.

— Non, murmura-t-elle au bout de quelques secondes en le repoussant. Non.

Il la relâcha aussitôt et elle dut s'appuyer contre sa voiture. Des sentiments qu'elle avait crus morts avaient resurgi. Elle n'en voulait pas ; elle ne voulait pas devoir à Thorpe qu'ils reprennent vie. Elle soutint son regard mais sans pouvoir cacher son désarroi. Spectacle qui éveilla en lui quelque chose de plus complexe que le désir.

— C'était...

— Délicieux, Olivia, pour toi comme pour moi, dit-il d'un ton volontairement léger. Quoiqu'il me semble que tu manques un peu d'entraînement.

Le regard d'Olivia redevint acéré.

— Tu es insupportable.

— À samedi, huit heures, dit-il en tournant les talons.

3

Elle choisit une robe noire toute simple mais ajustée, d'une parfaite élégance. Par contraste avec ce noir absolu, sa peau prenait un reflet marmoréen. Après un instant d'hésitation, elle opta pour des boucles d'oreilles ornées de perles, qu'elle avait reçues pour ses vingt et un ans.

Elle garda un instant les bijoux dans sa main. Ils réveillaient des souvenirs à la fois doux et amers. Vingt et un ans... Elle avait cru à l'époque que rien ne pourrait gâcher sa vie ni son bonheur. Un an plus tard à peine, son univers avait commencé à s'effriter. Et, à vingt-trois ans, elle avait oublié ce qu'était le bonheur.

Fermant les yeux, elle tenta de se rappeler ce qu'avait dit Doug en lui offrant ces perles. Il les avait comparées à sa peau, blanche et lisse. Doug, mon mari, se dit-elle. Puis, baissant les yeux sur ses doigts nus, elle corrigea : mon ex-mari. Nous nous aimions alors, je le sais. Durant les quatre années que nous avons passées ensemble, nous nous sommes aimés ; du moins durant une partie de ces quatre années. Avant que...

Le chagrin se réveillant, elle ferma les yeux. Penser à ce qu'elle avait perdu était impossible. Défendu, même. C'était trop énorme. Irremplaçable.

Sept années s'étaient écoulées depuis que Doug lui avait offert ces boucles d'oreilles. Elle était alors une femme différente, dans une autre vie, sur une autre planète. Il était temps de les porter à nouveau, dans sa vie actuelle.

Elle les accrocha puis se mit en quête de chaussures.

Sa nervosité, qu'elle tentait vainement de nier, l'horripilait. Cela faisait des années qu'elle n'était pas sortie avec un homme. Allons, il ne s'agissait pas d'une sortie mais d'un rendez-vous d'affaires. D'un service qu'on lui rendait à titre professionnel.

Pourquoi diable Thorpe lui rendait-il ce service ? Ce n'était pas un homme en qui avoir confiance, ni sur un plan professionnel ni sur un plan personnel. Professionnellement, il était impitoyable et doté d'un instinct de propriétaire. Elle l'avait toujours su. Et voilà que...

La façon dont il l'avait embrassée... Comme ça. Comme s'il en avait le droit. Les yeux dans le vide, elle s'assit sur son lit, une chaussure à la main. Il n'avait rien laissé prévoir. Sinon, elle aurait tout de suite dressé des barricades. Elle connaissait les signes avant-coureurs : les sourires, les mots enjôleurs, les petits gestes. Thorpe s'était épargné ce souci. Il n'avait agi que par impulsion, conclut-elle avec un haussement d'épaules. Ce baiser n'avait rien eu de spécialement désespéré ni d'amoureux. Thorpe ne s'était pas montré brutal et il n'avait pas essayé de la séduire. Elle faisait une montagne de ce qui n'était qu'une taupinière. Mais le problème était qu'elle avait cédé à son baiser et souhaité qu'il se prolongeât. Elle avait voulu être étreinte, être désirée. Pourquoi ? Elle se fichait bien de lui, pourtant.

— Qu'est-ce que tu veux ? murmura-t-elle. Tu devrais le savoir, quand même !

Je veux être la meilleure. Je veux gagner. Être Olivia Carmichael sans m'effriter en chemin. Je veux rester intacte.

La sonnette se fit entendre. Ce n'est qu'une soirée de travail, se rappela-t-elle. Je serai le meilleur reporter de tout Washington. S'il me faut fréquenter T. C. Thorpe pour y parvenir, eh bien, je fréquenterai T. C. Thorpe.

Elle jeta un coup d'œil au flacon de parfum posé sur sa coiffeuse puis se détourna. Inutile de lui donner des idées. Il en avait sûrement assez comme ça. Elle traversa l'appartement sans se hâter, enchantée de le faire attendre. Mais lorsqu'elle ouvrit la porte, Thorpe ne paraissait pas le moins du monde agacé. Au contraire, ses yeux exprimèrent une admiration toute masculine.

— Tu es ravissante, dit-il en lui tendant une rose blanche. Tiens. Elle te va très bien. Le rouge est trop banal, et le rose trop mièvre.

Olivia prit la rose et la regarda fixement. Ses réflexions de l'instant précédent s'étaient volatilisées. Elle n'avait pas prévu qu'il pût l'émouvoir à nouveau aussi vite. Elle leva les yeux et le regarda avec gravité.

— Merci.

— Je t'en prie, fit-il avec le même sérieux. Je peux entrer ?

Il serait plus malin de refuser. Conseil qu'elle ne suivit pas. Au contraire, elle s'effaça.

— Je vais la mettre dans l'eau, dit-elle en se dirigeant vers la cuisine.

Thorpe en profita pour examiner le salon. Une belle pièce, meublée avec goût. Sans l'aide d'un décorateur. Olivia avait pris son temps et choisi chaque objet avec soin. Il remarqua l'absence de photos et de souvenirs. En femme prudente et soucieuse de son intimité, elle n'exposait pas son passé. Rien de tel que des secrets cachés pour piquer la curiosité d'un reporter.

Le moment était peut-être bien choisi pour un petit coup de sonde en douceur. Il alla s'appuyer contre la porte de la cuisine où Olivia remplissait un vase en cristal.

— Bel appartement, dit-il d'un ton affable. Tu as une vue magnifique sur la ville.

— Oui.

— Washington est assez loin du Connecticut. De quel coin es-tu ?

Elle leva les yeux. Froids de nouveau, et prudents.

— Westport.

Westport. Les Carmichael de Westport. Thorpe fit le rapprochement sans hésiter.

— Tu es la fille de Tyler Carmichael ?

Elle souleva le vase et se tourna vers lui.

— Oui.

Tyler Carmichael, un promoteur immobilier, résolument conservateur, d'une famille qui remontait au Mayflower et à l'arrivée des premiers colons. Il avait deux filles, se souvint-il soudain. L'une d'elles avait disparu de la circulation dix ans auparavant, tandis que l'autre s'était lancée dans le circuit classique de la débutante. Des robes de cinq mille dollars et une Rolls rose. La chérie de son papa. Lorsqu'elle était sortie diplômée de Radcliffe et qu'elle avait attrapé son premier mari, Carmichael lui avait offert une propriété de sept hectares comme cadeau de mariage. Mélinda Carmichael Howard LeClare en était à présent à son deuxième mari. C'était une femme gâtée, aux nerfs trop sensibles, d'une beauté un peu tragique et qui n'aimait que ce qui coûtait une fortune.

— J'ai rencontré ta sœur, dit-il tout en guettant la réaction d'Olivia. Tu ne lui ressembles vraiment pas.

— Non.

Elle passa à côté de lui et déposa le vase sur une petite table du salon.

— Je vais chercher mon manteau.

Tout bon reporter est difficile à interviewer. Il sait se borner à répondre oui ou non, d'un ton parfaitement neutre. Olivia Carmichael était un bon reporter. Mais T. C. Thorpe aussi.

— Tu ne t'entends pas avec ta famille ?

— Je n'ai pas dit ça, fit-elle en sortant du placard une veste en renard.

Il prit la veste et attendit qu'elle l'ait enfilée. Pas de parfum, remarqua-t-il. Juste l'odeur fraîche d'un shampooing au citron. Cette absence d'artifice lui plut. Il la fit pivoter face à lui.

— Pourquoi est-ce que tu ne t'entends pas avec eux ?

Olivia poussa un soupir agacé.

— Écoute, Thorpe…

— Tu as décidé de n'utiliser que mon nom de famille ?

Elle haussa les sourcils et laissa s'écouler une seconde avant de demander :

— Tu veux que je t'appelle Terrance ?

— Non, fit-il en grimaçant. Personne ne peut m'appeler ainsi et vivre ensuite assez longtemps pour le raconter.

Olivia éclata de rire. C'était la première fois qu'il l'entendait rire de bon cœur. Elle se pencha pour attraper son sac.

— Tu n'as pas répondu à ma question, insista-t-il en lui prenant soudain les mains.

— Et je ne le ferai pas. Pas de questions personnelles, Thorpe, en privé comme au boulot.

— Je suis un homme têtu, Liv.

— Ne te vante pas ; ça n'a rien de séduisant.

Il enlaça ses doigts avec les siens et leva leurs mains jointes pour les examiner.

— Elles s'accordent, dit-il avec un sourire étrange. C'est ce que je pensais.

Elle fut prise au dépourvu. Ce geste n'était pas une manœuvre de séduction, bien qu'elle en fût troublée. Ce n'était pas non plus un défi, bien qu'elle eût envie de se battre. Ce n'était pas une usurpation qu'elle pût contester. Il avait seulement énoncé un fait.

— On ne va pas être en retard ? demanda-t-elle d'un ton un peu hagard.

Elle trouvait étrange que, alors que les yeux de Thorpe ne quittaient pas les siens, son regard semblât transpercer son manteau, sa robe, sa peau. Sûrement, il savait à quoi elle ressemblait, jusqu'à la marque de naissance qu'elle portait sous le sein gauche. Cette idée la paniqua.

— Thorpe, murmura-t-elle. Arrête.

Il l'avait blessée. Il le vit. Le sentit. Elle souffrait. Il se rappela sa décision de procéder lentement et, gardant la main d'Olivia dans la sienne, il l'entraîna vers la porte.

Lumière. Musique. Élégance. Olivia n'aurait su dire à combien de soirées elle s'était rendue. Mais celle-ci différait des autres par le fumet enivrant de politique qui en émanait.

C'était un petit monde fermé, difficile à pénétrer et où il était encore plus difficile de survivre. Que l'on ait été nommé ou élu, on était toujours la cible de la presse dont l'influence était immense. Un parti accusait souvent l'autre de falsifier la réalité avec l'aide des journalistes. Parfois c'était vrai. En tout cas, que ce fût à l'occasion d'une soirée privée ou d'une réception officielle, il y avait des images à saisir et à transmettre. Capter des images, Olivia savait le faire.

Elle repéra un sénateur démocrate qui déchiquetait sans paraître l'apprécier un toast au foie gras ; ses cheveux mi-longs comme ceux d'un très jeune homme encadraient un visage ingénu et ouvert. Mais Olivia le savait ambitieux et fiable comme une planche pourrie. Un vétéran du Congrès racontait une histoire légèrement grivoise sur la pêche au gros. Mais il avait la réputation de ne s'intéresser qu'à la diminution de la fiscalité sur les grosses fortunes.

Le représentant d'un grand journal de Washington en était à son cinquième verre de bourbon mais il restait solide sur ses jambes. Toutefois ses doigts étreignaient le verre comme un homme qui se noie s'accroche à une bouée. Olivia reconnut les symptômes et en fut attristée : au petit déjeuner, il boirait encore.

— Chacun fait face à la pression à sa façon, dit Thorpe qui avait suivi son regard.

— Oui, évidemment, fit-elle en prenant le verre de vin blanc qu'il lui présentait. J'avais une amie qui travaillait pour un journal d'Austin ; elle disait que les journaux fournissent des informations aux gens qui veulent penser tandis que la télévision montre un spectacle pour ceux à qui les images suffisent.

Il alluma une cigarette.

— Que lui as-tu répondu ?

— Je lui ai fait remarquer que les publicités qui émaillent le New York Times ne sont guère différentes de celles qui passent à l'antenne. J'ai souligné que la télévision transmettait une nouvelle immédiatement mais elle a répliqué que les journaux prenaient le temps de la réflexion. J'ai dit que la télévision permettait au téléspectateur de voir ; elle a répondu que le texte imprimé permettait au lecteur de réfléchir.

Au souvenir de cette discussion, elle eut un petit sourire.

— Nous avions sans doute toutes les deux raison, dit-elle avec un haussement d'épaules.

— J'ai écrit quelques articles quand j'étais à l'université.

Il se plaisait à la contempler tandis qu'elle étudiait ce qui l'entourait, les gens, la pièce, et s'en imprégnait. Elle leva sur lui un regard curieux.

— Pourquoi as-tu bifurqué ?

— J'aime ce rythme plus rapide et cette impression de toucher les gens directement, chez eux.

Comprenant parfaitement ce qu'il voulait dire, elle hocha la tête. Il avait pris un verre de whisky mais, contrairement au reporter qu'elle avait observé, il buvait modérément. Par contre, il fumait trop. Presque autant que Carl qui allumait sa cigarette au mégot de la précédente.

— Et, toi, comment fais-tu face à la pression ?

Il sourit et effleura du doigt la perle d'une de ses boucles d'oreilles.

— Je rame.

— Comment ?

Son geste l'avait perturbée. Elle fronça les sourcils.

— Je rame, répéta-t-il. Dans un bateau, sur une rivière. Et, quand il fait trop froid, je fais du handball.

— Ramer...

Cela expliquait ses paumes dures et calleuses.

— Oui, tu sais bien : Vas-y, Yale !

Elle sourit et son regard s'éclaira.

— C'est la première fois que tu fais ça pour moi, dit-il. Sourire de tout ton visage. Je crois que je suis amoureux.

— Tu es plus coriace que ça, Thorpe.

— Un vrai cœur d'artichaut, corrigea-t-il en lui prenant la main pour la porter à ses lèvres.

Elle la retira prudemment. Ses doigts la picotaient.

— Ce n'était pas un cœur d'artichaut qui a révélé un détournement de fonds au ministère de l'Intérieur, en novembre dernier.

— C'était le journaliste.

Il fit un pas et leurs corps se touchèrent presque.

— Mais l'homme est un romantique invétéré, qu'un dîner aux bougies attendrit et qu'un prélude de Chopin ravage. Une femme pourrait m'obtenir pour le prix d'un feu de bois et d'une bonne bouteille.

Levant son verre, Olivia imputa au vin son léger vertige.

— Et des centaines l'ont fait.

— Tu m'as recommandé de ne pas me vanter, fit-il avec un petit sourire. D'ailleurs, le métier ne laisse guère de temps.

Olivia avait du mal à garder ses distances. Elle secoua la tête et soupira.

— Je ne veux pas t'aimer, Thorpe. Je ne veux vraiment pas.

— Ne précipite rien, conseilla-t-il avec sympathie.

— T. C., s'écria un sénateur en envoyant une claque sur l'épaule de Thorpe. Je savais bien que je vous trouverais avec une jolie femme.

Il examina Olivia d'un air appréciateur. Le sénateur Wyatt avait quelques kilos de trop, des joues rouges et une expression joviale. Olivia savait qu'il menait campagne contre d'éventuelles restrictions des budgets de l'Éducation et de la Santé publique. Depuis deux semaines, elle s'efforçait en vain de franchir sa porte.

— Sénateur, permettez-moi de vous présenter Olivia Carmichael, dit Thorpe en s'emparant de la main tendue.

Celle d'Olivia fut étreinte dans le plus pur style sénatorial.

— Je n'oublie jamais les visages, fit le sénateur, et je suis sûr d'avoir vu le vôtre. Mais je jurerais que vous ne faites pas partie des fréquentations habituelles de T. C.

Thorpe émit un son à mi-chemin entre le grattement de gorge et le soupir. Olivia lui jeta un coup d'œil.

— Je travaille à WWBW, sénateur. M. Thorpe et moi sommes... collègues.

— Oui, oui, bien sûr, je me souviens parfaitement, maintenant. T. C. préfère un genre différent... Jambes longues, idées courtes, précisa-t-il en se penchant à l'oreille d'Olivia.

— C'est vrai ? demanda-t-elle en jetant à Thorpe un coup d'œil complice.

— Tu as de longues jambes, Liv, fit-il remarquer.

— C'est ce qu'on m'a dit, dit-elle avant de se tourner vers Wyatt. J'aimerais beaucoup avoir un entretien avec vous, sénateur, au sujet des restrictions budgétaires en matière d'éducation. Peut-être auriez-vous un moment à me consacrer ?

Au bout d'une seconde d'hésitation, Wyatt hocha la tête.

— Téléphonez à mon bureau lundi matin. Mais vous devriez être en train de danser en ce moment. Quant à moi, poursuivit-il en tirant un petit coup sur sa veste de smoking, je vais voir si je peux trouver de la vraie nourriture sur ce buffet. Des œufs de poisson et du foie d'oie, pouah !

Avec une grimace de dégoût, il s'éloigna.

Thorpe prit la main d'Olivia. Elle lui jeta un coup d'œil inquiet qui le fit sourire.

— Je me contente de suivre le conseil du sénateur, expliqua-t-il.

Restant au bord de la piste de danse, il la prit dans ses bras.

C'était la seconde fois qu'elle se retrouvait contre lui. La seconde fois que son corps réagissait malgré elle à cette intimité. Elle se raidit.

— Tu n'aimes pas danser, Olivia ?

— Si, bien sûr, répondit-elle d'une voix résolument calme.

— Alors détends-toi.

La main de Thorpe reposait légèrement sur sa taille et sa bouche frôlait son oreille. De petits frissons la parcoururent.

— Quand nous ferons l'amour, ce ne sera pas sous les yeux des gros bonnets de Washington. J'aime l'intimité.

La première partie de la phrase l'ayant complètement désarçonnée, Olivia mit deux secondes à enregistrer la suite. Elle releva la tête pour le regarder dans les yeux.

— Qu'est-ce qui te fait penser... ?

— Pas penser, savoir, corrigea-t-il. Ton cœur bat aussi fort que lorsque je t'ai embrassée dans le parking du *O'Riley's*.

— Absolument pas, protesta-t-elle. Pas plus là-bas qu'ici. Je te l'ai déjà dit, je ne t'aime pas, Thorpe.

— Plus récemment, tu m'as dit que tu ne voulais pas m'aimer, ce qui est tout à fait différent.

Dieu qu'elle était mince et fine... Il mourait d'envie de la serrer contre lui, de se fondre en elle.

— Et si je t'embrassais, je pourrais découvrir ce que tu éprouves vraiment. Une rumeur se répandrait dans Washington comme quoi Thorpe et Carmichael ont fraternisé en terrain neutre.

— Je te propose le titre: Carmichael rompt les relations diplomatiques en brisant la mâchoire de Thorpe.

— Tu n'as pas les mains qu'il faut pour envoyer un coup de poing de cette force. De toute façon, je préfère annoncer les nouvelles qu'en être le sujet.

La musique s'arrêtant, Olivia s'écarta.

— Je vais vérifier ta théorie sur les toilettes des dames, dit-elle d'un ton léger.

Son cœur battait très fort effectivement. Elle lui en voulut d'avoir dit vrai.

Thorpe la suivit des yeux. Vivement que cette fichue réception s'achève et qu'il puisse l'avoir pour lui tout seul, ne fût-ce que quelques minutes. Son corps s'émouvait encore du contact de celui d'Olivia. Jamais il n'avait autant désiré une femme; jamais il ne s'était autant exaspéré à l'idée des combats qu'il lui faudrait encore mener avant de l'obtenir. Il prit une cigarette, l'alluma et tira une grosse bouffée.

La pression dans le travail, il en avait l'habitude. Et d'ailleurs, elle le stimulait. C'était son secret. Il pouvait tenir des jours et des jours en ne grappillant que quelques instants de sommeil par-ci par-là, et continuer à vibrer d'énergie. Il n'avait pas besoin de se doper aux vitamines, un bon sujet à traiter lui suffisait. Mais ce qu'il vivait depuis plusieurs mois sur le plan privé lui faisait découvrir une autre forme de pression: désirer follement quelque chose et savoir que c'était encore hors d'atteinte. Pas pour longtemps, décida-t-il en tirant une seconde bouffée. S'il lui fallait faire le siège d'Olivia Carmichael, il le ferait. Elle ne lui échapperait pas.

— T. C., espèce de forban. Comment vas-tu ?

Il pivota et empoigna la main de l'attaché de presse de l'ambassadeur du Canada. Le siège d'une ville ou d'une femme demandait du temps, se rappela-t-il. En attendant, il lui fallait se détendre.

Sans se hâter, Olivia rafraîchissait son maquillage qui n'en avait nul besoin. Tout en se repoudrant le nez, elle tentait d'analyser sa façon de réagir à Thorpe. Ne l'avait-elle pas jugé charismatique ? On pouvait même dire qu'il était séduisant, admit-elle à contrecœur. Sur un plan purement physique. Cela n'avait rien à voir avec le fait qu'il était exaspérant.

— Bien sûr que c'est un vieux birbe pompeux mais je l'aime bien.

Olivia regarda dans la glace les deux femmes qui entraient. L'une était la congressiste Amelia Thaxter, une femme mince et ardente, qui avait un net penchant pour les causes perdues et les vêtements informes. Ses électeurs l'appréciaient et l'avaient prouvé en lui confiant quasi unanimement un second mandat.

Celle qui exprimait sa pensée en toute liberté avait aussi la cinquantaine. Plus ronde, elle portait une élégante robe en soie grise. Olivia lui trouva quelque chose de vaguement familier. Elle reprit sa houppette et tendit l'oreille.

— Tu es plus tolérante que moi, Myra, dit Amelia qui, sortant son peigne, s'assit avec lassitude devant la glace.

— Rod n'est pas un mauvais type, insista Myra en brandissant son rouge à lèvres. Si tu le prenais avec plus de douceur, il te rendrait service au lieu de te mettre des bâtons dans les roues.

— Il se fiche complètement des problèmes d'environnement du Dakota du Sud, affirma Amelia qui, au lieu de se coiffer, se frappait la paume à coups de peigne. Quoi que nous puissions lui dire, toi ou moi, ce soir, il ne me soutiendra pas lundi lorsque je mettrai ma proposition sur le tapis.

— Essayons, on verra bien.

Rod... Roderick Matt, l'un des membres les plus influents du Congrès. Si un vote était incertain, c'était bien l'homme à convaincre, se dit Olivia.

Un vieux birbe pompeux. Elle retint un sourire. Oui, l'expression lui convenait, bien qu'il fût l'espoir numéro un de son parti pour l'obtention du poste le plus élevé de Washington lors des prochaines élections. C'était du moins ce que disait la rumeur.

La congressiste marmonna entre ses dents, puis remit le peigne dans son sac.

— Il est sectaire, borné et c'est un sale...

Myra s'empressa de l'interrompre.

— Oh, ma chère, s'écria-t-elle en décochant un sourire à Olivia. Quelle robe ravissante !

— Merci.

— Est-ce que vous n'étiez pas avec T. C. ?

La femme s'aspergea abondamment de parfum.

— Nous sommes arrivés ensemble.

Après deux secondes d'hésitation, Olivia estima qu'il serait à la fois plus sage et plus honnête de se présenter.

— Je suis Olivia Carmichael, de WWBW.

Amelia lâcha un petit bruit effaré, tandis que Myra reprenait sans s'émouvoir :

— Passionnant. Malheureusement, je ne regarde pas les informations régionales, ni d'ailleurs les autres, à l'exception des reportages de T. C. Les informations troublent la digestion d'Herbert.

Le juge de la Cour suprême, Herbert Ditmyer. Olivia reconnut enfin Myra Ditmyer, une femme qui avait assez de pouvoir et d'influence pour traiter Roderick Matt de vieux birbe pompeux sans crainte des conséquences.

— Nous passons à 5 h 30, madame Ditmyer, dit Olivia. Votre époux pourrait trouver notre émission plus facile à digérer.

Myra éclata de rire, ce qui ne l'empêcha pas de regarder attentivement la jeune femme.

— Je connais des Carmichael, dans le Connecticut. Vous ne seriez pas la plus jeune fille de Tyler Carmichael, par hasard ?

Olivia avait l'habitude d'être désignée de cette façon anonyme.

— Si, c'est moi.

Un grand sourire éclaira le visage de Myra.

— C'est extraordinaire ! La dernière fois que je vous ai vue, vous aviez sept ou huit ans. Votre mère donnait un thé très comme il faut et vous avez déboulé dans le salon, une petite chose mal fichue, avec un trou dans sa robe et la boucle de sa chaussure détachée. Je crois bien que vous avez reçu une sérieuse remontrance.

— Ça m'arrivait relativement souvent.

Olivia ne se souvenait pas de cet incident particulier mais d'autres très semblables.

— Et je me rappelle m'être dit que vous aviez dû vous amuser beaucoup plus que nous… Votre mère donnait des réceptions tellement guindées, ajouta-t-elle en souriant de plus belle.

— Voyons, Myra !

Amelia oublia l'amendement qu'elle voulait déposer, le temps d'émettre une série de ts-ts-ts désapprobateurs.

— Ne vous inquiétez pas, madame, dit Olivia. En tout cas, je pense que ma mère continue de donner ce genre de réceptions.

— J'avoue que je ne vous aurais pas reconnue, dit Myra en se levant. Vous êtes une très élégante jeune femme à présent. Mariée ?

— Non.

— Et T. C. et vous… ?

Elle laissa la phrase en suspens.

— Non plus.

— Est-ce que vous jouez au bridge ?

Olivia haussa les sourcils.

— Très mal. C'est un jeu qui ne m'a jamais vraiment emballée.

— Ma chère, c'est un jeu très ennuyeux mais qui peut s'avérer très utile.

Elle sortit une carte de visite de son sac et la fourra dans la main d'Olivia.

— Je donne un bridge la semaine prochaine. Appelez ma secrétaire lundi. Elle vous donnera les détails. Il y aura un de mes neveux que j'aime beaucoup.

— Madame Ditmyer...

— Il ne vous ennuiera pas... du moins pas trop, reprit Myra sans se troubler. Et moi, je crois que j'apprécierai votre compagnie. Mon mari sera là, ajouta-t-elle en guise d'appât. Il sera très content de faire votre connaissance.

— Allons-y, Myra, suggéra Amelia. Sinon tu vas te retrouver avec un procès pour prévarication. Bonsoir, mademoiselle Carmichael.

— Bonsoir, madame.

Restée seule, Olivia examina l'élégante carte de visite puis la glissa dans son sac. On ne refusait pas une invitation de Myra Ditmyer, même si cela impliquait un bridge et un neveu.

Elle referma son sac et regagna le salon.

— Je commençais à me demander si tu ne donnais pas une conférence de presse, dit Thorpe en lui proposant un autre verre de vin.

— C'était presque ça, répondit-elle avec un sourire énigmatique.

— Développe un peu.

— Est-ce qu'avoir accepté ton invitation m'oblige à partager ?

Elle prit une gorgée de vin. Une étrange allégresse l'animait. Ces contacts inespérés en une seule soirée justifiaient le déplacement.

— En fait, reprit-elle, j'ai accepté un rendez-vous avec quelqu'un que je ne connais pas, à l'occasion d'un bridge.

— Un rendez-vous ?

Il fronça les sourcils. Guettant la porte, il avait reconnu les deux femmes qui avaient regagné le salon juste avant Olivia.

— Oui, un rendez-vous. Tu sais bien... un homme et une femme qui se découvrent des intérêts communs durant un certain nombre d'heures.

— Charmant... Bon. Tu n'en as pas assez de cette réception ?

— Si.

Elle prit une dernière gorgée et lui rendit son verre.

— Allons chercher ton manteau.

Il lui prit le bras et l'entraîna à toute allure vers la sortie.

— Je te remercie de m'avoir permis de te suivre, Thorpe, dit-elle en cherchant son trousseau.

— Me suivre ? Nous devions sortir ensemble, non ?

— Cela n'était pas une sortie. C'était le travail.

Il lui prit le trousseau des mains et inséra la clé dans la serrure.

— En tout cas, les bonnes manières imposent que tu m'offres une tasse de café.

— Pour cinquante cents, tu peux en avoir une en bas de la rue.

— Liv !

Le regard offensé de Thorpe la fit sourire.

— Bon, plions-nous aux bonnes manières. Juste une tasse.

— Tu es incroyablement généreuse, dit-il en ouvrant la porte.

Elle jeta son manteau sur un fauteuil et se dirigea vers la cuisine. Thorpe ne put s'empêcher de sourire.

De temps à autre, Olivia oubliait l'image qu'elle avait élaborée avec tant de soin. L'Olivia Carmichael de la télévision n'était pas censée jeter son manteau. Elle était beaucoup trop soigneuse pour cela. Beaucoup trop organisée. Plus que jamais, Thorpe désirait connaître la femme qui se cachait derrière cette image. Il y devinait de la chaleur, de l'humour, de la passion, contenus tant bien que mal derrière un mince bouclier. Ce bouclier s'était dressé pour une raison qu'il ignorait mais qu'il avait bien l'intention de découvrir, tôt ou tard.

Elle aimait les couleurs. Il l'avait déjà noté dans sa façon de s'habiller. La décoration de son appartement le lui rappela : un coussin bleu vif, un vase orange, un abat-jour jaune. Autant de petits signes qui, comme ses brefs accès de colère, indiquaient son vrai caractère. Elle ne cessait de le réprimer mais il demeurait prêt à se manifester.

— Comment aimes-tu ton café ? cria-t-elle de la cuisine.

— Fort.

Il s'approcha de la chaîne stéréo et examina les disques.

— Ça va de Van Cliburn à Billy Joel, commenta-t-il comme elle le rejoignait au salon. Très éclectique.

— J'aime la diversité, répondit-elle en déposant le plateau sur la table basse.

— C'est vrai ?

Son sourire inquiéta Olivia. À quelle plaisanterie pensait-il ? Elle regretta d'avoir cédé sur le café.

— Quelles sont tes distractions ? demanda-t-il en s'asseyant sur le canapé.

Elle hésita puis se posa à côté de lui. S'installer de l'autre côté de la table eût été ridicule.

— Mes distractions ? répéta-t-elle en soulevant la cafetière.

Son hésitation n'avait pas échappé à Thorpe qui en déduisit qu'il ne lui était pas indifférent. La rendre un peu nerveuse était un bon début.

— Tu sais bien : le bowling, les collections de timbres, ce genre de choses.

— Je n'ai pas eu beaucoup de temps à consacrer aux loisirs, ces derniers temps, murmura-t-elle.

Pourquoi diable s'était-elle sentie à l'aise en sortant de la cuisine et se retrouvait-elle les nerfs tendus à craquer maintenant ? Sans la quitter des yeux, Thorpe alluma une cigarette. Elle refoula l'envie enfantine de s'enfuir à toutes jambes.

— Que fais-tu donc de ton temps ?

— Je travaille. Ça m'occupe suffisamment.

Elle eut un petit mouvement impatient des épaules. Pourquoi donc une simple tasse de café et une conversation somme toute anodine la mettaient-elles dans un tel état de nerfs ?

— Et le dimanche après-midi ?

— Comment ?

À peine eut-elle cherché son regard qu'elle comprit son erreur. Ses yeux étaient sombres et la fixaient avec une intensité déconcertante.

— Le dimanche après-midi, répéta-t-il. Que fais-tu le dimanche après-midi ?

Son regard descendit vers la bouche d'Olivia puis remonta à ses yeux. Quelque chose frémit en elle, quelque chose de primitif et de puissant. Cela faisait des années qu'elle n'avait plus éprouvé l'élan du désir. Pourtant il ne la touchait pas, il ne cherchait pas à la séduire. Ils étaient seulement en train de prendre une tasse de café et de bavarder. Elle se dit qu'elle avait bu trop de vin et, à titre d'antidote, elle reprit une gorgée de café.

— En général, j'essaie de rattraper mon retard en matière de lecture, dit-elle en regardant une spirale de fumée s'élever paresseusement tandis que Thorpe écrasait sa cigarette. J'aime les policiers, les thrillers.

Ses yeux se relevèrent à nouveau lorsque Thorpe la débarrassa de sa tasse.

— J'ai toujours adoré résoudre les énigmes, murmura-t-il. Fouiller pour découvrir ce qui se tapit sous la surface... Tu as une peau extrêmement fine, ajouta-t-il en lui caressant la joue du dos de la main. Mais je n'ai pas pu pénétrer dessous... pas encore.

— Je ne te laisserai pas pénétrer dans mes pensées, déclara-t-elle en s'écartant.

— Nous garderons cela pour plus tard.

Il l'enlaça d'un geste léger.

— Je veux te tenir dans mes bras. Lorsque nous dansions, je me suis promis de t'enlacer à nouveau quand nous serions seuls.

« Tu ne veux pas qu'il te prenne dans ses bras », protesta intérieurement Olivia. Mais lorsqu'il l'attira à lui, elle se tut et se laissa faire.

Il baissa les yeux sur sa bouche.

— Cela fait des jours que j'ai envie de te goûter.

Ses lèvres s'inclinèrent et effleurèrent délicatement celles de la jeune femme.

— Trop longtemps, murmura-t-il.

« Tu ne veux pas qu'il t'embrasse », se dit-elle. Mais lorsque la bouche de Thorpe se jeta sur la sienne, elle se tut et se laissa faire.

Cette fois-ci, il ne fit preuve d'aucune patience. Une exigence brûlante, presque violente, s'emparait de lui. Abasourdie par cette passion fulgurante, Olivia n'eut pas le temps de réfléchir ni de raisonner. Elle ne put qu'y répondre. Ses bras se refermèrent sur lui. Ses lèvres s'écartèrent.

D'où jaillissait cette urgence qui semblait les avoir faits prisonniers, les détourner des chemins prévus ? Elle ne pouvait ni le repousser ni s'écarter, tandis qu'il ne parvenait pas à respecter l'allure paisible qu'il s'était fixée. Une sorte de désespoir presque tangible l'avait envahi. Un besoin scandaleux de goûter, de toucher, de prendre et d'appartenir. Il n'avait pas imaginé que la bouche d'Olivia lui céderait avec autant de passion.

Ses mains tremblaient du désir de lui arracher sa robe pour la découvrir tout entière. Folie pure. Il sentait le contrôle de lui-même lui échapper inexorablement.

Olivia gémit lorsqu'elle sentit les lèvres de Thorpe glisser sur sa gorge. Elle voulait qu'il la touche et s'entendit le lui dire, puis elle se pressa contre lui lorsqu'il caressa ses seins sous la soie mince.

Avec avidité, elle s'empara de sa bouche et s'abandonna aux caresses ardentes de ses doigts. Elle y sentait une force et un besoin. Le besoin d'elle. Et il suscitait en elle un besoin tout aussi exigeant, qui l'effraya. Non. Elle ne pouvait plus se permettre d'avoir besoin de quelqu'un. Les risques étaient trop grands, la sanction trop sévère.

— Non.

Prise de panique, elle s'arc-bouta pour le repousser.

— Non, répéta-t-elle.

Elle parvint enfin à se dégager mais les mains de Thorpe restèrent fermes sur ses épaules et son regard exprimait un désir cru. Le sien, se dit-elle, devait exprimer la même chose.

— Non quoi ?

Sa voix enrouée trahissait un mélange d'excitation et de colère. Il n'avait pas imaginé qu'elle susciterait en lui un tel degré de passion.

— Il faut que tu partes.

Elle se dégagea et se mit debout. Il lui fallait prendre ses distances. Il se leva aussi, avec moins de hâte.

— Je te veux. Et tu me veux, déclara-t-il d'un ton plat malgré les coups violents qui lui ébranlaient la poitrine.

Il eût été absurde de le nier. Olivia s'efforça de contrôler sa voix :

— Oui, mais je ne veux pas te vouloir. Et je m'en tiendrai là.

Thorpe sentit quelque chose céder en lui. Il l'empoigna et l'attira à lui. Les yeux d'Olivia s'agrandirent et les pupilles se dilatèrent.

— C'est ce qu'on verra.

Il la relâcha si vite qu'elle faillit retomber sur le canapé. De peur de se jeter sur elle, il enfonça les mains dans les poches.

— Ce n'est pas fini, Carmichael, prévint-il avant de se précipiter vers la porte. Ce n'est qu'un début.

Il laissa la porte claquer derrière lui et appuya sur le bouton de l'ascenseur. Il lui fallait boire un verre de toute urgence.

4

— La cassette sur le conseil de l'enseignement élémentaire n'est pas encore prête.

Olivia jeta un coup d'œil sur l'horloge avant de revenir à son texte. J'aurais plus de temps si je n'avais pas à faire aussi ces publicités idiotes, bougonna-t-elle en son for intérieur.

— Tu sais combien on a de titres pour ce soir ?

Brian déchira le papier d'une barre chocolatée et s'assit sur le bureau d'Olivia.

— Hum ?

— Dix-huit, dit-il avant d'enfourner une énorme bouchée. Il va falloir tout serrer. Le directeur général est fou furieux parce qu'on a perdu deux points à l'Audimat. J'ai entendu dire qu'il veut modifier le ton de la météo. L'idée serait de faire rire. Peut-être va-t-il engager un auteur comique.

— Ou bien monter un sketch avec ventriloque et magicien, marmonna Olivia.

La recherche d'astuces à tout prix l'exaspérait. Tout en parlant avec Brian, elle comparait son temps d'antenne aux sujets qu'elle allait devoir bientôt traiter.

— Et on va se retrouver vite fait bien fait avec un clown qui donnera la météo debout sur une seule jambe en jonglant avec des assiettes.

— Un peu d'humour ne serait peut-être pas inutile, dit Brian en jetant le papier de sa barre chocolatée dans la corbeille. Le titre principal, ce soir, c'est le viol dans le parking du supermarché.

— C'est ce que j'ai vu.

Un œil sur la pendule, l'autre sur le texte, elle partageait son attention entre son travail et les propos de son collègue. Talent que tous les journalistes apprennent immanquablement à développer.

— Le reportage que Marilee a fait là-bas est sinistre, dit Brian en avalant le reste de son chocolat. J'ai vu la cassette. C'est là que ma femme fait ses courses. Merde alors !

— Ce soir, toutes les nouvelles sont sinistres. Les prix ont augmenté de six pour cent. Le chômage aussi. Il y a eu deux cambriolages et un incendie criminel. Sans parler du viol. Charmant.

— C'est bien ce que je disais. Un peu d'humour ne nous ferait pas de mal.

— Je voudrais voir des jonquilles, lâcha-t-elle abruptement.

La fatigue lui tombait dessus d'un coup. Était-ce dû à ces informations sinistres ? Mais, depuis le temps qu'elle faisait ce métier, elle aurait dû être blindée. Alors quoi ? Ces derniers jours, elle avait les nerfs à vif sans qu'elle pût trouver une cause précise. Et ce facteur inconnu l'avait maintenue éveillée longtemps après le départ de Thorpe, la veille au soir.

Brian la dévisagea un instant. Dès l'arrivée d'Olivia, le matin même, il avait remarqué ses cernes. Il était cinq heures du soir et ses yeux semblaient s'être creusés davantage.

— Y a-t-il quelque chose dont tu aimerais me parler ?

Stupéfaite, Olivia ouvrit la bouche puis la referma. Il n'y avait rien qu'elle pût dire.

— Quelque chose te ronge en ce moment, je le sais, dit-il en se penchant à son oreille. Écoute, pourquoi ne viendrais-tu pas dîner ? J'appelle Kathy et je lui dis de rallonger un peu la soupe. Parfois il suffit de quelques heures entre amis pour se sentir mieux.

Avec un sourire, elle lui serra la main.

— Il y a longtemps que je n'avais reçu une aussi gentille invitation.

— Alors ne la refuse pas.

— Malheureusement, j'y suis obligée. J'ai déjà quelque chose de prévu ce soir. L'invitation est-elle valable pour une autre fois ?

L'offre lui avait fait du bien ; sa solitude se fit moins pesante.

— Bien sûr, dit-il en se levant.

Olivia le rattrapa par la main avant qu'il ne s'éloigne.

— Merci, Brian. Vraiment.

— Je t'en prie.

Il l'aida à se lever.

— C'est presque l'heure. Tu ferais bien d'aller te faire maquiller un peu pour effacer ces cernes.

Olivia y porta machinalement les mains.

— C'est si moche que ça ?

— Assez moche.

Elle poussa un juron étouffé et s'empressa de suivre le conseil de Brian. Il ne fallait surtout pas apparaître sur l'écran avec un air défait. Avec sa chance habituelle, Thorpe allait regarder l'émission et remarquer qu'elle n'avait pas fermé l'œil de la nuit.

C'est vrai que je dors mal en ce moment, se dit Olivia en prenant sa place dans le studio. Mais ça n'a rien à voir avec Thorpe. Je suis un peu énervée, c'est tout. Non, ce n'est pas tout. Ce matin, à huit heures, j'étais debout devant la Maison-Blanche pour essayer de glaner les commentaires de quelques hauts fonctionnaires. C'est de la fatigue. C'est tout. Ça n'a aucun rapport avec la soirée à l'ambassade du Canada… ni avec ce qui s'est passé ensuite.

Olivia attacha son micro puis parcourut une dernière fois son texte. Vu le nombre de titres à développer, il était primordial de respecter le minutage.

Elle travaillait trop. Ces derniers jours avaient été particulièrement trépidants, voilà tout. T. C. Thorpe était le cadet de ses soucis. Il y avait eu le contrecoup après la nomination de Dell, puis elle avait dû couvrir le conseil de l'enseignement élémentaire. Fronçant les sourcils sur son texte, elle se dit qu'elle n'avait pas accordé une pensée à sa soirée avec T. C. Thorpe. Cela ne lui avait pas traversé la tête. Pas une seule fois. Mais un millier de fois.

Furieuse, elle entendit le signal indiquant qu'il ne lui restait que trente secondes. Elle se redressa sur sa chaise et leva les yeux. Thorpe se tenait dans le fond du studio. Adossé contre la porte, il la regardait calmement.

Quinze secondes.

Qu'est-ce qu'il fichait là ? Elle sentit sa bouche se dessécher et s'obligea à fixer la caméra.

Dix secondes.

Le générique, une vue aérienne de la ville, se déploya sur l'écran.

Cinq secondes. Quatre, trois, deux, un. La lumière s'alluma.

— Bonsoir. Ici, Olivia Carmichael.

Sa voix était froide et précise. Mais ses paumes moites. Elle lut les titres principaux puis, tandis qu'on diffusait le reportage filmé sur les lieux du viol, elle évita soigneusement de regarder le fond de la pièce.

Le reportage achevé, les caméras revinrent sur elle. Malgré la pression quasi physique qu'exerçait le regard de Thorpe sur son visage, elle parla du conseil de l'enseignement élémentaire d'une voix ferme. Brian prit la suite.

Lorsqu'on lui rendit le micro, Olivia annonça une augmentation des prix. À sa connaissance, Thorpe n'avait jamais mis les pieds dans le studio, ni avant ni pendant une émission. Pourquoi n'était-il pas là-haut, chez lui, en train de polir quelques propos bien sentis ?

La tension qui lui nouait la gorge s'accrut lorsqu'elle s'interrompit, le temps d'un écran publicitaire. Sans lever les yeux, elle sentit qu'il s'approchait d'elle.

— Excellent style, Liv, dit Thorpe. Pénétrant, froid et net.

— Merci.

Le chroniqueur sportif venait de s'installer à l'autre extrémité du bureau.

— Tu vas au bridge des Ditmycr, ce soir ?

Décidément, rien ne lui échappait.

— Oui, fit-elle d'un ton neutre.

— Tu veux que je t'emmène ?

Cette fois-ci, elle ne put s'empêcher de le regarder.

— Tu y vas ?

— Je passerai te chercher à 7h30. Nous avalerons quelque chose avant d'y aller.

— Non.

Il se pencha sur elle.

— Je peux faire en sorte que tu sois ma partenaire de bridge. Ça te va ?

— Tu perdras.

Jamais une pause publicitaire n'avait duré aussi longtemps.

— Non, fit-il avec un sourire. Je n'ai pas l'intention de perdre.

Et puis, tout à coup, sans qu'elle ait pu l'en empêcher, il lui déposa un rapide baiser et s'éloigna nonchalamment.

Trente secondes.

Elle vit les portes se refermer derrière lui et sentit tous les regards sc poser sur elle. Thorpe avait bien réussi son coup, les langues allaient se déchaîner.

Dix secondes.

Furieuse, elle se promit de le lui faire payer.

La petite lampe s'alluma.

Olivia arriva chez les Ditmyer à huit heures précises. L'amour du bridge n'était pas la cause de son exactitude. Elle se souvenait des parties guindées et ennuyeuses qu'organisait sa mère lorsqu'elle était enfant. Mais elle se souvenait aussi du rouge à lèvres vif et des papotages insouciants de Myra dans les toilettes de l'ambassade du Canada. Ceci compenserait largement cela. Réconfortée par cette idée, elle appuya sur le bouton de la sonnette. Les réceptions de Myra Ditmyer ne pouvaient pas être ennuyeuses. Et puis combien de fois un journaliste était-il invité au domicile d'un juge de la Cour suprême ? Quasiment jamais, à moins que ce journaliste ne s'appelât T. C. Thorpe.

La porte s'ouvrant, elle esquissa un sourire de circonstance.

Une domestique l'introduisit. Deux secondes plus tard, Myra surgissait dans l'entrée.

— Olivia, s'écria-t-elle en lui prenant les mains. Je suis si contente que vous ayez pu venir ! J'aime avoir de jolies femmes autour de moi. J'en étais une jadis.

Tout en parlant, elle entraînait la jeune femme vers le salon.

— J'ai regardé votre émission. Vous êtes remarquable.

— Je vous remercie.

— Il faut absolument que vous fassiez la connaissance d'Herbert. Je lui ai rappelé le thé chez vos parents et votre robe déchirée. Il ne s'en souvenait pas, bien sûr. Il a tant de sujets graves dans la tête que les détails charmants lui échappent.

Ce qui n'est pas votre cas, conclut mentalement Olivia tandis qu'on la propulsait dans une vaste pièce. Tentures vives, beaucoup de lumières, tableaux modernes et innombrables bibelots, la décoration correspondait parfaitement à la maîtresse de maison.

— Herbert, s'écria Myra en arrachant sans ménagement son mari à une conversation. Il faut que tu fasses la connaissance de la ravissante Mlle Carmichael. Elle présente les informations sur… Quel est le nom de cette chaîne, ma chère ?

— WWBW, fit Olivia en serrant la main du juge Ditmyer. Nous sommes la filiale de Washington de CNC.

— Toutes ces initiales ! protesta Myra avec un claquement de langue désapprobateur. Ce serait plus simple de s'en tenir au nom. Elle est ravissante, n'est-ce pas, Herbert ?

— Oui, absolument, fit le juge avec un sourire. Enchanté de faire votre connaissance, mademoiselle Carmichael.

Lorsqu'il ne portait pas sa tenue de juge, il n'avait rien d'impressionnant. Avec son visage ridé, il faisait plus penser à un brave grand-père qu'à l'un des plus hauts magistrats du pays. L'âge avait rendu la peau de sa main fine et douce. Sa sérénité contrastait avec l'exubérance de son épouse.

— Myra m'a dit que nous nous étions rencontrés il y a un certain nombre d'années.

— Un très grand nombre d'années, Votre Honneur. Je m'étais mal conduite, aussi nous nous pardonnerons mutuellement d'avoir oublié cette scène.

— Et elle ne ressemble plus au petit chat sauvage qui s'est précipité dans le salon de sa mère ce jour-là, souligna Myra en scrutant son invitée d'un regard à la fois perspicace et amical. Que pense votre mère de votre carrière à la télévision ?

— Elle est consternée. Elle aurait préféré que je choisisse une profession plus discrète, répondit Olivia avec une franchise qui la surprit.

Il n'était pas dans ses habitudes de s'exprimer aussi librement devant des gens qu'elle ne connaissait pas.

— Ah, c'est vrai, les parents sont difficiles à satisfaire, dit Myra en lui tapotant l'épaule. Mes enfants me trouvent très difficile, n'est-ce pas, Herbert ?

— C'est ce qu'ils disent.

— Ils sont tous mariés maintenant, enchaîna Myra sans tenir compte du ton ironique de son époux. Si bien que j'ai le temps de m'occuper de mon neveu. Un gentil garçon. Avocat à Chicago. Je crois vous en avoir déjà parlé, non ?

— Oui, madame Ditmyer.

Olivia entendit le soupir du juge et s'abstint de lui faire écho.

— Il est venu passer quelques jours ici pour affaires. Je veux absolument que vous fassiez sa connaissance.

Myra examina rapidement la pièce jusqu'à ce que son regard s'éclairât.

— Le voilà. Greg ! s'écria-t-elle en levant la main. Greg, viens ici deux minutes. J'ai une jolie fille à te présenter.

— C'est plus fort qu'elle, murmura le juge Ditmyer. Il faut toujours qu'elle joue la mouche du coche.

— Je suis une romantique, corrigea Myra. Greg, voici Olivia. Elle présente les nouvelles à la télévision.

Olivia se tourna vers le fameux neveu et demeura muette de stupeur.

Greg la regardait avec le même étonnement.

— Livvy ?

Il tendit la main comme pour s'assurer de sa réalité.

— C'est toi, vraiment ?

Elle ne savait pas trop ce qu'elle éprouvait. De la surprise, bien sûr, mais aussi un mélange de plaisir et d'anxiété. Le passé, décidément, refusait de mourir !

— Greg...

Pourvu, se dit-elle, que mon visage ne soit pas aussi décoloré que ma voix.

— C'est incroyable ! s'exclama-t-il en la prenant dans ses bras. Absolument incroyable. Combien ça fait ? Cinq ans ?

— On dirait que vous vous connaissez déjà, remarqua Myra d'un ton déçu.

— Livvy et moi étions ensemble à l'université, expliqua Greg.

Il écarta Olivia pour l'examiner attentivement.

— Mon Dieu, tu es plus belle que jamais. C'est extraordinaire.

Usant des privilèges du vieil ami, il effleura les cheveux de la jeune femme.

— Tu les as coupés... Ils lui tombaient jusqu'à la taille, expliqua-t-il à sa tante. Toutes les filles de Harvard lui enviaient ses cheveux... Mais ça te va très bien, ajouta-t-il à l'adresse d'Olivia. Très chic.

Elle sentait une foule de questions s'agiter dans sa tête sans pouvoir les formuler. Greg n'avait guère changé, à l'exception de sa barbe qui s'était réduite à une fine moustache. Cela lui allait bien et donnait à son visage encore enfantin un air d'expérience. Son regard était aussi amical et son sourire toujours enthousiaste. Cinq années semblaient s'être volatilisées.

— Oh, Greg, c'est délicieux de te revoir.

Cette fois-ci, ce fut elle qui l'étreignit. Peu importait qu'il se fût écoulé une éternité depuis leur séjour à l'université. Ce qui comptait, c'était qu'elle pût à nouveau serrer dans ses bras quelqu'un qu'elle avait connu en des jours plus heureux. Et plus tristes aussi.

— Je vais te la voler quelques minutes, tante Myra, dit Greg en embrassant la maîtresse de maison sur la joue. Nous avons des tas de choses à nous raconter.

Avec un sourire satisfait, Myra les regarda s'éloigner.

— Ça a marché encore mieux que je ne le pensais... Tiens, voilà T. C. Je vais aller lui dire un mot.

— Voyons, Myra, fit le juge Ditmyer en la rattrapant par le bras. Ne va pas semer la zizanie.

— Ne me gâche pas mon plaisir, Herbert.

Elle lui tapota la main et s'éloigna.

Greg fit traverser à Olivia une succession de pièces et de couloirs jusqu'au solarium.

— C'est incroyable. Tomber sur toi comme ça. C'est fantastique.

— Quand nous étions à l'université, je ne savais pas que tu avais une famille aussi brillante.

— J'avais peur des comparaisons.

Le clair de lune trop timide l'empêchant de bien voir Olivia, il alluma la lumière.

— Répondre aux espoirs familiaux peut être traumatisant.

— Je sais de quoi tu parles.

Elle s'approcha d'une des fenêtres. Des bancs recouverts de coussins étaient disposés le long du mur au fond de la pièce ; un parfum de fleurs fraîches flottait dans l'air. Retrouver Greg lui ayant mis les nerfs à vif, rester debout lui parut préférable.

— Cela fait combien de temps que tu es à Washington, Livvy ?

Elle semblait plus mince qu'autrefois et plus sereine aussi. Cinq ans. Seigneur, se dit-il, on aurait cru que c'était hier.

— Presque un an et demi.

Elle essaya de se rappeler depuis combien de temps on ne l'avait pas appelée Livvy. Ce surnom aussi appartenait à une autre vie.

— Tante Myra m'a dit que tu travaillais à la télévision.

— Oui, fit-elle en se tournant vers lui.

Dans cette lumière tamisée, la beauté d'Olivia, à laquelle il n'avait jamais pu s'habituer, le frappa à nouveau.

— Je présente les informations en équipe sur WWBW.

— C'est ce que tu voulais. Plus de météo ?

— Non, dit-elle avec un sourire.

Ses doigts ne portaient pas d'alliance, constata Greg en s'approchant d'elle. Il sentit son parfum. Plus sophistiqué qu'autrefois.

— Tu es heureuse ?

Elle s'accorda une seconde de réflexion.

— Oui, je crois.

— Tu étais plus catégorique jadis.

— J'étais aussi plus jeune.

Prudemment, elle s'écarta. Ces retrouvailles devaient se dérouler sur le mode léger.

— Ta tante m'a dit que tu étais célibataire.

— Ça ne m'étonne pas, dit-il en riant. Chaque fois que je viens ici, elle se met en quête d'une femme présentable qu'elle tente de me jeter dans les bras. C'est la première fois que ça ne me semble pas désagréable.

— Tu es resté seul, Greg ? Je pensais que tu te marierais.

— Tu n'as pas voulu de moi.

— Tu n'avais pas non plus l'air de le vouloir sérieusement, répondit-elle avec un sourire grave.

— Je ne l'ai pas assez montré. C'était une erreur de ma part.

Il lui prit la main. Sa finesse et sa fragilité contrastaient avec la force de son regard.

— De toute façon, tu étais folle de Doug. Tu n'aurais même pas fait attention à moi.

Il vit son expression changer avant qu'elle ne se détourne.

— Livvy, Doug et moi sommes associés, à Chicago.

Elle garda le silence un instant. Le temps d'encaisser cette nouvelle.

— C'est ce que vous aviez décidé, dit-elle enfin. Je suis contente que vous y soyez arrivés.

— Les premiers mois, après...

Il s'interrompit pour peser ses mots et reprit :

— ... après ton départ, n'ont pas été faciles pour lui.

— Les mois qui l'ont précédé non plus.

Elle se sentit soudain glacée.

— C'étaient de mauvais moments. Les pires de vos vies, à tous les deux.

Elle fit un effort pour ne pas céder à l'émotion. Il était rare qu'elle s'autorisât à remuer ces souvenirs.

— Tu t'es montré un excellent ami, Greg. Je ne crois pas t'avoir dit combien tu as été précieux. Cette période de ma vie a été atroce mais tu l'as rendue moins douloureuse... C'est plus tard que je m'en suis rendu compte, ajouta-t-elle en lui serrant la main.

— Te voir souffrir m'était insupportable, Livvy.

Comme elle se détournait, il la prit par les épaules et posa la tête sur ses cheveux.

— Rien n'est plus accablant que de voir souffrir les gens qu'on aime. Tout ce qui s'est passé me semblait tellement injuste. Je le trouve encore, d'ailleurs.

Olivia s'appuya contre lui. Il avait vraiment essayé de la réconforter à l'époque mais son chagrin était trop profond pour que qui que ce fût pût y parvenir.

— Nous avons été complètement dépassés, Doug et moi.

— Je ne sais pas.

Il hésita deux secondes. Devait-il lui dire la vérité ? Oui, c'était préférable.

— Livvy, Doug s'est remarié.

Elle ne dit rien. En fait, elle avait toujours su qu'il se remarierait. *Quelle importance, après tout ?* Elle l'avait aimé mais c'était fini. Leur amour était mort depuis longtemps. Pourtant, au souvenir de ce bonheur perdu, elle éprouva une bouffée de tristesse. Un long soupir saccadé lui échappa.

— Est-il heureux?

— Oui, je le crois. Il s'est remis à vivre... Et toi ? demanda-t-il en la forçant à le regarder.

Le besoin d'être étreinte par quelqu'un qui la comprenait la poussa dans les bras de Greg.

— La plupart du temps, oui. Mon travail compte beaucoup pour moi et cela m'a aidée à ne pas devenir folle. J'ai tenté d'oublier toutes ces années, j'ai rangé ces souvenirs dans une petite boîte que je n'ouvre que très rarement. De moins en moins souvent, à mesure que les années passent.

Elle ferma les yeux. Le chagrin était toujours là ; le temps n'avait fait que l'estomper.

— Tu as toujours été forte, Livvy, plus forte que Doug. Et je pense qu'il a eu du mal à l'accepter.

— Moi aussi. J'attendais trop de lui. Et lui n'attendait pas assez de moi.

Subitement, elle se cramponna à lui.

— Lorsque le lien qui nous unissait s'est rompu, nous nous sommes brisés en mille morceaux. Rassembler ces morceaux fut terrible, Greg. Il m'en manque encore et je ne sais même pas où les chercher.

— Tu les trouveras, Livvy.

Elle sentit qu'il l'embrassait sur les cheveux et releva la tête pour lui sourire.

— Je suis très contente que ce soit moi que ta tante ait voulu jeter dans tes bras, cette fois-ci. Tu m'as manqué.

Il aurait aimé l'embrasser comme un homme embrasse une femme qui a toujours tenu une grande place dans son cœur. Mais il la connaissait trop bien pour s'y risquer et il se contenta de lui effleurer les lèvres.

— Excusez-moi.

Le regard d'Olivia se déplaça vers le seuil de la pièce. Malgré la pénombre, elle reconnut la silhouette de Thorpe. Agacée d'avoir été surprise dans un moment de faiblesse, elle s'écarta de Greg.

— Myra compose les tables.

— Le bridge, fit Greg avec une grimace. C'est ma punition pour n'être pas venu la voir à Noël. En souvenir d'autrefois, tu devras accepter d'être ma partenaire, Livvy.

— Tu ne pourrais trouver pire.

Le regard de Thorpe lui pesait. Luttant contre un stupide sentiment de culpabilité, elle sourit à Greg.

— Si tu me prépares un verre, j'essaierai de ne pas couper ton as.

Thorpe s'effaça pour les laisser sortir.

Il les suivit du regard sans bouger. La jalousie était un sentiment nouveau pour lui. Il le refoula énergiquement et décida de ne pas se tracasser. Si Olivia Carmichael tenait à se retrouver dans les bras d'un homme, ce serait les siens.

— Deux trèfles.

Pour une fois Olivia avait du jeu. Opposés à un chirurgien de Baltimore et à son épouse, Greg et elle étaient en très mauvaise posture. Ni l'un ni l'autre ne jouait particulièrement bien. Après avoir perdu de façon lamentable, Greg qui n'avait pas oublié l'énergie d'Olivia sur un court proposa une revanche au tennis. Avec un sourire, le chirurgien nota la marque sans répondre.

Dispersés autour des trois autres tables de la pièce, se trouvaient deux sénateurs, un général à cinq étoiles et la veuve d'un directeur du Trésor. Olivia s'efforçait d'écouter les conversations, commentaires politiques ou ragots. Ce n'était pas là qu'elle apprendrait des secrets d'État mais, par contre, elle pourrait nouer des contacts. De toute façon, un reporter ne pouvait se permettre d'ignorer la moindre bribe d'information. On ne pouvait jamais savoir laquelle mènerait à quelque chose de plus substantiel. Qu'une robe déchirée et une boucle de chaussure défaite l'eussent amenée dans le salon d'un juge de la Cour suprême était en soi plutôt comique.

— Cinq piques.

C'était à Greg de jouer. Olivia étala ses cartes sur la table et se leva.

— Désolée, fit-elle devant sa grimace.

— Le tennis, marmonna-t-il en sortant son premier as.

— Je vais prendre l'air.

— Espèce de lâche !

Elle se faufila en riant sur la terrasse.

Il faisait encore froid. Le printemps s'efforçait d'atteindre tant bien que mal Washington. Des nuages passaient devant la lune, assombrissant le jardin. Un rideau d'arbres protégeait la maison du bourdonnement de la circulation. Elle entendit l'éclat de rire bruyant de Myra qui marquait un point.

Comme c'était étrange de retrouver Greg sans avertissement, de recevoir en pleine figure ces souvenirs doux-amers des années passées. J'ai vécu des moments extrêmes, se dit-elle. Follement heureuse, épouvantablement triste. C'est mieux à présent, sans tous ces pics et ces gouffres. Plus sûr. J'ai eu mon compte d'aléas et d'échecs. Se tenir à l'écart est plus intelligent.

Serrant les bras pour se protéger autant de toute aventure que du froid, elle marcha jusqu'au bord de la terrasse. Elle menait une vie plus sûre : « On ne peut pas vous faire de mal si vous ne prenez pas de risques. »

— Tu n'as pas de châle, Olivia ?

Elle se retourna brusquement. Elle n'avait pas entendu s'ouvrir les portes du salon. Le peu de lumière dispensé par la lune tombait directement sur son visage tandis que celui de Thorpe restait dans l'ombre. Elle se sentit désavantagée.

— Il ne fait pas froid, répondit-elle sèchement.

Elle n'était pas près d'oublier sa gêne lorsqu'il l'avait surprise en pénétrant dans le studio, au beau milieu de son émission.

Il s'approcha et posa les mains sur ses bras.

— Tu es glacée. Les journalistes enrhumés font mauvais effet sur les téléspectateurs.

Il enleva sa veste et la posa sur les épaules d'Olivia.

— Je n'ai pas besoin…

Serrant les revers de sa veste, il l'attira à lui et la fit taire d'un baiser brutal. Les bras coincés sous le vêtement, elle se laissa faire, captive puis conquise. Ses pensées semblèrent exploser puis retomber en spirale, en un petit bourdonnement incohérent dans sa tête.

Le désir l'envahissait malgré elle lorsque les lèvres de Thorpe s'écartèrent.

— Peut-être n'avais-tu pas besoin de ça, dit-il sans la lâcher. Mais moi, si.

— Tu dois être fou !

Les mots se voulaient méprisants mais la voix tremblait de passion.

— Sans doute, acquiesça-t-il, sinon je n'aurais pas quitté ton appartement l'autre soir.

Olivia ne releva pas. La façon dont elle avait réagi à ses baisers lui laissait un souvenir embarrassant.

— Tu n'avais pas le droit de me faire ça, ce soir-là, au studio.

— T'embrasser ? fit-il avec un sourire. Pourtant, j'ai l'intention d'en prendre l'habitude. Tu as une bouche fantastique.

— Écoute, Thorpe...

— J'ai cru comprendre que le neveu de Myra et toi êtes de vieux amis, l'interrompit-il.

— Je ne vois pas ce que ça a à voir avec toi, dit-elle avec un soupir excédé.

— Je repère mes rivaux.

Il ne la lâchait toujours pas, guettant la moindre résistance de sa part.

— Tes rivaux ? répéta-t-elle, trop ligotée dans les pans de la veste de Thorpe pour pouvoir s'échapper. De quoi parles-tu ?

— Je dois me renseigner sur les hommes que tu laisses te prendre dans leurs bras pour pouvoir ensuite les éliminer.

Centimètre par centimètre, il l'attirait contre lui. Elle sentait sa peau nue s'imprégner peu à peu de sa chaleur. Il la regardait, comme à son habitude, droit dans les yeux, sans ciller.

— Je vais t'épouser, lâcha-t-il d'un ton placide.

Elle en resta bouche bée. Qu'il pût encore la surprendre ne lui était pas venu à l'idée. Elle s'était attendue à beaucoup de choses de sa part. Mais pas à ça. Pas à cette affirmation énoncée de façon posée, pragmatique. Comme s'il lui avait annoncé qu'ils allaient être partenaires pour la prochaine partie de bridge. Elle examina avec soin son visage. Le pire était qu'il avait l'air extrêmement sérieux.

— Je sais maintenant que tu es fou, murmura-t-elle. Complètement fou.

Il fit oui de la tête mais le ton raisonnable qu'il prit ensuite la laissa encore plus estomaquée.

— Je t'accorde six mois pour accepter ma proposition. Je suis un homme patient. Je peux me le permettre puisque je ne perds jamais.

— Thorpe, tu n'es pas dans ton état normal. Tu devrais prendre un congé. Le stress provoque parfois d'étranges réactions.

Il souriait à présent, amusé par la réaction d'Olivia qui n'avait pas l'air choquée mais inquiète.

— Je trouve plus simple de te prévenir, dit-il gentiment. Comme ça, tu auras le temps de te faire à l'idée.

— Thorpe, je ne compte épouser personne. Et, en tout cas, pas toi. Maintenant, je trouve que tu devrais...

La bouche de Thorpe lui coupa à nouveau la parole. Son petit gémissement de protestation fut réduit au silence. Pressée contre lui, les bras immobilisés sous la veste, elle se laissa faire. Rendit le baiser. Et en vint à demander davantage.

Le cerveau embrumé, elle s'abandonnait à ses sensations. À la texture à la fois douce et ferme des lèvres de Thorpe, au mouvement assuré et lent de sa langue. Si ses bras avaient été libres, elle l'aurait enlacé avec ferveur. Seuls sa bouche et son corps qu'elle pressait contre lui avouaient son désir. Ainsi qu'il l'avait dit.

Elle n'était plus qu'une créature de chair et de sang, avide de caresses. La peau enflammée, le corps creusé. Elle murmura quelques mots indistincts dont le son bouleversa Thorpe. Elle avait raison de le traiter de fou. Il la désirait à la folie. S'ils avaient été seuls... seuls...

Il se ressaisit. Il y aurait d'autres occasions et des endroits plus appropriés. Contenant son désir, il écarta ses lèvres.

— Qu'allais-tu me suggérer de faire ? murmura-t-il.

Haletante, elle s'efforça de rassembler ses idées. Qui était-elle ? Qui la serrait ainsi ? Que venait-il de dire ? La brume se dissipait lentement. Le sourire de Thorpe accéléra le processus.

— De voir un médecin, balbutia-t-elle. Vite, avant que tu ne perdes complètement la tête.

— Trop tard.

Thorpe l'étreignit pour un dernier baiser fougueux. Stupéfaite par son propre abandon, Olivia se dégagea aussi vite que possible. Elle passa la main dans ses cheveux.

— C'est de la folie.

Sa main se mit à s'agiter dans l'air pour appuyer ce qu'elle venait de dire.

— C'est vraiment de la folie.

Elle enchaîna d'une voix plus assurée :

— Je reconnais que tu m'attires, et c'est assez ennuyeux comme ça. Mais c'est tout. Et je vais m'empresser de tout oublier.

Elle enleva la veste et la lui jeta sur le bras.

— Je veux que tu fasses la même chose. J'ignore combien de verres tu as bus ce soir mais, à mon avis, quelques-uns de trop.

Son sourire patient l'exaspéra.

— Cesse de sourire comme ça, Thorpe. Et... et laisse-moi tranquille.

Elle s'élança vers les portes-fenêtres.

— Tu es fou, jeta-t-elle en se retournant. Fou à lier.

Puis elle se rua dans le salon. Comme la petite fille d'autrefois.

5

Le lendemain matin, il y avait une rose blanche sur le bureau d'Olivia. Un unique petit bouton aux pétales bien serrés, planté dans un vase en porcelaine au col étroit. Sidérée, elle se laissa tomber dans son fauteuil.

Lorsqu'elle avait regagné la table de jeu, la veille au soir, elle s'était interdit de penser à ce qu'avait dit Thorpe. Inutile de tenir compte des propos incohérents d'un fou. Pourtant, une longue insomnie l'avait tenue éveillée une partie de la nuit, durant laquelle elle avait retourné chaque mot de leur conversation dans sa tête. Et voilà qu'il lui envoyait des fleurs...

Le plus malin aurait été de jeter le tout, rose et vase, dans la corbeille et de n'y plus penser.

Olivia effleura du bout du doigt un pétale blanc. Elle ne pouvait se résoudre à faire une chose pareille.

Ce n'était qu'une fleur, après tout. Inoffensive. Il suffisait de ne pas penser à son donateur. De plus, dans un quart d'heure il fallait qu'elle soit sur le plateau. Elle tira une feuille de papier pour prendre quelques notes.

— Liv ! Grâce au ciel, tu es là !

Le rédacteur en chef adjoint se ruait vers elle.

— Oui, Chester ?

C'était un homme survolté, toujours au bord du désespoir, qui vivait de café et de comprimés destinés à combattre les brûlures d'estomac. Olivia était habituée à ce genre d'irruption de sa part.

— Prends une équipe et cours à la résidence Livingstone. Un avion vient de percuter le sixième étage.

Déjà, elle était debout et ramassait sa veste et son sac.

— Tu as des détails ?

— À toi de les trouver. On fera un reportage en direct dès que tu seras prête. Un ingénieur va t'accompagner. Tout le monde est déjà occupé ou au lit avec la grippe.

Son ton laissait entendre que la grippe avait bon dos lorsqu'il s'agissait d'éviter une corvée.

— Vas-y, le camion t'attend. Dépêche-toi.

C'était pire, bien pire que ce qu'elle avait imaginé. La queue de l'avion ressortait de la façade de l'immeuble comme un appendice monstrueux. Le spectacle évoquait une séquence d'un film d'horreur. Le feu déclenché par l'impact vomissait des flots de fumée tandis que des vagues de chaleur et une odeur âcre emplissaient l'air. L'immeuble était ceinturé de camions de pompiers, d'ambulances et de voitures de police. Les pompiers s'activaient, arrosant le bâtiment de puissants jets d'eau. Les étages inférieurs avaient été évacués. Pleurs et cris perçaient le gémissement des sirènes et le bruit sourd de l'incendie.

Derrière les barrières, la presse était déjà au travail. Reporters, photographes et techniciens s'affairaient dans leur habituel chaos organisé.

— On va rester mobiles, dit Olivia à Bob qui hissait sa caméra sur l'épaule. Pour l'instant, prends un panoramique de l'immeuble, des camions et des ambulances.

— Je n'ai jamais vu une chose pareille, marmonna-t-il en réglant son objectif sur l'avion. Est-ce que tu imagines à quoi ça ressemble à l'intérieur ?

Olivia secoua la tête. Elle n'avait aucune envie de l'imaginer. Il y avait probablement des gens à l'intérieur. Elle refoula une nausée. Le travail l'attendait.

— Voilà Reeder. Le commandant en second des pompiers.

Elle regarda dans la direction qu'indiquait Bob.

— D'accord. Allons voir s'il peut nous dire quelque chose.

Olivia se fraya un chemin dans la foule. La bousculade ne l'effrayait pas. Elle y était habituée. Elle savait comment se faufiler entre des masses affolées et atteindre son objectif. Et elle savait aussi que son équipe parviendrait à la suivre. Une fois arrivée contre la barrière, elle assura sa position et prit le micro que lui tendait le technicien du son.

— Commandant Reeder, Olivia Carmichael, de WWBW.

Tendant la main et avançant un pied, elle parvint à lui mettre le micro devant la bouche.

— Pouvez-vous nous dire ce qui s'est passé et où en est l'incendie ?

Il jeta un regard impatient au micro que braquait la jeune femme sous son nez.

— C'est un charter de la Nationale, dit-il brièvement. Nous ignorons encore la cause de l'accident. Quatre étages du bâtiment ont été touchés. Trois ont pu être évacués.

— Pouvez-vous me dire combien de personnes il y a dans l'avion ?

— Cinquante-deux, y compris l'équipage.

Il se détourna pour aboyer un ordre dans sa radio.

— A-t-on pu prendre contact avec eux ? insista Olivia.

Reeder lui décocha un long regard silencieux avant de répondre :

— Mes hommes essaient de les atteindre, en partant du toit et des étages inférieurs.

— Combien de gens sont encore dans l'immeuble ?

— Allez voir le gérant, j'ai à faire.

Il s'éloigna. Olivia fit signe à Bob d'arrêter de filmer.

— Je vais essayer de savoir combien il reste de personnes à l'intérieur... Retourne au camion, ajouta-t-elle à l'adresse du technicien du son. Demande au bureau s'ils ont appris le numéro du vol, sa destination et s'ils ont une idée de la cause de l'accident. Nous ferons un direct... dans cinq minutes. Ici.

Elle s'enfonça à nouveau dans la foule. Une femme était assise, toute seule, sur le bord du trottoir. Vêtue d'une robe de chambre usée, elle serrait sur son sein un album de photos. Renonçant momentanément à chercher le gérant, Olivia s'approcha d'elle.

— Madame ?

La femme releva la tête. Son teint était livide et son regard sec. Reconnaissant les symptômes de l'état de choc, Olivia s'accroupit.

— Vous ne devriez pas rester assise, là, dans le froid, dit-elle doucement. Y a-t-il un endroit où vous pourriez vous réfugier ?

— Ils ne m'ont laissée emporter que ça, répondit la femme en étreignant son album. Juste mes photos. Vous avez entendu le bruit ? J'ai cru que c'était la fin du monde.

Sa voix frêle bouleversa Olivia.

— J'étais en train de prendre du thé, reprit-elle. Mon service en porcelaine est en mille morceaux. Le service qui me venait de ma mère.

— Je suis désolée.

Les mots étaient effroyablement inadéquats. Olivia posa une main sur l'épaule de la femme.

— Venez avec moi. Là-bas. Des infirmiers vont s'occuper de vous.

— J'ai des amis là-haut, protesta la femme en montrant l'immeuble. Mme McGiver au 607 et les Dawson au 610. Les Dawson ont deux enfants. Est-ce qu'ils sont sortis ?

Olivia entendit une fenêtre éclater sous l'effet de la chaleur.

— Je ne sais pas. Je vais essayer de me renseigner.

— Le petit garçon a la grippe et il n'est pas allé à l'école.

Le choc cédait la place au chagrin. Olivia remarqua le changement dans les yeux de la femme et entendit sa voix trembler.

— J'ai une photo de lui dans mon album.

Elle se mit à pleurer, des sanglots longs et profonds qui bouleversèrent Olivia.

Elle s'assit sur le trottoir et prit la femme dans ses bras. Un corps frêle et léger, secoué de désespoir. Olivia craignait fort qu'il ne restât du fils des Dawson qu'une photo dans un album.

Une main se posa sur son épaule. Elle releva la tête et aperçut la haute silhouette de Thorpe.

— Thorpe…

Elle ne put rien dire d'autre mais son regard était éloquent. Il se pencha et aida la femme à se relever. Elle se cramponnait toujours à son album. Glissant un bras autour d'elle, il lui murmura quelque chose et l'entraîna vers une ambulance. Olivia laissa retomber le front sur ses genoux.

Il fallait qu'elle se ressaisisse. Dans son métier, on ne pouvait pas se laisser aller à l'émotion. Poussée par le vent, la fumée s'épaississait autour d'elle et une toux violente perça le tohu-bohu.

— Liv, fit Thorpe en la prenant par la main pour l'aider à se relever.

— Ça va.

Une autre explosion se fit entendre. Suivie d'un hurlement.

— Ô mon Dieu, souffla-t-elle en regardant l'immeuble. Combien de gens sont encore prisonniers là-dedans ?

— Les secours n'ont pas encore pu arriver jusqu'au sixième étage. Tous ceux qui s'y trouvent, et ceux qui sont dans l'avion, sont forcément morts.

Elle hocha la tête. Il avait parlé avec un calme qui lui fit du bien.

— Oui, je sais.

Elle s'efforça de reprendre son sang-froid.

— Il me faut quelque chose à raconter. J'ai un reportage à faire... Et toi, qu'est-ce que tu fais là ?

— Je rentrais chez moi, dit-il en essuyant une tache de suie sur la joue d'Olivia. Je suis passé par là par hasard. Je ne suis pas en mission.

Elle jeta un coup d'œil sur les médecins qui, un peu plus loin, s'affairaient auprès d'un brûlé. Sur sa gauche retentit le cri d'un enfant qui appelait sa mère.

— J'aimerais bien être dans le même cas, murmura-t-elle. Je déteste cette partie du boulot, épier la douleur d'autrui.

— Ce n'est pas un métier facile, Liv.

Bien qu'il eût très envie de la toucher, il s'en abstint. Ce n'était pas cela dont elle avait besoin.

Elle aperçut son équipe qui la rejoignait à travers la foule. Le technicien lui tendit un message qu'elle déchiffra rapidement.

— Bon, on va faire le direct d'ici, avec le bâtiment derrière moi. D'abord, tu prends tout l'immeuble. Ensuite tu fais un gros plan de l'avion et tu reviens sur moi. Garde le bruit de fond.

Elle respira à fond, mit le casque et prit le micro. Le compte à rebours défilait.

— Olivia Carmichael, en direct de la résidence Livingstone, commença-t-elle lorsque le casque lui transmit le signal. Ce matin, à 9 h 30, un charter, numéro de vol 527, s'est écrasé sur le sixième étage de l'immeuble.

Bob braqua sa caméra sur le bâtiment tandis qu'elle poursuivait :

— Les causes de l'accident n'ont pas encore été déterminées. Presque tout le bâtiment a pu être évacué. Les pompiers s'efforcent d'atteindre le sixième étage et la carlingue de l'appareil. Il y avait cinquante-deux personnes à bord, y compris l'équipage, en route pour Miami.

La caméra revint sur elle.

— On ignore encore le nombre de disparus. Les blessés reçoivent sur place les premiers secours avant d'être transportés à l'hôpital.

Un peu à l'écart, Thorpe contemplait Olivia. Son visage était impassible. Mais dans ses yeux restait visible l'horreur qu'elle avait ressentie. Qu'elle en fût consciente ou non, ce regard amplifiait la force de son reportage. Des traces de suie marquaient sa peau blanche. Les téléspectateurs verraient une femme bouleversée par cette tragédie et pas seulement une journaliste énumérant des faits. Elle était bonne, se dit-il, justement parce qu'elle tentait de contenir son émotion.

— Olivia Carmichael, de WWBW, conclut-elle.

Elle attendit d'avoir quitté l'antenne et ôta son casque.

— Bon. Va filmer les médecins. Je vais voir si les pompiers ont pu parvenir au sixième étage. Appelle un coursier. Ils auront besoin de tout ce que nous aurons pu ramasser pour les informations de la mi-journée.

Olivia avait repris ses esprits. Elle comprit qu'elle ne s'effondrerait plus.

— Très efficace, commenta Thorpe.

Olivia le regarda. Il émanait de lui une force tranquille et vibrante à la fois. Avoir eu besoin de lui, ne fût-ce qu'un court instant, avoir simplement eu besoin de savoir qu'il était là, l'agaça. C'était un luxe qu'elle ne pouvait se permettre.

— Ce qu'il faut, c'est bien faire son travail. Sur ce point, je pense que nous sommes d'accord.

— Tu veux que je reste dans les parages ? demanda-t-il en lui écartant une boucle du front.

Déchirée par des émotions contradictoires, elle lui jeta un regard perplexe. Pourquoi parvenait-il aussi aisément à l'émouvoir ?

— Ne sois pas gentil avec moi, Thorpe, murmura-t-elle. Je t'en prie, ne sois pas gentil. C'est plus facile quand tu te comportes en salaud.

Il s'inclina et lui déposa un léger baiser sur les lèvres.

— Je t'appellerai ce soir.

— Non, protesta-t-elle mais il s'éloignait déjà.

Jurant entre ses dents, elle fit demi-tour. Elle avait autre chose à faire que de se laisser envahir par ce type. Des informations à recueillir et un bon sujet à mettre sur pied.

Olivia regardait la cassette diffusée aux informations de onze heures avec un sentiment différent de celui qu'elle avait éprouvé pendant qu'elle passait à l'antenne. Assise derrière son bureau, commentant son reportage tout en se regardant sur l'écran, elle parvenait à surmonter ses sentiments. À présent, seule dans son appartement, elle se sentait à nouveau submergée par la tragédie. Soixante-deux personnes avaient trouvé la mort, quinze blessés avaient dû être hospitalisés, dont quatre pompiers. Bien que ce ne fût pas encore officiel, l'accident était probablement dû à une erreur de pilotage.

Olivia se souvint de la femme assise sur le trottoir qu'elle avait tenté de réconforter, de sa réaction pétrifiée puis de ses larmes au fur et à mesure qu'elle appréhendait l'étendue du drame.

L'heure de l'accident avait limité les dégâts, avait affirmé Olivia durant son reportage. La plupart des appartements étaient vides. Les enfants étaient à l'école et les parents au travail. Sauf le petit Dawson, de l'appartement 610, qui avait la grippe.

Elle éteignit le poste et se leva. Il ne fallait pas y penser, se dit-elle en se pressant les tempes. Deux aspirines et au lit. Rien n'annulerait ce qui s'était passé le matin même; il était temps qu'elle reprît ses distances.

Elle se glissait dans son lit lorsqu'elle s'aperçut qu'elle n'avait pas dîné. Sa migraine pouvait en partie être due à la faim mais elle était trop lasse pour avaler autre chose que de l'aspirine. Elle ferma les yeux et attendit le sommeil.

C'était ce qu'elle avait choisi. Le calme, la solitude. Ne dépendre de personne et ne répondre de personne. Ce qu'elle avait obtenu lui appartenait ; ses erreurs étaient siennes. La meilleure façon de vivre.

Elle ouvrit les yeux et contempla le plafond en se demandant quand elle avait commencé à douter de cette philosophie.

Le téléphone sonna. Elle alluma à tâtons la lampe de chevet et prit un crayon, tout en décrochant. À cette heure de la nuit, ce ne pouvait être que le journaliste de permanence.

— Allô ?

— Bonsoir, Liv.

— Thorpe ?

Elle laissa tomber le crayon et s'appuya sur son oreiller. Ce type était incroyable.

— Je t'ai réveillée ?

— Oui, mentit-elle. Qu'est-ce que tu veux ?

— Je voulais te souhaiter une bonne nuit.

Elle se félicita qu'il ne pût voir son sourire. Il était suffisamment sûr de lui pour qu'on se dispensât de l'encourager.

— Tu me réveilles pour me souhaiter une bonne nuit ?

— J'ai été très pris toute la soirée. Je viens de rentrer.

Thorpe arracha sa cravate d'un geste nerveux. S'il y avait une chose qu'il détestait dans ce métier, c'était l'obligation de porter une cravate.

— Tu veux savoir où j'étais ?

— Non, fit-elle d'un ton provocant.

Le petit rire de Thorpe l'exaspéra. Flûte, elle avait maintenant envie de le savoir.

— Bon, d'accord, où étais-tu ?

— J'avais rendez-vous avec Levowitz.

— Levowitz ? Le grand patron ?

— Lui-même, répondit-il en envoyant valdinguer ses chaussures.

— Je ne savais pas qu'il était à Washington.

Les engrenages s'étaient mis en route dans la tête d'Olivia. Levowitz ne ferait pas le voyage de New York à Washington pour voir T. C. sans une bonne raison.

— Que voulait-il ?

— Harris McDowell va prendre sa retraite à la fin de l'année. Il m'a offert le poste.

Le plus surprenant n'était pas tant la nouvelle que le ton désinvolte de Thorpe. Se voir proposer le poste de McDowell n'était pas une chose à prendre à la légère. Prestige, pouvoir, argent. Être jugé capable de prendre cette succession n'était pas seulement flatteur, c'était une véritable consécration.

— Félicitations, dit-elle enfin, estomaquée.

— Je l'ai refusé.

— Quoi ?

— Je l'ai refusé, répéta-t-il en lançant ses chaussettes en direction du panier à linge sale. Dis donc, ce week-end, toi et moi, on a congé...

— Attends une minute. Tu as refusé le poste le plus prestigieux de CNC ? C'est le boulot lui-même qui te déplaît, quelle que soit la chaîne ?

— Oui, c'est un peu ça, dit-il en ouvrant son second paquet de cigarettes de la journée.

— Pourquoi donc ?

Il prit le temps de lâcher une bouffée de fumée.

— J'aime travailler sur le terrain. Je ne veux pas rester derrière un bureau, et surtout pas à New York... Revenons au week-end, Olivia.

— Quel drôle de type tu fais ! souffla-t-elle en s'adossant contre l'oreiller. Vraiment bizarre. La plupart des journalistes tueraient père et mère pour obtenir ce boulot.

— Je ne suis pas la plupart des journalistes.

— Non, fit-elle d'un ton songeur. Non, tu ne l'es pas. Tu aurais fait un très bon présentateur, pourtant.

— De ta part, c'est un compliment, remarqua-t-il avec un sourire tandis qu'il déboutonnait sa chemise. Tu veux un peu de compagnie ?

— Thorpe, je suis au lit.

— Si c'est une invitation, je l'accepte.

Elle ne put retenir un éclat de rire.

— Non, ce n'est pas une invitation... Seigneur, je n'ai pas eu une conversation de ce genre depuis le lycée.

— Que dirais-tu d'un tour en voiture, d'un Coca-Cola et d'un flirt un peu poussé sur la banquette arrière ?

— Non, merci, Thorpe. Sincèrement.

Enfin détendue, elle se blottit contre son oreiller. De quand datait sa dernière conversation un peu idiote en plein milieu de la nuit ?

— Si tu ne m'as appelée que pour me dire bonsoir...

— En fait, j'appelais au sujet de demain après-midi.

— Oui ?

Elle bâilla et ferma les yeux.

— J'ai deux billets pour le match d'ouverture de la saison.

— Le match d'ouverture de quoi ?

— Grands dieux, Liv ! De base-ball ! Orioles contre Red Sox.

Il paraissait si scandalisé de son ignorance qu'elle ne put s'empêcher de sourire.

— Chez nous, c'est Dick Andrews qui s'occupe du sport.

— Élargis ton horizon. Je viendrai te chercher à 12 h 30.

— Thorpe, je ne t'accompagnerai pas.

— Ce n'est pas une entreprise de séduction, Liv. C'est un jeu de ballon. Avec hot dogs et bière. Une tradition américaine.

Olivia éteignit la lumière et tira le drap sur elle.

— Je ne crois pas que je me sois bien fait comprendre.

— Tu essaieras encore demain. C'est Palmer, le lanceur.

— C'est sûrement passionnant mais…

— 12 h 30, répéta-t-il. Il faut que nous arrivions de bonne heure pour trouver une place de parking.

À demi assoupie, elle bâilla de nouveau. Il était sans doute plus simple d'accepter. Que risquait-elle ? D'ailleurs, elle n'avait jamais assisté à un match de base-ball.

— Tu ne vas pas te mettre une de ces horribles petites casquettes sur la tête, quand même ?

— Non. Je la laisse aux joueurs.

— 12 h 30. Bonne nuit, Thorpe.

— Bonne nuit, Carmichael.

Elle souriait quand elle raccrocha. Et juste au moment où le sommeil la happait, elle s'aperçut que sa migraine avait disparu.

6

Le Memorial Stadium était bondé. Olivia découvrit l'admiration enthousiaste que Baltimore portait aux Orioles. Elle découvrit aussi que les supporters ne comprenaient pas seulement, comme elle l'avait imaginé, des hommes affublés de l'horrible petite casquette et serrant nerveusement une canette de bière dans leurs doigts crispés. Elle vit aussi des femmes, des enfants, des jeunes filles, des étudiants et autant de cadres supérieurs que d'ouvriers. Il fallait que le spectacle fût passionnant pour attirer autant de gens aussi différents.

— L'abri de la troisième base, dit Thorpe en désignant le bas des marches en ciment.

— Comment ?

— C'est là où sont nos places, expliqua-t-il. Derrière l'abri de la troisième base. Viens.

Il lui prit le bras et l'entraîna dans l'escalier. Examinant les lignes blanches, la terre brune et la pelouse verte, elle essaya de rassembler ses maigres connaissances concernant ce sport.

— Tu t'y connais un peu en base-ball ? demanda Thorpe.

Elle s'accorda deux secondes de réflexion puis sourit.

— Si on manque trois balles, on est éliminé.

Il s'assit en riant.

— Tu vas recevoir un cours accéléré aujourd'hui. Tu veux une bière ?

— Est-ce que prendre un Coca serait manquer de civisme ?

Il fit signe à un vendeur ambulant ; Olivia s'appuya à la rambarde et examina le terrain.

— Ça paraît assez simple, dit-elle. Si, devant nous, c'est la troisième base, la première est là, et la seconde là-bas. Un joueur lance la balle, un autre la frappe avec sa batte et court comme un dératé autour des bases avant qu'un troisième le rattrape.

— Analyse simpliste d'un sport d'intellectuel, dit Thorpe en lui tendant son Coca.

— À quoi faut-il donc penser ?

— Il faut tenir compte des zones de prise, des moyennes acquises par chaque joueur, des éliminations, des doubles, de la vitesse du vent, de la composition des équipes, de la qualité du terrain…

Olivia leva la main pour interrompre ce flot d'explications qui ne l'éclairaient guère.

— Très bien. J'ai peut-être besoin de ce cours accéléré, finalement.

— Tu n'as jamais regardé de match ? s'étonna Thorpe en s'asseyant, une canette de bière à la main.

— Des bribes à la télévision.

Le soleil brillait mais il faisait encore frais. Une odeur de bière, de cacahuètes grillées et de hot dogs les enveloppait. Derrière eux, un homme et une femme discutaient déjà de la partie qui n'avait pas encore commencé. L'air vibrait d'une sorte de passion qui lui avait complètement échappé les rares fois où elle avait jeté un œil sur une retransmission.

— La perspective est très différente, constata-t-elle en contemplant le stade.

Elle étudia le tableau d'affichage. Les initiales et les chiffres ne lui dirent pas grand-chose.

— Alors, quand est-ce que ça commence ?

Elle se tourna vers Thorpe et découvrit qu'il la dévisageait avec insistance.

— Qu'y a-t-il ?

Ce regard la mettait mal à l'aise. Garder ses distances s'était avéré impossible. À présent, elle se demandait si le style amical et décontracté qu'elle avait prévu de garder tiendrait mieux la route.

— Je te l'ai déjà dit. Ton visage est fantastique.

— Ce n'est pas mon visage que tu regardais. Tu regardais dans ma tête.

Avec un sourire, il suivit d'un doigt une mèche d'Olivia.

— Un homme doit comprendre la femme qu'il veut épouser.

Elle fronça les sourcils.

— Thorpe…

Le sermon qu'elle s'apprêtait à faire fut interrompu par l'explosion de la musique et le rugissement de la foule.

— La cérémonie d'ouverture, dit Thorpe en glissant le bras sur le dossier d'Olivia.

Laisse-le faire, se dit-elle. Manifestement, c'est un homme instable. Elle prit une position confortable et se prépara à assister à l'ouverture de la saison de base-ball avec tout ce que cela impliquait de tapage et d'incongruités.

À la fin de la première manche, Olivia était à la fois complètement perdue et fascinée.

— Personne n'a gagné de points, dit-elle tristement en mâchouillant un petit morceau de glace.

Thorpe alluma une cigarette.

— Le meilleur match auquel j'ai assisté, c'était à Los Angeles. Les Dodgers contre les Reds. Douze manches. Une à rien, pour les Dodgers.

— Un seul point en douze manches ? fit-elle, étonnée, comme le batteur suivant pénétrait sur le terrain. Ce devait être des équipes complètement nulles.

Il la regarda, vit qu'elle était parfaitement sérieuse et éclata de rire.

— Je vais te chercher un hot dog, Carmichael. Ça va t'aider à piger.

Le batteur renvoya la balle dans le champ gauche. Olivia agrippa le bras de Thorpe.

— Oh, regarde, il en a frappé une !

— Ce n'est pas la bonne équipe, Liv. C'est les autres types que nous sommes venus applaudir.

Elle prit le hot dog et déchira un coin du sachet de moutarde.

— Pourquoi ?

— Pourquoi ? répéta-t-il en la regardant tartiner généreusement son hot dog de moutarde. Les Orioles sont de Baltimore et les Red Sox de Boston.

— J'aime bien Boston.

Elle prit une grosse bouchée tandis que Palmer lançait une balle qui lui parut facile à rattraper.

— Allez ! Vas-y !

— N'applaudis pas trop fort Boston dans cette partie des tribunes, conseilla Thorpe.

Le batteur renvoya la balle au-delà de la deuxième base et la foule rugit.

— Mais pourquoi est-ce que le type, là-bas, sur la base un, ne bouge pas ? demanda-t-elle en agitant son hot dog.

Thorpe l'embrassa alors qu'elle avait encore la bouche pleine.

— Bon, c'est le moment de suivre ce cours accéléré.

À la fin de la cinquième manche, Olivia avait saisi les règles de base et se couchait à moitié sur la rambarde comme si cela lui permettait de mieux suivre le jeu. Le score en était à trois partout. Passionnée, elle en avait oublié la folie et les propos bizarres de Thorpe. Elle avait déposé son masque froid et son bouclier.

— Alors, s'ils attrapent la balle sur le territoire de l'adversaire avant qu'elle ne touche le sol, c'est quand même une élimination.

— Tu comprends vite.

— Ne fais pas le malin, Thorpe. Pourquoi changent-ils de lanceur ?

— Parce que sa balle a déjà été rattrapée deux fois et que le batteur l'a devancé. Il a perdu le truc.

Elle posa le menton sur la rambarde, les yeux fixés sur le batteur remplaçant qui s'échauffait sur le monticule.

— Quel truc ?

— Sa vitesse, son rythme, répondit-il, enchanté de l'intérêt qu'elle manifestait.

Elle lui jeta un regard soupçonneux.

— Est-ce que tu n'es pas en train d'essayer de m'embrouiller un peu plus ?

— Pas du tout.

— Depuis combien de temps assistes-tu à des matchs ?

— Ma mère m'a emmené voir le premier quand j'avais cinq ans. Washington avait les Sénateurs à l'époque.

— Washington compte toujours d'innombrables sénateurs.

— C'était une équipe de base-ball.

— Oh...

Elle reposa le menton sur la rambarde.

— C'est ta mère qui t'a emmené ? reprit-elle. Je croyais que le base-ball était plutôt une histoire entre père et fils.

— Mon père n'était pas là. Les gosses et les responsabilités, ce n'était pas sa tasse de thé.

— Pardon, fit-elle en le regardant. Je ne voulais pas être indiscrète.

— Ce n'est pas un secret. Ça ne m'a pas traumatisé. Ma mère était formidable.

Elle se tourna à nouveau vers le terrain. Étrange qu'elle n'eût jamais imaginé Thorpe enfant, au sein d'une famille. Jusqu'à présent elle n'avait vu en lui qu'un reporter rigoureux, avec un talent certain pour les reportages mordants. Penser à lui petit garçon, menant peut-être une vie difficile, modifiait la perspective. Il y avait vraiment trop de facettes dans son caractère ; mais, naturellement, elle ne tenait pas à les explorer.

Pourtant... quel genre de garçon avait-il été ? De quel poids avaient été ses premières années sur son comportement actuel ?

C'était un homme sensible. La rose... cette fichue rose ! Olivia poussa un soupir. Cette sensibilité lui rendait difficile de garder ses distances. Et sa sensualité. Il savait comment éveiller les sens d'une femme, même si elle ne le voulait pas. Il était arrogant, oui, mais avec tant d'aisance que ce trait de caractère en devenait admirable. Et on ne pouvait rien reprocher à sa façon de travailler. Il ne cherchait pas le pouvoir ni l'argent. Qu'il eût refusé un poste pour lequel la plupart des reporters auraient tranché une gorge ou deux en était la preuve.

Je ferais mieux d'être prudente, se dit-elle, sinon je vais finir par le trouver sympathique.

Thorpe observait son profil ; le visage d'Olivia trahissait une succession d'émotions étonnante. Lorsqu'elle s'oubliait, elle devenait aussi transparente qu'une paroi de verre.

— À quoi penses-tu ? demanda-t-il en posant la main sur sa nuque.

— Pas de commentaire, répliqua-t-elle sans pouvoir néanmoins se résoudre à le repousser.

— Regarde, ils vont recommencer.

Le lanceur envoya la balle que le batteur frappa de travers en direction des tribunes. Olivia leva les mains pour se protéger.

Le choc la surprit. Les paumes brûlantes, elle baissa les yeux sur l'objet qu'elle tenait. Thorpe éclata de rire.

— Bien joué ! s'écria-t-il.

— Je l'ai attrapée, comprit-elle enfin. Il faut que je la renvoie ?

— Non, elle est à toi, Carmichael.

Assez contente d'elle-même, elle la fit tourner dans ses paumes.

— Sans blague, murmura-t-elle avant de pouffer de rire.

C'était la première fois qu'il l'entendait rire de cette façon insouciante. Elle avait l'air d'avoir dix-sept ans. Il contrôla juste à temps son envie de la prendre dans ses bras. Jamais elle ne lui avait autant plu qu'à cet instant, le visage inondé de soleil et la balle dans les mains. Il ne l'en aima que plus, avec une sorte de violence douloureuse.

Il en perdit le fil de la partie. Ce fut Olivia qui releva la tête au bruit sec de la batte contre la balle. Les yeux écarquillés, elle bondit sur ses pieds comme tous les autres spectateurs. Agrippant le bras de Thorpe, elle le força à se lever.

— Oh, regarde ! Elle va passer par-dessus la clôture ! C'est ce qu'on appelle un coup de circuit, non ? Un coup de circuit, Thorpe !

— Ouais ! cria-t-il en regardant la balle qui survolait la clôture verte. Un coup de circuit. Le premier de la saison.

— Oh, c'était splendide !

Bouleversée par la musique qui soulignait l'événement et les cris de joie de la foule, elle se pendit spontanément au cou de Thorpe et l'embrassa avant d'avoir compris ce qu'elle faisait. Mais il la retint pour lui donner un autre baiser, plus long, plus profond. Les cris autour d'elle s'éteignirent tandis qu'elle n'entendait plus que le cognement furieux de son cœur.

— Bon, pourvu qu'ils en frappent d'autres aussi belles, murmura-t-il contre les lèvres d'Olivia.

Hors d'haleine, elle se dégagea de ses bras.

— Je crois qu'une fois suffit, balbutia-t-elle.

Les jambes flageolantes, elle s'assit. Elle s'était approchée beaucoup trop près du précipice. Il fallait maintenant reculer de quelques pas.

— Tu vas m'acheter un autre hot dog ? demanda-t-elle d'un ton faussement décontracté. Je meurs de faim.

Le reste du match fut une succession de manœuvres défensives. Olivia eut du mal à se concentrer. Trop consciente de la présence de Thorpe, des désirs qu'il avait éveillés et pouvait éveiller aussi facilement, elle jetait de temps à autre un regard inquiet sur ces bras qui pouvaient la rendre à la fois faible et confiante, ce dont elle se défendait. Cela la rendait trop vulnérable. Elle ne voulait plus dépendre de qui que ce fût. Les risques d'être déçue étaient trop grands. Elle regarda sa bouche en pensant à son pouvoir sur elle. Ses yeux étaient intelligents et perspicaces. Et plus il lisait en elle, plus il avait prise sur ses sentiments.

Elle s'était déjà fait prendre au piège et en portait encore les cicatrices. Durant des années, elle s'était cramponnée à la certitude que la seule façon de sauvegarder sa sérénité était de rester en retrait. Thorpe était fort capable de la faire changer d'attitude. Pour la première fois, elle eut peur de lui, de ce qu'il pourrait signifier pour elle.

L'amitié. C'était tout ce qu'il y aurait entre eux. Elle passa les deux dernières manches à se convaincre que c'était possible.

— Alors, nous avons gagné, dit-elle en regardant le panneau d'affichage. Cinq à trois.

Elle faisait tourner la balle entre ses paumes.

— Tu dis nous, maintenant ? remarqua-t-il avec un petit sourire. Je croyais que tu étais pour Boston.

La foule commençait à se diriger vers la sortie. Olivia s'appuya sur son dossier et posa les pieds sur la rambarde.

— C'était avant que je ne comprenne les subtilités du jeu. Tu sais, c'est surprenant comme la télévision peut être trompeuse. Et décevante. Le jeu est beaucoup plus rapide, plus intense que je ne le pensais. Tu viens souvent ?

Il l'observait tandis qu'elle jonglait négligemment avec la balle.

— Tu cherches à te faire réinviter ?

— Ce n'est qu'une question en l'air, Thorpe, répliqua-t-elle froidement.

— Chaque fois que je peux, répondit-il sans cesser de sourire. La prochaine fois, je t'emmènerai à un nocturne. C'est très différent.

— Je n'ai pas dit...

— T. C. !

Ils levèrent les yeux. Un petit homme trapu se frayait un chemin dans la travée encombrée. Des cheveux gris et courts, un visage coloré et ridé et un nez busqué. Thorpe se leva pour le serrer dans ses bras.

— Comment vas-tu, Boss ?

— Peux pas me plaindre. Non, peux pas me plaindre.

Il s'écarta pour examiner Thorpe.

— Bon sang, t'as l'air en pleine forme, mon gars, fit-il en lui claquant le dos de sa grosse main. Tous les soirs, je te regarde sur la télé en train de faire tourner en bourrique tous ces hommes politiques. T'as toujours été un blanc-bec culotté. Même gamin, t'étais comme ça.

Olivia observait la scène sans bouger. Entendre évoquer l'enfance de Thorpe et le traiter de blanc-bec culotté la fascinait. Thorpe avait une bonne tête de plus que l'homme qui devait se cambrer pour le regarder en face.

— Il faut bien que quelqu'un se charge de les faire marcher droit, non ?

— Sacré...

Jetant un coup d'œil sur Olivia, il s'interrompit et s'éclaircit la gorge.

— Tu vas me présenter à ta dame ou bien t'as peur que je te la pique ?

— Olivia, ce vieil intrigant s'appelle Boss Kawaoski, le batteur qui a fait tourner en bourrique plus d'un arbitre. Boss, je te présente Olivia Carmichael.

— Mais bien sûr ! s'écria-t-il en étreignant la main d'Olivia de sa poigne noueuse. La dame des nouvelles. Vous êtes encore plus jolie en vrai.

— Merci.

Un grand sourire sur les lèvres, il la scrutait de ses yeux de myope.

— Attention, Olivia, fit Thorpe en glissant un bras autour de ses épaules. Boss a une réputation de tombeur.

— Ah, mer...

Il se gratta à nouveau la gorge tandis qu'Olivia retenait un sourire.

— Mince, corrigea-t-il. Faudrait pas que ma bourgeoise t'entende parler comme ça. Qu'est-ce t'as pensé du match, T. C. ?

— Palmer les a encore enfoncés, dit-il en allumant une cigarette. On dirait que les Birds ont une bonne équipe cette année.

— Plein de sang neuf, approuva Boss en jetant un regard d'envie sur le terrain. Le jeune défenseur du champ gauche a un bon coup.

— Comme toi, Boss... Boss avait une moyenne de 324 l'année où il a pris sa retraite, précisa Thorpe à l'adresse d'Olivia.

N'étant pas trop sûre d'avoir compris, celle-ci se lança sur un terrain plus sûr.

— Vous jouiez pour les Orioles, monsieur Kawaoski ?

— Appelez-moi Boss. Je jouais pour les Sénateurs. C'était il y a trente ans, dit-il avec un hochement de tête désabusé. Et ce gamin traînait tout le temps autour du club à nous casser les pieds... Il disait qu'il voulait devenir troisième base, ajouta-t-il en désignant Thorpe du pouce.

— C'est vrai ?

Elle regarda Thorpe avec curiosité. L'idée qu'il eût désiré être autre chose que journaliste la surprenait.

— L'était pas trop bon à la batte, se rappela Boss. Mais il avait une sacrée paire de paluches.

— Je les ai toujours, dit Thorpe en adressant à Olivia un sourire qu'elle fit mine de ne pas voir. Comment ça se passe au magasin, Boss ?

— Bien. C'est ma femme, Alice, qui s'en occupe aujourd'hui. Elle voulait pas que je manque le match d'ouverture... Et je peux pas dire que j'aie beaucoup discuté, fit-il en passant la main sur son menton carré. Alice regrettera de t'avoir manqué, T. C. Elle continue à allumer un cierge pour toi tous les dimanches.

— Transmets-lui mes amitiés, dit Thorpe en écrasant du pied son mégot. C'est le premier match auquel assistait Olivia.

— Sans blague ?

Elle remarqua que Thorpe s'était empressé de dévier le sujet de la conversation. Boss baissa les yeux sur la balle qu'elle tenait dans les mains.

— Et, dès le premier match, vous avez attrapé une balle ?

— La chance du débutant. Vous voulez bien me la signer ?

Boss la prit et la fit rouler dans ses gros doigts épatés.

— Ça fait rudement longtemps que j'ai pas signé ce genre de truc... Rudement longtemps.

Il prit le stylo que lui tendait Olivia et inscrivit son nom avec soin.

— Merci, Boss, fit-elle en reprenant la balle.

— C'est moi qui vous remercie. Ça me donne l'impression d'être encore capable de me défendre sur le terrain. Je vais raconter à Alice que je t'ai vu, dit-il en envoyant une claque sur l'épaule de Thorpe. Avec la jolie dame des informations... Viens nous voir au magasin.

— Dès que je pourrai, Boss.

Il suivit des yeux le petit homme qui s'éloignait dans la foule à présent moins compacte.

— C'est très gentil de lui avoir demandé de signer, dit-il à Olivia. Tu es une femme très intuitive.

Elle baissa les yeux sur les lettres qui couraient autour de la balle.

— Ça doit être dur d'abandonner une carrière, de renoncer à un style de vie, trente ans avant que la plupart des gens ne soient obligés d'en faire autant. Il était bon ?

— Meilleur que d'autres. Mais ce n'est pas l'essentiel. Il aimait ce sport, il aimait l'ambiance, il aimait le pratiquer.

Des balayeurs commençaient à envahir les travées. Thorpe prit le bras d'Olivia et l'entraîna vers l'escalier.

— Tous les gosses l'adoraient. Il était toujours d'accord pour jouer un peu avec eux après un match.

— Pourquoi est-ce que sa femme allume un cierge pour toi tous les dimanches ?

Elle s'était pourtant promis de ne pas poser la question. Cela ne la regardait pas. Mais les mots avaient jailli d'eux-mêmes.

— Elle est catholique.

Olivia attendit un instant tandis qu'ils se dirigeaient vers le parking.

— Tu ne veux pas me le dire ? demanda-t-elle enfin.

Il fit sauter son trousseau de clés avec impatience dans sa poche.

— Ils ont un petit magasin de sport. Il y a quelques années, ils ont eu des difficultés. L'inflation, les impôts, des réparations urgentes.

Il déverrouilla la portière d'Olivia. Elle resta debout, attendant la suite.

— Et… ?

— Il y a trente ans, les joueurs de base-ball qui, sans être de grands champions, y consacraient quand même leur vie, comme Boss, ne gagnaient pas des fortunes. Si bien qu'il avait peu d'économies.

— Je vois.

Elle se glissa dans la voiture et se pencha pour ouvrir la portière de Thorpe pendant qu'il contournait le capot.

— Alors tu lui as prêté de l'argent.

— J'ai fait un placement, corrigea-t-il en fermant sa porte. Ce n'était pas un prêt.

Elle l'observa tandis qu'il mettait le contact. Il était évident que parler de cet aspect de sa vie ne lui plaisait pas. Tans pis, se dit-elle, si elle insistait, c'était uniquement pour obéir à son instinct de reporter.

— Parce que tu savais qu'il n'accepterait pas un prêt. Ou que, s'il l'acceptait, son amour-propre en souffrirait.

Laissant le moteur ronronner, il se tourna vers elle.

— Tu en fais des suppositions après une aussi brève rencontre.

— Tu viens de me dire que j'étais intuitive... Quel est le problème, Thorpe? dit-elle avec un petit sourire narquois. Tu n'aimes pas qu'on découvre quel chic type tu es?

— Non, parce que alors on attendra que je me comporte toujours en chic type. Et ce n'est pas dans mes habitudes.

— Oh, oui, fit-elle en riant carrément à présent. J'oubliais ton image de type coriace, insensible, pragmatique.

Il l'embrassa avec impatience. Surprise, elle laissa les bras de Thorpe se refermer sur elle et s'abandonna à son étreinte. Si c'était une erreur, tant pis. Si c'était une folie, elle retrouverait son bon sens plus tard. En cet instant, elle ne voulait que goûter à nouveau au plaisir qu'il pouvait lui offrir.

La bouche de Thorpe savait satisfaire son avidité grandissante. Ce n'était pas le moment de se demander pourquoi lui seul était capable de transpercer le bouclier avec lequel elle se protégeait. Elle voulait seulement éprouver ce plaisir à nouveau.

Le cœur qui battait contre le sien révélait que cette faim était partagée. Elle était désirée. Faire l'amour avec lui... sentir sa peau contre la sienne, ses mains la caresser... Non, l'imaginer était stupide. Elle ne pouvait se le permettre. Mais comment se l'interdire?

Il promena ses lèvres sur les pommettes d'Olivia, puis sur ses tempes.

— J'aimerais continuer ça dans un endroit plus intime. J'aimerais te caresser, Liv.

Sa bouche revint sur celle de la jeune femme, brûlante et possessive.

— Tout entière. Et sans public.

Il rejeta la tête en arrière pour la regarder dans les yeux. Elle le désirait, c'était visible, ce qui accrut son propre désir.

— Viens chez moi.

Elle sentait ses battements de cœur résonner jusque dans sa tête, avec un élan furieux. Dire oui serait tellement simple. Elle voulait cet homme. Un élan violent, scandaleux, la poussait vers lui. Comment cela avait-il pu se produire aussi vite ? Si, un mois auparavant, quelqu'un avait émis l'idée qu'un jour elle aurait très envie de faire l'amour avec T. C. Thorpe, elle aurait éclaté de rire. À présent, cela ne semblait plus du tout risible. C'était naturel. Et terrifiant.

Olivia se dégagea et passa la main dans ses cheveux. Il lui fallait un peu de temps, un peu d'espace.

— Non, je ne suis pas prête pour ça, dit-elle en s'efforçant de maîtriser sa voix. Thorpe, tu me rends nerveuse.

— Bien, fit-il placidement quoiqu'il eût du mal à ne pas se ruer sur elle à nouveau. Je préfère ça à t'ennuyer.

Elle eut un rire rauque.

— Tu ne m'ennuies pas. Je ne sais pas très bien quels sont mes sentiments envers toi. Je ne suis même pas sûre que tu sois tout à fait équilibré. Cette… ce fantasme de mariage…

— Je te rappellerai cette conversation lorsque nous fêterons notre premier anniversaire de mariage.

Il s'écarta d'Olivia. Pour conduire, c'était plus prudent : mieux valait éviter de la toucher. Où était donc passée cette fameuse patience dont il se targuait ?

— Allons, Thorpe, c'est ridicule.

— Pense un peu aux conséquences sur l'Audimat.

Olivia se demanda comment il pouvait se montrer aimable à un moment donné, très séduisant le suivant et exaspérant ensuite. Elle était partagée entre le désir d'éclater de rire et celui de se cogner la tête contre le pare-brise de colère. Elle opta pour l'attitude la plus raisonnable.

— Bon, d'accord, dit-elle comme il s'insérait dans la circulation. Je vais te dire les choses de façon aussi limpide que possible, avec les mots les plus simples que je puisse trouver. Je ne t'épouserai pas. Jamais.

— Tu paries ? Cinquante dollars que tu m'épouses.

— Tu penses sérieusement que je vais parier là-dessus ?

— Tu n'as pas l'esprit sportif, dit-il en secouant la tête. Tu me déçois, Carmichael.

Elle fronça les sourcils.

— Va jusqu'à cent, Thorpe. Je te donnerai deux contre un.

— Affaire conclue, fit-il avec un sourire de jubilation.

7

Le décès brutal dû à une crise cardiaque du Premier ministre anglais Summerfield surprit le monde entier. Les télévisions et les radios ne cessaient de diffuser des flashes spéciaux, des récapitulations des quarante ans de carrière de Summerfield, des reportages sur les réactions des chefs d'État étrangers. La grande question était de savoir comment la mort d'un seul homme allait affecter l'équilibre des puissances dans le monde.

Deux jours plus tard, le président des États-Unis franchissait l'Atlantique à bord du Air Force One, avec Thorpe, tandis que le reste de la presse faisait le voyage dans un autre appareil.

Chargé de faire la liaison entre le secrétaire d'État chargé de la Communication et les autres journalistes, sa mission était aussi de suivre de près le Président. Une équipe de techniciens se tenait prête à filmer tout ce qui pourrait se produire d'intéressant lors du vol. Les places de devant étaient réservées au président des États-Unis, à son épouse et à leur entourage, secrétaires, agents des services secrets, conseillers. L'humeur était sombre.

Derrière Thorpe, les membres de son équipe jouaient au poker d'une façon inhabituellement silencieuse. Même leurs jurons se faisaient discrets. En d'autres circonstances, il se serait joint à eux pour faire passer le temps plus vite ; cette fois-ci, il avait trop de choses à penser pour avoir envie de plaisanter ou d'écouter des histoires d'un goût douteux.

Il fallait profiter du voyage pour rassembler des informations et organiser le travail de chacun lors des funérailles. Puis, à Londres, ce serait à lui de suivre pas à pas le Président, de guetter ses réactions, d'attendre ses commentaires. Boulot passionnant. C'était bien parce qu'il aimait travailler sur le terrain et trouver lui-même la matière de ses articles qu'il avait refusé d'aller présenter les informations à New York.

Il lui faudrait interroger le secrétaire d'État à la Communication et utiliser son sens de l'observation, non seulement pour son propre reportage mais aussi pour alimenter ceux de ses collègues.

Bien que cette mission fût un morceau de roi, il regrettait presque qu'on ne l'eût pas confiée à Carlyle ou Dickson, les correspondants des chaînes rivales. Car, si lui voyageait sur Air Force One, Olivia était dans l'avion de la presse.

Depuis quelques jours, elle avait repris ses distances et il n'avait pas insisté. D'ailleurs, le décès du Premier ministre anglais ne lui en aurait guère laissé le temps. Le plus frustrant était qu'ils n'avaient cessé de se croiser.

À la Maison-Blanche, au Capitole, à l'ambassade d'Angleterre, elle s'était montrée partout d'une froideur extrême. Rien ne rappelait la jeune femme dévorant son hot dog ou hurlant son enthousiasme devant un coup de circuit. Ce retour en arrière dans leurs relations horripilait Thorpe. L'impatience était dangereuse, il le savait. Et la sienne ne cessait de croître.

Je ne lui suis pas indifférent, se dit-il en jetant un coup d'œil par le hublot au moment où une légère turbulence faisait osciller l'appareil. Elle avait beau prétendre le contraire et afficher une sérénité glacée, elle ne pouvait oublier la façon dont elle avait réagi à ses baisers. Il avait senti qu'elle le désirait et que, une fois dans ses bras, elle ne contrôlait plus ce désir. Il fallait se contenter de cette certitude. Pour l'instant.

— Brelan de rois !

Un juron fusa derrière Thorpe.

— Hé ! T. C., viens nous aider avant que ces types nous nettoient complètement.

Il s'apprêtait à les rejoindre lorsqu'il vit le Président se glisser dans son bureau accompagné de deux de ses collaborateurs.

— Plus tard, dit-il en se levant.

Quand donc suis-je venue en Angleterre pour la dernière fois ? se demandait Olivia. L'été de ses seize ans lui revint en mémoire. Ses parents, sa sœur et elle avaient voyagé en première classe. On lui avait permis de goûter au caviar et Mélinda s'était vu offrir du champagne. Mélinda avait dix-huit ans et ce voyage était son cadeau d'anniversaire.

Mélinda n'avait cessé de parler des réceptions auxquelles elle irait, bals, thés, cocktails, pièces de théâtre. Et les robes ! Cela jusqu'à ce que leur père se terre derrière un exemplaire du *Wall Street Journal*. Trop jeune pour les bals, peu intéressée par les robes, Olivia s'était ennuyée à périr. Le mélange du caviar, d'une gorgée de champagne offerte par sa sœur et des turbulences avait eu un effet désastreux. Elle avait été malade, provoquant le dégoût de Mélinda, la surprise de sa mère et l'exaspération de son père. Et, en ce qui la concernait, le reste du voyage s'était déroulé allongée en travers de trois sièges sous la surveillance d'une hôtesse.

Douze ans s'étaient écoulés et les choses avaient bien changé. Ni champagne ni caviar ne lui était proposé. Contrairement à *Air Force One*, cet avion était bondé et bruyant. On y jouait aux cartes avec animation. Journalistes et techniciens déambulaient dans les allées, jouaient, discutaient, dormaient, chacun cherchant à alléger l'ennui d'un long vol. Il régnait cependant une sorte d'excitation, d'attente fiévreuse.

Olivia se plongea dans ses notes tandis que de l'autre côté de l'allée deux correspondants échafaudaient des hypothèses sur les conséquences du décès de Summerfield. Celui-ci avait été un membre très discret du parti conservateur. Mais sous son aspect d'étudiant prolongé, tout le monde avait senti un homme de fer. Aucune manœuvre politicienne n'avait jamais pu l'intimider ni le compromettre. Durant son mandat de Premier ministre, il avait eu à gérer au moins trois situations particulièrement difficiles et il s'en était bien sorti. Sa carrière de parlementaire avait été jalonnée de succès, tantôt triomphants, tantôt plus modestes.

Ces deux derniers jours, Olivia avait étudié la procédure parlementaire anglaise et la carrière de Summerfield afin de convaincre Carl de lui confier cette mission. Il avait d'abord rétorqué qu'il avait besoin d'elle à Washington et qu'elle n'avait jamais touché à la politique étrangère. Ce premier argument démoli, c'était Thorpe lui-même qui, bien évidemment, avait constitué le second et le plus solide obstacle. À ce souvenir, elle appuya si fort sur son crayon que la pointe se cassa.

Thorpe allait en Angleterre et avait été désigné pour suivre le Président. Il voyagerait sur *Air Force One* avec l'entourage présidentiel et une équipe de techniciens commune aux différentes chaînes. WWBW pouvait fort bien utiliser les reportages de Thorpe sans puiser dans son budget pour financer le voyage d'un envoyé spécial et d'une autre équipe.

Olivia avait consacré une bonne heure à la mise au point de ses arguments puis une autre heure à les exposer à Carl. Celui-ci enfin convaincu, elle avait eu autant envie de pousser des cris de joie que de grincer des dents d'exaspération. *Thorpe*. Quoi qu'elle fût, où qu'elle allât, elle butait sur lui.

Et pas seulement sur le plan professionnel.

Elle ne cessait de penser à lui. Durant la journée, au milieu des mille tâches qui l'assaillaient, il surgissait, en personne ou juste par l'énoncé de son nom. Et aussitôt revenaient les souvenirs du bal à l'ambassade, du baiser sur la terrasse, des rires au match de base-ball. La nuit, lorsqu'elle était seule, il se glissait dans sa tête, s'insinuait dans ses pensées. Quels que fussent les efforts d'Olivia, il était *là*, terriblement présent. Son rire, ce haussement de sourcil ironique, ses mains calleuses. Et, pire encore, il lui arrivait même de sentir le goût de ses lèvres sur les siennes. Le désir surgissait de façon inattendue et s'emparait d'elle avec une violence dont elle ne savait si elle devait s'irriter ou s'effrayer.

Il n'a pas le droit de me harceler comme ça, se dit-elle en cherchant un autre crayon dans sa serviette. Il n'a pas le droit de bouleverser l'ordonnance de ma vie. *Et ce pari.* Exaspérée, Olivia ferma les yeux. Comment avait-elle pu céder ?

Le mariage ! Était-il assez fou pour croire qu'elle envisagerait sérieusement une chose pareille ? Avec lui ? Quelle sorte d'homme pouvait tourner autour d'une femme en sachant qu'elle tolérait tout juste sa présence et ensuite déclarer qu'il allait l'épouser ? Et n'en pas douter ? Un fou, conclut-elle avec un haussement d'épaules. Ou alors un type très rusé. Elle se mordit la lèvre en songeant que T. C. Thorpe appartenait vraisemblablement à cette dernière catégorie.

Bien sûr, même très rusé, il ne pourrait l'épouser *de force*. Jamais elle ne se laisserait persuader. Donc, elle ne risquait rien.

Les yeux fixés sur ses notes, Olivia se demanda pourquoi, malgré cet habile raisonnement, elle se sentait si peu en sécurité.

— Mike, fit Thorpe en se glissant à côté de Donaldson, le secrétaire d'État à la Communication.

— Oui ?

Un sourire prudent sur les lèvres, Donaldson referma un épais dossier. Avec son crâne dégarni, ses joues pleines et sa bedaine, il avait l'aspect débonnaire du vieil oncle dont on écoute docilement les sornettes. Mais nul n'ignorait qu'un esprit vif et rigoureux fonctionnait sous cette façade trompeuse.

— Tu as quelque chose pour moi ?

— Que pourrais-je t'apprendre que tu ne saches déjà ? fit Donaldson en prenant un air étonné. Des funérailles nationales, des condoléances, des cérémonies et toute la pompe qui va avec. Il y aura un paquet de gros bonnets, passés et présents, au coude à coude. Et la famille royale. De quoi faire un bon article, T. C.

Il sortit sa pipe de sa poche et commença à la bourrer.

— Durant les deux jours à venir, tu n'auras pas le temps de t'ennuyer, reprit-il. Tu as reçu l'itinéraire du Président.

Thorpe le regarda tapoter le tabac du pouce.

— Il va être occupé.

— Il n'est pas venu à Londres pour faire du tourisme.

— Aucun d'entre nous, Mike. Nous avons tous une tâche à accomplir. Et je n'aimerais pas découvrir que tu as rendu la mienne plus difficile en me cachant des choses.

— Te cacher des choses, T. C. ? s'esclaffa Donaldson. Même si j'essayais, tu serais capable d'en dénicher assez pour te passer de moi.

— J'ai remarqué la présence à bord de deux agents supplémentaires des services secrets, glissa Thorpe d'un ton désinvolte.

— L'épouse du Président voyage avec nous.

— J'ai compté ses gardes du corps. Ceux-là sont en plus.

Il attendit deux secondes puis, Donaldson gardant le silence, il reprit :

— Les obsèques d'un homme comme Summerfield rassemblent des hommes politiques du monde entier.

Il se tut de nouveau tandis que le steward lui servait une tasse de café. Donaldson le regardait tout en allumant sa pipe.

— C'est pas marrant, des obsèques, fit Donaldson.

— Hum. Pas marrant du tout. Et dangereux, non ?

— Bon, T. C., on se connaît depuis longtemps. Qu'est-ce que tu cherches, au juste ?

— Une confirmation de mes pressentiments, répondit Thorpe avec un sourire froid. Tu ne sens rien, toi ? Moi, j'ai l'impression que le Président et toutes ces personnalités devraient rendre leurs derniers hommages avec une extrême prudence.

— Qu'est-ce qui te fait penser une chose pareille ?

— Une sorte de démangeaison.

— Eh bien, tu ferais mieux de te gratter, T. C. Je n'ai rien à te dire de plus.

Thorpe but son café tout en ayant l'air de réfléchir au conseil.

— Summerfield n'était guère apprécié par l'IRA.

Donaldson émit un petit gloussement.

— Ni par l'OLP, ni par des quantités d'organisations de ce style. C'est un bulletin d'informations que tu me communiques là, T. C. ?

— Juste un commentaire. Puis-je demander une déclaration au Président ?

— À quel sujet ?

— Ce qu'il pense de la politique de Summerfield à l'égard de l'IRA et ce qu'il pense du nouveau Premier ministre.

— Les vues du Président ont déjà fait l'objet d'un exposé, dit Donaldson en mâchonnant sa pipe. Quant au nouveau Premier ministre, attendons d'avoir enterré Summerfield... Il ne serait pas judicieux d'ébruiter tes soupçons, T. C., ajouta-t-il en le regardant droit dans les yeux. Inutile de donner des idées aux gens.

— Je veux seulement leur donner des faits, répondit prudemment Thorpe. Et j'aimerais bien qu'on puisse filmer pendant le vol.

Donaldson réfléchit deux secondes.

— J'arrangerai ça, mais sans le son. C'est à des obsèques que nous nous rendons. Soyons discrets.

— C'est ce que je pense aussi. Tu me tiendras au courant ?

Sans attendre de réponse, Thorpe se leva et rejoignit les joueurs de poker.

— Dès que Donaldson aura mis ça au point, vous irez filmer.

Baissant les yeux, il remarqua que le cameraman n'avait que deux paires dans son jeu.

— Mais en silence, ajouta-t-il à l'adresse du technicien du son. Tu peux te détendre. Je voudrais aussi qu'on prenne l'épouse du Président en train de broder.

— Tu veux une petite touche domestique, T. C. ?

— Exactement.

Il s'inclina et murmura :

— Et tâche de prendre aussi les hommes du service secret.

— D'accord.

— Montre ton jeu, fit l'électricien en jetant sa mise. Fais-nous voir un peu de quoi tu es si fier.

— Bof... une paire de huit, dit le cameraman avec un sourire narquois. Et une paire de reines.

— Une suite, répliqua l'électricien en étalant ses cartes sur la table.

Une bordée de jurons étouffés lui répondit. Thorpe regagna son siège.

Les quelques minutes d'entretien avec Donaldson avaient confirmé son intuition. La sécurité avait été renforcée et tout bon journaliste ne pouvait qu'en tirer certaines conclusions.

Depuis plusieurs années, le mot « terrorisme » était devenu très courant. Il n'était pas difficile d'imaginer que, lorsqu'on rassemblait des chefs d'État du monde entier, un attentat représentait plus qu'une éventualité.

Que pouvait-on craindre ? Une bombe ? Une tentative d'assassinat ? Un enlèvement ? Thorpe jeta un coup d'œil rapide sur les agents des services secrets. Des types solides, vêtus sobrement de costumes trois-pièces, qui resteraient en alerte durant les trois jours à venir. Tout comme lui.

Et les nuits ? Une fois que le Président aurait été prudemment mis à l'écart de la presse, des terroristes et de ses confrères étrangers, que ferait Thorpe de ses nuits ? Olivia et lui étaient logés dans le même hôtel. Avec un peu de chance, il s'arrangerait pour rester près d'elle pendant presque tout le temps. Deux choses jouaient pour lui : le fait qu'ils habitaient le même hôtel et sa détermination.

Fébrile, Olivia repoussa ses notes. Elle était incapable de se concentrer, de chasser Thorpe de ses pensées. Et savoir qu'ils n'allaient cesser de buter l'un contre l'autre durant les prochains jours ne facilitait pas les choses. Au moins, à Washington, les événements à couvrir ne manquaient pas. À Londres, il n'y en aurait qu'un. Et c'était Thorpe qui en avait pratiquement l'exclusivité.

Pourtant, pour assurer son propre reportage, il lui faudrait profiter de tout ce qu'il voudrait bien lui communiquer. Il faudrait le rencontrer, l'écouter, lui parler plusieurs fois dans la journée. Bien sûr, sur le plan professionnel, on ne pouvait rien lui reprocher. L'information serait claire et pertinente. Si seulement elle pouvait sortir d'une autre bouche…

Elle inclina son siège et ferma les yeux. C'était bien sa chance que Thorpe fût encore sur ce coup. Si un autre avait été désigné, elle se serait retrouvée à cinq mille kilomètres de lui. Bien qu'il lui fût désagréable de l'admettre, elle avait besoin de prendre de la distance. Il lui fallait trouver le moyen de l'éviter autant que possible. Durant les prochains jours, elle aurait fort à faire pour coller aux événements. Et lui aussi. Ils seraient tous les deux débordés, ce qui réglerait en partie le problème.

Et lorsqu'elle aurait un moment de loisir, elle s'éclipserait. Il avait le cuir trop épais pour respecter ses refus, ou sa froideur. Si un non ou un regard distant ne suffisaient pas, elle se rendrait indisponible. Quel dommage qu'ils dussent partager le même hôtel !

On n'y pouvait rien changer. Mais… elle pouvait passer très peu de temps dans sa chambre et éviter de rester seule. Se noyer dans la foule des journalistes appelés à couvrir l'événement ne devrait pas être trop compliqué.

Avec un soupir excédé, elle se tortilla sur son siège. Jouer à cache-cache n'était plus de son âge. Mais ce n'était pas un jeu. C'était une guerre, une guerre qu'elle aurait dû mener dès le début lorsqu'il se rapprochait d'elle à petits pas prudents mais dangereux. Éveillant insensiblement ses désirs. Et ensuite, lorsqu'il l'avait prise dans ses bras, lorsque sa bouche… Paniquée, elle redressa son siège. Thorpe n'y était pour rien, songeat-elle soudain. Tout simplement, après cinq années d'austérité, elle revenait à la vie des sens. Quoi de plus normal ? Le sourire de Thorpe lui revint en tête, ce sourire à la fois charmant et sûr de lui. Bon, il lui fallait vraiment garder ses distances.

Après l'atterrissage, Thorpe dut encore suivre le Président durant deux heures avant de pouvoir gagner son hôtel. Il lui fallait faire parvenir à la chaîne des quantités de films accompagnés de ses commentaires. Vu l'heure, CNC recevrait son reportage pour l'émission de la soirée. Après la mise à jour de onze heures, il en aurait fini pour la journée.

Il regarda Londres défiler derrière la fenêtre de son taxi. Il y avait un bout de temps qu'il n'avait pas mis les pieds dans cette ville. Six ans ? Non, sept. Mais il serait sûrement capable de retrouver le pub de Soho où il avait interviewé un attaché de l'ambassade américaine très nerveux. Il y avait aussi cette petite galerie de peinture dans le West End où il avait rencontré une jeune artiste peintre au corps digne de Rubens et à la voix onctueuse comme de la crème. Le bref souvenir des deux nuits capiteuses qu'ils avaient passées ensemble lui traversa la tête.

Sept ans auparavant, juste avant qu'il ne s'installe à Washington. Bien avant qu'il ne rencontre Olivia. Cette mission à Londres allait être totalement différente. Deux folles nuits avec une inconnue ne l'intéressaient plus. Il voulait toute une vie. Et avec une seule femme. Olivia.

Il descendit du taxi, son sac de voyage à la main. L'expérience lui avait appris à voyager léger. À cause de la bruine qui venait tout juste de s'interrompre, l'air était glacial. Cols remontés, les passants se hâtaient. À peine entré dans l'hôtel, il buta sur la troupe des journalistes qui se pressaient devant la réception. Son espoir de prendre une douche avant la réunion d'information se volatilisa.

— Bonsoir, Thorpe.

Soulevant son sac, il sourit à Olivia qui hocha la tête poliment.

— Ils nous ont préparé un coin pour la réunion ?

Elle lui répondit qu'une salle avait été réservée pour la presse au premier étage.

— Bon. Eh bien, montons, que je te dise tout ce que je sais.

Avant qu'elle ait pu se perdre dans la foule, il l'avait prise par le bras.

— Ton voyage s'est bien passé ?

Sachant qu'elle ne pourrait se dégager sans susciter la curiosité de leurs compagnons, elle répondit d'un ton désinvolte :

— Rien de spécial. Et le tien ?

— Trop long, fit-il tandis qu'ils s'entassaient dans l'ascenseur. Tu m'as manqué.

— Arrête, Thorpe.

— Tu veux que j'arrête de souffrir de ton absence ? Moi, j'aimerais bien. Le mieux serait que tu cesses de m'éviter.

— Je n'ai pas cherché à t'éviter. J'ai été très occupée, c'est tout.

L'ascenseur était tellement bondé qu'elle se retrouva pressée contre son flanc. Il prit son sac de l'autre main et glissa le bras sur les épaules d'Olivia, tandis qu'elle lui lançait un regard excédé.

Le parfum frais de la jeune femme perçait les odeurs de tabac, de sueur et d'eau de Cologne émanant de leurs voisins. Il eut du mal à ne pas plonger le visage dans ses cheveux.

— Tu es bien capable de faire un esclandre, n'est-ce pas ? demanda-t-elle à mi-voix, dans le bourdonnement des conversations.

— Si tu y tiens, oui. En particulier, j'ai très envie de t'embrasser, Liv. Là, tout de suite.

— Non !

Ne pouvant s'écarter, elle le fusilla du regard. Première erreur.

Sa bouche n'était qu'à quelques centimètres de la sienne. Ses yeux la fixaient avec une lueur de malice. Un bref accès de désir envahit Olivia, lui faisant oublier toutes ses résolutions.

La porte de l'ascenseur s'ouvrit et des gens descendirent, les libérant peu à peu. Olivia ne bougea pas. Ce n'était pas le bras de Thorpe qui la retenait mais son regard serein, le regard assuré de celui qui connaît la suite des événements.

— Viens, T. C., au boulot, dit-elle enfin en s'ébrouant.

Sans la lâcher, il la suivit dans le couloir.

— Réservons ce baiser pour plus tard, chuchota-t-il.

Libérée de l'emprise de son regard, elle dégagea son bras.

— Il n'y aura pas de plus tard, jeta-t-elle en s'éloignant, furieuse contre elle-même.

En moins d'une demi-heure, Thorpe transmit à ses collègues ce qu'il savait. Ceux-ci coururent compléter leurs reportages et, après vingt-quatre heures de travail ininterrompu, il put enfin s'installer dans sa chambre et prendre une douche bien méritée.

Olivia suivit le jeune garçon qui portait ses bagages. Elle attendit avec une légère impatience qu'il ait fini d'ouvrir les rideaux et de compter les serviettes de toilette. Son seul désir était de se faire apporter du thé et de se coucher.

Le décalage horaire l'épuisait. Elle fourra un billet dans la main du garçon et le poussa gentiment dehors. Sa sœur avait beau sillonner le monde et passer d'un pays à l'autre, de réception en réception, elle ne semblait pas en souffrir. Ce n'était pas Mélinda qui se serait mise au lit avec une tasse de thé. Elle se serait changée en hâte avant de se plonger dans la vie nocturne de Londres.

Mais elle n'était pas Mélinda. Elle ôta sa veste et se débarrassa de ses chaussures. Le lendemain, elle n'aurait pas une minute de repos. Un coup d'œil dans le miroir lui révéla les cernes de fatigue qui s'étalaient sous ses yeux. Pas question d'offrir ça à la caméra. Une tasse de thé, une brève relecture de ses notes et dodo. Elle allait décrocher le téléphone lorsqu'on frappa à la porte qui donnait dans la chambre voisine.

Elle soupira. Elle n'avait aucune envie de discuter avec un collègue, et encore moins de faire la fête.

— Qui est-ce ?

— Un membre de la presse laborieuse comme toi, Carmichael.

— Thorpe ! s'écria-t-elle, indignée.

La colère l'empêchant de réfléchir, elle ouvrit la porte brutalement. Vêtu d'une robe de chambre, les cheveux encore humides de sa douche, il s'appuya contre le chambranle, répandant une odeur fraîche de savon et d'after-shave.

— Qu'est-ce que tu fais là ? demanda-t-elle.

— Un reportage. C'est mon métier.

— Tu sais très bien ce que je veux dire. Qu'est-ce que tu fais dans la chambre voisine de la mienne ?

— Les hasards de la vie ? suggéra-t-il.

— Combien as-tu donné au réceptionniste pour t'arranger ça ?

— Liv, je ne suis pas obligé de répondre à cette question tendancieuse. Tu dois d'abord trouver des preuves de ce que tu avances et ensuite tu pourras me la reposer.

Sans cesser de sourire, il examina la chambre.

— Tu sortais ?

— Non.

Elle croisa les bras tout en cherchant une repartie acerbe.

— Bien. Une soirée douillette à la maison, c'est ce que je préfère moi aussi, dit-il en faisant quelques pas.

La main d'Olivia se posa sur sa poitrine pour le repousser.

— Attends, Thorpe.

Sa paume était tombée sur la partie que laissait à nu la robe de chambre dont les pans se desserrèrent un peu. Troublée par le contact des poils bruns qui frisottaient, elle laissa retomber son bras. Il souriait toujours avec une assurance exaspérante.

— Tu es insupportable.

— Je fais de mon mieux, pourtant, dit-il en enroulant une boucle d'Olivia autour du doigt. Mais si tu préfères sortir…

— Je ne sors pas, répéta-t-elle avec fureur. Il n'y aura pas non plus de soirée douillette. Je veux que tu comprennes...

— On ne t'a jamais dit qu'en pays étranger les collègues doivent se serrer les coudes ?

Son sourire enfantin la désarma. Elle dut pincer les lèvres pour garder son sérieux.

— Je fais une exception en ce qui te concerne, Thorpe... Pourquoi ne peux-tu me laisser seule ? ajouta-t-elle avec lassitude.

— Liv, laisser seule sa fiancée est contraire à la tradition.

Décontenancée par le ton raisonnable qu'il avait pris, elle mit deux secondes à réagir.

— *Fiancée* ? Je ne suis *pas* ta fiancée, cria-t-elle. Je ne vais pas t'épouser.

— Tu veux parier cent dollars de plus ?

— Non ! fit-elle en plantant un index furieux sur la poitrine de Thorpe. Maintenant, écoute-moi bien. Tes fantasmes ne regardent que toi. Laisse-moi en dehors. Ils ne m'intéressent pas.

— Tu as tort. Certains de mes fantasmes sont vraiment plaisants.

— Et je ne vais pas passer la nuit à côté d'un fou. Je vais demander une autre chambre.

Sur ce, elle pivota et empoigna ses sacs.

— Tu as peur ? demanda-t-il en la suivant.

— Peur ?

Lâchant ses bagages, elle se retourna vers lui.

— Le jour où j'aurai peur de toi...

— Non, je voulais dire peur de toi... Peut-être n'es-tu pas sûre de pouvoir t'empêcher de... voyons, frapper à ma porte ?

Bouche bée, Olivia écarquilla les yeux.

— Frapper à ta porte ?... Tu crois... tu te trouves tellement...

— Irrésistible ? suggéra-t-il.

Elle serra les poings.

— Je n'éprouve aucun problème pour résister à ton charme, Thorpe.

— Vraiment ?

Elle n'avait pas repris son souffle qu'elle était dans ses bras. Et avant même qu'elle eût l'idée de protester, la bouche de Thorpe s'écrasait sur la sienne. Il la pressait contre lui, si étroitement que leurs corps semblaient s'être modelés l'un sur l'autre. La bouche de Thorpe était ferme et insistante. Cette fois-ci, il garda le contrôle de la situation. Les doigts plongés dans les boucles d'Olivia, il l'embrassait avec ferveur.

— Pas de problème, Liv ? murmura-t-il en s'écartant juste assez.

Haletante, elle fit non de la tête. Il ne lui laissa pas le temps de répondre et s'empara de ses lèvres avec fièvre.

Elle s'entendit gémir et se cramponna aux épaules de Thorpe. Des frémissements la parcoururent dont il parut s'apercevoir car ses mains suivirent le même tracé, de la colonne vertébrale à la hanche, d'une cuisse au ventre.

Les deux mains d'Olivia exploraient le visage de Thorpe comme si elle voulait le sculpter. Ce qui ne fit qu'accroître le désir de Thorpe qui la serra davantage, la faisant se cambrer, se creuser contre lui. Sous ses doigts, les seins d'Olivia s'élevaient et s'abaissaient au rythme de sa respiration. Il les caressa du pouce jusqu'à ce qu'ils s'érigent.

Toute idée de résistance était anéantie. Elle voulait la brûlure de sa bouche, la meurtrissure de ses caresses. Lorsqu'il voulut l'embrasser sur la gorge, elle rejeta la tête en arrière pour mieux s'offrir. La chaleur de sa langue sur sa peau déclencha des frissons de plaisir. La poitrine nue de Thorpe écrasait ses seins. Captive, enchaînée autant par son propre désir que par celui de Thorpe, elle s'abandonna. Il l'embrassa dans le creux du cou, juste au-dessus de l'échancrure de son chemisier puis, avec une lenteur délibérée, remonta sur la gorge avant de suivre la courbe de la mâchoire. Lorsque sa bouche revint s'emparer de celle d'Olivia, ce fut comme si toute la faim et la soif qu'elle eût jamais connues se concentraient dans leurs lèvres soudées.

La passion l'envahit. Une lumière crue, aveuglante, parut exploser dans la tête d'Olivia et la laissa pantelante. Avec un cri étouffé qui tenait autant de la reddition que de la terreur, elle s'appuya contre lui.

Surpris par cette faiblesse inattendue, Thorpe s'écarta pour la regarder. Les yeux de la jeune femme exprimaient un mélange de désir, de peur et de confusion. Ce regard seul la protégeait plus efficacement que tout refus furieux.

La tendresse le submergea. La prendre maintenant serait facile mais la posséder physiquement ne lui suffisait pas. Lorsqu'ils feraient enfin l'amour, ce dont il ne doutait pas une seconde, elle viendrait à lui sans peur ni regret. C'était cela qu'il attendrait.

Avec un petit sourire, il l'embrassa doucement. Puis, histoire de l'aider à reprendre pied, il fit en sorte de ranimer son irritation.

— Au cas où tu déciderais de ne plus résister à mon charme, Carmichael, je ne verrouillerai pas ma porte cette nuit. Tu ne seras même pas obligée de frapper.

Il s'éloigna d'une démarche nonchalante et referma doucement le battant. Dix secondes plus tard, il entendit la chaussure d'Olivia heurter le panneau de bois et retomber sur la moquette.

Avec un sourire satisfait, Thorpe alluma la télévision pour voir ce que ses confrères anglais pourraient lui apprendre d'intéressant.

8

À six heures du matin, le réveil se déclencha. Olivia tendit machinalement la main vers le bouton d'arrêt de la sonnerie et ouvrit les yeux sur le plafond d'une pièce inconnue. Londres, se souvint-elle enfin.

Elle avait mal dormi, et c'était la faute de Thorpe ! Rongée par les doutes et les désirs qu'il avait déclenchés, elle avait passé la moitié de la nuit à se retourner dans son lit. Si elle était venue à Londres, c'était uniquement pour travailler. Même si elle en avait le temps, elle ne désirait rien d'autre. Et sûrement pas se lier de quelque façon que ce soit à ce type. Pourquoi ne pouvait-il l'admettre ?

Parce que, s'avoua-t-elle, ce qu'on dit n'est pas toujours cohérent avec ce qu'on fait. Comment pouvait-elle espérer convaincre Thorpe de son indifférence alors que chaque fois qu'elle se retrouvait dans ses bras elle réagissait avec une telle frénésie ? Oui, elle l'avait désiré. Durant le bref instant qu'avaient duré cette étreinte et ces baisers, elle se serait donnée à lui sans hésiter. Cette constatation l'effrayait.

Le problème résidait d'abord en elle. Et pour commencer, il ne fallait plus dire qu'elle ne voulait pas de lui, mais plutôt qu'elle refusait de se lier à lui.

Elle se leva et fit rapidement sa toilette. La journée s'annonçait trop chargée pour se complaire dans des dilemmes personnels. D'ailleurs, penser à Thorpe revenait à lui accorder trop d'importance. Il jubilerait s'il savait!

Elle avait emporté un tailleur très élégant, gris sombre, très ajusté. Le dernier bouton en place, elle s'examina brièvement dans la glace. Pas mal. Une pointe de fond de teint masquait ses cernes. *Encore Thorpe*, ronchonna-t-elle.

Elle fourra ses notes, un carnet supplémentaire et une poignée de stylos dans sa serviette, prit sa veste et s'apprêta à sortir. Un morceau de papier sous la porte de communication attira son attention. Elle s'accroupit et le ramassa.

«*Bonjour.*»

Elle ne put retenir un éclat de rire. Ce type était décidément complètement givré. Fou à lier. Cédant à une impulsion, elle déchira une feuille de son carnet et griffonna la même salutation qu'elle glissa sous la porte.

Comme prévu, elle retrouva son équipe dans un coin du bar de l'hôtel.

— Salut, Liv, fit Bob avec un petit sourire. Tu prends un petit déjeuner?

— Du café seulement, dit-elle en soulevant la cafetière. J'ai l'impression que trois litres ne seraient pas de trop.

— Ça va être une longue journée, dit-il avant d'enfourner une cuiller d'œufs brouillés.

— Qui va commencer sans tarder. Je voudrais qu'on aille prendre Westminster Abbey avant l'arrivée de la foule, ainsi que la résidence du Premier ministre, le 10 Downing Street. Si on a de la chance, on pourra même prendre la veuve de Summerfield. Ils vont sans doute mettre des barrières le long des trottoirs une heure avant le début de la procession.

L'un des cameramen lui proposa un toast grillé qu'elle refusa d'un signe de tête.

— Et puis, il nous faudra des vues de la foule sur lesquelles on pourra ensuite enregistrer les commentaires.

— Il faut que j'achète quelques souvenirs pour ma femme et mes enfants, dit Bob avec un sourire gêné. Déjà qu'ils étaient pas contents que je parte à Londres sans les emmener. Si je reviens les mains vides, je suis bon pour dormir sur le canapé.

— Tu pourras sûrement t'éclipser quelques minutes.

Tout en parlant, ses yeux se promenaient dans la salle.

— Tu cherches quelqu'un ? demanda Bob.

— Pardon ?

— Depuis que tu es là, tu n'arrêtes pas de regarder autour de toi. Tu attends quelqu'un ?

— Non, dit-elle, furieuse contre elle-même. Vous feriez bien de vous dépêcher de manger, vous autres. Notre emploi du temps est serré.

Durant les dix minutes suivantes, elle but son café en gardant le dos tourné au reste de la pièce.

Un soleil pâle réchauffait timidement l'atmosphère. Debout devant Westminster Abbey, Olivia parcourait ses notes en attendant que son équipe ait installé le matériel. La prise de vues durerait quarante-cinq secondes, pas plus, avait-elle estimé. Les tours de l'abbaye se dressaient dans un ciel brouillé par les nuages. La ville avait une teinte grise et l'atmosphère était lourde de pluie. Mais, pour l'instant, trop préoccupée par l'enregistrement à effectuer, Olivia ne prêtait aucune attention au décor.

— D'abord, tu me prends, expliqua-t-elle au cameraman. Après l'introduction, je me tournerai sur le côté et je désignerai l'abbaye. Tu suivras mon geste lentement avant de revenir sur moi.

— Compris, fit Bob.

Il attendit que l'éclairagiste ait mesuré la lumière.

— Ça y est ?

Olivia prit le micro avant de faire oui de la tête. Elle récita son texte une première fois puis, mécontente, recommença. Une légère brise soulevait ses mèches tandis qu'elle parlait de la cérémonie à venir. Aussi détendue que si son temps n'était pas compté à la seconde près, elle raconta brièvement l'historique de l'abbaye. Lorsque la caméra revint sur elle, elle fixa l'objectif avec gravité.

— Olivia Carmichael, de Westminster Abbey, Londres.

— Alors ? fit Bob.

— Ça ira.

Elle consulta sa montre et reprit :

— Maintenant, nous filons à Downing Street. Il nous reste deux heures avant le début de la cérémonie. Ce qui devrait nous laisser le temps de filmer la maison et d'interroger quelques passants. Et, avant d'envoyer au bureau tout ce que nous aurons réuni, il faudra voir Thorpe.

Tout en attendant le Président, Thorpe eut le temps de boire trois tasses de café. Un bref entretien avec Donaldson lui avait appris que le Président avait passé une bonne nuit et s'était levé tôt. Tant mieux.

La limousine attendait devant l'entrée de l'hôtel. En veston malgré le froid, Thorpe grillait cigarette sur cigarette. Son cameraman sifflotait tandis que le reste de l'équipe bavardait à mi-voix. Thorpe gardait les yeux fixés sur les agents des services secrets, visiblement en alerte.

Dès que le Président sortit, tout reprit vie. Le bourdonnement de la caméra se déclencha tandis que Thorpe notait la tenue de sa femme. Un bon reportage devait être minutieux, jusque dans les moindres détails. Micro en main, il s'avança.

— Monsieur le Président ?

Le Président se retourna et, d'un signe de tête, écarta son garde du corps.

— Bonjour, T. C., fit-il avec gravité. C'est une bien triste journée pour l'Angleterre et le monde entier.

— Oui, monsieur le Président. Pensez-vous que la mort du Premier ministre Summerfield aura un effet sur votre politique étrangère ?

— La mort d'Eric Summerfield sera durement ressentie par tous les hommes de paix.

Façon élégante de ne rien dire du tout, estima Thorpe sans éprouver de rancœur. C'était le jeu. D'ailleurs, le protocole lui interdisait de poser des questions trop précises le matin des obsèques.

— Monsieur le Président, reprit-il en changeant de tactique, avez-vous des souvenirs personnels du Premier ministre ?

Le changement de ton ne sembla pas perturber le chef d'État.

— Il adorait marcher, dit-il avec un sourire. J'ai découvert ça à Camp David. Eric Summerfield était un homme qui aimait réfléchir debout et en mouvement.

Sur ce, il rejoignit son épouse dans la limousine. Vaguement déçu, Thorpe attendit que la voiture de presse vienne le chercher.

Ses commentaires et le film de la cérémonie seraient diffusés par satellite. Il s'installa à proximité de Westminster Abbey pour commenter l'arrivée des personnalités.

La famille royale, les ministres, les ambassadeurs… Thorpe énuméra les noms des participants au fur et à mesure que des limousines les déposaient, entrecoupant son récit d'anecdotes sur la carrière et la vie privée d'Eric Summerfield. Les rues étaient noires de monde mais le bruit de fond restait discret, les spectateurs s'exprimant à voix basse comme s'ils se trouvaient eux aussi à l'intérieur de l'abbaye.

Thorpe aperçut Olivia de loin. Son corps se raidit une fraction de seconde avant le drame.

Bousculant un barrage de la police, une voiture fonça soudain vers le milieu de la procession. Un bruit de détonations rompit le brouhaha. Des têtes se courbèrent, des corps s'affaissèrent. La foule commença à s'éparpiller. Des cameramen s'élancèrent en quête d'un meilleur angle de vue. Micro en main, Olivia se mit à courir, sans cesser de décrire ce qu'elle voyait. Thorpe était déjà sur les lieux.

La procession s'était arrêtée. Une pluie de balles s'abattit sur la voiture folle. Le pare-brise se fissura en toile d'araignée, les pneus crevèrent et la voiture fit une embardée. Le conducteur parvint à la redresser; elle dérapa de nouveau, heurta le trottoir et s'immobilisa enfin. Quatre hommes armés en jaillirent. Des balles fusèrent à nouveau, tantôt en direction de la procession, tantôt des spectateurs. Il y eut des cris et un mouvement de foule paniquée. Des gens furent piétinés tandis que d'autres tentaient de fuir.

Olivia se frayait un chemin tant bien que mal à la suite de son cameraman. La foule se ruant en sens inversé, elle dut se débattre pour maintenir son cap. Les détonations continuaient à couvrir les cris de colère et de terreur. Des doigts accrochèrent son bras, un pied la fit trébucher. Sans cesser de parler dans son micro, elle s'obstina à avancer.

La main de Thorpe agrippa enfin son poignet et la retint. Une balle venait de s'écraser sur le trottoir à deux mètres de lui.

— Ne fais pas l'idiote, bon Dieu! cria-t-il.

Reprenant son micro, il poursuivit:

— Quatre hommes masqués et armés de fusils...

Ne pouvant s'approcher davantage, Olivia poursuivit son reportage de là où elle était. Par-dessus l'épaule de Thorpe, elle apercevait la voiture criblée de balles et les quatre hommes qui tiraillaient tous azimuts. Elle n'eut pas à donner d'instructions à Bob. Un genou à terre devant la foule, il filmait la fusillade aussi calmement qu'il aurait filmé une garden-party. Impassible, la presse poursuivait son travail. Dans un méli-mélo de langues, le récit de l'attentat parcourait les ondes de l'univers.

Une nouvelle pétarade éclata. Puis un silence sinistre s'abattit sur la scène.

Les quatre hommes s'étaient écroulés sur le sol. Thorpe continuait son récit d'un ton précipité. Son métier était de raconter les faits au moment où il les voyait se produire. C'était cela qu'il aimait. L'instantanéité. Le plus grand défi qu'avait à relever le journaliste de télévision : raconter ce qui se passait, tel que cela se passait, sans texte, sans préparation. Son instinct ne l'avait pas trompé.

Durant les quinze minutes suivantes, il parla sans discontinuer jusqu'à ce que la foule se calme et que la procession se remette en marche vers l'abbaye. La cérémonie aurait lieu. Le correspondant londonien de CNC, déjà posté à l'intérieur, prendrait la suite. Ce qui donnerait à Thorpe le temps de s'informer sur l'attentat. Il conclut par son nom et fit signe au cameraman d'arrêter de filmer.

— Tu n'avais pas le droit, s'écria aussitôt Olivia.

— Ta gueule, Liv, jeta-t-il, furieux.

Il rendit son micro à son technicien d'une main qui tremblait légèrement. Elle aurait pu se faire tuer ! Là, juste à côté de lui, elle aurait pu recevoir une balle mortelle.

— Pour qui te prends-tu... reprit-elle, dressée sur ses ergots.

D'une main sur son bras, il la fit taire.

— Il fallait bien t'empêcher de courir en plein milieu de la fusillade, gronda-t-il en la secouant. Qui aurait fait ton précieux reportage si tu avais reçu une balle dans la tête ?

Elle se dégagea brutalement.

— Je n'avais pas l'intention de me mettre sous les balles. Je savais très bien ce que je faisais.

— Tu ne pensais qu'à te jeter dans le feu de l'action, cria-t-il sans se soucier des regards curieux de leurs collègues. Qu'est-ce que tu espérais ? Qu'ils s'arrêtent de tirer deux minutes, le temps de te donner une interview ?

Sidérée, Olivia tenta de se défendre :

— Je ne vois pas de quoi tu parles. Je ne faisais que ce que tout reporter aurait fait… Et ce que tu faisais toi-même, ajouta-t-elle en repoussant une mèche d'un geste nerveux. Tu n'avais pas à interférer dans mon travail.

— Interférer dans ton travail ! Espèce d'idiote. Tu étais en train de te jeter sous le tir de quatre cinglés, juste pour les photographier en action.

— Mais je le sais ! hurla-t-elle en brandissant son micro. C'était ça, le sujet. Qu'est-ce qui t'arrive ?

Thorpe la regarda. Il savait bien que sa réaction était excessive mais sa colère ne cédait pas. De peur de la brutaliser de nouveau, il enfonça les mains dans les poches. Il ne pouvait supporter l'idée qu'elle risque sa vie… et qu'il n'y puisse rien.

— J'ai du boulot, dit-il sèchement en s'éloignant.

Les poings sur les hanches, Olivia le suivit des yeux. Apercevant le regard interrogateur de Bob, elle le rejoignit.

— Viens ! Nous aussi, on a du boulot.

Olivia interrogea des officiels, des spectateurs, des policiers. Elle écouta une femme livide qui avait reçu une balle perdue dans le bras. Il lui fallait s'appuyer sur les réactions et les suppositions de la foule, les faits connus étant très minces : quatre hommes non identifiés, un attentat suicide et pour l'instant aucune revendication politique de ce geste.

À part les auteurs de l'attentat, aucun mort n'était à déplorer. Vingt-quatre personnes avaient été blessées, plus à cause du mouvement de panique de la foule que des balles. Six avaient dû être hospitalisées et seulement deux souffraient de blessures graves. Olivia griffonnait sur son calepin, tout en se frayant un chemin dans la foule qui s'éclaircissait.

Si les terroristes avaient eu l'intention de faire annuler la cérémonie, c'était raté. Ils n'avaient pas compté avec le légendaire sang-froid des Britanniques. À l'intérieur de l'abbaye vieille de plusieurs siècles, le service funèbre commença à l'heure dite, tandis qu'au-dehors la presse et la police faisaient leur travail.

Des ambulances et des voitures officielles allaient et venaient. La voiture des terroristes fut dégagée. Avant la fin du service, tous les signes du drame avaient été effacés.

Bien placée, Olivia vit sortir la famille royale. La sécurité avait été renforcée, tout en restant discrète. La dernière limousine partie, les techniciens rangèrent leur matériel. Cela faisait des heures à présent qu'Olivia était debout. La fatigue se faisait sentir.

— Et maintenant ? demanda Bob.

— Scotland Yard, annonça-t-elle en s'étirant. J'ai bien l'impression que nous allons passer l'après-midi à poireauter.

Elle ne s'était pas trompée. Après des heures d'attente avec un groupe de collègues, elle eut droit à une brève déclaration officielle qui ne leur apprit pas grand-chose. À six heures, elle n'avait rien à ajouter à son reportage, en dehors d'une récapitulation et de la précision que les terroristes n'avaient toujours pas été identifiés. Olivia se fit filmer quelques secondes devant l'immeuble de Scotland Yard puis regagna son hôtel.

Épuisée, elle s'octroya un long bain brûlant. Mais, une fois en robe de chambre, elle se sentit incapable de se reposer. La pièce était trop silencieuse, trop vide et les événements de la journée avaient mis ses nerfs à vif. Elle regretta d'avoir refusé de se joindre à son équipe pour le dîner.

Il était encore tôt. Trop tôt. Affronter une seconde nuit de solitude dans cette chambre d'hôtel lui parut au-dessus de ses forces. Elle trouverait sûrement un collègue avec qui prendre un verre ou dîner. Mais passer la soirée à ressasser les événements de la journée ne la tentait pas non plus. Elle voulait voir Londres. Oubliant sa fatigue, elle commença à s'habiller.

Il faisait froid dehors et la pluie qui avait menacé toute la journée avait laissé une humidité pénétrante. Elle ne portait qu'un pantalon, un chandail et une veste trop légère. Sans direction précise, elle se lança dans les rues. La circulation était dense et les émanations des pots d'échappement étouffantes. Big Ben sonna huit heures. Si elle comptait dîner, il lui fallait trouver rapidement un restaurant.

Le souvenir du voyage effectué douze ans auparavant lui revint. À l'époque, c'était en Rolls qu'elle s'était promenée dans Londres. Vêtue d'une robe d'organdi rose et ridiculement chapeautée, elle avait eu droit à une garden-party à Buckingham Palace. Mélinda avait été présentée à la reine. Olivia avait eu très envie de visiter la Tour de Londres mais sa mère avait jugé plus profitable pour son instruction de l'emmener à la National Gallery. L'enfant s'était arrêtée sagement devant chaque tableau, tout en regrettant de ne pas voir à quoi ressemblait l'intérieur d'un pub anglais.

Quelques années plus tard, Doug avait envisagé d'aller faire un tour à Londres. Ils étaient alors à l'université et faisaient d'innombrables projets. Trop pauvres pour mettre de côté l'argent nécessaire, ils avaient attendu et puis l'amour s'était enfui et les rêves aussi, par voie de conséquence. Olivia chassa ces pensées moroses. Elle était à Londres, libre de voir la Tour de Londres ou un pub, ou encore de prendre le métro. Mais il n'y avait personne avec qui partager cette aventure. Personne à qui...

— Liv !

Elle se retourna et buta sur Thorpe qui lui tendit la main pour l'empêcher de tomber.

— Tu es seule ? demanda-t-il sans sourire, tandis qu'elle le contemplait, désorientée.

— Oui, je... Oui, je voulais me promener un peu.

— Tu as l'air perdue.

Il la lâcha et enfonça les mains dans ses poches.

— Je réfléchissais.

Elle se remit à marcher. Il resta à sa hauteur.
— Tu es déjà venue à Londres ?
— Une fois, il y a longtemps. Et toi ?
— Dans ma jeunesse.
Ils marchèrent en silence quelques instants. La réserve inhabituelle de Thorpe surprenait Olivia. Elle attendit qu'il prît l'initiative.
— Il n'y a rien de nouveau sur les terroristes, dit-il enfin.
— Oui, je sais. J'ai passé l'après-midi à Scotland Yard. Ils ont peut-être agi seuls.
Thorpe haussa les épaules d'un air d'ignorance.
— Ils étaient armés d'un matériel très sophistiqué mais ne semblaient pas trop savoir s'en servir. Eux seuls sont morts, en tout cas.
— Quelle stupidité ! murmura Olivia en pensant aux quatre hommes qui avaient si brièvement tenu la vedette.
Le silence retomba tandis qu'ils marchaient dans le froid. Les réverbères s'étaient allumés. Ils passaient d'une tache de lumière à une zone obscure et ainsi de suite. Tout à coup, la main de Thorpe se posa sur l'épaule d'Olivia.
— C'est un miracle qu'aucun journaliste ni aucun spectateur n'ait été tué.
— Oui.
Elle n'avait visiblement pas l'intention de lui faciliter les choses. Thorpe poussa un soupir agacé.
— Ma réaction a été excessive ce matin. Je m'excuse mais j'ai oublié que tu faisais ton travail. J'ai simplement pensé que tu risquais de te faire tuer, et cela je ne le voulais pas.
Elle le regarda attentivement.
— Bon, d'accord, dit-elle après réflexion.
— D'accord à quoi ?
— L'explication me paraît raisonnable. Mais la prochaine fois que tu m'empêcheras de faire mon boulot, je te remettrai à ta place comme tu le mérites. Compris ?

— Compris, dit-il en lui rendant son sourire.

— As-tu dîné ? demanda-t-elle comme ils se remettaient à marcher.

— Non, j'ai dû attendre Donaldson qui ne m'a finalement rien appris de spécial.

— Tu as faim ?

Il lui jeta un regard interrogateur.

— C'est une invitation, Olivia ?

— Non, ce n'est qu'une question. Réponds par oui ou par non.

— Eh bien, oui.

— Il paraît qu'en pays étranger on doit se serrer les coudes entre collègues. Qu'en penses-tu ?

— J'aurais tendance à confirmer.

— Viens, Thorpe, dit-elle en lui prenant le bras. Je t'invite à dîner.

9

Ils trouvèrent une petite rôtisserie encombrée et bruyante et s'assirent dans un coin. Les clients, alignés côte à côte, formaient un mur le long du comptoir. Une odeur de viande grillée et d'huile de friture emplissait l'atmosphère. Des lampes fluorescentes jetaient une lumière crue.

— Très romantique, commenta-t-il. Très adapté à une soirée d'amoureux.

— Ce n'est pas une soirée d'amoureux, dit-elle en ôtant sa veste. Je vérifie une théorie. Tu devrais faire attention à ne pas la gâcher.

— La gâcher ? répéta-t-il avec un air innocent. Comment cela ?

Pour toute réponse, elle fronça les sourcils.

Sa commande transmise, Olivia s'installa confortablement sur sa chaise et regarda autour d'elle. Au comptoir, deux hommes discutaient avec passion de courses de chevaux. Le brouhaha constant des conversations couvrait le grésillement des viandes sur le feu. C'était exactement ce genre d'endroit qu'elle avait désiré découvrir douze ans plus tôt, lors de son premier séjour à Londres.

Thorpe l'observait en silence. La légère tristesse qu'il avait vue sur son visage en la rejoignant dans la rue avait disparu. À quoi pensait-elle alors ? Ou à qui ? Il ignorait encore trop de choses. Et il se passerait encore un bout de temps avant qu'elle ne le mette au courant.

— Qu'est-ce que tu regardes comme ça ? finit-il par demander.

— Londres, répondit-elle avec un sourire. Et je vois beaucoup plus de Londres ici qu'en visitant musées et monuments.

— Apparemment, ce que tu vois te plaît.

— Je regrette seulement que nous soyons obligés de partir demain matin. J'aurais bien aimé passer une journée de plus ici.

— Qu'aurais-tu voulu faire ?

Elle haussa les épaules.

— Oh, voir tout et tous. Prendre un bus à impériale. Manger des frites dans un cornet en papier.

— Aller à Covent Garden ?

Elle fit non de la tête.

— Je suis déjà allée à Covent Garden. Je préférerais me promener sur les quais.

Sa chope de bière à la main, Thorpe éclata de rire.

— Tu es déjà allée sur les quais de Londres, Olivia ?

— Non. Pourquoi ?

— Je ne te le conseille pas. Du moins, pas toute seule.

— Tu oublies de nouveau que je suis reporter.

— Les dockers pourraient aussi l'oublier, répondit-il.

— Bon, d'accord, fit-elle, légèrement contrariée. De toute façon, nous repartons demain.

— Quels sont tes projets à l'arrivée ?

— J'irai faire un tour au bureau et ensuite je dormirai jusqu'à la fin du week-end.

— Quand as-tu vu Washington pour la dernière fois ? demanda-t-il comme on leur apportait des côtes de porc grillées.

— Qu'est-ce que tu veux dire ? Je vois Washington tous les jours.

— Je veux dire, pour le plaisir. T'es-tu promenée en touriste ?

— Heu, sans doute… fit-elle en coupant un morceau de viande.

— Tu es allée au zoo ?

— J'ai fait un article sur…

Le voyant sourire, elle posa sa fourchette.

— Bon, où veux-tu en venir ?

— Au fait que tu ne te détends pas assez.

— En ce moment, je me détends, non ?

— Le temps manque pour que je te montre Londres, insista Thorpe. Mais je pourrais te montrer Washington…

Une petite alarme se déclencha dans la tête d'Olivia. Elle joua avec sa fourchette tout en pesant sa réponse.

— Je ne crois pas, finit-elle par dire.

— Pourquoi pas ? demanda-t-il avec un sourire.

— Je ne veux pas que tu te fasses des idées.

— Quelles idées ? demanda-t-il d'une voix placide.

Baissant les yeux sur les mains d'Olivia, il se souvint de ses doigts sur son visage tandis qu'il l'embrassait.

— Écoute, dit-elle en cherchant les mots adéquats. J'apprécie ta compagnie mais…

— Carmichael, tu m'accables de compliments.

— Mais, poursuivit-elle en lui jetant un regard agacé, je ne compte pas me lier sérieusement avec toi et je ne veux pas que tu te fasses des idées.

Ses mots lui paraissant peu aimables, elle prit la tangente.

— Nous pourrions être amis… d'une certaine façon.

— De quelle façon ?

— Thorpe, arrête, s'il te plaît !

— Liv, je suis reporter. Il me faut des informations plus précises.

Il lui décocha un sourire serein avant d'avaler une gorgée de bière.

— Eh bien, en tant que reporter, tu devrais avoir assez d'intuition pour comprendre ce que je veux dire.

Il se pencha vers elle et susurra :

— Je suis fou de toi, Carmichael.

— Tu es fou, un point, c'est tout, corrigea-t-elle en affectant d'ignorer ses battements de cœur précipités. Mais j'essaie de ne pas en tenir compte afin de ne pas nuire à nos relations. Maintenant, si tu acceptes de rester sur un plan amical…

— Quelle est ta définition d'un « plan amical » ?

— Thorpe, tu es insupportable !

— Liv, j'essaie seulement de comprendre. Si je n'ai pas les faits bien clairs dans ma tête, comment puis-je arriver à une conclusion viable ? Bon, selon moi, enchaîna-t-il en lui prenant la main, tu es prête à admettre que ma compagnie ne t'est pas trop désagréable. C'est exact ?

Olivia retira sa main.

— Jusque-là, oui, dit-elle avec circonspection.

— Et tu es d'accord pour faire un pas de plus et que nous soyons amis ?

— Amis, rien de plus.

Bien qu'elle se rendît compte qu'il la menait par le bout du nez, elle n'apercevait pas encore le piège.

— Des amis, rien de plus, acquiesça-t-il.

Il leva son bock et porta un toast.

— À la suite, alors.

— Quelle suite ?

Il se contenta de sourire par-dessus le bord de sa chope.

— Thorpe… gronda-t-elle.

— Ton dîner est en train de refroidir, fit-il remarquer en jetant un regard intéressé à l'assiette d'Olivia. Tu vas manger tout ça ?

Perdant le fil de la discussion, elle baissa les yeux sur ses côtes de porc.

— Pourquoi ?

— Je n'ai pas déjeuné.

Elle éclata de rire.

— Eh bien, moi non plus !

Lorsqu'ils sortirent, une pluie fine tombait. Olivia offrit son visage aux gouttes fraîches. Elle était contente que Thorpe l'ait retrouvée, contente d'avoir dîné en sa compagnie. Tant pis si c'était stupide. Et tant pis si c'était dangereux. Elle avait besoin d'une soirée gaie, de parler et de rire avec quelqu'un. De se sentir vivre. Si c'était grâce à Thorpe, elle n'allait pas se poser de questions.

Quelques heures de volées. Quelques heures pour oublier les promesses qu'elle s'était faites un jour. Ce soir, ces promesses ne lui étaient d'aucune utilité. Ce soir, elle se sentait libérée du passé, libérée de l'avenir. L'instant présent avait son charme. Pourquoi le refuser ? Elle rit de bon cœur.

— À quoi penses-tu ? demanda Thorpe en la prenant dans ses bras.

— Je suis contente qu'il pleuve.

Sans cesser de rire, elle rejeta la tête en arrière. La bouche de Thorpe se plaqua sur la sienne. Jetant les bras autour de son cou, elle s'abandonna au plaisir de l'instant.

Il n'avait pas voulu l'embrasser. Seigneur non, il n'en avait pas eu l'intention. Mais lorsqu'elle avait éclaté de rire et rejeté la tête en arrière, ça avait été plus fort que lui. La pluie glissait sur ses joues, sur ses cheveux. Il la but sur ses lèvres.

Pour la première fois, il la sentait s'abandonner entièrement. Son désir se mua en embrasement. Ne voyait-elle pas combien il l'aimait, combien il avait besoin d'elle et ne pouvait-elle pas au moins avoir pitié ? Bon Dieu, il était prêt à se contenter de pitié si c'était tout ce qu'elle pouvait lui offrir. La pressant contre lui, il enfouit son visage dans le creux de son épaule.

Elle se dégagea et recula pour s'adosser à un réverbère. Pris d'une euphorie effrayante, son cœur palpitait frénétiquement. La vitesse et la violence avec lesquelles elle s'était embrasée la laissaient abasourdie. Et elle avait perçu en lui quelque chose, une sorte de désespoir qu'elle n'osait identifier.

— Thorpe, je...

Incapable d'admettre ce qui lui arrivait, elle secoua la tête.

— Je ne voulais pas... C'est arrivé malgré moi, acheva-t-elle lamentablement.

— Liv, fit-il en levant la main vers la joue d'Olivia.

— Non, s'il te plaît.

Elle ferma les yeux, déchirée par des élans contradictoires. Peut-être si elle parvenait à tout oublier, à effacer l'ardoise complètement, et ensuite... Mais non, impossible d'effacer ce qui s'était produit. Et elle ne se sentait pas de taille à recommencer.

— Je ne peux pas, murmura-t-elle en rouvrant les yeux.

Au lieu d'ôter la main de la joue d'Olivia, il la retourna et caressa la peau tendre du dos des doigts. La désirer plus aurait été impossible.

— Tu ne peux pas ou tu ne veux pas ?

— Je ne sais pas.

— Qu'est-ce que tu veux, Liv ?

— Ce soir, commença-t-elle en posant la main sur la sienne. Ce soir, sois seulement mon ami, Thorpe.

Ses yeux exprimaient une prière qu'il ne put ignorer. Il la prit par les épaules.

— Ce soir, Liv, je serai ton ami. Mais je ne ferai aucune promesse pour demain.

— D'accord.

Sentant la tension la quitter, elle lui sourit.

— Tu m'offres un verre ? Ça fait douze ans que j'ai envie de voir l'intérieur d'un pub londonien.

Il la lâcha et elle sentit au léger tremblement de sa main quels efforts cela lui coûtait.

— Je connais un endroit à Soho... s'il existe toujours.

— Allons voir, dit-elle en glissant son bras sous le sien.

Il existait toujours, seulement un peu plus crasseux que sept ans auparavant. Lorsqu'il poussa la porte et sentit l'odeur de bière aigre et de tabac froid, Thorpe se demanda si on avait aéré la salle depuis sa dernière visite.

— C'est parfait ! s'écria Olivia dans le nuage de fumée. Prenons une table.

Ils en trouvèrent une dans un coin. Olivia s'assit, le dos au mur. Les clients étaient pour la plupart debout, devant le comptoir. Des habitués, déduisit-elle de leurs attitudes familières. Plus loin, quelqu'un jouait du piano avec plus d'enthousiasme que de talent. Des voix l'accompagnaient, chacune à son rythme.

La serveuse s'approcha à contrecœur des nouveaux venus.

— Quèqu'vous prendrez ? demanda-t-elle en leur jetant un regard soupçonneux.

— Un verre de vin blanc pour la dame, répondit Thorpe. Et moi, je prendrai une bière.

— Ooooh, des Américains, s'écria-t-elle, tout à fait rassérénée. Vous visitez la ville ?

— Exactement.

Elle lâcha un rire bref et regagna le comptoir.

— Nous v'là avec deux Américains, Jake, annonça-t-elle au barman. Faut s'donner un peu d'mal.

— Comment as-tu découvert cet endroit ? murmura Olivia en riant.

— J'étais en mission ici il y a quelques années, dit-il en allumant une cigarette. Un attaché de l'ambassade américaine s'était pris pour un maître espion. Il avait choisi ce pub comme lieu de rendez-vous.

— Un vrai roman, s'esclaffa-t-elle. Qu'est-ce qu'il en est sorti finalement ?

— Rien de rien.

Déçue, elle secoua la tête.

— Oh, voyons, Thorpe ! Invente quelque chose au moins.

— Comment j'ai infiltré à moi tout seul un réseau d'espionnage international et comment j'ai lâché toute l'histoire aux informations de six heures ?

— C'est bien meilleur, approuva-t-elle.

— Et voilà, mes poulets, fit la serveuse en leur apportant les verres. Sifflez si vous voulez aut'chose.

— Tu sais, reprit Olivia lorsqu'ils furent à nouveau seuls. Tu colles très bien à l'image.

— L'image ?

— Le journaliste coriace que rien ne démonte. L'imperméable un peu froissé, la figure burinée, l'air désabusé. Debout devant un bâtiment officiel ou un bouge sordide, micro en main, sous une pluie battante. Il faut qu'il pleuve.

— Je n'ai pas d'imperméable, signala-t-il.

— Ne gâche pas tout.

— Même pour tes beaux yeux, je ne vais pas me mettre à faire des reportages en imperméable.

— Je suis effondrée.

— Et moi, fasciné.

— Ah bon ? Par quoi ?

— Par l'image que tu te fais d'un reporter assurant un direct.

— C'était l'image que je m'en faisais avant d'entrer en lice, reconnut-elle. Je me voyais donnant des rendez-vous à des personnages douteux dans des bars malfamés et lâchant à l'antenne des scoops stupéfiants avant l'heure du petit déjeuner. Une succession de gros titres jour après jour. L'aventure, l'excitation, l'action...

— Pas de paperasserie, pas d'attente interminable pour rien, pas de limite au temps d'antenne.

Il but une gorgée de bière tout en l'observant. Comment pouvait-elle rester aussi ravissante après une aussi longue journée ?

Elle éclata de rire.

— C'est tout à fait ça. J'ai commencé à apercevoir la réalité à l'université mais en conservant cette image de gloire et d'aventure ; je l'ai gardée jusqu'à ce que j'aie eu à couvrir mon premier homicide... C'est le genre de choses qui vous remet les pieds sur terre. Tu t'y es habitué, Thorpe ?

— On ne s'y habitue pas. Mais on supporte.

Hochant la tête, elle écarta ces pensées moroses. Le piano jouait une ballade mélancolique.

— Tu écris vraiment un roman ?

— J'ai dit ça ?

Elle sourit par-dessus le bord de son verre.

— Oui, tu l'as dit. Quel en est le sujet ?

— La corruption en politique, bien sûr. Et le tien ?

— Je n'en ai pas.

Elle lui jeta un regard malicieux qui le troubla.

— En fait, commença-t-elle. Heu... est-ce qu'on peut te faire confiance, Thorpe ?

— Non.

Elle rit.

— Non, bien sûr, mais je vais te le dire quand même... Entre nous, ajouta-t-elle.

— D'accord, entre nous.

— Quand j'étais à l'université et que je manquais d'argent, j'ai écrit pendant mes heures de loisirs.

Il se demanda comment elle avait pu manquer d'argent avec une famille aussi fortunée mais s'abstint de poser la question.

— Quel genre ?

— Quelques articles pour *Mon histoire vraie*.

Il faillit s'étrangler sur une gorgée de bière.

— Tu te moques de moi ? Ce journal où les gens se confessent ?

— Ne prends pas cet air condescendant. J'avais besoin d'argent. Et, d'ailleurs, ce n'était pas mauvais du tout.

Il lui jeta un regard incrédule.

— C'est vrai ?

— De la pure fiction.

— J'aimerais les lire... à titre de curiosité, c'est tout.

— Pas question.

La foule devenant plus bruyante, elle leva les yeux.

— Et toi, qu'as-tu fait dans ta folle jeunesse ?

— Je tenais un carnet de route.

La dispute de deux joueurs de fléchettes le fit se retourner.

— Ah, déjà journaliste !

— Et je draguais les filles.

— Cela va sans dire.

Les deux hommes s'invectivaient, nez à nez, tandis que les autres clients choisissaient leur camp avec allégresse. Thorpe sortit son portefeuille.

— On ne va pas partir ? demanda-t-elle.

— Les choses vont s'envenimer d'ici une minute.

— Je vois bien mais je voudrais regarder. Qui choisis-tu ? Celui avec le chapeau ou celui avec la moustache ?

— Liv, quand as-tu été mêlée pour la dernière fois à une rixe dans un bar ?

— Il n'y a pas de quoi s'affoler, Thorpe. Je parie sur le type au chapeau. Il est plus petit mais il a l'air plus nerveux.

Elle n'avait pas fini de parler que le moustachu lançait son premier coup de poing. Thorpe lâcha un soupir résigné et se renfonça dans son siège. À présent, Olivia serait plus en sécurité en restant là où elle était.

Les clients s'adossaient au comptoir, leurs verres à la main, et criaient des encouragements. Olivia sursauta lorsque son poulain reçut un coup de poing dans l'estomac. Les spectateurs sortaient des billets pour parier sur l'issue du combat. Le barman continuait à essuyer ses verres. Les deux hommes s'empoignèrent furieusement avant de s'écrouler sur le sol.

Thorpe les regarda lutter sauvagement. Une chaise fut renversée. Un homme s'écarta en levant son verre pour le mettre hors de portée. Des cris d'encouragements et des conseils fusèrent de toute la salle.

L'intuition d'Olivia s'avéra juste. L'homme au chapeau était glissant comme une anguille. Cravatant son adversaire pourtant plus costaud, il le somma de s'avouer vaincu. À demi asphyxié, écarlate, l'autre finit par s'exécuter.

— Tu veux un second verre ? demanda Thorpe comme le calme revenait.

— Hum ?

Elle reporta sur lui son attention et, remarquant son expression sévère, ne put retenir un sourire.

— Tu ne trouves pas que ce genre de chose pourrait faire un bon article ?

— Si tu traites des bagarres de bistrot, pourquoi pas ? Tu me surprends beaucoup, Olivia.

— Pourquoi ? Parce que je n'ai pas poussé des cris en me cachant les yeux ? demanda-t-elle en faisant signe à la serveuse. Thorpe, ils n'ont fait que se tabasser et se donner de quoi parler pendant les deux soirées à venir. C'est tout. On trouve plus de violence dans une salle de rédaction.

— Tu es solide, Carmichael, dit-il en portant un toast.

Flattée, elle trinqua avec lui.

— Merci, Thorpe.

Une heure du matin sonnait lorsqu'ils sortirent du pub. La pluie continuait à tomber avec obstination, scintillant dans les flaques sous les réverbères. Réchauffée par l'alcool, Olivia se sentait habitée par une sorte d'euphorie.

— Tu sais, commença-t-elle tandis qu'ils marchaient lentement dans Soho, lors de mon premier séjour à Londres, j'ai visité quantité de monuments et de musées, je suis allée à des thés et au théâtre. Mais j'ai l'impression d'en avoir vu plus ce soir que durant toute une semaine à cette époque.

Lorsqu'il prit sa main, elle n'émit aucune objection. Marcher avec lui aux premières heures du matin sous cette bruine persistante lui semblait très naturel.

— Quand j'ai quitté l'hôtel hier soir, je me sentais fatiguée et déprimée. Énervée. Je suis contente que tu m'aies retrouvée.

— Je voulais être avec toi, dit-il simplement.

Par prudence, Olivia évita de relever cette déclaration.

— Je suis contente que nous rentrions au milieu du week-end, reprit-elle. Une mission comme celle-ci est épuisante, surtout après la surprise de ce matin.

— Ce n'était pas tellement une surprise.

Elle lui jeta un regard inquisiteur.

— Tu veux dire que tu t'attendais à quelque chose de ce genre ?

— Disons que j'avais un pressentiment.

— Eh bien, tu aurais pu le partager avec nous, s'écria-t-elle avec une pointe d'exaspération. Après tout, c'était ton boulot.

— J'étais chargé de transmettre des informations. Pas des pressentiments. Mais toi, Carmichael, tu aurais dû repérer les indices... tu as des gouttes de pluie sur les cils.

— Ne change pas de sujet.

— Et ton maquillage a disparu.

— Thorpe...

— Tes cheveux sont mouillés.

Avec un soupir, Olivia renonça.

— Fatiguée ? demanda-t-il comme ils entraient dans l'hôtel.

— Non... Pourtant, Dieu sait que je le devrais, dit-elle en riant.

— Tu veux aller prendre un dernier verre au bar ?

— Non. Je veux avoir la tête claire demain. Il faut que je passe à Scotland Yard avant de partir. Tu as des relations là-bas, Thorpe ?

Ils entrèrent dans l'ascenseur. Thorpe appuya sur le bouton de leur étage.

— À toi de t'en faire.

— Je croyais que ton territoire, c'était Washington.

— Quand j'y suis, dit-il en la suivant dans le couloir.

— Ça veut dire que tu y connais quelqu'un, remarqua-t-elle d'un ton soupçonneux.

— Je n'ai pas dit ça. De toute façon, à partir de maintenant c'est notre correspondant à Londres qui va prendre la suite.

Comprenant qu'elle était dans une impasse, Olivia introduisit sa clé dans la serrure.

— C'est malheureusement vrai. Ça me déplaît de ne pas pouvoir suivre cette histoire.

Elle se tourna vers lui et lui sourit.

— Merci de m'avoir tenu compagnie.

Sans répondre, il lui prit la main et la leva à ses lèvres. Elle frémit et tenta de se dégager. Il la retint et déposa un baiser sur la paume ouverte.

— Thorpe, murmura-t-elle en reculant, la main toujours prisonnière. Nous nous étions mis d'accord pour être amis.

Bouleversé par le son rauque de sa voix, il la regarda dans les yeux.

— Nous sommes demain, dit-il. Je n'ai fait aucune promesse pour le lendemain.

Posant la main sur son épaule, il la poussa doucement à l'intérieur de la chambre.

Puis il la reprit dans ses bras. Lentement, il suivit des doigts son cou mince. Ses yeux rivés aux siens, il dessina le contour de ses oreilles, de ses pommettes, de ses lèvres. À ce contact, elles tremblèrent un peu mais aucun son n'en sortit. Avec la même lenteur, sa bouche suivit le trajet parcouru par ses doigts. Sans insistance ni exigence.

Lorsqu'il glissa les mains sous le chandail d'Olivia, elle ne tenta pas de résister. L'effleurant à peine, il remonta sur ses flancs puis redescendit. Elle frissonna de tout son corps. Il approfondit son baiser, lentement, tendrement.

Olivia ne résistait pas. Comme si elle avait déjà trop à faire avec un conflit intérieur pour se débattre. Ses seins se dressaient sous la paume qui les caressait. Un gémissement lui échappa.

Son instinct soufflait à Thorpe qu'il devait la traiter avec tendresse et patience. Pourtant son désir s'accroissait. Ses frémissements le bouleversaient. Mais il lui fallait plus. Il désirait qu'elle le caresse, qu'elle le réclame. Il la voulait maintenant. Sa bouche se fit plus exigeante. Il savait qu'elle luttait davantage contre elle-même que contre lui. Sa respiration était haletante, son corps se pliait au sien mais il restait un mur mince contre lequel il butait.

Lentement, il dégrafa la ceinture et glissa sa main sur le ventre d'Olivia. L'incroyable douceur de sa peau le bouleversa. Elle se pressa contre lui convulsivement. Son corps entier revenait à la vie et sa bouche se faisait avide. Puis, soudain, elle le repoussa et recula contre la porte en secouant la tête frénétiquement.

— Non, ne fais pas ça.

— Liv, supplia-t-il en la reprenant dans ses bras. Je ne te ferai pas mal. De quoi as-tu peur ?

Être si près d'obtenir ce qu'il avait si longtemps désiré et se faire rejeter…

— Je n'ai peur de rien, protesta-t-elle d'une voix sèche. Je veux que tu t'en ailles. Que tu me laisses.

La colère le prenant, il raffermit son étreinte.

— Tu parles !

Furieux et déçu à la fois, il s'empara avidement de sa bouche. Elle eut beau tenter de protester, ses lèvres réagissaient déjà.

— Maintenant, regarde-moi, dit-il en l'écartant. Regarde-moi et dis-moi que tu ne veux pas de moi.

Elle ouvrit la bouche mais le mensonge refusa de sortir. Elle ne put que le regarder. Tout courage l'avait désertée. Elle se retrouvait totalement sans défense.

— Et puis merde ! marmonna-t-il abruptement.

Il la repoussa et sortit en claquant la porte.

10

Le lundi suivant, Olivia se rendit au bureau, l'esprit serein. Elle avait passé le reste du week-end à réfléchir à ses relations avec Thorpe. Le mot relations ne lui plaisait d'ailleurs pas. Il impliquait quelque chose de personnel qui ne convenait pas. Situation était préférable.

En conclusion, elle avait décidé d'éviter les complications. Il était vrai qu'elle avait trouvé la compagnie de Thorpe plus agréable qu'elle ne l'avait imaginé. C'était un homme séduisant et amusant. Ce dernier terme la surprenait car jamais auparavant elle n'aurait supposé qu'il puisse l'être. Pourtant, on ne s'ennuyait jamais avec lui. À quoi s'ajoutait une gentillesse confondante.

Les circonstances de sa vie avaient rendu Olivia prudente. Mais elle était aussi honnête. Elle savait que la femme froide et réservée qui donnait les informations de 5 h 30 n'était qu'un masque derrière lequel sa sensibilité s'abritait. Thorpe avait bien failli découvrir sa véritable personnalité mais l'expérience avait rendu Olivia plus forte qu'il ne le pensait. Si elle voulait garder sous clé cette partie d'elle-même, elle y parviendrait. C'était aussi simple que ça. Du moins s'en était-elle convaincue.

Ce n'était pas parce qu'on était physiquement attiré par quelqu'un qu'il fallait tomber dans le piège d'une relation amoureuse. Elle n'avait aucune intention de se lier à Thorpe. Le travail les contraindrait à se rencontrer de temps à autre et peut-être même accepterait-elle de prendre un verre avec lui, à l'occasion. Le moment était venu de ramasser les débris de sa vie privée. De sortir, de s'amuser. On ne pouvait porter le deuil éternellement. Mais elle éviterait de se retrouver seule avec Thorpe. Il ne fallait pas sous-estimer cet homme.

Ce pari stupide était une erreur, qu'elle n'avait commise que par amour-propre. Pour le plaisir de gagner, un type comme Thorpe était prêt à tout et n'importe quoi. Elle aurait dû ignorer tout simplement ses propos stupides sur le mariage.

Le souvenir de son sourire satisfait lorsqu'elle avait relevé le pari continuait à la hanter. On aurait dit un chat qui sait comment ouvrir tout seul la porte de la volière.

Mais je ne suis pas un canari, se dit-elle en entrant dans la salle de rédaction. Et je n'ai pas peur des chats.

La salle de rédaction était, comme d'habitude, animée et bruyante. Les téléphones sonnaient sans arrêt. Seuls les écrans qui couvraient tout un mur étaient silencieux. Les stagiaires s'affairaient. Le chef d'édition discutait avec un reporter de son temps d'antenne. Deux techniciens franchissaient la porte, portant matériel et tasses de café.

— Combien de chatons ? s'écriait un journaliste au téléphone. Et elle les a eus où ?

— Liv ? appela le chef de rédaction adjoint. Le maire donne une conférence de presse à 2 heures. C'est pour toi.

Il lui fourra une feuille de papier dans la main et s'éloigna.

— Merci.

Elle y jeta un œil. Bon. Cela lui laisserait le temps de passer les deux millions de coups de téléphone nécessaires.

— Qui veut un chaton ? entendit-elle en traversant la pièce. Ma chatte vient tout juste d'en avoir dix dans l'évier de la cuisine. Ma femme est au bord de la crise de nerfs.

— Hé, Liv ? fit Brian comme elle passait devant son bureau. Il y a eu déjà deux coups de fil pour toi ce matin.

— Ah bon ?

Elle jeta un regard critique sur sa veste.

— Un nouveau costume ?

— Oui, fit-il en tirant sur les revers gris perle. Qu'est-ce que tu en penses ?

— Bouleversant. Et ces coups de fil ?

— Je me demandais si les épaules tombaient bien, dit-il en tirant sur les manches. Le premier était de la secrétaire de Mme Ditmyer. Elle voulait prendre date pour un déjeuner. Le second d'un individu nommé Dutch Siedel. Il a dit qu'il avait quelque chose pour toi.

— C'est vrai ? fit-elle, intéressée.

Dutch, un jeune employé qui nourrissait de hautes ambitions politiques, était sa seule source d'informations fiable au Capitole.

— Qui c'est, ce Dutch ?

— C'est le type qui prend mes paris aux courses, répondit-elle avec un sourire mystérieux en s'éloignant.

— Tu es une femme pleine de surprises, hein ? Et qui est le gommeux qui continue à t'envoyer des fleurs ?

La question l'arrêta net.

— Quelles fleurs ?

Brian examina ses ongles.

— Il y a une rose blanche sur ton bureau, comme la semaine dernière. Selon le petit stagiaire aux cheveux frisés, ça vient d'en haut… La visite de Thorpe au studio la semaine dernière a déclenché la curiosité, reprit-il avec un regard narquois. Vous collaborez sur un gros coup ?

— Nous ne collaborons sur rien du tout.

Olivia tourna les talons et gagna son bureau.

Elle était là. Une petite rose blanche et innocente avec ses pétales bien refermés. Olivia eut du mal à ne pas l'écraser dans sa main.

— Personne ne m'envoie jamais de fleurs.

Olivia se retourna vers la femme qui tapait à la machine derrière elle.

— C'est sans doute un romantique, dit celle-ci avec un soupir envieux. T'en as de la chance.

— Ouais, j'en ai de la chance, marmonna Olivia.

Où voulait-il en venir, bon sang ? Elle s'aperçut soudain qu'un silence inhabituel régnait dans la salle. Un rapide tour d'horizon lui révéla des regards curieux et des sourires entendus. Furieuse, elle s'empara du vase et le planta sur le bureau de sa voisine.

— Tiens, c'est pour toi ! s'écria-t-elle en quittant la pièce à grands pas énergiques.

Quelques rires la suivirent. Il était vraiment temps de mettre les choses au point.

Elle bondit hors de l'ascenseur dès qu'il s'immobilisa à l'étage de Thorpe et fonça vers le bureau de la réceptionniste.

— Il est là ? demanda-t-elle.

— Qui ?

— Thorpe.

— Heu, oui, il est là, mais il a rendez-vous avec le chef du personnel dans vingt minutes... Mademoiselle Carmichael !

Elle se leva pour suivre des yeux Olivia qui avait repris sa course.

— Oh, et puis flûte ! lâcha-t-elle en retournant à sa machine à écrire.

— Écoute ! commença Olivia avant que la porte ait claqué derrière elle. Il faut que ça cesse.

Haussant les sourcils, Thorpe posa son stylo.

— Très bien.

Cette réponse placide lui fit serrer les dents.

— Tu sais de quoi je parle.
— Non. Mais je suis sûr que tu vas me le dire. Assieds-toi, dit-il en désignant un siège.
Elle fit semblant de ne pas le voir et s'approcha du bureau.
— Cette rose ! C'est très gênant, Thorpe. Tu le fais exprès.
— Les roses te gênent ? demanda-t-il avec un sourire exaspérant. Tu préférerais des œillets ?
— Arrête, bon sang !
Elle posa les mains à plat sur le bureau, adoptant sans s'en rendre compte l'attitude qu'elle avait prise lorsqu'elle était entrée pour la première fois dans cette pièce.
— Ça ne marche pas avec moi, ce sourire en coin et cet air d'enfant de chœur. Tu sais très bien ce que tu fais. Tu cherches à me rendre folle !
Elle s'arrêta le temps de reprendre souffle ; il s'appuya sur son dossier.
— Tu sais à quelle vitesse les ragots circulent dans cette boîte. Avant midi, toute la salle de rédaction racontera qu'il y a quelque chose entre toi et moi.
— Eh bien ?
— Il n'y a *rien* entre toi et moi. Il n'y a jamais rien eu et il n'y aura jamais rien. Je ne veux pas que mes collègues puissent penser autre chose.
Thorpe reprit son stylo et tapota sur le bureau.
— Tu crains que cela ne nuise à ta crédibilité ?
— Ça n'a rien à voir avec ça, dit-elle en lui arrachant le stylo des mains pour le jeter de l'autre côté de la pièce. Il n'y a rien, rien, rien entre toi et moi. Un point, c'est tout.
— Voyons, Liv, protesta-t-il gentiment. Ouvre les yeux.
— Écoute…
— Non, écoute, toi.
Il se leva et s'approcha d'elle. Elle se redressa pour lui faire face.

— Il y a seulement deux jours tu m'embrassais.
— Ça n'a rien...
— Tais-toi. Je sais très bien ce que tu éprouvais alors et, si tu crois pouvoir prétendre le contraire, tu es stupide.
— Je ne prétends rien.
— Ah bon ? fit-il avec un haussement d'épaules dubitatif. Dans ce cas, je ne vois pas en quoi l'envoi d'une modeste rose peut te mettre dans cet état. Si tu veux que je te donne de quoi réellement t'offenser, dis-le. Je suis à ton service.

Il la prit dans ses bras. Pour la première fois, Olivia remarqua la lueur de colère dans ses yeux. Elle s'interdit de se débattre. Ce serait humiliant, il était plus fort qu'elle. Elle redressa le menton, l'air méprisant.

— Je ne doute pas que tu puisses te montrer offensant, Thorpe.
— Effectivement. Je suis un peu à court de temps, sinon je t'aurais fait une démonstration. Nous pouvons remettre ça au dîner, ce soir.
— Je ne dînerai pas avec toi, ce soir.
— Je viendrai te chercher à 7 h 30.

Il la lâcha et ramassa sa veste.

— Non.
— Je suis désolé mais je suis pris jusqu'à 7 h 15, dit-il en lui jetant un bref baiser. Si nous avons des choses à nous dire, il vaut mieux que ce soit en privé, non ?

Il avait marqué un point. Et la chaleur de ses lèvres imprégnait encore celles d'Olivia.

— Tu écouteras ce que j'ai à te dire ? demanda-t-elle d'un ton méfiant.
— Bien sûr.

Il s'inclina et lui octroya un second baiser. Elle recula.

— Et tu te comporteras raisonnablement ?
— Bien entendu, dit-il en enfilant sa veste.

Cet acquiescement trop facile n'était guère rassurant. Elle chercha en vain une objection.

— Il faut que je m'en aille, dit-il. Je te raccompagne jusqu'à l'ascenseur.

Tout en le suivant dans le couloir, Olivia se demandait si elle avait marqué ou perdu un point. Match nul, probablement.

Debout devant la porte de l'appartement d'Olivia, Thorpe hésitait. Ses propres motivations lui échappaient. Il n'avait pas l'habitude des rebuffades, encore moins venant d'une femme. Que ce fût dans sa vie privée ou dans sa vie professionnelle, il n'avait rencontré que des succès. Ceux de sa vie professionnelle, il les avait mérités en travaillant dur. Ceux de la vie privée étaient venus sans effort de sa part. Jamais il n'avait eu à consacrer des heures à une cour assidue, avec sourires enjôleurs et attentes interminables. D'habitude, les femmes lui tombaient dans les bras, et le choix s'était élargi en même temps que sa notoriété s'accroissait.

Pour se trouver une compagne d'un soir, il lui suffisait de décrocher son téléphone. Il connaissait des quantités de femmes intéressantes, très belles, célèbres même. Le blanc-bec qui traînait ses culottes devant le club-house des sénateurs avait fait du chemin.

Néanmoins, deux choses n'avaient pas changé. Il était toujours résolu à être le meilleur dans son domaine et, lorsqu'il désirait quelque chose, rien ne le détournait de son objectif. Enfonçant les mains dans ses poches, il jeta un regard perplexe à la porte d'Olivia. Était-ce ce goût de réussir à tout prix qui l'avait amené là ?

Ce n'était pas aussi simple que ça. Seul sur ce palier obscur, il pouvait voir son visage, entendre sa voix, sentir son parfum. Jamais il n'avait pu évoquer une femme aussi fidèlement en son absence. Jamais il n'avait souffert à l'idée d'attendre qu'une femme voulût bien de lui. Olivia représentait un défi, soit, et il aimait les défis. Mais cela n'expliquait pas sa présence devant cette porte fermée. Il l'aimait. Il la voulait. Et il était décidé à l'avoir. Il appuya sur la sonnette et attendit.

Olivia portait son manteau sur le bras lorsqu'elle ouvrit. Elle n'avait pas l'intention de le laisser entrer. Tant qu'à sortir avec lui, cela se passerait dans un restaurant où elle ne risquerait pas de répéter les trop nombreuses erreurs déjà commises.

— Je suis prête, dit-elle de son ton le plus froid.

— C'est ce que je vois, dit-il sans bouger tandis qu'elle refermait la porte derrière elle.

Comme il ne se décidait pas à reculer, il lui fallait soit le pousser, soit rester immobile. Elle opta pour la seconde solution. Il était venu tout de suite après son émission, qu'Olivia avait regardée – bien qu'elle n'eût pas l'intention de l'avouer. Il avait ôté sa cravate, déboutonné le premier bouton de sa chemise et paraissait aussi décontracté qu'elle était tendue.

— Tu es toujours en colère, ne put-il s'empêcher de remarquer.

Il ignorait laquelle de ses expressions il préférait, de la sincérité grave qu'elle manifestait à l'écran ou de l'exaspération contenue qu'il lui voyait si souvent.

Ce n'était pas tout à fait exact. Olivia n'était pas fâchée mais nerveuse, et furieuse contre elle-même et ses réactions imprévisibles. Car, déjà, elle avait du mal à ne pas sourire.

— Je pensais que nous allions mettre les choses au point tout en dînant, Thorpe. Pas dans le couloir de mon immeuble.

— Tu as faim ?

Ses lèvres la trahirent. Elle sourit malgré elle.

— Oui.

— Tu aimes la cuisine italienne ? demanda-t-il en lui prenant la main pour l'entraîner vers l'ascenseur.

— Oui, beaucoup.

Elle tenta de dégager sa main mais il fit semblant de ne pas le remarquer et tint bon.

— Très bien. Je connais un petit endroit où les spaghettis sont fantastiques.

— Parfait.

Vingt minutes plus tard, ils s'arrêtaient devant « le petit endroit » qui n'était autre que le grand immeuble blanc du Watergate.

— Qu'est-ce qu'on fait là ? demanda-t-elle.

— On va dîner.

Il gara sa voiture et se pencha pour lui ouvrir sa portière. Elle descendit et attendit.

— Il n'y a pas de restaurant italien au Watergate.

— Non, fit-il en lui reprenant la main et en la guidant vers la porte d'entrée.

Les soupçons d'Olivia s'accrurent.

— Tu as dit que nous irions dans un restaurant italien.

— Non, j'ai dit que nous allions manger des spaghettis.

Ils traversèrent le vestibule et Thorpe appuya sur le bouton de l'ascenseur.

— Où ça ? fit-elle, de plus en plus inquiète.

— Chez moi, répondit-il tout en la poussant dans l'ascenseur.

— Oh, non, protesta-t-elle trop tard, la cabine commençant à s'élever. J'ai accepté de dîner avec toi pour pouvoir discuter mais je...

— C'est difficile de parler sérieusement dans le brouhaha d'un restaurant, tu ne trouves pas ? remarqua-t-il comme la porte s'ouvrait. Et j'ai l'impression que tu as beaucoup de choses à dire.

Il ouvrit sa porte et lui fit signe d'entrer.

— Oui, mais...

L'odeur d'une sauce bien épicée l'accueillit. Elle franchit le seuil.

— Qui a fait la cuisine ?

— C'est moi.

Il la débarrassa de sa veste et ôta la sienne.

— Non, je ne te crois pas, dit-elle en lui jetant un regard soupçonneux.

Comment un homme aux paumes calleuses, au regard intelligent et à l'allure aussi distinguée, pouvait-il s'affairer autour de casseroles ?

— Que tu es sectaire !

Il lui vola un baiser rapide avant qu'elle ait pu s'écarter.

— Ce n'est pas ce que je voulais dire, balbutia-t-elle, troublée autant par le baiser que par l'odeur appétissante qui sortait de la cuisine. Je connais des tas d'hommes qui font la cuisine mais…

— Mais tu ne m'en croyais pas capable.

Il éclata de rire tout en gardant les mains sur les bras d'Olivia. Sa peau était trop douce pour qu'il pût résister.

— Je suis gourmand et j'en ai marre des restaurants. En outre, j'ai appris dès l'enfance. Ma mère travaillait et c'est moi qui préparais les repas.

Ses mains lui caressaient les bras ; elle sentit son pouls s'accélérer. Les paumes rêches sur cette peau satinée éveillaient des sensations érotiques chez l'un comme chez l'autre.

— Arrête, murmura-t-elle, effrayée à l'idée de ne pouvoir s'empêcher de franchir le pas suivant, se jeter dans ses bras.

— Arrêter quoi, Liv ?

La vue du désir qu'il voyait s'éveiller chez elle embrasait ses sens.

— Ne me touche pas comme ça.

Thorpe garda le silence trente secondes puis laissa retomber les bras.

— Tu es efficace dans une cuisine ?

Elle sentit le sol se raffermir sous ses pieds.

— Pas vraiment.

— Peux-tu préparer une salade ?

Pourquoi s'en tirait-il aussi facilement ? se demandait-elle, agacée. Il affichait un sourire serein tandis que les genoux d'Olivia tremblaient encore.

— Oui, si tu me donnes les instructions.

— Je vais tout t'expliquer, dit-il en lui prenant le bras amicalement, ce qui la fit néanmoins frémir. Viens me donner un coup de main.

— C'est ton habitude d'inviter des femmes pour les mettre au boulot à peine arrivées ?

S'accorder à son humeur badine l'aiderait à oublier cet instant de faiblesse.

— Toujours.

La cuisine fut une vraie surprise. Des petits paniers métalliques contenant ail, oignons et pommes de terre étaient suspendus près de la fenêtre et une rangée de crochets soutenaient des casseroles en cuivre. Une batterie d'ustensiles, dont certains lui étaient inconnus, étaient accrochés au mur, tous à portée de main, que l'on se trouvât devant le fourneau ou devant le plan de travail. Des bocaux en verre laissaient voir des légumes secs et des pâtes de couleurs et formes variées. En comparaison, la cuisine d'Olivia était désertique. Celle-ci était le royaume de quelqu'un qui non seulement savait préparer de bons petits plats mais en plus aimait cela.

— Je vois que tu cuisines vraiment, s'émerveilla-t-elle.

— Ça me détend, comme de ramer. Ces deux activités demandent efforts et concentration.

Il déboucha une bouteille de bourgogne pour laisser le vin s'aérer quelques instants. La cocotte d'où s'exhalait le parfum appétissant attira Olivia.

— Quand as-tu eu le temps de préparer ça ?

— Ce matin, avant de partir, dit-il en soulevant le couvercle.

— Tu es terriblement sûr de toi, remarqua-t-elle, agacée par son sourire satisfait.

Elle n'en revenait pas de constater comme il arrivait à l'irriter aussi souvent en si peu de temps. Thorpe plongea une cuillère en bois dans le liquide épais et frémissant.

— Tiens, goûte.

La faim l'emportant sur la colère, elle ouvrit la bouche.

— Oh, fit-elle comme la saveur délicieuse réveillait ses papilles. C'est immoral.

— Les meilleures choses le sont souvent, dit-il en remettant en place le couvercle. Je vais m'occuper des pâtes et du pain, et toi, de la salade.

Il remplissait déjà une casserole d'eau. Olivia hésita. Le goût épicé de la sauce comblait encore ses papilles. Rien, décida-t-elle, ne l'empêcherait de goûter à ces spaghettis fabuleux.

— Tout est dans le réfrigérateur, ajouta-t-il.

Elle repéra les légumes frais et alla les déposer dans l'évier.

— Il me faudrait un saladier.

— Second placard au-dessus de ta tête.

Il saupoudra l'eau de sel et alluma le brûleur sous la casserole.

Elle fouilla le placard tandis qu'il coupait le pain. Il s'arrêtait de temps à autre pour l'observer, dressée sur la pointe des pieds, la robe voletant au rythme de ses efforts. Puis en train d'éplucher un poivron vert sous le jet de l'évier, ses mains glissant sur la peau lisse du légume. Elle avait de jolis ongles, soignés, au vernis incolore. Son maquillage était toujours discret, de même que ses vêtements. Était-ce pour se démarquer de sa sœur et de ses tenues flamboyantes ou bien était-ce une question de goût personnel ?

Olivia posa les légumes lavés sur la planche à découper. Il lui tendit un verre de vin.

— Tout travail mérite sa récompense.

Le regard de Thorpe la fixait sans ciller. Elle ne put faire autrement que de tremper ses lèvres.

— Merci, balbutia-t-elle.

— Il te plaît ? D'habitude, tu prends du vin blanc.

Il leva le verre et but une gorgée.

— Il est bon, répondit-elle en examinant les couteaux que proposait un panneau de bois.

Il en choisit un pour elle et le détacha.

— Attention, il est bien aiguisé. Sois prudente.

— J'essaie, acquiesça-t-elle avant de se mettre au travail.

Elle l'entendait bouger derrière elle, verser les pâtes dans l'eau bouillante, disposer le pain dans le four. Sa proximité la troublait, réveillant tous ses sens. Le temps de préparer la salade, ses nerfs étaient à vif. Elle prit le verre de vin qu'il avait laissé à côté d'elle et but avidement. Calme-toi, s'ordonna-t-elle, sinon tu vas oublier pourquoi tu es venue.

— C'est prêt ? demanda-t-il en posant les mains sur ses épaules.

Elle se retint à grand-peine de sauter en l'air.

— Oui, tout est fait.

— Parfait. Eh bien, commençons.

Une petite table était dressée sur une estrade séparée du salon par quelques marches et une rambarde en fer forgé. Malgré la vue magnifique sur la ville qu'offrait la fenêtre, le coin avait un air intime. Des bougies de tailles et de formes différentes répandaient dans la pièce une lumière douce et frémissante. L'élégance du service en porcelaine anglaise surprit Olivia, qui s'efforça de ne pas succomber à cette atmosphère romantique. Elle était venue pour parler. Mais peut-être était-il préférable d'attendre un peu avant d'en venir au vif du sujet.

— Tu as un bel appartement, commença-t-elle. Ça fait longtemps que tu y habites ?

— Trois ans.

— Tu as choisi d'habiter dans l'immeuble du Watergate à cause de... de son passé coloré, acheva-t-elle avec un sourire.

— Non. C'était ce qu'il me fallait, c'est tout. J'étais en Israël quand l'affaire du Watergate a éclaté. J'ai toujours regretté de ne pas être là pour la couvrir.

Il lui tendit l'huile et le vinaigre et reprit :

— Je connais un chef de rédaction qui a écarté l'histoire lorsqu'on la lui a soumise. À son avis, ce n'était pas le moment et personne ne se soucierait de cette infraction minime à la déontologie. Maintenant, il vend des voitures d'occasion quelque part dans l'Idaho.

Olivia éclata de rire.

— Combien de temps es-tu resté au Moyen-Orient ?

— Trop longtemps.

Le regard interrogateur de la jeune femme le poussa à poursuivre :

— D'innombrables heures d'ennui et quelques moments de terreur. Ce n'est pas une façon saine de vivre. La guerre ouvre les yeux, sans doute trop, sur ce dont les êtres humains sont capables.

— Ça doit être difficile, murmura-t-elle. Couvrir une guerre, ce genre de guerre, dans un pays étranger...

— C'était une expérience, fit-il en haussant les épaules. Le problème, c'est que, lorsque tu fais un reportage, tu as tendance à oublier que, toi aussi, tu es un être humain. Pendant un instant, là-haut, précisa-t-il en se tapotant la tempe, tu te crois indestructible. Protégé par la caméra, le micro, les gens qui vont t'écouter. Ce qui est une illusion que ni les grenades ni les balles ne respectent.

Elle comprit ce qu'il voulait dire. Il lui était arrivé de suivre étourdiment une équipe de démineurs dans un immeuble dont on craignait l'explosion imminente. Elle ne pensait alors qu'à faire son métier. La gravité de ce qu'elle avait fait ne lui était apparue que beaucoup plus tard.

— C'est étrange, n'est-ce pas ? remarqua-t-elle. Et il n'y a pas que les journalistes à se comporter comme ça. Les cameramen font probablement pire. À quoi est-ce dû, à ton avis ?

— D'aucuns disent qu'informer le public est une mission, un devoir sacré, et que cela explique la témérité. Moi, je crois tout simplement qu'on est pris par l'action.

On ne réfléchit pas. On ne pense qu'à l'événement qu'on doit couvrir et à faire son métier.

Elle se rappela le reproche qu'il lui avait fait quelque temps auparavant.

— Le petit bout de la lorgnette. Ce n'est pas aussi romantique qu'une mission sacrée.

Les yeux fixés sur le jeu des flammes sur la peau d'Olivia, il sourit.

— C'est le romantisme que tu cherches dans ton travail, Liv ?

La question la fit sursauter et la ramena à son propos. Le moment était venu, se dit-elle.

— Non, pas du tout. D'ailleurs, c'est pour parler de ça que j'ai accepté de dîner avec toi ce soir.

— Tu veux garder bien séparés le boulot et le romantisme ?

Elle fronça les sourcils. Pourquoi cela semblait-il si puéril quand c'était lui qui l'énonçait ?

— Oui... heu, non.

— Je vais chercher les spaghettis pendant que tu te décides.

Furieuse contre elle-même, Olivia déchiqueta un croûton aillé. Pourquoi donc, à peine se trouvait-elle à côté de lui, les choses ne se conformaient-elles pas à ce qu'elle avait prévu ? Et pourquoi semblait-il toujours dominer la situation ? Elle se redressa et prit son verre. Bon. Inutile de s'affoler. Elle allait tout simplement recommencer à zéro.

— Et voilà.

Thorpe déposa sur la table le plat de spaghettis surmontés d'une sauce épaisse. L'arôme irrésistible poussa Olivia à se servir sans attendre.

— Thorpe, attaqua-t-elle, je croyais que tu avais compris ce que je t'ai dit l'autre jour.

— J'ai parfaitement compris, Olivia. Tu t'exprimes très clairement.

Il se servit à son tour.

— Alors tu devrais sentir que tu me rends les choses difficiles...

— En t'envoyant des fleurs, acheva-t-il tout en lui tendant le bol de fromage râpé.

— Heu, oui...

Évidemment, dit de cette façon, ça semblait complètement idiot. Avec application, elle enroula les spaghettis autour de sa fourchette.

— C'est très gentil... mais je ne veux pas que toi ou quelqu'un d'autre en tire des conclusions.

— Bien sûr, fit-il tout en la regardant prendre sa première bouchée. C'est comment ?

— Fabuleux. Absolument fabuleux.

S'abandonnant à ce plaisir purement sensuel, elle se tut.

— Je n'ai jamais rien mangé de meilleur, dit-elle enfin. En tout cas, ce n'est pas le genre de choses qui vient à l'esprit quand on pense à toi.

— De quoi parles-tu ?

Il éprouvait une grande satisfaction à la voir apprécier sa cuisine et lécher sa fourchette avec délectation.

— Aux envois de fleurs. Surtout quand il y a une sorte de rivalité. Les informations régionales et les informations nationales appartiennent à la même famille. J'en connais un bout sur la rivalité dans une famille.

— Tu penses à ta sœur.

La flamme de la bougie éveillait des petits éclats dorés dans les yeux d'Olivia, si nets qu'il aurait presque pu les compter.

— Hum... Avec une sœur comme Mélinda, je sais ce que c'est que d'avoir la plus petite part. Ça m'était égal. Ce genre de situation oblige à être plus inventive. Il se passe la même chose quand on s'occupe des nouvelles régionales.

— C'est ton opinion ?

Il lui prit la main et examina les ongles, que mettait délicatement en valeur un vernis incolore.

— Tu as vraiment l'impression d'avoir la plus petite part ? insista-t-il.

— Vous avez le plus gros budget. Plus de temps, plus de publicités. Mais nous pouvons prétendre à la même qualité, sur une plus petite échelle.

Elle sentit le cal de son pouce sur ses phalanges. Un frisson inattendu lui parcourut le dos. Elle retira prudemment la main et prit son verre.

— Mais ce n'est pas de cela que je voulais parler.

— Vas-y.

Thorpe lui décocha un sourire, lent et intime, qui lui fit pratiquement perdre la tête. Elle se ressaisit en hâte.

— Tu sais comme les ragots fleurissent dans une salle de rédaction. Il est difficile d'y protéger sa vie privée. Et, pour moi, la protéger est très important.

— Oui, sûrement. Cela fait bien dix ans qu'on ne parle plus de toi dans aucun magazine. Alors que les Carmichael font toujours de bons articles.

— Je ne rentrais pas dans le moule, dit-elle à sa grande surprise. Ce que j'essaie de dire, c'est que dès que quelqu'un de ta rédaction ou de la mienne lance une idée en l'air, ça devient aussitôt un fait avéré. Tu sais aussi bien que moi qu'au troisième récit une simple conversation devant un café devient un déjeuner d'amoureux.

— Est-ce très grave ?

— Peut-être pas pour toi, dit-elle avec un soupir las. Mais pour moi, si. J'ai encore à endurer le fait d'être une nouvelle venue dans la boîte, et, qui pis est, une femme. C'est toujours difficile. Quoi que je fasse, on scrute mon comportement avec plus d'attention que les faits et gestes de n'importe qui d'autre. Par exemple, si Carmichael sort avec Thorpe, est-ce par ambition, parce qu'elle veut passer dans l'équipe des informations nationales ?

Il la regarda un moment.

— Tu n'es pas assez sûre de toi, lâcha-t-il enfin.

— Je sais que je suis un bon reporter, répliqua-t-elle, piquée au vif.

— Je parlais de toi en tant que femme.

Il vit le bouclier se dresser aussitôt et regretta sa remarque.

— Cela ne te regarde pas.

— Ce n'est pas de ça que nous parlions ? C'est à une femme que j'ai envoyé une rose, pas à un reporter.

— Je suis un reporter.

— C'est ta profession, pas ta nature.

Refoulant son exaspération, il leva son verre. Ce n'était pas en s'emportant qu'il percerait ses défenses.

— Il ne faut pas avoir la peau trop sensible dans ce métier, Liv. Si les ragots d'une salle de rédaction te font souffrir, tu ne tarderas pas à être couverte de bleus. Regarde-toi dans une glace. Avec un visage comme le tien, les gens ne peuvent s'empêcher de t'épier et de parler de toi.

— Il n'y a pas que ça.

Olivia se ressaisit. C'était elle qui avait voulu cette conversation. S'irriter ne mènerait à rien.

— Je ne veux me lier à personne. Ni à toi, ni à personne.

Il la scruta en silence par-dessus le bord de son verre.

— On t'a fait si mal que ça ?

Elle ne s'était pas attendue à cette question, ni à cet accent de compassion. Il lui fallut faire appel à toute sa volonté pour ne pas se détourner et garder un visage serein.

— Oui.

Il n'insista pas. Qu'elle l'ait admis au lieu de se recroqueviller dans un silence glacial était déjà beaucoup. Pour le reste, il attendrait.

— Pourquoi es-tu venue à Washington ?

Elle le regarda un instant, surprise qu'il ne poussât pas plus loin son interrogatoire. Le changement de sujet la fit se détendre.

— La politique m'a toujours intéressée. C'était mon fort à Austin, quoique la plupart du temps ça se soit limité à lire des informations collectées par d'autres. Aussi, quand WWBW m'a fait cette proposition, je l'ai saisie au vol... C'est une ville passionnante, enchaîna-t-elle après une nouvelle bouchée savoureuse. Surtout pour un reporter. Je voulais goûter à cette excitation.

— As-tu jamais pensé à faire les informations nationales ?

Elle eut un vague mouvement des épaules.

— Bien sûr, mais pour l'instant je suis contente là où je suis. Carl est le meilleur rédacteur en chef que j'aie jamais eu.

— Il a une certaine tendance à s'emporter, fit remarquer Thorpe avec un sourire.

Elle haussa les sourcils tout en jouant avec ses derniers spaghettis.

— Surtout quand l'un des petits péteux des étages supérieurs cherche à lui piquer un sujet, dit-elle. Comme l'a tenté l'un de tes associés cet après-midi, à l'issue de la conférence de presse du maire.

— Ah bon ? Lequel ?

— Thompson. Le type aux grandes oreilles et aux cravates criardes.

— Flatteuse description.

— Exacte, en tout cas, répliqua Olivia avec un petit sourire. Je m'étais donné beaucoup de mal pour obtenir une rapide interview après la conférence et voilà que ce type essaie de me prendre ma place.

— Tu l'as envoyé paître, j'imagine.

Olivia sourit au souvenir de la façon dont elle avait envoyé promener le trop entreprenant Thompson.

— C'est ce que j'ai fait. Je lui ai dit de faire son propre boulot, à défaut de quoi il allait se retrouver pendu par sa cravate dans le sous-sol de l'immeuble Rayburn... J'ai l'impression qu'il m'a crue sur parole.

Thorpe plongea son regard dans les yeux bleus et froids d'Olivia.

— Moi aussi, je te crois. Pourquoi ne lui as-tu pas lâché ton cameraman aux trousses ?

— Je ne voulais pas déclencher un esclandre devant le maire, répondit-elle en terminant son assiette.

— Tu en veux encore ?

— Tu plaisantes ? fit-elle avec un soupir repu.

— Du dessert ?

Elle écarquilla les yeux.

— Tu as vraiment préparé un dessert ?

— Bois ton vin, fit-il en lui remplissant son verre. Je reviens tout de suite.

Il emporta les assiettes sales. Olivia renonça à lui donner un coup de main. Elle se sentait trop bien pour bouger. Il aurait été stupide de prétendre qu'elle n'appréciait pas sa compagnie, qu'elle n'aimait pas bavarder, discuter avec lui. Elle avait quasiment oublié combien discuter pouvait être stimulant. Avec lui, elle se sentait vivante, importante. Et même ce sentiment d'insécurité était excitant.

À la vue du plat de fraises et de la jatte de crème qu'il apportait, elle ne put retenir un petit cri de joie.

— Elles ont l'air merveilleuses ! Comment as-tu fait pour trouver des fraises de cette taille et aussi rouges si tôt dans la saison ?

— Un bon reporter ne révèle jamais ses sources.

— Elles ont l'air merveilleuses, répéta-t-elle avec un soupir. Mais je ne crois pas pouvoir y arriver.

— Goûtes-en une, insista-t-il en trempant une fraise dans la crème épaisse.

— Une seule alors.

Elle ouvrit la bouche. Une giclée de crème lui barbouilla la joue.

— Thorpe ! s'écria-t-elle en riant.

— Pardon, fit-il. Laisse-moi faire.

Il l'empêcha de prendre sa serviette et, lui soulevant le menton d'une main, se mit à picorer la crème sur sa joue.

Le rire d'Olivia s'effaça. Incapable de bouger, de protester, elle sentait sa peau s'éveiller sous la langue de Thorpe.

— Elle était bonne ? demanda-t-il en lui effleurant les lèvres.

Elle ne répondit pas. Ses yeux étaient rivés aux siens. Thorpe observait le désir s'éveiller dans le regard de la jeune femme.

Il trempa une seconde fraise dans la crème et la tendit.

— Une autre ?

Elle fit non de la tête et le regarda mordre dans le fruit rouge. Se levant, elle fit quelques pas dans la pièce pour tenter de se calmer. D'ici à deux minutes, elle aurait recouvré son calme ; ses tremblements auraient cessé et le feu se serait éteint en elle. Un petit cri lui échappa lorsque les bras de Thorpe l'emprisonnèrent et la firent pivoter face à lui.

— Tu veux danser ?

— Danser ? Mais il n'y a pas de musique.

Et pourtant déjà elle se laissait entraîner et posait la tête sur l'épaule de Thorpe.

— Tu ne l'entends pas ?

Le parfum d'Olivia lui montait à la tête et ses seins se pressaient doucement contre lui.

Avec un soupir, elle ferma les yeux. La lumière des bougies vacillait sous ses paupières. Son corps lui semblait à la fois lourd et beaucoup trop confortablement soutenu. Appuyé contre Thorpe, elle tenta d'attribuer cet abandon à un excès de vin. Mais c'était un mensonge, elle le savait bien. Lorsqu'il lui embrassa l'oreille, elle soupira de nouveau en frémissant.

Il faut que je m'en aille, tout de suite, se dit-elle tout en laissant ses doigts se promener dans les cheveux de Thorpe. Rester est une folie.

Le désir montait en elle tandis qu'il la serrait contre lui sur le rythme lent d'une musique imaginaire. Une main montait et descendait le long de sa colonne vertébrale.

Lorsqu'elle sentit les lèvres de Thorpe lui effleurer le cou, elle émit un petit bruit indistinct de plaisir.

— Je ne peux pas rester, murmura-t-elle, bien qu'elle ne fît aucun effort pour se dégager.

— Non, fit-il en revenant lentement s'emparer de sa bouche.

— Je dois partir, reprit-elle avant de lui rendre son baiser.

— Oui.

Les lèvres de Thorpe se faisant plus insistantes, elle sentit la tête lui tourner et ses os se dissoudre.

— Il faut que je parte.

— Hum.

La fermeture à glissière de sa robe s'abaissa et une main se glissa sur son dos.

— Il n'y aura rien entre nous, Thorpe, balbutia-t-elle.

— Oui, je sais. Tu me l'as déjà dit.

La robe glissa sur le sol.

Elle se pressa contre lui et lui abandonna de nouveau sa bouche. Elle se noyait, mais l'eau était si douce, si chaude que c'en était délicieux. Et le désir prenait tant de force qu'elle se sentait prisonnière des caresses de Thorpe, des caresses étonnamment tendres et persuasives. Lorsqu'il la souleva dans ses bras, elle ne protesta pas.

Le clair de lune jetait dans la chambre une lumière argentée, tachée d'ombres diffuses. Olivia faillit reprendre pied.

— Thorpe...

Puis il l'embrassa de nouveau et, égarée, elle se cramponna à lui comme il la déposait sur le lit. Il la déshabilla sans hâte, entrecoupant ses gestes de baisers et de caresses qui lui firent définitivement perdre la tête.

Lorsqu'il fut torse nu, elle promena ses mains sur les muscles noueux. Un homme fort. Ce qu'elle désirait. Ce dont elle avait besoin.

De rêveur, le désir devint brusquement désespéré. Olivia gémit. Les lèvres de Thorpe descendirent sur ses seins. Elle se souleva pour qu'il achevât de la dévêtir. Une main se glissa entre ses cuisses, éveillant un feu qui la surprit elle-même.

Elle planta les ongles dans ses épaules. Rien, ni personne, ne lui avait procuré de telles sensations, douleur, désir, embrasement. Elle aurait voulu qu'il la prît tout de suite mais Thorpe avait d'autres plaisirs à lui offrir.

Les baisers s'égarèrent le long du torse, autour des seins, s'attardèrent un instant à la taille puis descendirent encore. Elle poussa un cri.

L'ardeur d'Olivia le comblait, lui faisant presque oublier ses propres besoins. Il voulait qu'elle goûtât à chaque onde de plaisir qu'il pouvait lui procurer. Et la sentir aussi sensible à toute caresse, toute initiative, le transportait. La lune donnait à sa peau l'aspect du marbre mais c'était du feu liquide qu'il sentait sous ses mains. Chaque fois qu'elle murmurait son nom dans un gémissement, chaque fois qu'elle se cambrait sous lui, il en était bouleversé jusqu'à l'âme. Se sentir désiré avec autant d'ardeur l'amenait au bord de la folie.

Sa bouche s'écrasa sur celle d'Olivia qui y répondit avec fièvre. Toute réserve avait disparu; toute barrière s'était écroulée. Elle n'éprouvait plus qu'un désir urgent que lui seul pouvait combler.

Elle poussa un cri étouffé lorsqu'il céda enfin à sa supplique et la pénétra, l'emmenant au-delà de ce dont elle se souvenait, bien au-delà de ce dont elle avait rêvé. Elle s'abandonna complètement et le suivit jusqu'au paroxysme.

Thorpe continuait d'étreindre Olivia, refusant de quitter sa chaleur, sa douceur. Pour lui, le monde s'était réduit à ce lit, à cette femme. Malgré la pénombre, il détaillait chaque courbe de son corps, chaque angle et méplat de son visage. Il ne se souvenait pas d'avoir jamais vécu une telle fusion. La peau d'Olivia était douce et ses seins se dressaient encore contre sa poitrine. Sa respiration s'apaisait lentement. Il avait toujours su que la froideur qu'elle affichait cachait un tempérament passionné mais sans en évaluer la profondeur ni l'effet que cela produirait sur lui. Pour la première fois de sa vie, il se sentait vulnérable, presque sans défense.

Olivia sentait le plaisir physique se muer en béatitude. Cette sorte d'abandon du corps et de l'esprit était une découverte. Elle avait donc ignoré cela toute sa vie ? La réponse lui fit peur. En tout cas, grâce à lui, elle s'était sentie femme à nouveau, complètement femme. Ses lèvres avaient gardé le goût de leurs baisers. Goût qu'elle ne voulait pas perdre, ni la chaude sécurité dans laquelle la maintenaient les bras de Thorpe.

Mais qui était-il ? Qui était cet homme qui avait obtenu d'elle ce qu'elle n'avait pu, ni voulu, donner à personne depuis plus de cinq ans ?

— Je m'étais promis que ça n'arriverait pas, murmura-t-elle en enfouissant le visage dans le cou de Thorpe.

Ces mots le tirèrent de sa léthargie bienheureuse.

— Tu regrettes ?

La réponse mit une éternité à venir.

— Non, fit-elle enfin dans un soupir. Je ne regrette pas. Je ne m'attendais pas à me retrouver ici, comme ça, avec toi. Mais je ne regrette rien.

Il se détendit et l'étreignit plus étroitement, troublé par cette déclaration.

— Olivia, quelle femme compliquée tu es !

— C'est vrai ? dit-elle en fermant les yeux avec un petit sourire. Je ne m'imaginais pas comme ça. Trop simple au contraire, et un peu bornée. Mais pas compliquée.

— Ça fait un an et demi que j'essaie de te comprendre. Ce n'est pas facile.

— N'essaie pas.

Elle laissa sa main lui caresser à nouveau les épaules. Sachant combien cette force pouvait se muer en tendresse, elle aimait sentir les muscles puissants jouer sous ses paumes.

— Tu as eu beaucoup de maîtresses, Thorpe ?

Il lâcha un rire étouffé.

— C'est une question délicate, Carmichael. Crois-tu le moment bien choisi ?

— Je ne te demandais ni le nombre ni les noms, répliqua-t-elle, troublée par la main qui descendait le long de son dos. C'est seulement que, moi, je n'ai pas beaucoup d'expérience. Je ne suis pas très bonne pour ça.

— Bonne pour quoi ? demanda-t-il sans cesser d'explorer le corps délicieux qui lui était offert.

Gênée tout à coup, elle chercha les mots adéquats.

— Pour… faire plaisir à mon partenaire.

La main de Thorpe s'immobilisa. Il se redressa pour la regarder dans la pénombre.

— Tu plaisantes ?

— Heu, non, fit-elle, carrément embarrassée à présent.

Si elle ne s'était pas sentie aussi détendue, elle ne se serait pas mise dans cette situation.

— Je sais que je ne suis pas très… excitante au lit, mais… marmonna-t-elle.

— Qui t'a mis ça dans la tête ?

La surprise non déguisée de Thorpe l'étonna. *Mon mari,* faillit-elle dire.

— C'est quelque chose que j'ai toujours su…

Il grommela un juron avant de demander d'une voix irritée :

— Tu crois que j'ai joué la comédie ?

— Non, fit-elle, de plus en plus penaude. Tu jouais la comédie ?

En colère, il la cloua furieusement sur le lit.

— Dès la première minute où je t'ai vue, je t'ai désirée. Tu savais ça ?

Incapable de répondre, elle fit non de la tête. Au contact de son corps pressé contre le sien, un nouvel accès de désir la parcourut.

— Tu étais froide et distante mais ça ne m'a pas empêché de deviner ce qui couvait en toi. Dès le début, je t'ai voulue comme ça, nue, dans mon lit.

Sa bouche s'empara de celle d'Olivia avec une avidité à laquelle elle répondit ardemment.

— Je voulais ôter une à une toutes les défenses derrière lesquelles tu t'abritais, dit-il en la caressant. Je voulais te posséder, faire fondre la glace apparente.

Sa main descendit, s'insinua entre les cuisses tendres.

— Mais il n'y a eu ni glace ni comédie quand je te tenais dans mes bras. Si quelqu'un d'autre n'a pas éprouvé de plaisir avec toi, c'était sa faute. C'est lui qui a perdu beaucoup. Souviens-toi de ça.

Elle s'embrasait déjà. Ses mains erraient fiévreusement tandis que ses lèvres dévoraient celles de Thorpe. Les savouraient. Un tremblement commun les secoua.

Puis le baiser devint sauvage et elle comprit qu'il l'emmenait au-delà des normes civilisées. Il n'y avait pas de comédie. Il était totalement perdu en elle, en ce qu'ils faisaient ensemble. Elle le sentait, s'en émerveillait et elle se laissa emporter dans un tourbillon de sensations d'où fut exclue toute pensée cohérente.

Pantelante, épuisée et comblée, Olivia ne bougeait plus, les mains inertes sur le dos trempé de sueur de Thorpe. Ils restèrent ainsi, un temps indéterminé, dans un bonheur partagé.

— Tu as peut-être raison, dit-il enfin. C'était pas très excitant.

Malgré son épuisement, Olivia éclata de rire. Il avait su trouver quoi dire au bon moment. Rire au lit était une sensation nouvelle et merveilleuse. Il releva la tête et lui sourit.

— Idiote, murmura-t-il avant de l'embrasser.

Il se glissa sur le côté et la regarda s'endormir, blottie dans ses bras.

11

Le son strident du réveil se déclencha. La main d'Olivia se tendit machinalement pour l'arrêter et buta contre Thorpe. Elle ouvrit les yeux et regarda l'homme qui s'éveillait à côté d'elle, tandis que la sonnerie continuait à tinter stupidement. Le cerveau encore embrumé, elle remarqua son menton ombré d'un début de barbe et ses paupières lourdes de sommeil.

J'ai dormi avec lui. J'ai fait l'amour avec lui et j'ai passé la nuit dans son lit. Lentement, sa tête enregistrait ces faits qui, à la lumière du jour, lui semblaient incroyables ; elle avait beau chercher, elle ne trouvait aucune trace de regret. Elle avait reçu passion, douceur, tendresse. Pourquoi y aurait-il eu des regrets ?

Thorpe tendit le bras et interrompit la sonnerie du réveil. Un silence complet se fit. Sans mot dire, il prit Olivia dans ses bras. Son air étonné ne lui avait pas échappé, ni la compréhension et enfin l'acceptation qui avaient suivi. Réaction qui l'enchantait. Cette femme n'avait manifestement pas pour habitude de se réveiller dans le lit d'un homme.

Les gestes tendres du matin étaient une nouveauté à laquelle Olivia s'abandonna avec délices. Intimité sans exigences. Blottie contre lui, elle explora ses sentiments, ne sachant comment les nommer. Satisfaction ? Bonheur ? Ou simple plaisir du contact physique ?

Quelque chose avait changé. Une porte avait été ouverte. Qui d'elle ou de Thorpe en avait tourné la clé ? Elle l'ignorait. Mais c'était fait. Son souffle chaud lui caressait la joue, ses bras se refermaient sur elle dans un geste possessif. Elle n'était plus seule. Le voulait-elle encore ? La veille, elle était convaincue que la solitude était ce qui lui convenait le mieux. Mais à présent...

Elle avait fait l'amour avec lui. Elle s'était donnée. Et l'avait reçu. Ce n'était pas le genre de chose qu'elle prenait avec désinvolture. L'intimité physique n'était pas insignifiante pour elle. Elle impliquait un engagement moral. Pour Olivia, les deux allaient de pair et il en serait toujours ainsi. Et pourtant, elle s'était promis de ne plus jamais se lier à personne. Son passé lui rappelait les risques encourus. Thorpe prenait trop d'importance. Et elle-même devenait trop vulnérable. La tentation de rester ainsi, blottie contre lui, était forte. Y céder était facile mais comment éviter la déception qui s'ensuivait immanquablement ?

Elle s'écarta, de peur que le lien ne devînt trop fort.

— Il faut que je me lève. Je dois être au bureau à 9 h 30.

Sans mot dire, Thorpe la retint et posa sa bouche sur la sienne. Elle était si douce, si tendre. Et son parfum l'enveloppait encore. Il avait tant attendu cet instant, le réveil à côté d'elle, qu'il voulait en profiter longuement. Il voulait se soûler du spectacle de son visage reposé, et de ce regard encore embrumé de sommeil. Maintenant qu'il avait obtenu de dormir à côté d'elle, de se réveiller à côté d'elle, il ne voulait plus en être privé.

Olivia réagit avec tendresse à ses caresses langoureuses. Pendant un instant, elle put croire que rien n'exigeait qu'elle s'engageât avec cet homme ni que le passé pesât sur elle. Il n'y avait qu'eux au monde. En fermant les yeux, on pouvait imaginer qu'il faisait encore nuit et qu'il leur restait des heures pour s'étreindre. Mais le temps s'écoulait inexorablement. La lueur jaune pâle du soleil perçait déjà les rideaux.

— Il faut qu'on se lève, murmura-t-elle, en espérant vaguement qu'il trouve une bonne raison pour ne pas le faire.

Il souleva la tête et regarda le réveil.

— Peut-être bien, fit-il avant de l'embrasser une dernière fois sur la gorge. Ta conscience ne te permettrait pas une subite laryngite accompagnée d'une grosse fièvre ?

— Et la tienne ?

— En ce moment, je n'ai pas de conscience.

— J'aimerais pouvoir en dire autant.

Elle s'écarta de lui et, se redressant, tira le drap sur ses seins.

— Il va me falloir une robe de chambre.

— Dommage !

Avec un gémissement déçu, il roula sur le côté et se leva.

— Je vais te chercher une robe de chambre... Et le petit déjeuner, ajouta-t-il en ouvrant la penderie. À condition que tu t'occupes du café.

Le voir debout, complètement nu, devant la penderie la laissa bouche bée. Elle se reprocha aussitôt sa stupidité. Elle venait de passer la nuit avec lui ; son corps n'avait plus de secret pour elle, à présent. Mais le spectacle de ce corps splendide était une découverte. Ces épaules et ce torse musclés, ces hanches étroites, ces jambes longues l'émouvaient. Habillé, il semblait bâti comme un athlète. La nudité confirmait cette impression.

— D'accord ? demanda-t-il en sortant un kimono bleu du placard.

Perdue dans ses réflexions, elle croisa son regard avec effarement.

— Comment ?... Pardon, qu'est-ce que tu disais ?

— Peux-tu t'occuper du café, Liv ? répéta-t-il, amusé.

— Tu as un pot de Nescafé et une cuillère ?

— Tu plaisantes, j'espère ?

— Je craignais effectivement que tu n'en aies pas. Bon, je vais me débrouiller, soupira-t-elle en enfilant le kimono.

— La cafetière est sur le plan de travail et le café sur le second rayonnage au-dessus de la cuisinière, expliqua-t-il en ouvrant la porte de la salle de bains. Montre-nous ce que tu sais faire.

Elle fronça le nez d'un air dubitatif et se leva.

La cuisine était si bien rangée qu'elle trouva les choses exactement où il l'avait dit. Elle versa l'eau et dosa le café. Le bruit de la douche perçait discrètement la cloison.

Farfouiller dans la cuisine de Thorpe, enveloppée dans son kimono, lui procurait une sensation étrange. J'ai une liaison, se dit-elle, les yeux dans le vide, le couvercle de la cafetière à la main. Elle avait fait l'amour avec lui, elle avait passé la nuit dans son lit et maintenant elle préparait le café dans sa cuisine.

Elle secoua la tête et remit en place le couvercle de la cafetière. Bon sang, j'ai vingt-huit ans. J'ai été mariée, je suis divorcée. Je suis journaliste et je suis restée seule pendant des années. Pourquoi n'aurais-je pas une liaison ? Plein de gens en ont. Cela fait partie de la vie. C'est très simple et sans grande importance. Il serait stupide d'en faire une montagne. Nous sommes deux adultes qui viennent de passer la nuit ensemble, voilà tout.

Tandis qu'elle tentait de se raisonner, Thorpe entra dans la cuisine. Olivia se retourna pour jeter une remarque ironique sur ses propres compétences en matière de café et se retrouva dans ses bras.

La bouche de Thorpe l'embrassa doucement une fois, deux fois. La troisième, ses lèvres s'attardèrent avec avidité. Elle leva les bras pour l'étreindre. Les propos raisonnables qu'elle venait de se tenir étaient oubliés. Ses doigts plongèrent dans les cheveux humides. Le parfum de savon et de crème à raser l'enivra. Tout semblait frais et nouveau, comme un premier amour.

Les mains de Thorpe se posèrent sur ses seins puis descendirent sur ses hanches. Le baiser doux et serein faisait revivre à Olivia la nuit passée. Il l'écarta légèrement pour la regarder.

— Tu me plais comme ça, pieds nus, dans un kimono trois fois trop grand pour toi, et les cheveux un peu hirsutes.

Il en profita pour y accroître le désordre.

— La prochaine fois que je verrai à l'écran la froide et distinguée Mlle Carmichael, c'est cette image qui me reviendra à l'esprit.

— Heureusement pour l'Audimat, les téléspectateurs ne la verront pas.

— Quel dommage pour eux !

— Tout le monde n'apprécie pas l'aspect hagard de quelqu'un qui sort de son lit, Thorpe.

Le café frémissait dans la cafetière. Olivia se dégagea des bras de Thorpe, décrocha deux des bols suspendus sous les placards et les remplit.

— Mais j'aime beaucoup aussi ton air calme et sophistiqué, dit-il en lui tendant un petit carton de crème. En fait, je n'ai rien trouvé chez toi qui me déplaise.

Olivia lui jeta un coup d'œil ironique.

— Tu es toujours aussi aimable avant le café du matin ? demanda-t-elle en lui tendant son bol. Je ferais mieux de prendre ma douche pendant que tu bois ça. Ce café de ma confection pourrait gâter ton humeur... Mais avant de le goûter, rappelle-toi que tu m'as promis un petit déjeuner, ajouta-t-elle comme il s'apprêtait à boire.

Emportant son bol avec elle, elle quitta la cuisine.

Thorpe jeta un coup d'œil inquiet au breuvage avant d'y tremper les lèvres. Ce n'était pas aussi mauvais qu'elle semblait le craindre. Manifestement, la cuisine n'était pas son domaine. Tant pis. Ce serait le sien, conclut-il philosophiquement en ouvrant le réfrigérateur. Le bruit de la douche lui fit plaisir. La savoir si proche, à quelques mètres de lui seulement, l'enchantait. Il sortit le bacon et mit à chauffer une poêle.

Thorpe n'était pas homme à se monter la tête. Ils avaient fait l'amour, ils le feraient à nouveau, mais les sentiments d'Olivia n'étaient pas aussi assurés que les siens. Se retrouver dans le rôle de celui qui aime le plus était inconfortable. Elle y viendrait aussi, pensa-t-il, tandis que le bacon commençait à grésiller. Elle avait beau résister, elle l'aimerait autant qu'il l'aimait. Il en était sûr. La façon dont elle s'était donnée la nuit passée, cette première hésitation suivie très vite d'une passion qu'elle ne semblait plus pouvoir contrôler le prouvait. Quoi qu'elle dît, c'était une femme au caractère complexe, pleine de contradictions. Il ne s'en plaignait pas. Puisqu'il était tombé amoureux, autant que ce fût d'une femme riche de remous et de courants sous-jacents. Le destin aurait pu le lier à quelqu'un de plus docile.

Olivia Carmichael était la femme qu'il lui fallait et il était l'homme qu'il lui fallait. Il aurait peut-être à patienter encore un bout de temps avant de l'en convaincre mais il y arriverait. Avec un sourire, il cassa un œuf au-dessus d'un bol.

Comme la veille au soir, Olivia ne put résister à l'odeur qui venait de la cuisine. Du seuil, elle regarda Thorpe disposer sur un plat les tranches de bacon grillé, les œufs dorés et les toasts légèrement brunis.

— Thorpe, tu es étonnant.

— Tu viens seulement de le remarquer ? Attrape deux assiettes dans ce placard et mangeons avant que ça ne refroidisse.

Elle obéit et le suivit dans le coin-salle à manger.

— Je dois reconnaître que je suis époustouflée. Arriver à ce que tout soit prêt en même temps, ça m'épate.

— Que manges-tu chez toi ?

— Peu de chose, répondit-elle en se servant. La plupart du temps, je me contente de ces petites boîtes qui portent la mention « Repas complet ». Et parfois, c'est vrai.

— Olivia, sais-tu seulement ce qu'ils fourrent dans ces petites boîtes ?

— S'il te plaît, pas pendant que je mange.

Il éclata de rire.

— Tu n'as jamais appris à faire la cuisine ?

Au souvenir des repas qu'elle préparait du temps de son mariage, elle prit un air dégoûté. Toujours pressés, Doug et elle avalaient rapidement n'importe quoi avant de se ruer à un cours ou à une permanence de nuit. À de rares occasions, elle s'était donné le mal de préparer quelque chose de correct. Mais trop peu de temps et trop d'obligations l'avaient empêchée d'y prendre plaisir. Elle écarta ces souvenirs pour répondre à la question de Thorpe.

— Lorsque j'étais enfant, ma mère disait que ce n'était pas important. Plus exactement, elle n'appréciait pas que je m'aventure dans la cuisine. Elle trouvait que ce n'était pas ma place.

Tout en se beurrant un toast, Thorpe songeait à leurs passés si différents. Sa mère et lui avaient toujours été très proches, alors qu'Olivia et sa mère étaient restées distantes, peut-être simplement par manque de compréhension.

— Tu retournes souvent dans le Connecticut ?

— Non.

Il perçut le signal d'alarme qu'envoyait ce seul mot. *N'insiste pas*. Il changea de sujet.

— Tu as un programme pour la journée ?

— Oui. Bourré à craquer. La femme du Président inaugure un centre pour enfants à 11 heures. Dell est attendu à l'aéroport à 13 heures, bien que je doute que nous puissions l'approcher. Et puis je dois essayer d'interviewer quelqu'un du conseil de l'enseignement élémentaire cet après-midi.

Elle acheva ses œufs.

— Enfin, je dois enregistrer une publicité. Notre directeur général s'inquiète de l'Audimat.

— Comme tous les autres… En tout cas, tu as pris des forces, ajouta-t-il en regardant l'assiette d'Olivia.

— Façon élégante de dire que je me suis goinfrée ; je ne relèverai pas.

Elle se leva et rassembla les assiettes.

— Puisque tu as fait la cuisine, je vais faire la vaisselle pendant que tu t'habilleras.

— Très démocratique.

Gardant les yeux baissés sur les assiettes, elle reprit :

— Il faut que je retourne chez moi me changer avant d'aller au bureau. Je vais prendre un taxi.

— Ne sois pas ridicule.

Elle souleva gauchement les assiettes et les bols empilés.

— Ce qui est ridicule, c'est que tu traverses la ville avant de repartir dans l'autre sens. Ça serait plus simple si…

Il la débarrassa de la vaisselle qu'il reposa sur la table. Puis il la prit par les épaules et la regarda dans les yeux. Son regard intense la sonda.

— Liv, cette nuit compte beaucoup pour moi. Chaque minute passée avec toi est importante pour moi.

Il nota l'éclair d'émotion qui illumina brièvement ses yeux.

— Pas de taxi, décréta-t-il.

— Pas de taxi, répéta-t-elle en l'enlaçant.

Ce geste spontané le surprit et l'émut. Elle ferma les yeux et resserra son étreinte. Elle avait craint qu'il n'accepte et s'était consolée d'avance en se disant que conserver un mode léger était préférable : d'accord, prends un taxi et à une autre fois. Mais son cœur désirait plus. Et son cœur commençait à l'emporter sur la raison.

— Tu m'attendras ce soir ? murmura-t-il contre ses cheveux. Après mon émission de la soirée ?

Elle releva le visage.

— Oui.

Comme leurs lèvres se rejoignaient, elle pensa qu'elle s'aventurait une fois de plus sur un terrain miné mais, jamais, depuis des années, elle ne s'était sentie aussi vivante.

Il était 5 h 32 lorsque Thorpe entra dans la salle de contrôle pour regarder Olivia. Il prêta peu d'attention à son reportage sur un cambriolage dans un grand magasin local, et encore moins aux faits et gestes des techniciens autour de lui. Elle n'avait pas cessé de le hanter de la journée et il désirait la voir avant de passer lui-même à l'antenne.

— Caméra un, ordonna Carl de son siège.

Elle était là, reproduite en huit exemplaires sur les écrans alignés sur le mur. Sa voix sortait des haut-parleurs. À gauche de Thorpe, un technicien réglait le son.

— Caméra deux.

Brian remplaça Olivia. Sur un signe de Carl, le logo de la chaîne apparut derrière lui.

— Dans trente secondes, la pub.

Brian continua jusqu'à l'interruption.

Carl tira sur sa cigarette et jeta un coup d'œil à Thorpe.

— On te voit plus souvent que lorsque tu travaillais ici.

— J'y trouve un nouvel intérêt.

Carl grommela un acquiescement. Il avait toujours apprécié les qualités de journaliste de Thorpe et regrettait de n'avoir pu le garder dans son équipe. Avec un soupir, il écrasa sa cigarette. Et Carmichael, il ne la garderait pas plus de deux ans, c'était sûr. Il avait trop longtemps fait ce métier pour espérer plus.

— Trente secondes.

Thorpe se tourna vers la fenêtre. Olivia bavardait avec Brian. Quelque chose la fit rire en secouant la tête. Était-ce un effet de son imagination ou bien avait-elle l'air vraiment plus détendue, plus libre ? Il se passerait encore une bonne heure avant qu'il pût la toucher à nouveau.

La caméra un était braquée sur elle et, au signal, elle entama la seconde partie des informations. La voix d'Olivia résonnant toujours dans sa tête, Thorpe quitta la salle de contrôle.

L'émission achevée, Olivia regagna la salle de rédaction. Après avoir pesé le pour et le contre, elle avait décidé de regagner son bureau pour attendre Thorpe. Cela susciterait moins de curiosité et moins de ragots que si elle montait le rejoindre. Révéler sa vie privée n'était pas encore à l'ordre du jour.

Il lui manquait. C'était surprenant mais indéniable. Elle avait passé une journée bien remplie et, par moments, frénétique ; néanmoins elle n'avait cessé de penser à lui.

Elle s'assit à son bureau et examina le programme du lendemain, tout en gardant un œil rivé sur l'horloge. Pourquoi, après une journée qui s'était écoulée à toute allure, une heure semblait-elle durer une éternité ?

— Cette dame a l'air d'avoir envie d'un café.

Levant les yeux, Olivia sourit à Bob et prit la tasse.

— J'ai toujours admiré ton intuition.

— J'aurais préféré que ce soit mon sex-appeal, dit-il en s'asseyant sur le coin du bureau.

— Mais tu en as beaucoup, protesta-t-elle en riant. Je dois constamment me retenir !

— C'est vrai ? Je peux le dire à ma femme ?

— À toi de décider.

— J'ai travaillé avec Prye, aujourd'hui, reprit-il. Tu sais, le petit reportage de trente secondes qu'il a fait devant Kennedy Center.

— Hum…

Sachant ce qui allait suivre, elle s'installa plus confortablement.

— Quatorze prises. Tu n'imagines pas combien de fois ce type a pu cafouiller dans son texte. Et quand je lui ai demandé s'il voulait qu'on lui installe un téléprompteur, il s'est mis en colère. Nous aurions dû respecter son talent… le talent, je doute qu'il sache ce que c'est, ajouta-t-il avec un reniflement méprisant.

Connaissant les démêlés de Pryc avec les techniciens, Olivia opta pour la diplomatie.

— En tout cas, à l'écran, le reportage était bon.

— Il a de la chance de ne pas travailler en direct. Si j'avais le choix, ajouta-t-il en décochant un clin d'œil à Olivia, je ne travaillerais qu'avec quelqu'un doté de belles jambes.

Il inclina la tête pour l'examiner attentivement.

— Tu sais, reprit-il, tu as l'air différente.

Elle prit un air perplexe. Était-il possible que cette nuit d'amour eût laissé des traces visibles ?

— Si tu essaies d'éviter Prye pour demain, dit-elle d'un ton badin, ne t'inquiète pas. J'ai demandé que tu travailles avec moi.

Il sourit d'un air avantageux.

— Merci, mais je préférerais un week-end échevelé à Acapulco.

— Acapulco, répéta-t-elle en faisant mine d'étudier la proposition.

— On mettra ça sur tes notes de frais.

— Liv a déjà un programme pour le week-end, intervint Thorpe.

Bob et Olivia se retournèrent. Il la regarda avant d'expliquer au cameraman :

— Elle va ramer.

— Sans blague ? fit Bob qui parut trouver cette nouvelle désopilante. Bon, je devrai donc me contenter du déjeuner dominical chez mes beaux-parents.

Il se leva et, saluant Olivia de la main, s'éloigna.

— Thorpe, protesta-t-elle comme il l'entraînait vers la sortie. Je n'ai aucun projet pour le week-end.

— Moi si, répondit-il aimablement. Et tu en fais partie.

— J'ai une petite manie qui consiste à établir mes projets moi-même.

— Je suis très souple, fit-il en ouvrant la portière de sa voiture. Et, si tu préfères Acapulco, je peux arranger ça.

Il était difficile de s'emporter lorsqu'il lui adressait ce sourire.

— Bon, je peux envisager d'aller ramer, dit-elle en cédant au désir de l'embrasser. Si c'est toi qui tiens les avirons.

12

Tant de choses pouvaient changer en une seule semaine... Olivia en avait presque oublié ce que c'était que d'être seule. Les nuits ne s'écoulaient plus dans un silence absolu. Ne dépendre que de soi-même était déjà de l'histoire ancienne. Il y avait de nouveau quelqu'un dans sa vie et elle ne cherchait plus à s'y opposer.

De plus en plus, elle comptait sur la compagnie de Thorpe et tirait plaisir de leur intimité. Et de plus en plus elle avait besoin de lui.

Au fil des jours, elle découvrit qu'elle aimait non seulement leurs conversations, mais aussi leurs conflits. Il la stimulait et l'obligeait à penser vite pour défendre son point de vue. Intellectuellement, ils se complétaient parfaitement. Et, certaines fois, c'était lui qui aiguisait son esprit sur elle.

Il était fort, ce qu'elle appréciait particulièrement. Solide comme un roc. Jadis, elle avait cherché à s'appuyer sur un homme et avait été déçue. Elle ne demandait pas à être protégée. L'expérience lui avait appris qu'elle était capable d'affronter tous les pièges que la vie pouvait lui présenter. Quand on a survécu au pire, rien ne peut plus vous blesser autant. Mais, tant qu'à se choisir un partenaire, un compagnon, un amant, autant qu'il soit fort.

Elle restait prudente. Des résistances s'élevaient encore pour protéger son cœur mais elles s'amenuisaient de jour en jour.

Ainsi qu'il l'avait promis, Thorpe l'emmena à un match de base-ball en nocturne.

— Je te le dis, il ferait mieux de changer de métier, déclara-t-elle au retour en ouvrant la porte de son appartement.

Elle ôta sa veste tout en continuant à vitupérer contre les fautes de l'arbitre.

— Il faut faire une école avant de devenir arbitre ?

L'indignation d'Olivia amusait beaucoup Thorpe.

— Eh bien, il n'a pas dû avoir de bonnes notes. À mon avis, c'est un sale type qui donne des coups de pied à son chien.

— Avis que doit partager un certain nombre de joueurs, dit-il en envoyant sa veste rejoindre celle d'Olivia. En tout cas, d'ici peu, tu seras capable d'assurer la chronique sportive.

— Je m'en tirerais très bien, j'en suis sûre. Encore quelques matchs, et je pourrais les couvrir aussi bien que les événements politiques. Tu veux un cognac ?

— Volontiers.

Un sourire sur les lèvres, il la regarda tandis qu'elle préparait les verres.

— À propos d'événements politiques, penses-tu que Donahue va réussir à empêcher ce vote ?

— Ses chances sont minces, dit-elle en lui tendant son verre.

Thorpe le prit et attira Olivia à côté de lui sur le canapé.

— Je lui ai parlé aujourd'hui, dit-il. Juste avant qu'il ne prenne la parole. Il venait de se goinfrer avec cinq sandwiches au jambon et une demi-douzaine de beignets.

Olivia éclata de rire.

— Eh bien, comme ça il ne mourra pas de faim. Ça devrait lui donner la force de parler longtemps, à condition qu'il n'ait pas une extinction de voix.

— Il est déterminé. Il compte garder la parole jusqu'à épuiser ou convaincre ses adversaires. Si ce n'est qu'une question de volonté, Donahue y arrivera. Les tribunes sont restées bondées quasiment toute la journée.

Olivia s'appuya contre son épaule et le bras de Thorpe l'enlaça spontanément.

— On a interrogé des gens qui attendaient dans la rue, dit-elle, à moitié assoupie. La plupart étaient venus, poussés plus par la curiosité que par un intérêt réel pour le problème. Mais une tribune pleine et une tentative d'obstruction attirent toujours la presse. Ce qui devrait aider Donahue à tenir quelques jours de plus.

— Il a déjà tenu cinq jours.

— J'aimerais bien qu'il gagne.

Elle soupira de satisfaction. Comment avait-elle pu se sentir bien sans ce bras autour d'elle ?

— Je sais que c'est utopiste et que cette loi a de fortes chances d'être votée, mais quand même…

Il écoutait cette voix paisible et grave. On pouvait établir un parallèle entre Donahue et lui-même. Thorpe faisait le siège d'Olivia et il était aussi résolu que le sénateur à remporter une victoire complète. La tenir dans ses bras ne lui suffisait pas. Il la voulait, il avait besoin d'elle et il s'irritait parfois de devoir procéder avec autant de prudence.

Il posa son verre et débarrassa Olivia du sien. Elle releva la tête, en quête d'un baiser. Celui-ci la surprit. La bouche de Thorpe l'écrasait avec une sorte de sauvagerie. Il la pressait contre les coussins de tout son corps tandis que ses mains s'impatientaient sur ses vêtements. Voilà qui était totalement nouveau. Il avait toujours plus ou moins contrôlé ses ardeurs comme s'il voulait compenser la supériorité de sa force physique par la douceur. Mais, ce soir, il déboutonnait son chemisier avec une curieuse impatience.

La bouche de Thorpe rivée à la sienne l'empêchait de parler, ou de gémir tandis qu'il lui ôtait son blue-jean. Collée contre lui, elle tâtonna sans succès pour lui enlever son chandail. Avec un long gémissement, il s'en débarrassa lui-même et le jeta à terre.

Sa bouche était partout, avide, exigeante. Olivia se faisait souple, consentante et se laissait guider, étonnée par cette brutalité qu'elle avait pourtant déjà pressentie. Il la poussa soudain sur le canapé et se jeta sur elle comme si leurs derniers ébats remontaient à plusieurs années.

Olivia émit un petit cri, autant de protestation que d'incrédulité. Mais les caresses de Thorpe l'enfiévraient malgré elle et peu à peu le désir la submergea. Un besoin urgent de le sentir en elle la précipita à sa rencontre. Membres enchevêtrés, ils roulèrent sur le sol.

Sans qu'elle s'en rendît compte, elle frissonnait de tout son corps. La respiration haletante de Thorpe grondait à son oreille comme elle refermait les jambes autour de sa taille. Une jouissance inouïe explosa au centre de ses reins et elle se retrouva pantelante et soumise. Thorpe se glissa à côté d'elle, apaisé autant qu'épuisé.

Pourtant, il ne pouvait s'empêcher de toucher la peau douce d'Olivia, le creux de la taille, le ventre plat. Ses mains se faisaient tendres à présent. Il embrassa la courbe de ses épaules, la ligne délicate de sa mâchoire. Il l'entendit soupirer d'aise tandis qu'elle se blottissait contre lui.

Aussi brutalement que le désir quelques instants plus tôt, l'amour l'envahit et le tortura.

— Je t'aime.

Elle se figea instantanément et il s'aperçut qu'il avait parlé à voix haute. Il lui prit le menton et tourna son visage vers le sien.

— Je t'aime, répéta-t-il.

Il n'avait pas prévu de le lui dire de cette façon mais, maintenant que c'était fait, il soutint son regard sans ciller. Il voulait qu'elle comprît combien il était sincère.

Un combat obscur se déchaîna en elle, la poussant vers lui et l'en écartant tout à la fois.

— Non, fit-elle en secouant la tête. Il ne faut pas. Je ne veux pas.

— Tu n'as pas le choix, répondit-il calmement malgré la blessure que lui causait la réaction d'Olivia. Et, semble-t-il, moi non plus.

— Non.

S'écartant de lui, elle s'assit et se prit la tête dans les mains. De vieux doutes, de vieilles peurs, de vieilles résolutions l'envahissaient à nouveau.

— Je ne peux pas... Tu ne peux pas...

L'amour... ce mot dangereux qui vous dépouillait de tout, vous laissait nu et privé de bon sens. L'accepter était un gros risque, y céder un désastre. Pourquoi se laisser piéger à nouveau ?

Irrité par sa réaction, Thorpe la prit par les épaules et la força à le regarder. Le regard misérable d'Olivia ne fit qu'empirer les choses.

— Mais je t'aime, répéta-t-il. Que tu ne le veuilles pas n'y change rien. Je t'aime, et depuis longtemps. Si tu en avais pris la peine, tu aurais vu que...

— Thorpe, je t'en prie...

Comment pourrait-elle lui expliquer ? Et que voulait-elle expliquer au juste ? Elle voulait qu'il la prît dans ses bras jusqu'à ce qu'elle pût à nouveau réfléchir. L'amour. Quel effet cela lui ferait-il de se savoir aimée ? Si elle pouvait réfléchir un instant... si seulement son cœur pouvait s'arrêter de cogner furieusement...

— Ton corps ne me suffit pas, Olivia.

La colère et la déception qu'elle perçut dans sa voix la firent se crisper. Non, elle ne se laisserait pas manœuvrer. Elle ne perdrait pas le contrôle de sa propre vie.

Il sentit le changement et ses doigts se crispèrent avec une sorte de fureur sur la peau douce d'Olivia.

— Qu'est-ce que tu veux ? demanda-t-elle.

— Beaucoup plus que tu ne veux me donner. Et, pour commencer, ta confiance.

Dieu qu'il eût été facile de s'abandonner aux larmes et de se cramponner à lui... mais non, il ne le fallait pas. Elle soutint son regard.

— Je ne peux donner que ce que j'ai. Je ne t'aime pas. Je ne veux pas que tu m'aimes.

Ces mots et ce ton glacé leur firent mal à tous les deux. Une lueur fauve dans le regard de Thorpe trahit sa fureur. Un homme plus fruste l'aurait frappée et elle regretta presque qu'il se contrôlât aussi bien. À cet instant, elle aurait volontiers échangé la douleur morale contre la douleur physique.

Il la lâcha lentement, assommé par cette souffrance inattendue. Comprenant qu'il valait mieux s'en aller avant de commettre quelque chose qu'il se reprocherait toute sa vie, il s'habilla en silence. Elle ne le pousserait pas à un geste violent. Ni par ses rebuffades, ni par sa foutue froideur. Il la laisserait tranquille et seule, puisque c'était ça qu'elle voulait. Et plus vite elle serait hors de sa vue, plus vite il pourrait s'efforcer de l'oublier. Furieux autant contre lui-même que contre Olivia, il claqua la porte derrière lui.

Le bruit la fit sursauter. Durant une longue minute, elle fixa le battant fermé. Le silence l'enveloppa. Se roulant en boule, elle s'écroula sur la moquette et pleura, sur elle, sur lui, sur eux deux.

La journée ressemblait à une course d'obstacles. Se lever, s'habiller, conduire dans les embouteillages. Olivia trouvait toutes ces tâches plus difficiles, plus compliquées que jamais. Elle traversa la matinée dans un mélange de nervosité et de sourde fatigue, sans cesser de penser à Thorpe. Elle venait tout juste de goûter à nouveau au bonheur et voilà que...

Tout s'était passé tellement vite! Cette déclaration l'avait prise au dépourvu. Elle en savait assez sur lui pour comprendre qu'il n'était pas homme à aimer à la légère. Il y mettait toute son énergie et sa force. Peut-être était-ce de cela, de cet absolu, qu'elle avait le plus peur.

Pourtant, ce qu'elle éprouvait à présent, tandis qu'elle achevait une interview, ce n'était pas de la peur, mais un sentiment de vide dont elle n'avait jamais souffert auparavant. L'ambition et le travail suffisaient à remplir son existence. Maintenant, ce n'était plus possible. En une matinée, il lui était déjà arrivé une douzaine de choses qu'elle aurait aimé partager avec lui. Mais Thorpe n'était plus là; elle l'avait repoussé...

Que faire à présent? Comment lui faire comprendre qu'une partie d'elle-même voulait l'aimer et se laisser aimer, tandis que l'autre était terrorisée par cette perspective.

Comment pouvait-elle espérer qu'il comprît? Elle-même n'était plus sûre de comprendre. Mets ça de côté pour le moment, se dit-elle. Profite de ton déjeuner avec Mme Ditmyer pour te détendre et tu réfléchiras ensuite.

Excellent conseil, bien sûr, mais allait-elle être capable de le suivre? Elle se gara au parking du restaurant. En tout cas, ce déjeuner ne pouvait lui faire que du bien. Joindre l'utile à l'agréable, rien de tel pour vous détendre tout en vous donnant bonne conscience. Un coup d'œil à sa montre lui apprit qu'elle n'avait que cinq minutes de retard. Rien de dramatique. Faire attendre Myra Ditmyer eût été un impair.

Je l'aime bien, pensa Olivia en entrant dans le restaurant. Elle est si... vivante. Et si solide! Greg a de la chance de l'avoir pour tante. Quel dommage de n'avoir pas quelqu'un comme elle dans la famille! N'y pensons plus, je n'ai pas eu cette chance.

Mais il restait que Myra Ditmyer jouissait d'une excellente position dans les milieux mondains et politiques de Washington et, puisqu'elle avait décidé de s'intéresser à Olivia, autant en profiter.

— La table de Mme Ditmyer, dit-elle au maître d'hôtel.

— Madame Carmichael ?

Elle hocha la tête et lui sourit aimablement.

— Par ici, s'il vous plaît.

Amusée, elle le suivit. L'héritière des Carmichael avait reconnu le traitement plein de déférence dont, en tant que journaliste, elle était habituée à se passer.

— Olivia ! s'écria Myra avec chaleur. Comme vous êtes élégante ! Et comme c'est agréable de voir à nouveau les hommes se retourner ! Même si c'est pour se demander si je suis votre mère ou votre vieille tante célibataire d'Albuquerque.

Olivia éclata de rire en s'asseyant sur la chaise que lui proposait le maître d'hôtel. La compagnie de cette femme procurait à la fois une sensation de détente et d'euphorie.

— Madame Ditmyer, je savais que déjeuner avec vous serait le point fort de ma journée.

— Comme c'est gentil ! fit Myra avec un sourire enchanté. Paul, faites apporter un sherry à Mme Carmichael.

— Tout de suite, madame Ditmyer.

Myra croisa les mains sur la table et regarda Olivia avec un intérêt non déguisé.

— Bon, maintenant, racontez-moi tout ce que vous avez fait de passionnant ces jours-ci. Enquêter sur la corruption ou les manœuvres politiciennes dans notre ville doit maintenir dans un état d'exaltation constant.

— J'ai honte de vous décevoir, madame Ditmyer, mais mon travail consiste la plupart du temps à attendre dans un aéroport, ou devant la Maison-Blanche. À moins que je ne sois pendue au téléphone pour découvrir où je dois aller attendre dans l'heure suivante.

— Oh, ma chère, ne brisez pas mes illusions ! Je serais très contente que vous inventiez quelque chose, n'importe quoi du moment que c'est amusant. Et appelez-moi Myra ; j'ai décidé que nous allions nous entendre à merveille.

— Eh bien, moi aussi, je le crois... Malheureusement, nous ne pouvons tous être de grands journalistes, comme Woodwards ou Bernsteins. Mais j'imagine qu'à un moment ou à un autre chacun de nous tombe sur une histoire intéressante. Pour l'instant, nous tentons tous d'en apprendre davantage sur l'obstruction que projette le sénateur Donahue.

— Ah, Michael ! s'exclama Myra, tandis qu'un jeune garçon déposait un verre de sherry devant Olivia. Un bon vivant. Je l'ai toujours apprécié. Personne ne danse la rumba comme Michael Donahue.

Olivia faillit s'étrangler avec une gorgée de sherry.

— C'est vrai ?

— Je vous le présenterai le mois prochain, lors de mon bal du printemps. Vous dansez la rumba, n'est-ce pas, ma chère ?

— J'apprendrai.

Myra lui décocha un sourire éblouissant avant de faire signe au maître d'hôtel.

— Il faudra malheureusement que je me contente d'une salade de fruits. Ces derniers temps, ma couturière me fait trop de reproches.

Le coup d'œil qu'elle jeta à Olivia tenait autant de la nostalgie que de l'envie.

— Ici, les scampi sont délicieux.

— La salade de fruits me convient parfaitement, répliqua Olivia. Pouvoir s'asseoir pour déjeuner est déjà un luxe et je vous remercie de m'avoir invitée... Il est rare que je dispose d'une heure de détente aussi agréable en plein milieu de la journée, ajouta-t-elle lorsque le maître d'hôtel se fut éloigné.

— Mais vous pourrez justifier cette escapade en la baptisant « déjeuner d'affaires ».

L'expression d'Olivia la fit éclater de rire.

— Oh, non, ma chère, ne croyez pas que cela m'offense. Pas du tout. Cela fait d'ailleurs partie de mes intentions. Voyons...

Elle s'inclina vers Olivia avec l'air d'un général dressant le plan de sa prochaine offensive.

— Il faut que vous m'expliquiez quel projet précis vous avez en tête. Je sais que vous en avez un ; c'est dans votre caractère.

Olivia s'appuya contre le dossier de sa chaise, subjuguée par la femme qui lui faisait face.

— Myra, je suis sûre que vous auriez fait un reporter fantastique.

Les joues de Mme Ditmyer rosirent de plaisir.

— Vous croyez vraiment ? C'est merveilleux. C'est vrai que j'aime mettre mon nez un peu partout. Vous le savez, n'est-ce pas ?

— Oui, fit Olivia.

— Bon, dites-moi ce que vous avez en tête.

Olivia sourit franchement.

— D'accord. Mon idée est de faire une émission, tard dans la soirée, sur les femmes et la politique. Pas seulement celles qui font de la politique, mais aussi celles qui ont épousé des hommes politiques. Comment elles font face au stress de ce métier, comment elles mènent leur vie familiale, comment elles affrontent le regard du public, comment elles supportent les voyages, les réceptions officielles, etc. Je voudrais montrer l'envers de la médaille.

— Oui... dit Myra qui réfléchissait intensément. Ça pourrait être très intéressant. Ce métier pèse lourd sur un mariage, vous savez. Les campagnes électorales, les dîners avec les collaborateurs, les innombrables réceptions, le protocole. Une course interminable.

Elle finit son sherry et conclut :

— Oui, vraiment, ça pourrait être intéressant.

— Ça fait deux mois que je harcèle Carl avec cette idée. C'est notre chef de rédaction. Je crois qu'il me donnera le feu vert si je parviens à lui fournir les grandes lignes et quelques noms précis. C'est en voyant Amelia Thaxter au cocktail de l'ambassade du Canada que j'ai décidé de mettre sur pied ce projet.

— Une femme remarquable, commenta Myra.

Elle adressa un regard mélancolique à la salade de fruits qu'on déposait devant elle. Pas de doute : Myra Ditmyer n'était guère encline à la modération, pas même en gastronomie.

— Amelia est passionnée par son métier et extrêmement dévouée à ses électeurs. Elle se consacre à eux de tout son cœur. Il y a longtemps, elle a choisi entre le mariage et sa carrière. Certaines femmes ne peuvent mélanger les deux.

Elle planta sa fourchette dans un morceau d'ananas qu'elle examina avec commisération avant de le porter à sa bouche.

— Ce n'est pas un secret que je vous dis là. Si on lui posait la question, elle le dirait elle-même. Je crois que votre projet l'intéresserait beaucoup. Et il y a Margaret Lewellyn. Elle adore parler d'elle-même. Et puis Barbara Carp...

Trop captivée pour toucher à son déjeuner, Olivia écoutait Myra énumérer les femmes exerçant une fonction politique ou ayant épousé de hauts personnages de Washington. Elle n'avait pas osé en espérer autant. Plus Myra parlait, plus elle s'enthousiasmait pour ce projet.

— Je suis sûre que vous allez en faire quelque chose de très réussi. Et, dès que je serai rentrée, je vais passer quelques coups de téléphone.

— Merci infiniment, dit Olivia, à court de mots pour exprimer sa gratitude. Je ne sais comment...

— Oh, c'est une bricole, répliqua Myra en agitant sa fourchette. C'est beaucoup plus amusant que d'organiser un dîner. D'ailleurs, ajouta-t-elle en décochant à Olivia son sourire rayonnant, j'espère bien être interviewée moi-même.

— C'est quelque chose que je ne voudrais rater pour rien au monde. Myra, vous êtes épatante.

Sur ces mots sincères, elle entama son déjeuner.

— J'essaie, répondit modestement Mme Ditmyer. Bon, voilà une affaire conclue.

Elle lâcha un soupir de satisfaction. Elle appréciait les qualités de cette jeune femme. Oh, oui ! Et lorsque Myra Ditmyer se faisait une opinion sur quelqu'un, elle n'en changeait pas davantage que son époux ne changeait un jugement de la Cour suprême.

— Je dois vous dire que, lorsque j'ai organisé ce bridge, j'ignorais complètement que Greg et vous vous connaissiez déjà. J'adore qu'on me surprenne.

— C'était un ami très proche, dit Olivia en tripotant sa fourchette. Le revoir m'a fait grand plaisir.

Myra l'observa attentivement.

— J'ai dit que j'avais été surprise mais...

Le regard d'Olivia se souda au sien.

— ... il ne m'a pas fallu longtemps pour assembler les pièces du puzzle. Lorsqu'il était à l'université, Greg m'a souvent écrit au sujet d'une Livvy. J'espérais qu'il était en train de vivre une délicieuse histoire d'amour. Cette jeune fille le fascinait.

— Myra, je...

— Non, non, laissez-moi finir. Greg m'a toujours écrit régulièrement. Venant d'un très jeune homme, c'était touchant. Lorsqu'il m'a écrit que cette Livvy s'intéressait plus à son camarade de chambre qu'à lui, j'ai été très chagrinée.

— C'était il y a si longtemps...

— Ma chère, dit Myra en posant une main sur celle d'Olivia, excusez-moi mais Greg ne m'a rien caché de ses sentiments. Je suppose qu'écrire lui permettait de les sonder. Il était désespérément amoureux de vous et en même temps très proche de Doug. Se trouver entre vous deux lui a été très pénible et c'est sans doute parce que j'étais loin qu'il m'écrivait aussi sincèrement. Il m'a tout raconté. Tout.

Son regard et la pression de sa main firent comprendre à Olivia que ce « tout » n'était pas exagéré. Myra ne devait rien ignorer de ces années. Olivia la regarda d'un air accablé.

— Reprenez un peu de vin, ma chère. Je m'en voudrais de vous replonger dans la souffrance. Nous apprenons tous à faire face, à endurer, non ? poursuivit-elle d'une voix si calme qu'Olivia lui obéit. Le deuil, le chagrin, la déception... on n'atteint pas mon grand âge sans avoir eu droit à toute la gamme. Ça a dû être affreux pour vous. Vous avez dû penser que vous n'y survivriez pas.

— C'est vrai, murmura Olivia. J'étais même sûre de ne pas y survivre.

— Et pourtant vous y êtes parvenue. C'est l'essentiel.

Myra lui tapota la main, se renfonça dans son fauteuil et attendit.

Que ce fût dû à un talent particulier de Myra ou à l'intérêt sincère qu'elle lui portait, Olivia répondit plus librement qu'elle ne l'aurait fait en d'autres circonstances.

— Pendant un certain temps, j'ai pensé qu'il serait préférable de mourir, plutôt que de vivre avec cette souffrance. Il n'y avait personne... Enfin, si, il y avait ma famille, corrigea-t-elle avec un soupir. J'imagine qu'ils ont fait de leur mieux ; à leur façon, ils se sont montrés compatissants mais...

Un second soupir toucha Myra jusqu'au cœur.

— J'avais envie de hurler. De déchirer quelque chose. N'importe quoi. Mais ils ne comprenaient pas ce genre de besoin. Le chagrin, le chagrin privé devait rester privé. On devait le supporter avec dignité.

— Inepties, jeta Myra. Quand on souffre, on pleure et tant pis pour ceux qui n'aiment pas voir les larmes couler.

Olivia rit de bon cœur.

— Vous m'auriez été d'un grand secours à l'époque. Je n'aurais pas fait un tel gâchis.

— C'est votre opinion, répliqua Myra avec sévérité. Il est temps que vous repreniez confiance en vous. Mais, comme je le disais, vous y avez survécu et c'est le passé. Parlez-moi plutôt de vous et de T. C.

— Oh… fit Olivia en baissant les yeux sur sa salade.

Qu'y avait-il à dire à ce sujet ? Là encore, elle était responsable d'un beau gâchis.

— Je ne peux quasiment rien espérer entre Greg et vous. Mais, comme j'aime beaucoup T. C., je m'en contenterai.

— Je ne me remarierai jamais.

— Quelle sottise ! s'exclama Myra en riant. On vous a beaucoup vus ensemble ces derniers temps, non ?

— Oui, mais…

Olivia se renfrogna. Myra avait vraiment manqué sa vocation.

— C'est un homme beaucoup trop intelligent pour vous laisser échapper. Je parierais les trophées de golf de Herbert qu'il vous a déjà demandé de l'épouser.

— Heu, non. Plus exactement, il m'a annoncé que j'allais l'épouser mais…

— C'est beaucoup plus conforme à son caractère, remarqua Myra, enchantée. Et, bien sûr, ça vous a hérissée.

— Il est d'une arrogance insupportable.

— Et il vous aime terriblement.

Cette affirmation pétrifia Olivia.

— Olivia, un aveugle l'aurait remarqué, le soir de mon bridge. Et j'ai une bonne vue. Qu'allez-vous faire ?

Olivia eut l'impression de se dégonfler comme un ballon qu'on vient de percer avec une épingle.

— J'ai… j'ai tout gâché. La nuit dernière.

Myra la dévisagea un instant sans parler. Cette enfant était manifestement en pleine confusion. C'était une honte, tous ces gens qui pensaient trop et agissaient si peu. Tout ça pour se faire du mal.

— Vous savez, contrairement à la maxime, la vie n'est pas courte. Elle est terriblement longue, dit-elle en tapotant la main de la jeune femme.

Le regard sérieux d'Olivia la fit sourire avec tendresse.

— Mais pas tout à fait assez longue cependant. Cela fait trente-cinq ans que je vis avec Herbert. Si j'avais écouté mes parents – que Dieu les bénisse –, je n'aurais jamais épousé un homme qui paraissait si sérieux, qui était beaucoup plus âgé que moi et qui ne pensait qu'à son travail. Pensez à tout ce que j'aurais manqué. La vie mérite qu'on prenne quelques risques. Et pour prouver ce que je dis, ajouta-t-elle, je vais prendre un peu de cette mousse au citron...

Des heures plus tard, tout en se préparant pour son émission, Olivia repensait encore aux propos de Myra. Il est temps de faire quelque chose, décida-t-elle en plein milieu de la page sportive. Il est temps de cesser de ruminer sans rien faire.

Son émission à peine achevée, elle monta l'escalier. La voyant approcher, la réceptionniste lâcha un soupir résigné.

— Il n'est pas là, dit-elle tout en ramassant ses affaires pour partir. Il fait un reportage.

— Je vais l'attendre dans son bureau, jeta Olivia en la contournant sans s'arrêter.

Que vais-je lui dire ? se demanda-t-elle en refermant la porte derrière elle. *Que puis-je dire ?* Elle se mit à marcher de long en large tout en réfléchissant.

Cela faisait une drôle d'impression de se trouver là en l'absence de Thorpe. La pièce lui ressemblait. Accrochées au mur, des photos le montraient en compagnie de différents chefs d'État et personnalités de Washington. Sur chacune, il avait un air détendu, ni crispé, ni obséquieux. Il était lui-même, T. C. Thorpe, et cela suffisait. Des notes griffonnées parsemaient son bureau et un presse-papiers maintenait une grosse pile de documents. Elle s'approcha de la fenêtre pour voir quelle vue il avait de la ville.

Elle aperçut le dôme du Capitole qui, au soleil couchant, prenait une teinte rosée, presque féerique. La circulation était dense mais les vitres épaisses isolaient du bruit. Elle regarda les lignes et les méandres des rues, les vieux bâtiments pleins de majesté, les cerisiers qui commençaient à fleurir. Ce n'était pas l'agitation frénétique de New York mais le spectacle ne manquait pas de grandeur. Absorbée dans sa contemplation, elle n'entendit pas Thorpe entrer.

Surpris, il resta un instant immobile, la main sur la poignée de la porte.

— Liv?

Elle pivota et il vit son expression passer de l'étonnement à la joie puis à une inquiétude contenue. Il eut très envie de la prendre dans ses bras et de faire comme si la soirée de la veille n'avait pas eu lieu.

— Thorpe...

Olivia avait brusquement oublié tous ses discours soigneusement concoctés. Elle resta plantée sur place, le dos à la fenêtre, les bras ballants.

— J'espère que ça ne t'ennuie pas que je sois entrée chez toi.

Il prit aussitôt l'air amusé, un peu ironique, qu'elle lui connaissait.

— Bien sûr que non. Tu veux un café?

Il s'approcha de la cafetière d'une démarche si désinvolte qu'elle en vint à se demander si elle n'avait pas imaginé sa déclaration d'amour, moins de vingt-quatre heures plus tôt.

— Non, je... Je suis venue te demander si tu pouvais dîner chez moi ce soir.

Cette proposition avait jailli impulsivement. Pressentant un refus, elle enchaîna rapidement:

— Évidemment, je ne peux te promettre un repas comme celui que tu m'as préparé mais je ne t'empoisonnerai pas.

Renonçant à préparer du café, il se tourna vers la jeune femme.

— Liv, je doute que ce soit une bonne idée.

— Thorpe…

Elle se détourna un instant pour rassembler son courage. Ce qu'elle aurait voulu, c'était pleurer, et pleurer sur son épaule. Ce qui ne les aiderait ni l'un ni l'autre.

— Il y a beaucoup de choses que tu ne sais pas, que tu ne peux pas comprendre. Mais je veux que tu saches que je t'aime bien, peut-être plus que ce que je peux supporter.

Elle avait les nerfs à vif et sa voix la trahissait. Elle fit un pas vers lui.

— Je sais que c'est beaucoup demander mais ce qu'il me faudrait, c'est seulement un peu de temps.

Prière qui lui coûtait visiblement. Et, la connaissant, il savait que venir le trouver de cette façon lui avait aussi beaucoup coûté. Ne s'était-il pas exhorté à la patience ?

— J'ai quelques petites choses à régler ici, répondit-il. Ça te va si j'arrive dans une heure environ ?

— Très bien, lâcha-t-elle avec un soupir de soulagement.

Une heure plus tard, les nerfs d'Olivia étaient tendus à craquer. Elle essayait de se concentrer sur la préparation du repas mais ses yeux revenaient sans cesse à la pendule.

Je devrais peut-être me changer, se dit-elle en jetant un regard inquiet sur son tailleur gris très strict. Elle retournait à la cuisine lorsque la sonnette de l'entrée la fit sursauter. Oh, arrête, tu es ridicule, se sermonna-t-elle. Le cœur battant, elle ouvrit la porte.

— Bonsoir, fit-elle, avec un sourire légèrement crispé. Tu arrives à l'heure dite. Je vais mettre les steaks à griller dans une minute.

Elle referma la porte puis se demanda que faire de ses mains.

— Les steaks, c'est ce qu'il y a de plus sûr. Je ne risque pas de les rater. Tu veux un verre ?

Quelle conversation idiote! songea-t-elle. Seigneur... Il dardait à nouveau sur elle son regard calme et insistant. Sans attendre sa réponse, elle s'approcha du bar. Un petit verre serait le bienvenu.

— Tu veux un whisky? demanda-t-elle en se servant un martini.

Elle sentit les mains de Thorpe se poser sur ses épaules.

Lorsqu'il la fit se retourner, elle ne résista pas et se laissa étreindre. Toute tension nerveuse la quitta aussitôt.

— Oh, Thorpe, j'ai failli devenir folle! J'ai besoin de toi.

Aveu lourd de sens. Elle releva le visage pour le regarder dans les yeux.

— Ne t'en va pas, murmura-t-elle. Ne t'en va pas ce soir.

Elle pressa ses lèvres contre celles de Thorpe et le monde reprit vie.

— Fais-moi l'amour, Thorpe, murmura-t-elle. Maintenant. Tout de suite.

Sans cesser de l'embrasser, il la fit s'allonger sur le canapé. Il la caressa doucement, retrouvant la forme de son corps sous les vêtements. Haletante, elle se prêta à ses explorations. Avec une douceur à la limite du supportable, il l'embrassa encore et encore jusqu'à ce qu'Olivia capitulât totalement, cœur, corps et esprit. Une reddition délicieuse.

Il la déshabilla lentement, laissant ses doigts s'attarder sur la pointe d'un sein, dans le creux de la taille. Avec un soupir, Olivia s'abandonna totalement.

Il la caressait légèrement avec une sorte de révérence et, lorsqu'elle se mit à frissonner et à se cambrer, il prit encore son temps.

Il taquina de la langue la pointe d'un sein et Olivia sentit le désir la creuser. Mais, refusant de se hâter, il poursuivit baisers et caresses.

Elle s'entendit l'appeler d'une voix qu'elle ne reconnut pas, chargée de passion et d'urgence. Son corps n'était plus passif mais réclamait ardemment d'être possédé. Par lui. Seulement lui. Il la prit lentement et l'entraîna au paradis.

13

— Hé, fit Thorpe en embrassant Olivia dans le cou pour la réveiller. Tu comptes dormir toute la journée ?

Gardant les yeux fermés, elle se blottit contre lui.

— Hum.

Sentir son corps contre le sien était tout ce qu'elle désirait. Qu'on fût le matin, la nuit ou l'après-midi, peu importait.

— Il est 9 heures passées, reprit-il en lui caressant lentement le dos, ce qui la fit soupirer de plaisir. Nous allons passer la journée en bateau, tu te rappelles ?

Elle entrouvrit les yeux. C'était le matin. Samedi matin. Elle lui adressa un sourire ensommeillé.

— Passons-la plutôt au lit, suggéra-t-elle.

— Quelle femme paresseuse...

Et belle, songea-t-il en lui repoussant les cheveux du visage. Belle à faire mal.

— Paresseuse ? répéta Olivia en haussant les sourcils. J'ai des quantités d'énergie en réserve... Des quantités, répéta-t-elle d'une voix assoupie avant de refermer les yeux avec un bâillement.

— Oh, oui, je vois ça. On commence par un petit jogging ?

Elle rouvrit les yeux.

— J'ai une bien meilleure idée.

Il fut surpris par l'ardeur de son baiser et la promptitude avec laquelle elle se hissa sur lui. Un soupir lui échappa et son pouls s'accéléra aussitôt. Les mains d'Olivia se firent entreprenantes, presque agressives, et sa bouche avide. Elle le prit avant qu'il ait pu bien comprendre qui dirigeait les opérations cette fois.

La réaction de Thorpe donna à Olivia un sentiment de puissance. Elle l'embrassa avec passion, puis le picora de baisers pressants sur le cou, les épaules, la gorge. Sa langue dessina le contour de ses seins.

Quand était-elle devenue si forte ? se demanda-t-il, stupéfait. Ou bien était-ce lui qui était devenu faible ? Il eut besoin de la prendre maintenant. Tout de suite. Son cœur battait furieusement ; le désir le torturait.

Mais lorsqu'il tenta de la faire basculer, elle le maintint sous elle et l'embrassa de nouveau. Au bord de l'asphyxie, il l'étreignit. Elle était dans ses poumons, dans ses pores. Elle l'habitait. Ses mouvements sur lui le rendaient fou.

Puis il fut en elle et toute pensée claire disparut. Le monde explosa. Il entendit le tonnerre rugir dans sa tête, effacer tout le reste. Puis ce fut le souffle d'Olivia, court, haletant. Frémissant de tous ses membres, il la berça contre lui.

Ma femme, se dit-il avec véhémence tandis que, encore tremblante, elle se reposait dans ses bras. Il s'interdit de prononcer le mot et attendit. Il lui fallait encore être prudent.

— Je suppose que tu veux des excuses, dit-il.

— Hum ?

— Pour t'avoir traitée de paresseuse.

Avec un petit rire, elle se laissa glisser sur le côté.

— Ça me paraît équitable, fit-elle en fermant les yeux. Fais-le quand je me réveillerai.

— Oh, non !

Il se leva et la tira hors du lit.

— On va faire du bateau, voyons.
— Tu es obsédé, soupira-t-elle.
— Absolument... Je te laisse prendre la douche en premier, ajouta-t-il en l'embrassant sur le nez.
— Merci, fit-elle d'un ton acerbe.

Il sourit et la regarda disparaître dans la salle de bains. Après avoir enfilé un pantalon, il joua deux secondes avec l'idée de préparer du café puis prit une cigarette. Rien ne pressait. Olivia s'était mise à chantonner sous sa douche.

Le briquet lâcha une étincelle mais pas de flamme. En quête d'allumettes, il regarda autour de lui et, n'en voyant pas, ouvrit le tiroir de la table.

La photographie attira immédiatement son attention. D'abord parce que l'appartement d'Olivia en était totalement dépourvu, et ensuite parce que l'enfant qui souriait sur le papier glacé était d'une beauté frappante. Il prit le cadre en argent et examina la photo.

Le petit garçon n'avait pas plus d'un an; les joues rondes, il souriait de tout son cœur. Ses épais cheveux noirs bouclaient avec exubérance et ses yeux, bleu sombre, brillaient de joie malicieuse. C'était un enfant auquel les gens croisés dans la rue devaient sourire spontanément et que ses oncles et tantes devaient gâter. On pouvait presque entendre son rire prêt à jaillir.

Gardant la photo dans ses mains, Thorpe s'assit sur le lit.

— J'espère avoir utilisé toute l'eau chaude, dit Olivia de la salle de bains. Ça t'apprendra à me tirer du lit un samedi matin dès l'aube.

Ouvrant la porte, elle s'arrêta pour nouer la ceinture de sa robe de chambre.

— Je ne sens pas l'odeur du café. Tu aurais pu au moins...

Découvrant ce que Thorpe tenait à la main, elle s'interrompit. Il vit son visage blêmir et son expression joyeuse s'effacer instantanément.

— Liv… commença-t-il.

Lui expliquer qu'il cherchait des allumettes était inutile. Les mots ne comptaient pas ; d'ailleurs, elle n'était sans doute pas en état de les entendre.

— Qui est-ce ?

Dix secondes au moins s'écoulèrent avant qu'elle ne relevât les yeux jusqu'aux siens. Il la vit déglutir et remarqua le tremblement de ses lèvres mais, lorsqu'elle parla, ce fut d'une voix assurée.

— Mon fils.

Il n'en fut pas surpris. La ressemblance était indéniable. Pourtant, la réponse d'Olivia lui causa un choc qu'il dissimula de son mieux.

— Où est-il ?

Elle était livide à présent. Il n'avait jamais vu de regard aussi sombre, aussi chargé de pensées, de secrets et de chagrin. Elle frissonna.

— Il est mort.

Elle se hâta de se détourner et ouvrit la penderie. Ne voyant plus qu'un brouillard de couleurs, elle prit une tenue au hasard. Et lorsqu'elle sentit les mains de Thorpe se poser sur ses épaules, elle continua à fourrager entre les cintres.

— Liv…

Il lui fallut insister pour la faire se retourner.

— Il faut que je m'habille si nous voulons sortir.

Elle tenta de se dégager, mais il tint bon.

— Arrête.

L'ordre la fit souffler un grand coup comme si elle avait reçu un coup de poing.

— Non, ne fais pas ça. Pas maintenant. Plus jamais. Pas avec moi.

Et avant qu'elle ait pu dire un mot, il l'attira à lui et l'étreignit.

Elle aurait pu résister à l'ordre. Mais pas à cette force, à ce réconfort, qu'il lui offrait. Les barrières dressées autour de son âme s'effondrèrent.

— Viens t'asseoir et raconte-moi, dit-il en la guidant vers le lit.

Elle s'assit à côté de lui, prit la photographie et la posa sur ses genoux. Sentant qu'elle avait besoin de se recueillir, il attendit. Lorsqu'elle commença à parler, ce fut d'une voix hésitante que ses fidèles téléspectateurs n'auraient pas reconnue.

— J'avais dix-neuf ans quand j'ai rencontré Doug. Il avait reçu une bourse pour étudier le droit. C'était un jeune homme brillant et gai, ce qui ne l'empêchait pas d'avoir une très nette idée de ce qu'il voulait devenir : le meilleur avocat du pays. Il allait changer notre système juridique de l'intérieur, défier les moulins à vent, combattre les dragons. Un mélange de Don Quichotte et de saint Georges, voilà qui était Doug.

Thorpe gardant le silence, elle inspira profondément et reprit d'une voix plus ferme :

— Nous venions de milieux totalement opposés mais nous avions tous deux des idéaux très élevés. Nous nous sommes éblouis l'un l'autre. Il faut dire que nous étions très jeunes.

Elle soupira et reprit :

— Nous nous sommes mariés moins de trois mois après notre première rencontre. Ma famille... disons qu'ils ont été très surpris. Parfois je me dis que c'est aussi une des raisons qui m'ont poussée à l'épouser. Cette idée ne me plaît pas.

Les yeux dans le vide, elle semblait contempler ses souvenirs. Un bref instant, Thorpe se sentit brusquement rejeté. Il écarta ce sentiment et attendit la suite.

— Mariage un peu bancal. Nous étions jeunes et les difficultés étaient nombreuses. Doug potassait ses examens ; je travaillais comme stagiaire dans une chaîne locale tout en étudiant dès que j'avais une minute. L'argent ne comptait pas pour nous ; heureusement, car il se faisait rare. Nous avons eu de bons moments mais Doug était...

Elle chercha les mots adéquats.

— Il ne savait pas résister aux femmes. Il m'aimait vraiment, je le crois, mais il avait du mal à être fidèle. Il n'accordait guère d'importance à ses… écarts, et mon expérience amoureuse était limitée.

Thorpe se retint à grand-peine. Il ne voulait pas l'interrompre alors qu'elle se livrait enfin mais il avait envie de maudire l'imbécile qu'elle avait épousé. Il se souvenait des craintes qu'Olivia avait exprimées dès leur première nuit, quant à son incapacité prétendue à offrir du plaisir. Au moins comprenait-il à présent d'où lui venait cette idée. Il garda le silence.

— Nous n'avions qu'un an de mariage lorsque Joshua est né. Ma famille nous a trouvés complètement fous de nous lancer dans une pareille aventure avec un revenu très inférieur à ce qu'ils considéraient comme le minimum vital. Mais nous voulions un bébé. Nous voulions tous les deux cet enfant. Josh est devenu tout de suite le centre de notre vie. Un enfant exceptionnel…

Ses yeux se fixèrent sur la photo qui reposait sur ses genoux.

— Je sais bien que toutes les mères pensent la même chose de leur bébé. Mais il était si beau et si gai. Il n'a quasiment jamais pleuré.

Elle vit la larme s'écraser sur le cadre en argent et ferma les yeux.

— Nous l'adorions. Impossible de faire autrement. Durant près d'une année, nous avons été heureux. Vraiment, vraiment heureux. Doug était un père formidable. Aucune tâche ne le rebutait. Je me souviens d'un matin où il m'a réveillée, fier comme Artaban, parce que Josh venait de percer sa première dent.

Olivia garda le silence une minute. Comprenant qu'il lui fallait respecter son rythme, Thorpe attendait, un bras autour de ses épaules.

— J'ai obtenu mon diplôme et nous sommes partis nous installer dans le New Jersey. Doug avait été embauché dans un petit cabinet juridique et, moi, j'avais déniché un travail à WTRL. Au début, j'assumais la permanence de nuit. Ce n'était facile ni pour lui ni pour moi. Nous démarrions nos carrières, en acceptant ce que les autres ne voulaient pas, en travaillant à des heures indues et en nous partageant l'éducation et les soins de notre enfant. Je ne crois pas que Josh en ait souffert. En tout cas, ça ne se voyait pas ; c'était un bébé joyeux. Je passais la journée avec lui ; Doug prenait la suite dans la soirée et le mettait au lit. Puis il y a eu un incident avec une employée du cabinet où travaillait Doug ; il n'a pas su lui résister. Un petit écart. Cela faisait un an qu'il n'en avait pas commis. J'ai fermé les yeux... Du moins, j'ai essayé, corrigea-t-elle avec un haussement d'épaules. En tout cas, il s'est repenti abondamment. Nous avons essayé de ressouder nos liens. Nous devions penser au bébé. Rien ne comptait plus pour nous que Josh. Finalement, j'ai pu quitter la permanence de nuit et travailler de jour. On m'a confié la météo et quelques reportages mineurs. Nous avons passé un temps fou à dénicher une baby-sitter qui nous convînt. Déjà, nous nous heurtions. Doug voulait que j'arrête de travailler pour m'occuper de Josh et moi, je ne voulais pas.

Elle pressa les doigts sur ses paupières puis les reposa sur ses genoux.

— Il était si équilibré, si joyeux. Je l'aimais plus que tout au monde mais il ne m'a pas paru nécessaire, ni raisonnable, d'arrêter de travailler, de renoncer à ma carrière pour rester avec lui chaque minute. Il fallait tenir compte de nos besoins financiers et de mes propres besoins. En outre, je ne voulais pas l'étouffer.

Sa voix perdit de sa fermeté et se mit à hésiter.

— C'était très tentant de rester avec lui et de le gâter. Doug disait que, si j'en avais eu le pouvoir, je l'aurais maintenu à l'état de bébé éternellement. Moi, je trouvais qu'il poussait Josh à grandir trop vite. C'était touchant de le voir offrir à ce tout petit homme encore trébuchant un ballon de football et envisager l'achat d'un vélo alors que Josh atteignait tout juste ses dix-huit mois. Pour ses deux ans, il a acheté un énorme portique, avec balançoire, trapèze, corde à nœuds, qui me terrifiait par sa taille. Nous nous sommes un peu disputés à ce sujet, mais pas gravement. Doug riait et me reprochait d'être trop protectrice. Je riais en lui rappelant qu'il avait passé trois semaines à chercher le siège-auto idéal. Si j'avais... si j'avais écouté mon intuition, tout aurait été différent.

Olivia fixa la photographie puis la pressa sur sa poitrine.

— La baby-sitter m'a appelée au bureau pour me dire que Josh était tombé de la balançoire. Il n'avait qu'une bosse sur le crâne mais j'ai tout lâché ; j'ai appelé Doug et suis rentrée en hâte. Doug était déjà là. Josh semblait aller bien mais nous étions paniqués et nous l'avons emmené aux urgences de l'hôpital le plus proche. Je me souviens de notre attente tandis qu'on lui radiographiait la tête. Je revois cette grande salle avec ces chaises en plastique noir, ces cendriers métalliques et ces lampes au plafond. Le carrelage était noir, avec des points blancs. Je ne cessais de les compter et de les recompter tandis que Doug marchait de long en large. Le médecin nous a rejoints et nous a emmenés dans son bureau. Sa voix douce m'a terrifiée. J'ai tout compris avant qu'il ne l'ait dit. Mais y croire, c'était impossible.

Elle pressa les mains sur sa bouche pour refouler les sanglots qui lui montaient à la gorge. Chaque détail revenait avec une précision insupportable, ramenant la souffrance et l'horreur.

— Lorsqu'il nous a dit que Josh avait succombé à une embolie, j'ai dit : « Non, ce n'est pas vrai ! » Partir, comme ça, c'était impossible.

Elle se balançait d'avant en arrière, la photo pressée sur son sein tandis que les sanglots commençaient à lui déchirer la gorge.

— Je ne sais plus ce qui s'est passé ensuite. J'ai hurlé, je me suis débattue et on m'a donné un sédatif. Ensuite, je me revois à la maison. Doug était anéanti. Nous ne sommes pas arrivés à nous réconforter mutuellement. Au contraire, nous nous sommes emportés l'un contre l'autre. Des choses horribles ont été prononcées. Il m'a reproché de ne pas être restée à la maison pour m'occuper de notre enfant, pour veiller sur lui. Si j'avais été là, peut-être que... Et je lui rendais coup pour coup. C'était lui qui avait acheté ce portique trop grand pour un bébé de deux ans. Ce foutu truc métallique qui avait tué mon enfant.

— Liv...

Il aurait voulu pouvoir tout effacer, la souffrance, le deuil, les souvenirs. Elle continuait à presser la photo sur elle comme si son cœur pouvait lui insuffler la vie. Quel réconfort pouvait-il lui offrir ? Aucun mot ne serait efficace. Il ne pouvait que l'étreindre.

Elle essuya ses yeux d'un geste brusque. L'histoire était loin d'être finie. Olivia ne pouvait s'arrêter. Il lui fallait aller jusqu'au bout.

— Greg est arrivé. C'était le parrain de Josh et notre meilleur ami. Dieu sait que nous avions besoin d'un ami. Notre monde venait de s'écrouler. Il s'interposa et nous empêcha de continuer à nous faire du mal. Mais le pire avait eu lieu. Josh était mort.

Elle lâcha un soupir qui la secoua tout entière.

— Il était mort et rien ne pouvait annuler ce fait, ni le modifier. Il n'y avait pas de coupable. C'était un accident. Un simple accident.

Elle se tut un long moment. Il comprit qu'elle rassemblait ses forces pour affronter la suite. Il aurait voulu qu'elle cessât de souffrir, qu'elle refoulât à jamais cette souffrance dans son passé. Mais avant qu'il eût pu trouver les mots adéquats, elle avait repris :

— Greg s'est occupé de tout... pour l'enterrement. Je n'étais pas en état de le faire. On me donnait quelque chose, je ne sais pas quoi exactement mais, cette première semaine, Doug et moi, nous étions comme des zombies. Ma famille est venue mais ils me connaissaient mal et ils avaient peu vu Josh. Chaque jour, je tendais l'oreille en passant devant sa chambre et espérais l'entendre jouer et gazouiller. J'ai repris mon travail parce que je ne pouvais plus supporter de rester à la maison et d'attendre qu'il se réveille.

Les larmes jaillissaient à présent. Sa voix était rauque de sanglots. Thorpe était bouleversé. Ce n'était pas ce drame affreux qu'il s'était attendu à trouver derrière les défenses d'Olivia. Aveuglée par sa souffrance, elle ne devait même plus être consciente de sa présence ni du bras qui l'enlaçait.

— Notre mariage était fini. Nous le savions sans pouvoir le formuler. C'était comme si nous espérions qu'en restant ensemble Josh allait avoir pitié de nous et revenir. Nous nous montrions polis l'un envers l'autre, tout en nous évitant autant que possible. Je voulais quelqu'un sur qui m'appuyer, quelqu'un pour me dire… J'ignore quels mots j'avais besoin d'entendre mais en tout cas Doug ne les connaissait pas. Et moi, je ne connaissais pas non plus ceux dont il avait besoin. Nous partagions le même lit en prenant soin de ne pas nous toucher. Cette existence sinistre s'est prolongée près d'un mois. Un jour je… je lui ai demandé de m'accompagner dans la chambre de Josh pour m'aider à trier ses affaires. Je n'avais pas la force de le faire seule et il fallait que ce soit fait. Doug a quitté la maison et n'est pas revenu de toute la nuit. Il ne pouvait affronter ça, et moi, toute seule, je n'y arrivais pas non plus. J'ai dû appeler Greg au secours et nous avons…

Appuyant la paume de sa main sur son front, elle tenta de ne pas s'étrangler sur les mots qui restaient à prononcer.

— Doug et moi n'en avons plus reparlé. Ensuite ma sœur Mélinda est venue. Elle avait beaucoup aimé Josh, mais à sa façon. Par exemple, elle n'avait pas cessé de lui envoyer quantité de jouets hors de prix et trop sophistiqués pour intéresser un bébé. Sa présence a paru nous aider un peu. C'était une distraction. Elle nous obligeait à sortir de la maison, à lui trouver des activités amusantes et à ne plus penser à... à tout. Je crois que ça m'a aidée; j'ai commencé à comprendre qu'en faisant semblant d'être encore mariés, Doug et moi, nous nous faisions du mal. Il fallait s'arrêter. J'ai décidé de demander le divorce avant que lui ou moi ne commette quelque chose d'impardonnable. Ce n'était pas facile. J'y ai réfléchi pendant des jours. Un après-midi, je suis rentrée plus tôt que d'habitude pour avoir le temps de préparer ce que je devais dire à Doug. J'avais pris la décision d'aborder le sujet le soir même. Sa voiture était garée devant la maison. J'ai supposé qu'il était malade et avait dû rentrer se coucher. Il était effectivement au lit, mais pas tout seul. Avec ma sœur.

Très doucement, elle reposa la photo sur ses genoux.

— Ce fut le coup décisif. Ma sœur, ma maison, mon lit. Je suis partie avant qu'ils aient pu dire quoi que ce soit. Je ne voulais rien entendre. Et je ne voulais pas m'entendre dire les choses horribles qui m'auraient sûrement échappé si j'étais restée. Je suis allée dans un motel. C'est là que j'ai compris que mes parents avaient raison. Si on vit calmement, sans bouleverser sa vie par des attachements trop forts, on ne risque pas de souffrir. C'était comme cela que j'allais vivre désormais. Personne ni rien ne me ramènerait à ce point de vulnérabilité. J'avais eu mon compte de souffrance. J'ai demandé le divorce. Doug a chargé Greg de s'en occuper. Je ne lui ai plus jamais parlé, sinon par l'intermédiaire de Greg. Au bout d'un certain temps, j'ai compris qu'il s'était contenté de me devancer sur une voie que, moi aussi, j'avais choisie. Il avait utilisé Mélinda pour mettre le point final à quelque chose qui nous démolissait. Cette idée m'a aidée à lui pardonner.

Et aussi le fait que nous avions eu et perdu ensemble quelque chose d'extraordinaire.

Sur ce dernier mot, elle fut prise de sanglots incontrôlables. Thorpe la serra contre lui jusqu'à ce que la douleur se dissipât.

14

Une légère brise ridait l'eau du Potomac et caressait les cheveux d'Olivia. À présent qu'ils étaient là, étendus au soleil, Thorpe se félicitait d'avoir convaincu Olivia de sortir. Le soleil et un peu d'activité physique lui feraient du bien. Une autre femme aurait préféré se reposer. Pas Olivia.

Elle avait encore le teint pâle et les yeux rouges. Mais une force indéniable émanait d'elle, provoquant l'admiration de Thorpe. Maintenant, il savait pourquoi elle s'était réfugiée sous cet air glacé et lointain. Il avait bien regardé le visage du petit garçon, un visage plein de vie et de joie, et il souffrait pour elle de cette perte incommensurable. Imaginer Olivia mariée, avec un fils, bâtissant une vie avec un autre homme, lui était difficile. Une petite maison dans la banlieue, un jardin clos, des jouets sous le canapé, tout cela lui semblait bien éloigné de cette femme. Et pourtant, peu de temps auparavant, ç'avait été sa vie. Et cela pourrait être de nouveau sa vie, mais avec lui cette fois-ci. C'est ce que voulait Thorpe, pour elle comme pour lui.

Plus que jamais, il comprenait qu'il lui faudrait procéder prudemment. Elle était forte, oui, mais elle avait terriblement souffert.

Doug... La colère le prit en pensant à cet homme. Il ne pouvait pardonner aussi aisément qu'Olivia. Ce type avait brisé Olivia par sa propre faiblesse et de plus il lui avait inoculé la peur. À Thorpe, à présent, de la rassurer, de la convaincre qu'il ne se déroberait pas, qu'il resterait toujours à ses côtés.

Olivia regardait Thorpe ramer. Ses muscles jouaient avec aisance et il semblait guider le bateau sans effort. Pour prouver sa force et sa virilité, il n'avait pas besoin de faire saillir ses biceps. Il se connaissait bien et son assurance venait de là.

Ainsi donc, elle lui avait tout raconté. Cela faisait des années qu'elle ne s'était livrée aussi complètement. Thorpe n'ignorait plus rien d'elle à présent. Pourquoi lui avait-elle tout raconté ? Peut-être parce qu'elle avait su, ou espéré, qu'il serait toujours là à la fin du récit. Et il était là. Ne prodiguant ni questions ni conseils, mais seulement un soutien. Il avait compris ce dont elle avait besoin. C'était un homme exceptionnel. Pourquoi lui avait-il fallu autant de temps pour le découvrir ? Jamais elle ne s'était sentie aussi détendue, en sécurité et réconciliée avec elle-même, comme purgée de son chagrin. Pendant un instant, elle ferma les yeux pour savourer sa nouvelle sérénité.

— Je ne t'ai pas remercié, dit-elle tranquillement.

— De quoi ?

Il manœuvrait les avirons à coups réguliers.

— De ta présence et de ne pas avoir prononcé toutes ces petites banalités lénifiantes que les gens se croient obligés de dire quand quelqu'un s'effondre devant eux.

— Tu souffrais, dit-il en la regardant dans les yeux. Rien de ce que j'aurais pu dire n'aurait effacé ce qui s'est passé ni ne l'aurait rendu plus facile à encaisser. Mais je suis là, maintenant.

— Je sais, soupira-t-elle en s'allongeant de nouveau. Je sais.

Ils gardèrent le silence un instant. D'autres bateaux circulaient sur la rivière mais ils en restaient assez loin pour n'être pas troublés dans leur intimité. Comme s'ils naviguaient sur leur rivière privée dans leur monde à eux.

— Il est encore trop tôt dans la saison pour que la rivière soit bondée, remarqua Thorpe. L'été, j'aime venir à l'aube, lorsque les premiers rayons de soleil apparaissent. La ville paraît alors incroyablement calme. Il n'y a encore aucun touriste et on oublie ce qui se passe au Pentagone ou au Capitole. Ce ne sont que des bâtiments, plutôt exceptionnels, parfois splendides. Le samedi ou le dimanche, quand je n'ai pas d'article à boucler, je vais ramer et je les regarde d'une façon différente, comme si je n'y avais jamais mis les pieds.

— C'est drôle, fit Olivia. Il y a un mois ou deux, j'aurais été surprise de t'entendre parler comme ça. Je te voyais comme un homme poussé uniquement par l'ambition et complètement absorbé par son travail. Je n'aurais pas imaginé que tu puisses avoir besoin de t'en éloigner, de changer d'allure.

Il sourit tout en continuant à ramer régulièrement.

— Et maintenant ?

Elle se redressa et le vent se mit à jouer dans ses cheveux.

— Maintenant, je te connais. Quand as-tu découvert que ramer pouvait t'éviter un ulcère ?

À la fois amusé et content, il éclata de rire.

— Tu me connais vraiment ! Je l'ai découvert quand je suis revenu du Moyen-Orient. C'était dur là-bas. Et ça a été dur de revenir. Beaucoup de soldats éprouvent la même chose. Se réadapter à la vie normale n'est pas facile. Je me suis mis à lutter contre mes frustrations de cette façon et c'est vite devenu une habitude.

— Ça te va bien. Un sport qui demande de l'énergie mais sans esbroufe… Ce n'est sans doute pas aussi facile que ça en a l'air, ajouta-t-elle en le voyant sourire.

— Tu veux essayer ?

— Oh, c'est inutile, dit-elle en s'allongeant. En matière de sport, je suis meilleure spectatrice qu'actrice.

— Ça ne demande pas de talent particulier, insista-t-il. Après une semaine de camp d'été, n'importe quel gamin peut y arriver.

Désirant voir ses yeux s'éclairer devant un nouveau défi à relever, il la provoquait à dessein.

— Je suis sûre que j'y arriverais sans problème.

— Viens à ma place alors, dit-il en bloquant les avirons. Essaie.

Elle n'était pas sûre d'en avoir réellement envie mais se dérober lui parut impossible.

— Tu crois vraiment qu'il faut changer de place ? Je n'aimerais pas chavirer en plein milieu du Potomac.

— Le bateau est bien équilibré. Tout dépend si, toi, tu l'es aussi.

Ce qui la fit se mettre debout avec prudence.

— Très bien, laisse-moi ta place.

Thorpe s'assit sur le petit siège rembourré et regarda Olivia agripper les avirons.

— N'y mets pas trop de force, conseilla-t-il comme elle luttait pour les sortir de leurs logements. Vas-y avec légèreté et régularité.

— Je suis allée dans des camps d'été, dit-elle gentiment.

Ses bras refusant de se mouvoir au même rythme, elle fronça les sourcils.

— Mais, là, nous avions des canoës. Je suis très adroite avec une pagaie… Voilà, fit-elle en réussissant enfin une manœuvre à peu près correcte. Maintenant, je vais prendre le rythme. Arrête de ricaner, Thorpe.

Concentrée sur sa tâche, elle sentait des élancements parcourir des muscles qu'elle n'avait pas fait travailler depuis des années. Sensation agréable, purifiante. Peu à peu, elle parvint à allonger son geste ; ses épaules se raidissaient dans l'effort. La peau de ses mains commençait à s'enflammer.

Leur trajectoire était moins rectiligne qu'auparavant, mais ils progressaient grâce à ses propres efforts. Ni moteur, ni voile. Ils ne dépendaient que de son corps, de sa volonté et des avirons. Oui, elle comprenait parfaitement ce qu'il éprouvait et se sentait prête à ramer encore des kilomètres et des kilomètres.

— O.K., Carmichael, ça ira comme ça.

— Tu plaisantes ? Je viens tout juste de commencer, protesta-t-elle en se cramponnant aux avirons.

— Dix minutes, ça suffit pour la première fois.

Il s'accroupit devant elle et l'obligea à s'arrêter.

— D'ailleurs, reprit-il, je ne veux pas que tu abîmes tes mains. Je les aime comme elles sont.

— J'aime les tiennes.

Prenant sa main, elle appliqua la paume sur sa joue.

— Liv...

Comment croire qu'il l'aimait encore plus que l'instant précédent ? Et, pourtant, c'était le cas. Bloquant les avirons, il l'enlaça étroitement.

Ils ne regagnèrent l'appartement d'Olivia qu'en fin d'après-midi. Chacun portait un sac empli de provisions.

— Je sais très bien faire rôtir un poulet, insista Olivia en appuyant sur le bouton de son étage. On le met dans le four, allumé au maximum, et on attend deux heures. Ce n'est pas difficile.

— S'il te plaît, tais-toi, fit-il en lui jetant un regard peiné. Il pourrait t'entendre.

D'un geste protecteur, il serra contre lui le sac contenant le poulet.

— La cuisine est un art, Liv. L'assaisonnement, le calcul du temps de cuisson, le choix des légumes d'accompagnement, le découpage. Un poulet qui renonce à la vie pour te nourrir mérite un peu de respect.

— C'est inquiétant ce que tu dis, fit-elle en jetant un regard dubitatif au sac. Pourquoi ne commandons-nous pas plutôt une pizza ?

— Je vais te montrer ce qu'on peut faire d'une belle volaille.

Il attendit qu'ils soient sortis de l'ascenseur et ajouta :

— Et ensuite je te ferai l'amour jusqu'à dimanche matin.

— Oh... seulement ? demanda-t-elle en retenant un sourire.

— Jusque très tard dimanche matin, corrigea-t-il en lui volant un baiser tandis qu'elle cherchait ses clés. À moins que ce ne soit jusqu'au début de l'après-midi.

— Du coup, l'idée de cette leçon de cuisine commence à me séduire.

Il laissa ses lèvres errer jusqu'à l'oreille d'Olivia.

— Et, moi, je commence à apprécier l'idée de commander une pizza. Plus tard.

Sa bouche revint s'emparer de celle de la jeune femme.

— Beaucoup plus tard.

— Entrons et mettons ça aux voix.

— Hum, j'aime ta façon de régler les litiges.

— C'est l'influence de Washington. Il n'existe aucun litige qu'on ne puisse régler à l'aide d'un vote.

— Raconte ça aux sénateurs qui piaffent pendant que Donahue continue à parler pour s'opposer à leur loi.

Elle éclata de rire et ouvrit la porte de son appartement.

— Je vais te dire quelque chose, Thorpe. Je n'ai pas envie de penser aux sénateurs ni à cette tentative d'obstruction. Je ne veux même pas penser à cette volaille qui te fait saliver.

— Non ? fit-il en l'enlaçant de son bras libre. Dis-moi à quoi tu veux penser ?

Un sourire sur les lèvres, elle commença à lui déboutonner sa chemise.

— Je pourrais plutôt te le montrer, non ? Un bon reporter sait que l'action remplace aisément un million de mots.

Sentant ses longs doigts frais se promener sur sa poitrine, il posa son sac et la débarrassa du sien.

— Comme je l'ai toujours dit, Carmichael, tu es un sacré bon reporter.

La journée s'achevait. Thorpe et Olivia étaient blottis l'un contre l'autre sur le canapé. Le week-end entier, se disait-elle, avait été un rêve. Elle avait partagé avec lui plus qu'elle n'avait pensé partager avec quiconque. Mais il était vrai que personne n'avait autant compté pour elle depuis des années. Elle avait oublié les résolutions prises dans le passé.

Le dîner du samedi avait été follement gai. Il était facile de rire avec Thorpe. Et très facile aussi d'oublier les mauvais souvenirs. Il l'aimait. Elle n'en revenait toujours pas. Cet homme coriace et impitoyable l'aimait. Et pas seulement avec fougue mais aussi avec gentillesse et compréhension, qualités dont elle avait tant besoin mais qu'elle n'aurait pas imaginé trouver chez lui. Comme sa vie aurait été différente si elle avait fait sa connaissance plus tôt...

Olivia ferma les yeux. Non. Ce serait comme ôter à Joshua le peu de vie qu'il avait eue. Si douloureuse qu'ait été la conclusion, elle ne voulait pas effacer de sa vie ces deux années. Il avait été le centre de son univers. Son enfant. Chacun de ses gestes, chacune de ses expressions restaient gravés dans la mémoire d'Olivia. L'amour maternel était l'expérience la plus merveilleuse que pouvait vivre une femme. Et aussi la plus dangereuse. Elle s'était promis de ne pas la renouveler.

Et maintenant, il y avait Thorpe. Quelle sorte de vie mènerait-elle avec lui ? Et sans lui ? Ces questions l'effrayaient.

Déjà, se disait-elle, la tête confortablement calée sur son épaule, il m'est devenu si proche que cela me fait peur. Je ne suis pas certaine de pouvoir faire demi-tour... ni de pouvoir aller de l'avant. Si seulement la situation pouvait se prolonger indéfiniment...

Mais bientôt il lui faudrait décider dans un sens ou dans l'autre.

Lui, il sait ce qu'il veut, poursuivit-elle en son for intérieur. Il n'y a aucun doute dans sa tête. J'aimerais pouvoir y voir aussi clair que lui.

— Te voilà bien silencieuse, murmura-t-il.

— Oui.

— Tu penses à hier matin.

Il avait envie de la serrer dans ses bras, de lui faire oublier son passé mais il savait que l'oubli ne résoudrait rien. Ni pour elle ni pour lui.

— Ça n'a pas dû être facile de tout raconter, de tout revivre.

— Non, ça n'a pas été facile.

Elle tourna la tête vers lui. Malgré la pénombre qui noyait son visage, elle croisa son regard franc et direct.

— Mais je ne regrette pas. Je suis contente que tu sois au courant. Thorpe...

Elle lâcha un bref soupir. Thorpe devait tout savoir.

— À un moment donné, juste après la mort de Josh, j'ai voulu mourir, moi aussi. Je ne voulais pas vivre sans lui. Si je n'ai pas tenté de me suicider, c'est par manque d'énergie, uniquement. Mais s'il avait suffi de s'allonger, de fermer les yeux pour que la mort survienne, je ne serais plus là.

Il leva la main pour lui caresser tendrement la joue.

— Liv... Je ne prétends pas comprendre la souffrance que provoque la mort d'un enfant. Seuls ceux qui sont passés par là peuvent comprendre.

— Je ne suis pas morte, reprit-elle. J'ai continué à manger, à dormir, mon corps a fonctionné normalement, ou à peu près. Mais j'avais enterré une partie de moi avec Josh. Ce qui restait, je l'ai étouffé en divorçant d'avec Doug. Cela m'a paru la seule façon de survivre. J'ai vécu ainsi longtemps, sans envisager de changements.

— Mais tu n'es pas morte, Liv. Et les changements font partie de la vie.

— As-tu déjà aimé totalement ?

— Seulement toi.

— Oh, Thorpe…

Elle enfouit son visage dans le creux de son épaule. L'émotion lui étreignait le cœur. Il semblait n'éprouver aucune difficulté à aimer et exprimer ses sentiments. Mais elle doutait d'être assez forte pour les accepter avec simplicité.

— J'ai besoin de toi. Et cela me fait une peur mortelle.

Relevant la tête, elle lui jeta un regard éloquent.

— Je sais ce que c'est que de perdre. Je n'y survivrais pas une seconde fois.

Thorpe se sentait enfin proche de son but. S'il prenait Olivia dans ses bras, s'il l'embrassait, il parviendrait sans doute à lui faire prononcer les mots qu'il attendait depuis si longtemps. Il les lisait déjà dans ses yeux. Pas aujourd'hui, se dit-il pourtant. Elle lui avait assez donné pour le week-end.

— Ce n'est pas parce que tu as besoin de quelqu'un que tu vas le perdre, dit-il en pesant ses mots.

— J'essaie de le croire. Pour la première fois, depuis cinq ans, je veux le croire.

Il laissa s'écouler une minute puis prit sa main et déposa un baiser sur la paume.

— Combien de temps désires-tu ?

Les larmes affluèrent immédiatement, en silence. Elle n'avait pas eu à demander. Il avait compris de lui-même. Il lui offrait ce répit indispensable sans poser de questions ni imposer de conditions.

— Je ne te mérite pas, dit-elle en secouant la tête. Non, vraiment pas.

— C'est à mes risques et périls, non ? dit-il avec un sourire. À mon avis, moi, je te mérite complètement, ce qui rééquilibre la situation.

— Il faut que je réfléchisse. Et il faut que je sois seule parce que, avec toi, j'ai du mal à réfléchir.

— C'est vrai ?

Il l'embrassa puis se leva en l'attirant à lui.

— Très bien. Mais alors réfléchis vite.

— Demain, dit-elle en se pressant contre lui. Seulement jusqu'à demain.

Les bras de Thorpe se refermèrent sur elle avec une puissance et une générosité qui la bouleversèrent.

— Ô mon Dieu ! Je suis vraiment sotte, n'est-ce pas ?

— Pour ça, oui. Un parti comme moi, ça ne se refuse pas, Carmichael. N'oublie pas ça.

— Promis, murmura-t-elle comme il s'éloignait.

Il s'arrêta et, la main sur la poignée de la porte, se retourna.

— Demain.

— Demain, répéta-t-elle, une fois seule.

15

Les choses n'étaient pas aussi limpides que l'aurait souhaité Olivia. Il lui était déjà arrivé de se croire amoureuse et ç'avait été une erreur. Ses sentiments envers Doug n'étaient dus qu'aux impulsions et aux rêves de la jeunesse. À présent, elle était plus âgée et plus prudente. Peut-être trop prudente, se dit-elle en s'installant devant son bureau. Mais si elle en venait à dire à Thorpe qu'elle l'aimait, il fallait que ce soit sincère. Il le méritait.

Elle ne voulait pas le perdre. Ça, en tout cas, c'était sûr. En très peu de temps, il était devenu le centre de sa vie. Elle ne pouvait nier le sentiment de dépendance qui la liait à lui. Mais était-ce de l'amour ?

Était-ce de l'amour quand un homme ne cessait de hanter vos pensées ? Quand on se mettait à l'associer aux plus infimes détails de la journée ? Quand on les emmagasinait afin de les partager avec lui ensuite ?

Olivia se souvenait des instants privilégiés du petit matin, lorsqu'elle était couchée à côté de lui ; du silence, de la chaleur, de l'intimité sereine. Elle se souvenait aussi de l'embrasement quasi immédiat de ses sens lorsqu'elle croisait son regard dans la foule.

Elle était amoureuse de lui. Pourquoi chercher d'autres mots ? Cela faisait plusieurs jours déjà qu'elle détenait la vérité au fond d'elle-même. Il était temps de l'admettre. Thorpe avait pris un risque ; il fallait en faire autant. L'amour impliquait la vulnérabilité. Il pouvait lui faire du mal et cela arriverait probablement de temps à autre. Le bouclier dont elle s'était protégée durant de longues années avait disparu. Elle ne pourrait plus s'en servir pour se défendre. Et, tout à coup, elle s'aperçut qu'elle ne le souhaitait pas. Un seul mot désignait ce qu'elle désirait réellement : Thorpe.

— Liv !

Elle adressa un sourire rayonnant au chef de rédaction adjoint, survolté comme à l'accoutumée. La journée allait être magnifique.

— Oui, Chester ?

— Prends une équipe et foncez au Sénat. Un type non identifié retient trois otages dans le bureau du sénateur Wyatt, dont le sénateur lui-même.

— Seigneur, s'exclama-t-elle en ramassant un bloc de papier et son sac. Il y a des blessés ?

— Pas encore. Pour ce qu'on sait du moins, répondit-il en s'élançant vers le bureau de Carl. Il peut y avoir des coups de feu. Sois prudente. Il nous faut un flash le plus vite possible.

Lorsque Olivia arriva sur les lieux, la police du Capitole avait déjà encerclé le bâtiment. Elle chercha des yeux les agents des services secrets du FBI, qu'elle identifia immédiatement. Des reflets sur les toits des immeubles voisins indiquaient que des tireurs d'élite y prenaient place. En bas, d'autres hommes armés discutaient tactique dans leurs radios. La zone réservée à la presse était déjà délimitée et encombrée de reporters et de techniciens. Tous parlaient en même temps, posant mille questions et tentant de se faufiler sous les barrières pour se rapprocher de l'immeuble.

Olivia se fraya un chemin et parvint à tendre un micro sous le nez d'un policier en civil.

— Olivia Carmichael, de WWBW. Pouvez-vous nous faire un résumé des événements ? Sait-on le nom de l'homme qui retient le sénateur Wyatt ? Et connaît-on ses exigences.

— C'est un ancien collaborateur du sénateur, c'est tout ce que je peux vous dire.

C'est tout ce que tu *veux* me dire, corrigea mentalement Olivia qui avait remarqué le regard narquois du policier.

— Pour le moment, il n'a rien réclamé, précisa-t-il.

— De combien d'armes dispose-t-il ? insista-t-elle. Comment est-il entré à l'intérieur du bâtiment ?

— Nous ne le savons pas. Il a un revolver, ça c'est sûr. Mais, jusqu'à présent, il a refusé de décrocher le téléphone.

Puis il tourna le dos, la laissant au milieu d'une foule de reporters avides. Olivia se mit en quête d'un interlocuteur un peu plus bavard. Elle avait de quoi faire un bref bulletin mais, pour fournir quelque chose de plus consistant ultérieurement, il lui fallait trouver d'autres informateurs.

Le sénateur Wyatt... Olivia se souvenait très bien de leur rencontre à l'ambassade du Canada. Un homme jovial, aux joues roses, qui avait plaisanté avec Thorpe et elle, et les avait incités à danser. Elle regarda les fenêtres de l'immeuble qui se dressait de l'autre côté de la rue. Difficile de croire que le sénateur se trouvait dans l'une de ces pièces, avec un revolver sur la tempe.

Elle repéra un visage familier dans la foule : la réceptionniste qui l'avait fait poireauter quelques jours plus tôt dans son bureau, deux étages en dessous de celui du sénateur Wyatt.

— Madame Bingham ? Vous me reconnaissez ? Olivia Carmichael, de WWBW.

— Oh, madame Carmichael... C'est affreux, n'est-ce pas ? On vient d'évacuer l'immeuble. Je n'arrive pas à y croire ! Pauvre sénateur Wyatt.

— Vous savez qui le retient prisonnier ?

— C'est Ed Morrow. Qui aurait pu l'imaginer ? J'ai entendu dire que le sénateur avait dû se séparer de lui la semaine dernière mais...

— Pourquoi ?

Le micro coincé sous le bras, Olivia se mit à griffonner sur son bloc. La femme ne parut pas le remarquer.

— Je ne sais pas exactement. Il paraît qu'Ed s'est fourré dans des histoires de jeu, quelque chose d'illégal. Un homme si poli ! Qui aurait pu l'imaginer ?

— Le sénateur l'a renvoyé ?

— La semaine dernière.

Elle secoua la tête avec un regard effaré.

— Il était censé débarrasser son bureau aujourd'hui. Il a dû perdre la tête. Sally dit qu'il a tiré deux fois dès son arrivée.

— Sally ?

— La secrétaire du sénateur. Elle était dans le couloir quand c'est arrivé. Si elle s'était trouvée dans le bureau... Mon Dieu ! Et, depuis que je suis là, il a tiré deux fois par la fenêtre. Vous croyez que le sénateur va s'en sortir ?

— Je suis sûre que oui.

Elle n'avait pas achevé sa phrase que deux détonations retentirent, sèches et effrayantes.

— Ô mon Dieu ! s'écria la réceptionniste en agrippant le bras d'Olivia. Il doit être en train de les tuer !

— Non, non, protesta Olivia malgré la peur qui l'envahissait. Il se contente de tirer par la fenêtre. Tout va s'arranger.

Avant de répéter à l'antenne les propos de la réceptionniste, il fallait en trouver confirmation.

— La secrétaire du sénateur est dans le coin ?

— Elle a dû raconter à la police ce qu'elle savait. Mais maintenant elle doit être de retour. Quelque part, là-bas.

— Très bien, je vous remercie.

Repérant Dutch, elle fendit la foule dans sa direction. Si quelqu'un pouvait lui fournir quelques détails, c'était lui.

Un peu plus tard, Olivia transmit un flash en direct, accompagné d'images de policiers et de foule inquiète.

Le bâtiment de l'autre côté de la rue était silencieux, trop silencieux à son goût. C'était angoissant.

— Quand diable va-t-il faire quelque chose ? marmonna Bob à côté d'elle.

Tous attendaient la suite, sans savoir quelle forme elle prendrait.

— Et voici les champions, s'écria-t-il. T. C. en tête.

— Je reviens tout de suite, dit Olivia. Vérifie que le technicien pourra nous raccorder dès qu'il se produira quelque chose.

Elle se rua vers Thorpe comme un pigeon voyageur vers son nid.

— Thorpe...

— Liv, j'étais sûr que tu serais là, dit-il en lui effleurant la joue.

— Il y a quelque chose de nouveau ?

Cette fois-ci, il ne s'agissait pas d'un sujet comme un autre. Tous deux connaissaient l'homme retenu en otage.

— On a enfin pu établir une communication avec Morrow. Wyatt n'est pas blessé. Aucun de ses collaborateurs non plus. Pour le moment, du moins. Mais Morrow n'est pas cohérent. Tantôt il réclame un demi-million en liquide et un avion, tantôt de l'or et une voiture blindée. Chaque fois qu'on lui parle, il change d'avis.

— Comment a-t-il fait pour pénétrer là-dedans avec une arme ?

Thorpe lâcha un rire désabusé.

— Les agents de la sécurité ont l'habitude de le voir entrer et sortir ; ils ne lui ont rien demandé. À mon avis, il portait son revolver sous sa veste, à moins qu'il ne l'ait caché d'avance dans son bureau.

Thorpe semblait impatient et ses yeux revenaient sans cesse sur l'immeuble à l'intérieur duquel se déroulait la tragédie.

— Ce type est totalement imprévisible. Dans l'état où il est, il risque de commettre une folie et d'entraîner ses otages avec lui.

— Tu ne crois pas qu'il cherche uniquement à faire parler de lui ?

Thorpe secoua la tête en prenant une cigarette.

— Je l'ai rencontré plusieurs fois. C'est un petit homme très tendu, très émotif. Intelligent, certainement, mais les nerfs à fleur de peau.

— Il jouait, d'après ce qu'on m'a dit.

— Il paraît.

Thorpe tira sur sa cigarette et exhala une longue bouffée.

— C'est trop silencieux, murmura-t-il. Bougrement trop silencieux.

La tension s'accroissait au fil des minutes qui passaient. Combien de temps l'individu qu'avait décrit Thorpe pourrait-il tenir ? En prenant des otages, dont le sénateur, il avait franchi une étape irréversible. Jusqu'où irait-il encore ?

Olivia reconnut un agent des services secrets qui s'approchait d'eux.

— Le commandant Daniels veut vous voir, Thorpe.

Celui-ci écrasa sa cigarette d'un coup de talon.

— D'accord. Elle vient aussi, dit-il en montrant Olivia. Nous formons équipe.

Olivia retint un sourire. Quel changement ! Sans mot dire, elle suivit les deux hommes.

Le camion était garé à l'écart de la zone réservée à la presse. Elle examina rapidement le matériel sophistiqué qui encombrait l'habitacle, radios, téléphone, magnétophone, caméras, etc. Qu'attendait-on de Thorpe ? Tous ces spécialistes n'avaient aucun besoin de l'aide de la presse.

Le commandant Daniels repoussa les lunettes sur son nez.

— Morrow demande à vous parler directement. Vous êtes d'accord, T. C. ?

— Bien sûr.

— On enregistrera la conversation du début à la fin. Mais faites attention : ne promettez rien, ne négociez rien. Laissez-nous cette partie du boulot.

Il parlait rapidement, d'une voix neutre, mais Olivia sentit que le tour des événements ne lui plaisait pas.

— Il sait très bien que vous n'avez pas le pouvoir de lui accorder ce qu'il réclame. Donc, quoi qu'il demande, vous dites que vous allez transmettre et que vous lui donnerez la réponse. Compris ?

— Compris.

Daniels remarqua soudain la présence d'Olivia ; son badge de journaliste lui fit froncer les sourcils.

— Elle est avec moi, expliqua Thorpe, d'un ton désinvolte.

— Rien ne doit être divulgué sans mon autorisation, déclara le commandant en jetant à Olivia un regard à la limite de l'hostilité. Nous n'avons pas l'intention de lui offrir une conférence de presse gratuite.

— Compris, dit Olivia tandis qu'on donnait à Thorpe un écouteur.

— Bon, maintenant, on va l'appeler, dit Daniels en faisant un signe à l'un de ses hommes. Faites-le parler aussi longtemps que vous pourrez. Si la situation vous échappe, nous prendrons la suite.

Thorpe acquiesça. Dès la première sonnerie, Morrow décrocha :

— T. C. ?

— Oui. Comment allez-vous, Ed ?

Morrow lâcha un rire nerveux.

— Fantastiquement bien. Vous allez faire un reportage sur moi ?

— Exactement. Dites-moi ce que vous faites là-haut et comment on pourrait vous faire redescendre parmi nous.

— Vous vous souvenez du jour où nous avons discuté des Birds dans mon bureau, pendant que Wyatt était retenu par une réunion.

Un sourire éclaira brièvement le visage sombre de Daniels qui, un casque sur la tête, écoutait la conversation.

— Bien sûr. C'était à la fin de l'été dernier. Les Orioles jouaient pour la première place… Vous avez vu quelques matchs, cette année ? demanda Thorpe en allumant une cigarette.

Un rire hystérique résonna dans l'écouteur.

— Et comment ! Depuis le début de l'année, j'y ai laissé près de vingt-cinq mille dollars.

— C'est beaucoup. Vous avez besoin d'argent ? demanda Thorpe, les yeux rivés sur Daniels. C'est ça que vous voulez en échange de Wyatt ?

— Je vous dirai tout, T. C. Mais seulement à vous. Montez. Je vous accorde l'exclusivité de l'interview.

Seules des bribes de la conversation parvenaient à Olivia, mais le peu qu'elle saisit la paniqua et lui fit agripper le bras de Thorpe. Celui-ci, les yeux rivés sur le commandant, ne semblait pas s'en apercevoir.

— Trop d'otages, murmura Daniels.

— Cela vous donnera un otage de plus, Ed, répondit Thorpe. Le marché ne me paraît pas très équitable.

— Oui, je vois ce que vous voulez dire, fit Morrow d'une voix tendue. Je vais en renvoyer deux, si vous me dites que vous montez. Vous êtes un homme de parole, T. C., non ?

— Deux pour un… marmonna Thorpe d'un ton songeur. Mais les employés ne comptent pas beaucoup, n'est-ce pas ?

Un long silence s'installa. Olivia sentit une sueur glacée ruisseler dans son dos. La voix du forcené s'éleva enfin, un peu trop aiguë.

— Vous venez seul. Sans personne pour vous couvrir. Et je renvoie Wyatt. Ça va ? Je ne répéterai pas ma proposition, T. C. Vous n'allez quand même pas refuser un tel scoop ?

— Il faut que je demande l'accord des huiles de CNC, Ed. Laissez-moi dix minutes. Je vous rappellerai.

— Dix minutes. D'accord, fit Morrow avant de raccrocher.

Agrippant la veste de Thorpe, Olivia l'obligea à se retourner.

— Non, s'écria-t-elle, affolée. Tu ne peux pas y aller. Ce n'est pas possible, c'est trop dangereux.

— Attends une minute, dit-il d'une voix calme.

Il la repoussa doucement et revint vers le commandant.

— Alors ?

— En premier lieu, nous n'avons pas le droit de vous demander cela.

— Donc, ne le demandez pas. Ensuite ?

— Avant de procéder à cet échange, il faut que j'en parle à différentes personnes.

Daniels se frottait les lèvres d'un geste qui trahissait son malaise. Cette histoire lui déplaisait. Mais un sénateur était impliqué. L'affaire était délicate.

— Alors, appelez-les, suggéra Thorpe.

Daniels lui jeta un regard lourd de sous-entendus.

— Et vous, réfléchissez pendant ce temps. Cette interview ne sera guère agréable.

— Thorpe, gémit Olivia. S'il te plaît, non.

Elle avait remarqué son expression et savait ce qu'elle signifiait. Il la prit doucement par les épaules.

— Liv...

— Non, non, écoute-moi, protesta-t-elle en empoignant les revers de sa veste. C'est de la folie. Tu ne peux pas te fourrer là-dedans. Tu n'es pas entraîné pour ce genre d'action. Et qui peut dire qu'il lâchera Wyatt quand tu seras à l'intérieur ? Il... il se sentira encore plus fort pour marchander. C'est évident.

— Ce qu'il veut, c'est parler, dit Thorpe en l'entraînant vers la sortie. Wyatt ne peut pas lui offrir une audience nationale. Moi, si.

— Mon Dieu, Thorpe, il n'a pas toute sa tête, gémit-elle, incapable de retenir ses larmes. Il te tuera et le sénateur aussi. Tu n'as pas à y aller. Ils ne peuvent pas t'y obliger.

— Personne ne m'y oblige.

Il fit signe à l'un des membres de son équipe d'approcher et lui parla à mi-voix.

— Appelle le bureau. Dis-leur que je vais interviewer Morrow en échange de la libération des otages. Place une caméra face au bâtiment d'ici dix minutes ; les collaborateurs du sénateur devraient en ressortir bientôt. Il me faut un magnétophone.

— *Non !*

La voix d'Olivia avait pris un son aigu, qui contrastait avec celui de Thorpe, calme et pragmatique. Elle se cramponnait à lui dans une tentative désespérée pour le retenir.

— Tu ne peux pas. Je t'en prie, écoute-moi.

— Liv, fit-il en lui caressant les cheveux. Tu ferais la même chose. Cela fait partie de notre métier.

— Ta vie vaut davantage qu'un prix Pulitzer.

— Tout le monde n'est peut-être pas de cet avis, répliqua-t-il en haussant les sourcils.

Elle s'efforça de réfléchir vite ; il lui fallait se montrer cohérente et logique, sinon il ne l'écouterait pas.

— Bon sang, Thorpe, ce n'est probablement qu'un piège. Il laissera partir les deux collaborateurs, ça oui, mais avec Wyatt et toi il détiendra encore les deux personnes les plus importantes et il pense qu'alors CNC et les autorités accepteront ses conditions. Tu lui apportes exactement ce qu'il cherche sur un plateau.

— Peut-être que oui, peut-être que non.

Il l'embrassa, autant parce qu'il en avait besoin que pour l'apaiser. Un baiser d'adieu, se dit Olivia. Elle avait perdu, elle le savait mais n'était pas encore capable de l'admettre.

— Oh, je t'en prie, n'y va pas… Je t'aime.

D'un geste lent, il la prit par les épaules et regarda son visage désespéré sillonné de larmes.

— Je t'aime, répéta-t-elle. On est demain, Thorpe. Reste avec moi.

— Seigneur...

Il appuya son front sur celui d'Olivia et laissa la joie l'envahir. Puis il l'étreignit avec ferveur.

— Carmichael, tu es d'une exactitude incroyable.

Les lèvres de la jeune femme frémirent sous les siennes.

— Nous en parlerons un peu plus tard. Et longtemps sans doute... Maintenant, tu ferais mieux de transmettre les derniers développements à ta chaîne. Sinon, tu vas te faire coiffer au poteau.

Olivia se sentait à présent aussi irritée que désespérée. Sa déclaration d'amour ne l'avait même pas ébranlé.

— Pourquoi ne veux-tu pas m'écouter? Tu ne peux pas risquer ta vie. J'ai besoin de toi.

Tant pis si elle se montrait injuste, du moment qu'il ne franchissait pas cette rue.

— Moi aussi, j'ai besoin de toi, Liv. Mais ça n'a rien à voir avec mon boulot, ni avec le tien.

Elle se fichait bien de la logique; c'était lui qu'elle voulait. Elle l'agrippa dans un sursaut de désespoir.

— Je vais t'épouser.

Il sourit de nouveau et déposa un baiser sur son nez.

— Je le sais depuis des mois. Tu es juste un peu lente.

Remarquant la caméra qui les filmait, il ajouta:

— Et maintenant des centaines de milliers de personnes vont le savoir aussi.

— Je m'en fiche.

Son souci de garder sa vie privée secrète lui parut soudain absurde.

— Thorpe, supplia-t-elle en s'agrippant à lui, ne me demande pas de risquer de te perdre. Bon sang, je ne peux pas prendre ce risque! Je ne peux plus!

La poigne de Thorpe se fit plus ferme et son regard intense.

— Écoute-moi. Je t'aime plus que tout. Ne l'oublie pas. Nous courons des risques tous les jours. Sinon, c'est que nous sommes morts. Vivre fait mal, Liv.

Elle se ressaisit, le visage livide.

— Si tu fais ça, je ne te le pardonnerai jamais. Je n'ai pas voulu t'aimer. Tu sais comme je me suis débattue. Et maintenant que je t'aime, tu me demandes de rester tranquillement à attendre de te perdre. Je ne te le pardonnerai pas.

Sa panique et sa souffrance étaient visibles. La faire souffrir était odieux et Thorpe aurait fait n'importe quoi pour effacer cette expression du visage d'Olivia. Mais il n'était pas en son pouvoir de changer de caractère ni de métier.

— Olivia, tu devrais réfléchir et comprendre de qui tu es tombée amoureuse. Je n'ai pas changé. Je suis toujours l'homme que j'étais et celui que je serai demain. Dans l'immédiat, j'ai une tâche à accomplir. Et toi aussi.

— Thorpe...

— Viens. Daniels doit en avoir terminé.

Elle resta à l'écart tandis que Thorpe, Daniels et Morrow mettaient au point l'échange. Plus rien de ce qu'elle pourrait dire ou faire ne le ferait se raviser. Il avait souligné qu'en des circonstances semblables elle ferait la même chose. C'était possible mais cela n'avait pas d'importance. Il était devenu son amour, sa vie. Et, du coup, lui seul comptait.

Ce n'est pas juste ! se dit-elle dans un nouvel accès de désespoir. Elle avait eu une seconde chance. Mais maintenant son nouveau bonheur était en péril. Les mots de Myra lui revinrent à l'esprit : la vie n'est pas courte ; elle est longue mais pas tout à fait assez. *Thorpe !* Tout son être le réclamait à grands cris qu'elle refoulait en se mordant les lèvres. *N'y va pas ! J'ai tant de choses à te dire. Tant de temps à rattraper.* Elle voulait lui dire ce qu'il signifiait pour elle et comment il avait libéré son âme et l'amour qu'elle avait verrouillé au plus profond d'elle-même.

Tout en écoutant les instructions de Daniels, Thorpe vérifiait le fonctionnement du magnétophone. Les yeux aveuglés par les larmes, Olivia observait les deux hommes. Oh, Thorpe, gémissait-elle en son for intérieur, je ne pourrai plus supporter d'être vide et seule, maintenant que je sais ce que c'est que de vivre à côté de toi. J'ai besoin de savoir que tu es là. Je veux aimer à nouveau, porter ton enfant dans mes bras. Oh, je t'en prie, ne me rejette pas alors que je viens tout juste de me réveiller.

Un soupir profond la secoua ; elle s'essuya les yeux puis regarda à nouveau la silhouette élancée, le visage aux traits nets, le regard intense. Est-ce qu'il a peur ? Que se passe-t-il dans sa tête ? Se rappelle-t-il qu'aucun d'entre nous n'est indestructible ? Mais il faut que tu le sois, Thorpe. Pour moi. Pour nous.

Qu'attend-il de moi ? Pas ça, en tout cas, comprit-elle soudain. Il a besoin d'être soutenu et non de se faire importuner par une femme hystérique qui le supplie de penser à elle. Il a besoin de garder les idées claires… Si seulement je pouvais l'accompagner. Mais ce n'est pas possible. Je ne peux pas *aller* avec lui mais je peux lui *donner* quelque chose.

Les deux collaborateurs retenus en otage jaillirent soudain du bâtiment. Morrow avait respecté la première partie du marché. Il ne restait plus que Wyatt. Thorpe contre Wyatt.

Rassemblant tout son courage, elle s'approcha de lui.

— Thorpe ?

Il se tourna vers elle. Les joues d'Olivia étaient toujours humides mais elle semblait avoir recouvré son calme.

— Tu as toujours réussi à me piquer un sujet, dit-elle d'une voix à peu près assurée. J'espère que celui-ci en vaut la peine. Tu as intérêt à faire du bon boulot. J'ai besoin d'informations pour mon émission.

Il l'embrassa en souriant.

— Bon, mais ne t'aventure pas sur mon terrain, Carmichael.

Elle s'accrocha à lui pour un dernier instant.

— Tâche de regarder mon reportage, à 5 h 30.

Le commandant Daniels les rejoignit.

— Je vous ai toujours apprécié, T. C., dit-il. Et, apparemment, cette dame aussi. Vous pouvez encore vous désister.

— Thorpe, refuser une exclusivité ? s'écria Olivia. Vous le connaissez mal.

Il la reprit dans ses bras.

— Pendant ce temps, toi, réfléchis à l'endroit où tu veux passer ta lune de miel. Paris ne me déplairait pas.

— Tu m'avais bien dit que tu étais un romantique.

Il s'éloignait déjà et s'apprêtait à traverser la rue.

— Thorpe ! cria-t-elle malgré ses résolutions.

Lorsqu'il se retourna, elle ravala courageusement sa supplique et lui sourit.

— Si tu te fais tuer, le marché est rompu.

— Ce soir, nous commanderons une pizza, répliqua-t-il avec une grimace malicieuse. Je serai là.

Il franchit la porte du bâtiment et l'attente commença.

Thorpe avait une assez nette idée de ce qu'il devait faire. Tandis que l'ascenseur l'emmenait, accompagné d'un gardien armé, il préparait déjà ses questions. L'essentiel était d'apaiser Morrow, de le mettre à l'aise. De le faire parler. Thorpe avait bien l'intention d'en ressortir indemne. Son séjour au Liban lui avait enseigné deux ou trois choses qu'il n'avait pas oubliées.

Il avait pris cet ascenseur des quantités de fois. Pas pour le même genre de boulot mais Alex Haley n'avait-il pas interviewé Rockwell, le chef du parti nazi américain, tandis que celui-ci faisait des moulinets avec son revolver ? Et cela avait donné une interview du tonnerre de Dieu. Les reporters ne pouvaient toujours se limiter au raisonnable et au sensé.

La porte de l'ascenseur s'ouvrit. Il suivit le couloir. Des chatouillements sur sa nuque lui firent deviner la proximité d'autres armes. Il les ignora et frappa à la porte de l'antichambre de Wyatt.

— T. C. ?

Il reconnut la voix tendue de Morrow.

— Oui. Je suis seul.

— Entrez lentement. De là où je suis, je vois parfaitement la porte.

Thorpe obéit. Morrow se tenait sur le seuil du bureau, son revolver appuyé contre la tête du sénateur. Celui-ci avait perdu ses couleurs habituelles.

— T. C., s'exclama-t-il. Vous êtes fou !

— Comment allez-vous, sénateur ?

— Il va bien, jeta Morrow en examinant le couloir derrière Thorpe. Fermez la porte et avancez.

Thorpe s'exécuta.

— Maintenant, posez le magnétophone sur le bureau. Et enlevez votre veste.

— Je n'ai pas d'armes, Ed, dit Thorpe en ôtant sa veste. Uniquement le magnétophone. Nous avons fait un marché... Veuillez nous excuser, sénateur, ajouta-t-il en adressant à Wyatt un sourire confus. Ed et moi avons à nous entretenir en privé.

— Oui, approuva Morrow.

Il parut jauger Thorpe quelques secondes puis écarta son revolver de la tête de Wyatt.

— Oui, répéta-t-il. Vous pouvez partir, sénateur.

— T. C...

— Je vous ai dit de partir, insista Morrow d'une voix plus aiguë. C'est moi qu'il vient voir cette fois-ci.

— Désolé, sénateur.

Thorpe avait pris un ton calme bien que la vue du revolver tremblant dans la main de Morrow l'inquiétât.

— Ed et moi avons beaucoup de choses à nous dire. Nous nous reverrons une autre fois, sénateur.

Hochant la tête, Wyatt fit un pas en avant.

— Non, jeta Morrow. En reculant, jusqu'au bout.

Il se lécha les lèvres avant de les essuyer du dos de la main.

Wyatt suivit les instructions de Morrow. L'odeur de peur qui régnait dans la pièce demeura après le départ de Wyatt. Morrow resta un instant immobile, les yeux fixés sur la porte fermée. Thorpe jugea préférable de ne pas le laisser réfléchir trop longtemps.

— Eh bien, nous y voilà, fit-il en prenant un siège. Commençons.

Il tendit la main vers le magnétophone et le mit en route.

Du trottoir opposé, Olivia observait l'immeuble, pétrifiée. Elle ne sentait plus ni ses mains ni ses pieds. Elle savait qu'autour d'elle tout le monde s'agitait. Un brouhaha affairé l'entourait mais elle ne pensait qu'à Thorpe.

Thorpe avait décidé de poser des questions brèves et d'éviter tout épanchement d'émotion.

— Ed, ce serait plus confortable pour nous deux si vous...

D'un geste de la main, il désigna le revolver. Morrow baissa les yeux sur son arme et consentit à la dévier de la poitrine de Thorpe.

— Merci, reprit celui-ci. Vous avez choisi le bureau de Wyatt parce que c'est là que vous travailliez. Trouvez-vous que le sénateur a commis une injustice en se séparant de vous ?

— Il est innocent comme l'agneau qui vient de naître, vous savez, murmura Morrow. Je n'ai même pas pu le faire chanter. Dieu sait pourtant que j'avais besoin de ce fric. J'ai voulu jongler avec les fonds publics, mais j'ai manqué de temps. Il a découvert que j'avais joué, il a découvert les gens avec qui je traitais. Pas le genre de gens qu'il fréquente.

Il lâcha un petit rire nerveux et, machinalement, pointa à nouveau son revolver sur Thorpe.

— J'ai cru que j'obtiendrais quelque chose en le prenant en otage mais je crois pas qu'ils céderont, hein ?

Son regard avait pris une expression fataliste.

— Je serai mort avant d'avoir mis la main sur le fric.

Thorpe préféra changer de conversation.

— Combien avez-vous perdu ?

— Soixante-dix mille dollars.

La sonnerie du téléphone fit sursauter Morrow et son revolver se braqua sur la tête de Thorpe.

— Quinze minutes, Ed, lui rappela celui-ci. Nous nous étions mis d'accord pour qu'on m'appelle toutes les quinze minutes. Vous vous souvenez ?

Quelqu'un mit une tasse de café dans la main d'Olivia. Elle n'eut pas le temps d'y tremper les lèvres. La voix de Thorpe, calme, assurée, sortit du camion derrière elle. Sursautant, elle lâcha la tasse et s'inonda les chevilles de café brûlant. *Tu ne peux pas rester là à ne rien faire*, se dit-elle en se ressaisissant. Fais ton boulot. Elle s'écarta et rejoignit son équipe pour délivrer son dernier flash.

Trente minutes s'écoulèrent lentement, puis soixante. L'atmosphère du bureau était devenue étouffante. Thorpe prolongeait à dessein l'interview. Tout avait été dit. Mais son instinct lui disait que Morrow n'était pas encore prêt à se rendre. Les yeux troubles, l'homme restait vautré dans son fauteuil. La sueur perlait au-dessus de ses lèvres et un nerf battait sporadiquement dans sa joue. Mais sa main n'avait pas lâché le revolver.

— Vous n'êtes pas marié, T. C. ?

— Non.

Il sortit prudemment son paquet de cigarettes de sa poche et en proposa une à Morrow qui refusa d'un signe de tête.

— Vous avez une amie ?

Thorpe alluma sa cigarette tout en pensant à Olivia.

— Oui, dit-il d'une voix paisible. J'ai une amie.

— J'avais une femme et des gosses, dit Morrow tandis que ses yeux s'emplissaient de larmes. Elle a fait ses valises la semaine dernière. Au bout de dix ans de mariage. Elle a dit que dix ans auraient dû me suffire pour tenir mes promesses. Je lui ai juré que je ne jouerais plus.

Les larmes se mêlaient à la sueur de ses joues. Il ne prit même pas le soin de les essuyer.

— Combien de fois j'ai juré que je ne jouerais plus… Mais il fallait bien que je paie mes dettes. Vous savez ce qu'ils font quand on ne paie pas ses dettes.

Un frisson le secoua tout entier.

— Il y a des gens qui peuvent vous aider, Ed. Sortons d'ici. Je connais des gens qui ne vous laisseront pas tomber.

— M'aider ? répéta Morrow d'un ton qui fit frémir Thorpe. Plus personne ne m'aidera maintenant. Je suis allé trop loin.

Il releva la tête et planta son regard dans celui de Thorpe.

— Un homme doit savoir ce qui l'attend quand il a dépassé un certain point.

Il leva son arme à nouveau. Le cœur de Thorpe s'arrêta de battre.

— Faites seulement en sorte que je passe à l'antenne, sanglota Morrow.

Avant que Thorpe ait pu faire un geste, Morrow se tira une balle dans la tête.

Un coup. Un seul. Olivia sentit ses jambes se dérober sous elle. Le bâtiment en granite s'estompa. Des bras l'agrippèrent au moment où elle allait s'effondrer.

— Liv, viens t'asseoir.

La voix de Bob perça le brouillard et sa main se resserra autour de son bras.

— Non.

Elle se dégagea. Elle n'allait pas s'évanouir. Elle n'allait pas céder. Dans une sorte de rage, elle se redressa et se fraya un chemin dans la foule. Elle serait là lorsqu'il franchirait la porte. Prête à l'accueillir.

Seigneur, faites qu'il ne soit pas blessé. Ô mon Dieu, faites qu'il ne soit pas... La peur lui serrait la gorge. Pas de crise d'hystérie, s'exhorta-t-elle en écartant de son chemin un journaliste de la presse écrite et deux cameramen. D'une minute à l'autre, il allait traverser la rue de sa démarche nonchalante. Nous avons toute une vie commune à commencer. Aujourd'hui. Des risques ? Nous en prendrons des centaines. Mais ensemble, Thorpe. Ensemble.

Jouant des coudes, elle se rapprocha du bâtiment.

Puis elle le vit. Vivant, apparemment indemne, et marchant vers elle. Elle courut, bouscula une barrière, sortit de la foule.

— Oh, Thorpe, je te déteste, je te déteste !

Elle se jeta en pleurant dans ses bras. Plus elle tremblait, plus elle le maudissait, plus il l'étreignait.

Puis elle se mit à rire. C'était finalement une belle journée.

— Espèce de salaud, tu vas me piquer mon scoop ! Oh, Thorpe !

Elle s'empara de sa bouche et resserra son étreinte. Ni l'un ni l'autre ne prêtèrent attention aux caméras qui les filmaient.

Il la repoussa enfin. Il souriait mais ses yeux gardaient encore trace de ce qu'il venait d'affronter.

— M'aimes-tu ? demanda-t-il.

— Oui, oui, oui.

Lorsqu'elle voulut le presser contre elle, il résista et haussa les sourcils.

— Tu vas m'épouser ?

— Dès que les papiers seront faits. Nous ne perdrons pas une minute.

Il lui effleura les lèvres puis la prit par le bras.

— À propos, Carmichael, fit-il comme ils s'éloignaient du bâtiment, tu me dois deux cents dollars.

QUESTION DE CHOIX

Traduit de l'anglais (États-Unis)
par Béatrice Pierre

Prologue

James Sladerman fixait l'extrémité de ses chaussures d'un air morose. Il était de mauvaise humeur depuis le matin. Plus précisément depuis l'instant où il avait reçu la convocation du commissaire Dodson. Lâchant un long jet de fumée, il écrasa sa cigarette dans un cendrier en céramique d'un geste lent et précis. Savoir attendre sans s'énerver : tout un art dont Slade était passé maître.

La nuit précédente, il avait attendu plus de cinq heures, assis dans une voiture glaciale, en plein milieu d'un quartier où l'on avait intérêt à surveiller ses arrières autant que son portefeuille. Cinq heures de planque ennuyeuse et inutile, qui n'avait rien donné. Mais Slade savait d'expérience que le travail d'un policier consistait en allées et venues incessantes, en longues veilles ennuyeuses et en paperasserie, que ponctuaient soudain de brefs instants de violence pure. Néanmoins, cinq heures de planque dans une voiture lui pesaient moins que vingt minutes d'attente dans l'antichambre du commissaire. Une odeur d'encaustique y régnait, à laquelle s'ajoutait depuis son arrivée une note de tabac de Virginie. Les touches d'une machine à écrire cliquetaient sous les doigts agiles de la secrétaire.

Que diable lui voulait le commissaire ? Dès les premiers mois de sa carrière dans la police, il avait compris que la bureaucratie n'était pas son fort et avait soigneusement évité tout ce qui pouvait y ressembler. Si bien que, tandis qu'il grimpait les échelons jusqu'au grade de sergent, son chemin avait rarement croisé celui de Dodson.

Sur un plan personnel, il n'avait eu affaire à lui que deux fois. La première, lors des funérailles de son père. Le capitaine Thomas C. Sladerman avait été enterré avec la gloire et les honneurs dus à vingt-huit ans de bons et loyaux services dans la police. Ainsi qu'à sa mort en opération. Le commissaire avait manifesté une compassion sincère envers la veuve et la fillette orpheline. Quant au fils, il lui avait dit deux, trois choses bien senties. Sans doute avait-il lui aussi éprouvé du chagrin car, au tout début de leurs carrières respectives, Sladerman et Dodson avaient fait équipe. Ils étaient encore jeunes lorsque leurs chemins s'étaient séparés, l'un trouvant à se caser dans l'administration et l'autre préférant l'action dans la rue.

La seconde fois, Slade se remettait à l'hôpital d'une blessure par balle. La visite d'un commissaire à un simple détective avait suscité des bavardages et des spéculations qui avaient beaucoup embarrassé le jeune homme.

À l'heure actuelle, tout le commissariat devait déjà savoir que Dodson l'avait convoqué. À cette pensée, la mine de Slade s'assombrit davantage. Il se demanda s'il avait commis une infraction à la procédure, puis se reprocha de se comporter comme un gamin convoqué par le proviseur.

« Qu'il aille au diable ! » pensa-t-il en s'efforçant de se détendre. Le fauteuil trop moelleux et trop petit lui semblait inconfortable. Pour compenser, Slade allongea ses jambes devant lui. Puis il ferma à demi les yeux. L'entretien fini, il lui faudrait organiser la planque de la soirée. Si celle-ci payait, il jouirait de quelques soirées de liberté et pourrait s'installer de nouveau devant sa machine à écrire. Avec un peu de chance, il disposerait d'un bon mois pour terminer son roman. Oubliant tout ce qui l'entourait, il réfléchit au chapitre sur lequel il travaillait.

— Sergent Sladerman ?

Agacé par cette intrusion, il leva les yeux et, instantanément, son visage s'éclaira : la secrétaire du commissaire était vraiment ravissante. Il lui décocha un sourire charmeur.

— Le commissaire vous attend, dit la jeune femme.

Elle aussi regrettait qu'il n'eût pas daigné la regarder plus tôt et se fût abîmé dans un silence morose. Étroit et anguleux, avec un teint mat dû à une ascendance maternelle italienne, le visage de Slade retenait généralement l'attention des femmes. Lorsqu'il réfléchissait, la bouche avait un dessin un peu dur mais, quand il souriait, sa figure s'éclairait et ses lèvres semblaient promettre mille choses merveilleuses. Des cheveux noirs et des yeux gris offraient une combinaison irrésistible, surtout, se dit la secrétaire émoustillée, lorsque les cheveux étaient indisciplinés et les yeux voilés de mystère. « Un homme intéressant », conclut-elle comme Slade dépliait sa longue carcasse élancée.

Tout en suivant la jeune femme, il remarqua que l'annulaire de sa main gauche était nu et se promit de lui demander son numéro de téléphone en repartant. L'idée se logea dans un coin de sa tête, tandis qu'elle l'introduisait dans le bureau du commissaire.

Une lithographie de Perillo, représentant un cow-boy solitaire traversant une région désertique, ornait le mur de droite. Celui de gauche était recouvert de photos, de messages de félicitations et de diplômes. Combinaison étrange à laquelle Slade n'accorda pas plus qu'un coup d'œil. Le bureau en chêne sombre tournait le dos à la fenêtre ; un bureau bien rangé, avec d'un côté une pile de papiers, de l'autre un cadre à trois volets pour photos et au milieu un stylo en or et un assortiment de crayons. Et derrière tout ça, Dodson en personne. Un petit homme dont l'allure évoquait davantage un prêtre d'une modeste paroisse qu'un commissaire de police de New York. Il avait les yeux d'un bleu limpide et le teint frais. Des mèches blanches striaient ses cheveux noirs. Dans l'ensemble, Dodson offrait une image débonnaire et paternelle. Mais les rides qui creusaient son visage n'étaient pas dues à l'allégresse.

— Bonjour, sergent.

Il sourit et désigna un fauteuil. « Bâti comme son père », songea-t-il en regardant le jeune homme s'encastrer tant bien que mal dans le siège étroit.

— Je vous ai fait attendre ?

— Un peu.

« Comme son père », se répéta Dodson en retenant un sourire amusé. Sauf qu'on racontait que le fils s'intéressait plus à la littérature qu'à la police. Ce que Tom avait résolument ignoré. *Mon garçon suivra les traces de son vieux. Ce sera un sacré bon flic*. C'était justement ce sur quoi comptait Dodson.

— Comment va la famille ? demanda-t-il en adressant à son subordonné un regard faussement candide.

— Très bien, je vous remercie.

— Janice se plaît à l'université ?

Dodson offrit à Slade un cigare que ce dernier refusa. Pendant que le commissaire allumait le sien en prenant tout son temps, Slade se demanda comment il savait que sa sœur était à l'université.

— Et vos travaux littéraires ?

Habitué à rester imperturbable quelles que soient les circonstances, Slade parvint à cacher sa surprise.

— Difficiles, répondit-il d'un ton neutre.

Dodson secoua la cendre de son cigare. Décidément, ce garçon n'était pas bavard. Être commissaire lui donnait l'avantage. Il prit une nouvelle bouffée et observa la fumée se dérouler paresseusement vers le plafond.

— J'ai lu une de vos nouvelles dans le *Mirror*, reprit-il. Elle est excellente.

— Je vous remercie.

Où voulait-il en venir ? Slade sentait son impatience croître.

— Et le roman, ça marche ?

Presque imperceptiblement, les yeux de Slade se rétrécirent.

— Pas vraiment.

Dodson mâchonnait son cigare tout en comparant le jeune homme à son père. La ressemblance était frappante. Même visage étroit, même expression intelligente et fière. Avait-il aussi le sourire désarmant de Tom ? Les yeux étaient ceux de sa mère, d'un gris sombre et un peu voilés, habitués à cacher les émotions. Dodson connaissait ses états de service. Sans être aussi brillant que son père, Slade était efficace et fiable. Et, grâce à Dieu, moins impulsif. À trente et un ans, un détective était soit aguerri, soit mort. Slade avait la réputation de savoir garder son sang-froid et, si d'aucuns lui reprochaient d'être trop réservé, sur le plan professionnel, il n'y avait rien à dire. Dodson n'avait d'ailleurs pas besoin d'un homme exubérant.

— Slade... fit Dodson avec un léger sourire. C'est comme ça qu'on vous appelle, il me semble ?

— Oui, monsieur.

Cette familiarité inattendue le mit mal à l'aise, et le sourire fit naître ses soupçons.

— Vous avez sûrement entendu parler du juge Lawrence Winslow.

Sa curiosité piquée, Slade fouilla dans ses souvenirs.

— N'est-ce pas lui qui a présidé la cour d'appel de New York avant d'être élu premier président de la Cour suprême du Connecticut il y a quinze ans ? Il me semble qu'il est mort d'une crise cardiaque il y a environ cinq ans.

— C'était aussi un excellent juriste, compléta Dodson, un homme pour qui le mot « justice » n'était pas un vain mot. Sa femme s'est remariée il y a deux ans et vit dans le sud de la France.

« Et alors ? » s'impatienta Slade tandis que le regard de Dodson errait quelque part derrière son épaule.

— Je suis le parrain de leur fille, Jessica.

Les yeux du commissaire revinrent se poser sur lui.

— Elle habite la propriété familiale, près de Westport. Une maison splendide, à côté de la plage. C'est calme, paisible... L'endroit idéal pour écrire un roman, ajouta-t-il en tapotant son bureau.

Un pressentiment désagréable traversa Slade. Il l'écarta aussitôt.

— C'est possible.

Le vieil homme essaierait-il de le marier ? Slade faillit se mettre à rire. Non, c'était ridicule.

— Durant ces neufs derniers mois, il y a eu de nombreux cambriolages en Europe.

Ce brutal changement de sujet surprit Slade. Il haussa un sourcil, puis son visage reprit son habituelle expression imperturbable.

— D'importants cambriolages, poursuivit Dodson. Essentiellement dans des musées : pierres précieuses, pièces de monnaie, timbres. Des choses de grande valeur mais faciles à transporter. La France, l'Angleterre, l'Espagne et l'Italie ont toutes été touchées. L'enquête a conduit les autorités de ces différents pays à penser que ces objets ont été introduits frauduleusement aux États-Unis.

— Cela relève du FBI, répliqua Slade.

Et pas d'un détective de la criminelle. Qui en outre n'a rien à faire de la petite fille chérie d'un juge, qu'il soit de la Cour suprême ou non. Une autre pensée désagréable lui traversa l'esprit. Il la repoussa avec autant d'énergie que la précédente.

— Oui, vous avez raison, cela relève du FBI, répéta Dodson d'un ton trop aimable au goût de Slade.

Il croisa les mains sur son ventre et regarda le jeune homme droit dans les yeux.

— J'ai quelques relations au FBI. La... nature délicate de cette affaire les a incités à me consulter.

Il s'interrompit le temps que Slade puisse faire un commentaire s'il le désirait. Comme ce dernier restait silencieux, il reprit :

— Une piste sérieuse a mené les enquêteurs jusqu'à une petite boutique d'antiquités très respectable. On sait à présent que le chef de la bande opère des États-Unis. Selon les informations qu'on m'a communiquées, tous les endroits susceptibles de stocker le butin de ces vols ont été étudiés et, après élimination, il ne reste que cette boutique d'antiquités. Le FBI veut y introduire un agent pour empêcher le chef de l'organisation de leur filer entre les doigts... Ce type semble malin, ajouta Dodson à mi-voix, autant pour lui-même que pour Slade.

Le commissaire se tut de nouveau pour laisser à son subordonné la possibilité de poser une question puis, rien ne venant, il enchaîna :

— On suppose que la marchandise est cachée dans un meuble ancien importé de façon tout à fait légale, puis, une fois sur notre territoire, retirée tout aussi discrètement.

— Le FBI a l'air de parfaitement contrôler l'affaire.

L'impatience le gagnant, Slade prit une cigarette. Dodson attendit qu'il l'eût allumée.

— Il y a une ou deux complications. D'une part, ils ne disposent encore d'aucune preuve, d'autre part, ils ignorent le nom du chef. Ils connaissent les complices, mais c'est lui qu'ils veulent arrêter. Lui ou elle...

Le ton alerta Slade. « Non, ne t'intéresse pas à ça. Ça ne te regarde pas. » Ravalant les questions qui avaient surgi dans sa tête, il tira sur sa cigarette et attendit.

— Il y a aussi un problème plus délicat.

Pour la première fois depuis qu'il avait mis le pied dans la pièce, Slade remarqua la nervosité avec laquelle Dodson tripotait son stylo. Après l'avoir fait tourner deux ou trois fois dans sa main, il le reposa brusquement sur son bureau.

— La personne qui possède et dirige ce magasin d'antiquités est ma filleule.

Les sourcils de Slade eurent un brusque sursaut mais son regard resta froid.

— La fille du juge Winslow ?

— Il semblerait que Jessica ignore complètement l'usage qui est fait de son magasin, dit Dodson en reprenant son stylo. Je sais qu'elle est innocente... Et pas seulement parce que c'est ma filleule, précisa-t-il, anticipant les pensées de Slade. Mais parce que je la connais. Jessica est honnête jusqu'au bout des ongles, exactement comme l'était son père. Et d'ailleurs, elle n'a aucun besoin d'argent.

— Parfait, marmonna Slade.

Il imaginait déjà une héritière gâtée, ne sachant comment occuper son temps et son argent, et jouant au receleur pour pimenter son existence. Ça devait la changer agréablement du shopping, des réceptions et du milieu jet-set dans lequel elle baignait...

— L'enquête du FBI se resserre, dit Dodson. Les trois prochaines semaines seront décisives. Et risquent de la mettre en danger.

Slade retint un reniflement de dérision.

— Sa boutique est surveillée mais le fait qu'elle ignore tout ne sera pas suffisant pour la protéger. J'ai essayé de l'inviter à New York mais...

Il s'interrompit. Son visage prit une expression mi-amusée, mi-agacée.

— Jessica est têtue. Elle prétend qu'elle est débordée et que c'est à moi de lui rendre visite.

Dodson lâcha un bref soupir.

— De fait, ma présence à ce moment précis de l'enquête risque de tout bousiller. Cependant, je crois que Jessica a besoin d'une protection. Une protection discrète, par quelqu'un qui a l'habitude de ce genre de travail... Quelqu'un qui pourrait participer à l'enquête, mais de l'intérieur, ajouta-t-il avec un léger sourire.

Slade fronça les sourcils. Cette conversation lui déplaisait de plus en plus. Prenant son temps, il écrasa soigneusement sa cigarette.

— Et comment me voyez-vous procéder?

Cette fois-ci, Dodson sourit franchement. Il appréciait le ton irrité de Slade autant que sa façon abrupte d'en venir au vif du sujet.

— Jessica m'obéit... jusqu'à un certain point, répondit-il en se renversant contre le dossier de son siège. Récemment, elle s'est plainte du fouillis qui règne dans sa bibliothèque, et de n'avoir pas le temps de mettre les livres sur catalogue. Je vais l'appeler, lui dire que je lui envoie le fils d'un de mes amis, qui était aussi celui de son père. Ce qui est vrai, d'ailleurs. Tom et Larry se connaissaient. Votre couverture est simple: vous êtes un écrivain à la recherche d'un coin tranquille pour travailler pendant quelques semaines. En échange, vous lui proposez de mettre de l'ordre dans sa bibliothèque et d'en établir le catalogue.

Les yeux de Slade avaient viré au noir.

— Il y a des problèmes de juridiction... commença-t-il.

— Paperasserie, l'interrompit Dodson. Ça sera réglé. D'ailleurs, le moment venu, ce seront les gars du FBI qui procéderont à l'arrestation.

— Écoutez, commissaire, je suis sur le point de boucler l'enquête sur le meurtre Bitronelli. Si...

— Tant mieux, l'interrompit Dodson d'une voix acérée cette fois-ci. La presse ridiculise depuis des mois la police de New York avec cette histoire. Et si vous êtes si près de la régler, vous pourrez rejoindre le Connecticut d'ici à deux jours. Le FBI tient à placer un flic à l'intérieur. Vos états de service ont été vérifiés et votre candidature acceptée.

— Fantastique, grommela Slade en se levant. Mais je vous rappelle que je suis affecté aux homicides, pas aux cambriolages.

— Vous faites partie de la police, répliqua sèchement Dodson.

Chargé de « baby-sitter » une petite héritière snobinarde qui jouait à se faire peur en organisant des cambriolages, ou bien était trop abrutie pour voir ce qui se passait sous son nez !

— Fantastique, marmonna-t-il à nouveau en arpentant la pièce de long en large.

Dès que Janice aurait quitté l'université, il serait libre de quitter la police et de se consacrer à la littérature. Il en avait marre. Marre de la détresse physique et morale à laquelle il se heurtait quotidiennement. Marre de la fange, de l'impuissance, marre des déchets de l'humanité que son boulot l'obligeait à fréquenter. Et marre aussi du regard soulagé de sa mère chaque fois qu'il rentrait indemne à la maison.

Il poussa un soupir. De toute façon, il n'avait pas le choix. Autant se résigner. Passer deux semaines dans le Connecticut n'était pas une perspective si désagréable. En tout cas, ce serait un changement.

— Quand suis-je censé partir ? demanda-t-il en se retournant vers Dodson.

— Après-demain, répondit le commissaire d'un ton placide. Je vais vous exposer la situation aussi précisément que possible, ensuite j'appellerai Jessica et lui annoncerai votre arrivée.

Haussant les épaules, Slade se laissa retomber sur son siège pour écouter les explications du commissaire.

1

Les premières feuilles mortes et l'atmosphère annonçaient déjà l'automne. Sous le ciel d'un bleu vif, les couleurs vibraient avec passion. Le ruban de la route serpentait à flanc de colline vers l'est et l'Atlantique. Un vent froid et odorant s'engouffrait par les fenêtres ouvertes de la voiture. Fraîcheur délicieuse dont Slade n'avait pas joui depuis des années. Rien à voir avec l'atmosphère polluée qu'on respirait en ville. Quand un éditeur aurait accepté son livre, peut-être pourrait-il installer sa mère et sa sœur dans une maison à la campagne, ou bien près de la mer. C'était toujours une question de *quand* ou bien de *dès que*. Le *si*, il refusait de le formuler.

Encore un an dans la police afin de payer les études de Janice, et puis... Slade alluma la radio. Penser à l'année prochaine ne lui faisait aucun bien. De plus, il n'était pas là pour admirer le paysage. Ce n'était qu'un boulot de plus, et un boulot qui ne lui plaisait pas.

Jessica Winslow, vingt-sept ans, se remémora-t-il. Fille unique du juge Lawrence Winslow et de Lorraine Nordan Winslow. Diplômée de Radcliffe, major de sa promotion. Bien élevée et hypocrite à coup sûr... Cette idée le fit ricaner. Il voyait le genre : tailleurs sages, queue de cheval, sweaters Ralph Lauren et mocassins Gucci.

Ravalant ses préjugés, il se récita la suite des informations qu'il avait reçues. Elle avait ouvert la Maison

Winslow quatre ans plus tôt et, durant les deux premières années, s'était chargée des achats. Bonne excuse pour sillonner l'Europe.

Ensuite venait Michael Adams, l'assistant de Jessica Winslow et son acheteur actuel. Trente-deux ans. Diplômé de Yale. L'homme d'affaires type, estima Slade en lâchant une bouffée de fumée qui s'échappa par la fenêtre. Fils de Robert et de Marion Adams, une autre grande famille du Connecticut. Rien de spécial contre lui mais on avait conseillé à Slade de le tenir à l'œil. Il posa son coude sur le rebord de la fenêtre et réfléchit. Son rôle d'acheteur permettait éventuellement à Adams de diriger les opérations de part et d'autre de l'Atlantique.

Il restait encore David Ryce, qui travaillait au magasin depuis dix-huit mois. Fils d'Elizabeth Ryce, la gouvernante des Winslow. Selon Dodson, on le laissait souvent seul dans la boutique. Ce qui pouvait lui donner l'occasion de veiller au bon déroulement des opérations sur le plan local.

Slade passa en revue la liste du personnel. Un jardinier, une cuisinière, une gouvernante et une femme de ménage. Grands dieux ! Tout ça pour une seule personne ! Elle était probablement incapable de se faire cuire un œuf à la coque toute seule.

Les grilles de la propriété étaient grandes ouvertes ; deux voitures s'y seraient croisées aisément. Un oiseau lâcha une trille unique et le silence retomba. Slade suivit une longue allée goudronnée bordée d'azalées aux fleurs déjà fanées et parcourut bien trois cents mètres avant de se garer devant le bâtiment principal.

La maison était vaste mais, il dut l'admettre, de proportions plutôt agréables. Le soleil et l'air marin avaient patiné la teinte rose des briques. Une spirale de fumée s'échappait d'une cheminée qui surplombait le toit à double pente. Slade sentit le parfum des roses avant de les apercevoir.

Bien épanouies, elles poussaient le long de la maison. Une profusion de couleur cuivre et or, qui tranchait sur le rouge vif des buissons d'azalées. Il en fut charmé, ainsi que de l'odeur de feu de bois qui se dégageait de la cheminée. Tout cela respirait la paix. Ce dont il avait rarement joui dans sa vie. Chassant cette pensée déplaisante, il gravit les marches du perron et, dédaignant la sonnette, frappa à la porte.

Au bout de quelques secondes, le battant s'ouvrit sur une petite femme au visage laid mais avenant et aux cheveux grisonnants. L'odeur d'un détergent parfumé au pin rappela à Slade la cuisine de sa mère.

— Vous désirez ? demanda-t-elle avec un fort accent de la Nouvelle-Angleterre.

— Je m'appelle James Sladerman. Mlle Winslow m'attend.

Le regard noir de la femme le scruta avec soin.

— Ah, c'est vous, l'écrivain... dit-elle sans paraître impressionnée le moins du monde.

Elle recula pour le laisser entrer et referma la porte derrière lui. Slade examina le vestibule. Le parquet de chêne blond, soigneusement ciré, semblait plus que centenaire. Quelques tableaux ornaient les murs ivoire. Sur une console, une coupe en opaline vert pâle débordait de pétales de roses. Bien qu'il n'y eût aucun étalage de richesse, celle-ci était évidente. Slade reconnut le tableau suspendu à sa droite pour l'avoir vu reproduit dans plusieurs livres d'art. Une écharpe en soie bleue pendait négligemment sur la rampe de l'escalier.

Slade se tournait vers la gouvernante lorsqu'un claquement de talons en haut des marches attira son attention.

Un tourbillon de cheveux blonds et de jupe virevoltante dévalait l'escalier incurvé. Slade eut une brève impression de rapidité, de mouvement et d'énergie.

— Betsy, essaie de garder David au lit jusqu'à ce que cette fièvre tombe. Ne le laisse pas se lever. Bon sang, je vais être en retard ! Où sont mes clés ?

S'arrêtant pile à dix centimètres de Slade, elle chancela. Il tendit la main pour l'empêcher de tomber.

Elle avait un visage ravissant : une peau de blonde et une ossature fine avec des pommettes hautes qui lui donnaient un air un peu exotique. « Des ancêtres indiens ? Vikings ? se demanda-t-il. Ou bien celtes ? » De grands yeux ambrés le regardaient avec curiosité. Une petite ride se creusa entre les sourcils froncés. La ride de l'obstination, reconnut Slade. Sa sœur avait la même. Petite, la jeune femme lui arrivait tout juste à l'épaule. Son parfum évoquait l'automne, un mélange de fleurs et de fumée de bois. Sous le blazer en laine, le bras mince qu'il tenait semblait presque fragile. Sentant quelque chose s'émouvoir en lui, il laissa retomber sa main.

— C'est M. Sladerman, dit Betsy. Vous savez, l'écrivain…

— Oh, oui ! s'écria-t-elle tandis que la petite ride entre ses sourcils s'effaçait. Oncle Charlie m'a annoncé votre arrivée.

Il fallut un certain temps à Slade pour associer « oncle Charlie » et le commissaire Dodson. Ravalant un fou rire, il prit la main tendue.

— Charlie m'a dit que vous aviez besoin d'aide, mademoiselle Winslow.

— De l'aide ? répéta-t-elle en écarquillant les yeux. Ah oui, c'est vrai, la bibliothèque… Écoutez, je suis navrée de partir au moment où vous arrivez mais mon assistant est malade et mon acheteur est en France… et j'ai rendez-vous avec un client qui a dû arriver à la boutique il y a dix minutes, ajouta-t-elle après un coup d'œil à sa montre.

« Si cette cinglée parvient à faire marcher une entreprise, je veux bien être pendu », se dit-il tout en lui souriant aimablement.

— Ne vous inquiétez pas pour moi. Cela me permettra de m'installer.

— Très bien. Dans ce cas, je vous verrai au dîner.

Jetant un regard inquiet autour d'elle, elle chercha de nouveau ses clés.

— Dans votre main, dit-il.

Elle déplia les doigts et découvrit le trousseau niché dans le creux de sa paume.

— Dieu, que je suis bête ! Plus je suis pressée, pire c'est... Je vous en prie, ajouta-t-elle en lui lançant un regard malicieux, ne vous occupez pas de la bibliothèque aujourd'hui. Vous risqueriez d'avoir un coup au cœur et de prendre le large avant que j'aie pu arranger les choses.

Puis elle se rua vers la porte, tout en jetant pardessus son épaule :

— Betsy, dis à David qu'il est renvoyé s'il sort du lit. Ciao !

La porte claqua derrière elle. Betsy fit entendre un claquement de langue désapprobateur.

Dix minutes plus tard, Slade inspectait les pièces qui lui étaient attribuées. L'appartement dans lequel il avait grandi y aurait tenu tout entier. Il vit tout de suite que le tapis aux couleurs passées de sa chambre n'était pas *vieux* mais *ancien*. Un feu était préparé dans la petite cheminée en marbre noir et n'attendait plus qu'une allumette pour s'embraser. Dans le salon adjacent, Slade découvrit un large bureau sur lequel trônait un magnifique bouquet de chrysanthèmes, qu'il débarrassa sans hésitation pour installer sa machine à écrire.

Avec un peu de chance, l'écriture serait pour lui plus qu'une couverture. Entre deux séances de baby-sitting, il trouverait bien le temps de travailler. Évidemment, il lui faudrait aussi avoir l'air de s'intéresser à la bibliothèque... Agacé par cette perspective, il tourna le dos à sa machine à écrire et descendit l'escalier. Puis, déambulant de pièce en pièce, il nota leur disposition dans un coin de son cerveau, celui du policier, et leur description dans celui de l'écrivain.

Lors de ce premier examen du rez-de-chaussée, Slade ne trouva rien à reprocher au goût de Jessica. L'héritière Winslow préférait les couleurs sobres et les lignes nettes. Pour s'habiller aussi, se dit-il en se souvenant du tailleur brun qu'elle portait. Quoique son chemisier d'un vert soutenu, presque agressif, indiquât peut-être un tempérament moins discipliné.

Slade s'arrêta pour caresser du bout des doigts le piano en bois de rose. Le souvenir du piano droit, un peu délabré, que sa mère chérissait lui revint en mémoire. Il haussa les épaules et passa à la pièce voisine.

La bibliothèque. Humant les odeurs de vieux cuirs et de poussière, il fit un tour complet sur lui-même, le temps d'admirer la plus grande collection privée de livres qu'il eût jamais vue. Pour la première fois depuis qu'il avait accepté cette mission dans le bureau de Dodson, Slade éprouva un semblant de plaisir. Un rapide examen lui apprit que si les livres étaient rangés n'importe comment, au moins ils avaient tous été lus. Il traversa la pièce et monta le petit escalier qui menait au second niveau. Là aussi, les volumes s'entassaient sur les étagères dans le désordre le plus total. Slade suivit du doigt une rangée de livres. Le poète Robert Burns s'appuyait tendrement sur l'auteur de science-fiction Kurt Vonnegut.

« Un sacré boulot ! » conclut-il. Auquel il aurait pu prendre plaisir s'il n'avait eu autre chose à faire… Il descendit l'escalier et jeta un dernier regard aux murs couverts de livres, puis en préleva un au hasard. Ne pouvant rien faire pour Jessica Winslow dans l'immédiat, il décida de profiter de son loisir pour lire.

Jessica entra d'un coup de volant nerveux dans le parking situé derrière sa boutique et constata avec soulagement qu'il était vide. Elle était en retard mais son client l'était encore davantage. Ou bien il en avait eu assez d'attendre et était reparti. Étouffant un juron, elle courut ouvrir la porte et remonta en hâte le rideau métallique. Sans ralentir l'allure, elle passa dans l'arrière-boutique, jeta son sac dans un coin et remplit la petite bouilloire dont elle versa la moitié sur une plante qui dépérissait, avant de la poser sur la cuisinière. Satisfaite, elle retourna dans la boutique.

Le magasin de Jessica se composait d'une pièce de proportions relativement modestes, mais à l'atmosphère intime et raffinée. Chaque objet, judicieusement choisi, avait un cachet spécifique et représentait le goût sobre et élégant de la propriétaire des lieux, qui s'occupait avec la même méticulosité de la gestion.

Cette boutique était le centre de son existence, elle lui consacrait tout son temps et toute son énergie. Plus qu'un travail, c'était une véritable passion qui donnait un sens à sa vie. L'affaire marchait bien et Jessica en était fière. L'argent n'était pas très important mais le fait que la boutique fût rentable, signifiait beaucoup pour elle.

Lorsqu'elle avait décidé d'ouvrir un magasin d'antiquités, à la fin de ses études, elle avait passé six mois à parcourir la Nouvelle-Angleterre puis l'Europe à la recherche de marchandise. Elle voulait peu d'objets mais de bonne qualité. L'affaire avait démarré comme un filet d'eau qui grossit peu à peu. Le bouche-à-oreille avait fonctionné. Que la fille du juge Winslow se lance dans le commerce avait suscité une certaine curiosité parmi ses amis et ses relations. Ce dont Jessica ne s'était pas offensée. Un client satisfait, c'est la meilleure des publicités.

Durant les deux premières années, elle avait travaillé seule, sans imaginer que son entreprise allait se développer au point d'outrepasser ses forces. Ce qui était pourtant arrivé. Débordée, elle avait embauché Michael Adams pour s'occuper des achats en Europe. Un homme charmant, efficace et compétent, que les clientes adoraient. Progressivement, une véritable amitié s'était nouée entre eux.

L'affaire continuant à prospérer, Jessica avait fait appel à David Ryce. Ce n'était encore qu'un très jeune homme inexpérimenté et qu'il fallait sans cesse surveiller. Jessica l'avait embauché parce qu'ils avaient été élevés ensemble; puis elle en était venue à lui faire confiance. Méticuleux et doué pour les comptes, il était à la fois intuitif et capable de faire face à toutes sortes de situations, ce qui en faisait un collaborateur précieux.

L'énumération de ces qualités fit brusquement dériver ses pensées vers James Sladerman. Leur entretien au pied de l'escalier, si bref fût-il, lui avait donné l'impression d'un homme que peu de choses pouvaient déconcerter. Sachant garder son sang-froid, dans les affaires… ou au fond d'un coupe-gorge. L'idée la fit rire. Pourquoi diable imaginait-elle une chose pareille?

À cause de la poigne ferme qui l'avait retenue au moment où elle allait tomber? Ou bien parce qu'il était grand et sec? Mais non, c'était plutôt son regard. Un regard dont la dureté n'avait pas effrayé Jessica. Durant les quelques secondes où il l'avait dévisagée avec une intensité troublante, elle n'avait pas eu peur. Au contraire, elle avait éprouvé un sentiment de sécurité. Bizarre, bizarre! Pourquoi ce brusque sentiment de sécurité alors que rien ne la menaçait?

La porte s'ouvrit, déclenchant une sonnerie. Elle mit de côté ses réflexions et se retourna.

— Veuillez m'excuser, mademoiselle Winslow, je suis en retard.

— Ce n'est pas grave, monsieur Chambers.

Inutile de lui signaler qu'elle aussi était arrivée en retard. Ce qu'il ignorait ne pouvait l'offenser. Le sifflement de la bouilloire lui parvint.

— J'étais en train de faire du thé. En voulez-vous une tasse avant que nous regardions les tabatières?

Chambers ôta le chapeau qui recouvrait son crâne chauve. Son sourire révéla une denture parfaite.

— Volontiers. Je vous remercie de me faire signe dès que vous recevrez une livraison.

— Je ne laisserai personne les voir avant de vous les montrer, déclara-t-elle de l'arrière-boutique où elle versait l'eau bouillante dans deux tasses. Michael a trouvé celles-ci en France. Il y en a deux qui devraient particulièrement vous intéresser.

Il collectionnait les petites boîtes ridiculement chargées d'ornements que portaient jadis des hommes en manchettes de dentelles. Retenant un sourire, elle jeta un coup d'œil à la silhouette bedonnante de Chambers et se demanda s'il se voyait en gentilhomme ou en dandy de la Régence. En tout cas, sa passion pour les tabatières en avait fait un client assidu, qui avait plus d'une fois recommandé la boutique de Jessica à d'autres personnes. Et, quoique un peu emprunté, il était plutôt sympathique.

— Du sucre ? demanda-t-elle en posant le plateau sur une table.

— Oh ! je ne devrais pas. Enfin, un morceau quand même.

Son regard glissa rapidement sur les jambes de Jessica tandis qu'elle s'asseyait. « Dommage que je n'aie pas vingt ans de moins », se dit-il en soupirant.

Vingt minutes plus tard, Chambers repartit avec deux tabatières du XVIIIe siècle. Jessica n'eut pas le temps d'inscrire la vente sur le livre de comptes qu'un grondement de moteur lui fit lever les yeux. Un gros camion s'arrêtait devant son magasin. Le logo de la société lui fit froncer les sourcils. Elle aurait juré que la livraison des marchandises achetées par Michael n'était prévue que pour le lendemain.

Reconnaissant le conducteur, elle le salua de la main et ouvrit la porte.

— Bonjour, mademoiselle Winslow.

— Bonjour, Don. Je croyais que vous ne deviez livrer que demain, dit-elle en prenant la liste qu'il lui tendait.
— M. Adams a demandé de faire vite.
— Mmm, fit-elle en parcourant la liste. Eh bien, il s'est surpassé cette fois-ci ! Et il y a une autre livraison samedi. Je ne... oh !
Ses yeux s'éclairèrent.
— Un bureau Queen Ann ! Je voulais justement demander à Michael de m'en trouver un et puis j'ai oublié de lui en parler. C'est de la transmission de pensée !
Bien sûr il eût été plus avisé de le sortir du camion pour l'examiner, mais l'impulsion fut la plus forte.
— Tout le chargement est pour ici, dit-elle au conducteur en lui décochant un sourire enjôleur. Sauf le bureau qui est pour chez moi. Ça vous ennuierait de... ?
— Heu...
Le sourire de Jessica s'accentua. Elle voyait déjà le bureau Queen Ann trôner dans le grand salon.
— Si ça n'est pas trop vous demander.
Le conducteur se dandina d'un pied sur l'autre.
— Bon, je pense que Joe sera d'accord, dit-il en désignant du pouce son camarade qui ouvrait les portes du camion.
— Merci. C'est très gentil de votre part. Ce bureau est exactement ce que je cherchais.
Avec un sentiment de triomphe, elle alla se servir une seconde tasse de thé.

Jessica revint à la maison avec la même fougue qu'elle l'avait quittée quelques heures plus tôt.
— Betsy ! cria-t-elle en accrochant à la volée son sac à la boule de la rampe d'escalier. Il est arrivé ?
Sans attendre de réponse, elle se rua dans le salon.
— Depuis tes six ans, je te demande de ne pas courir, protesta Betsy en l'interceptant sur le seuil

du salon. Au moins, à l'époque, tu ne portais pas de talons hauts.

Jessica l'embrassa avec autant d'impatience que d'affection.

— Betsy, il est arrivé ?

— Oui, bien sûr qu'il est arrivé, répondit la gouvernante en lissant son tablier. Je l'ai fait mettre dans le salon, comme tu me l'as dit. Et il ne s'envolera pas. Tu n'as pas besoin de courir comme une folle.

La fin de la phrase fut perdue, Jessica ayant déjà pris son élan.

— Oh, il est ravissant !

Elle caressa le meuble du bout des doigts, puis se mit à l'examiner de tous côtés. C'était un petit bureau léger et délicat, pour dame. Elle souleva le couvercle incliné et soupira de plaisir en découvrant l'intérieur en parfait état.

— Vraiment joli. David va être séduit.

Elle tira l'un des tiroirs qui glissa sans effort.

— C'est exactement ce que je cherchais. Quelle chance que Michael soit tombé dessus !

Elle s'accroupit et passa la main sur les pieds fins.

— C'est joli, admit Betsy en pensant à la poussière supplémentaire qu'il lui faudrait essuyer. Je parie que tu aurais pu en tirer une jolie somme.

— L'avantage de posséder une boutique, c'est qu'on peut garder pour soi ce qui vous plaît. Au moins pendant quelque temps.

Jessica se releva et ferma le bureau. Il ne manquait plus qu'un petit encrier raffiné, ou peut-être un cache-pot ancien à poser dessus.

— Le dîner est presque prêt.

— Oh, parfait… fit Jessica que ce détail prosaïque rappelait à la réalité. Et M. Sladerman ? Je l'ai négligé toute la journée. Il est en haut ?

— Il est dans la bibliothèque, répondit Betsy d'un ton sinistre. Il y a passé toute la journée. Il n'a même pas voulu en sortir pour déjeuner.

— Flûte ! Je voulais le préparer au spectacle. Bon, il ne me reste plus qu'à faire assaut de charme pour qu'il ne parte pas en courant. Qu'avons-nous pour dîner ?

— Un rôti de porc farci et de la purée.

— Ça devrait aller, marmonna Jessica en se dirigeant vers la bibliothèque, un peu inquiète.

Elle entrebâilla la porte et glissa la tête. Certains lieux devaient être abordés avec révérence, sans précipitation, pensait-elle, quoique ce ne fût pas dans ses habitudes. Sladerman était assis devant une grande table sur laquelle s'empilaient des livres. Concentré, il griffonnait sur un gros bloc de papier. Une mèche sur le front, il semblait absorbé par sa tâche. À moins que ce ne fût de l'ennui pur et simple. Jessica fit son plus beau sourire.

— Bonsoir !

Il leva les yeux et Jessica se sentit épinglée comme un papillon. Sensation étrange qui, sans qu'elle s'en rendît compte, transforma son sourire en une expression crispée.

« Qui est-il ? » se demanda-t-elle en s'approchant, mue autant par la curiosité que par un sursaut de courage. La lampe du bureau éclairait son visage de côté, soulignant le dessin ferme de la bouche et laissant les yeux dans l'ombre.

— Quel fouillis, jeta agressivement Slade, de peur de se laisser subjuguer par la beauté de la jeune femme. Si vous menez vos affaires de cette façon, c'est un miracle que vous n'ayez pas encore fait faillite.

Il désigna les rayonnages autour de lui. Ce reproche justifié soulagea Jessica. Le regard dur qu'il lui avait lancé ne la visait pas personnellement.

— Je sais, c'est épouvantable, admit-elle. J'espère que vous n'allez pas faire la seule chose raisonnable, c'est-à-dire prendre le large. Vous aimez les défis, monsieur Sladerman ? ajouta-t-elle en se juchant prudemment sur un coin de la table.

Elle riait. En tout cas, ses yeux riaient. Et d'elle-même, il le sentit très clairement. Tout en s'efforçant de rester froid et objectif, il ne put retenir un sourire hésitant. Peut-être était-elle innocente, après tout. Peut-être que non. Il n'avait aucune raison d'éprouver la même confiance aveugle que le commissaire. Mais le fait qu'il s'agît d'une femme belle et attirante ne lui facilitait pas la tâche.

Poussant un long soupir, il leva les yeux sur les murs couverts de livres. De toute façon, avait-il le choix ?

— Je vais céder à la pitié, mademoiselle Winslow… Et puis j'aime les livres.

— Moi aussi.

Le regard ironique de Slade la fit s'interrompre deux secondes.

— Mais si, je vous assure, reprit-elle avec un petit rire. Simplement, je ne suis pas ordonnée. Alors, affaire conclue, monsieur Sladerman ?

Elle lui tendit la main, paume en l'air. Il y jeta un coup d'œil. Une main douce et élégante. Slade la prit dans la sienne, tout en maudissant le destin qui l'avait mis sous les ordres du parrain de Jessica.

— Affaire conclue, mademoiselle Winslow.

Une main forte et dure qu'elle retint en descendant de la table.

— Vous aimez le rôti de porc farci ?

Le rôti se révéla tendre et délicieux. N'ayant pas déjeuné, Slade se resservit trois fois. Au moins, se dit-il en finissant sa tarte au fromage blanc, cette mission présentait un avantage concret par rapport à celle qu'il venait d'achever. Durant deux semaines, il avait dû se contenter de café tiède et de sandwichs rances. Et son équipier était moins agréable à regarder que Jessica Winslow. Après avoir mené adroitement la conversation durant le repas, elle glissa son bras sous le sien et l'entraîna vers le salon.

— Asseyez-vous. Je vais vous servir un verre de cognac.

À peine entré, il remarqua le bureau.

— Il n'était pas là ce matin.

— Comment ? fit-elle en se retournant, le flacon dans la main. Oh ! non, il est arrivé cet après-midi. Vous vous y connaissez en antiquités ?

Il jeta un rapide regard sur le meuble et s'assit.

— Non. Je vous laisse ce privilège, mademoiselle Winslow.

— Jessica, s'il vous plaît. Vous voulez que je vous appelle James ou Jim ?

— Slade. Même ma mère a cessé de m'appeler Jim le jour de mes douze ans.

— Vous avez une mère ?

Le ton surpris de sa voix le fit sourire.

— Tout le monde en a une.

Honteuse de sa question idiote, Jessica vint s'asseoir en face de lui, son verre à la main.

— Vous me sembliez du genre à pouvoir vous arranger tout seul.

Ils savourèrent lentement leur cognac. Entre deux gorgées, leurs regards se croisaient brièvement. Jessica eut l'impression que le temps s'arrêtait. Il lui semblait sentir le tourbillon de pensées qui se déchaînait dans le cerveau de cet homme. À moins que ce ne soit dans le sien ? Une gorgée brûlante glissa dans sa gorge et la ramena à la réalité. « Parle, s'enjoignit-elle. Dis quelque chose. »

— À part votre mère, vous avez de la famille ?

Les yeux fixés sur elle, Slade se demandait s'il avait rêvé ce moment d'intimité troublante. Il n'avait jamais rien éprouvé de tel auprès de personne, pas même d'une maîtresse. Alors comment imaginer que cela puisse se produire avec quelqu'un qu'il connaissait à peine ? Ridicule.

— Une sœur, dit-il enfin. Elle est à l'université.

— Une sœur, répéta Jessica qui, se détendant peu à peu, envoya promener ses chaussures. Quand j'étais petite, j'avais très envie d'avoir un frère ou une sœur.

— L'argent ne peut pas tout acheter, lâcha Slade.

L'expression mi-surprise, mi-blessée de Jessica lui fit comprendre qu'il avait fait une gaffe. Si elle commençait à lui en vouloir, qu'est-ce que ce serait dans une semaine ? Elle prit une gorgée et posa son verre.

— Vous n'avez pas peur des clichés, remarqua-t-elle. J'imagine que c'est parce que vous écrivez. Qu'écrivez-vous ?

— Des romans qu'on ne publie pas.

Son rire franc le fit sourire.

— Ça doit être frustrant.

— Oui, de plus en plus.

— Pourquoi le faites-vous, alors ?

— Pourquoi mangez-vous ?

Jessica réfléchit un instant.

— Oui. Je suppose que c'est pareil, n'est-ce pas ? Vous avez toujours voulu écrire ?

Il pensa à son père qui rêvait de le voir entrer dans la police. Puis il se souvint de son adolescence, lorsqu'il écrivait ses histoires, la nuit, sur un cahier à spirale. Après quoi, il revit l'expression de son père lorsqu'il avait revêtu pour la première fois l'uniforme. Et enfin il se souvint du jour où l'une de ses nouvelles avait été acceptée.

— Oui. Toujours.

Il lui était facile d'avouer à cette jeune femme ce qu'il n'avait jamais pu expliquer à sa famille.

— Quand on veut vraiment quelque chose, on finit par l'obtenir, déclara Jessica.

Slade émit un petit rire avant de boire une gorgée.

— Ça marche toujours ?

— Presque toujours. C'est comme au jeu.

— En misant gros, murmura-t-il en regardant son verre. D'habitude, je mise gros.

La liqueur ambrée était de la même couleur que ses yeux. Elle écoutait trop bien. Et lui parlait trop.

— Ah, Ulysse ! Je me demandais où tu étais.

Une grosse boule de poils venait de traverser la pièce pour se jucher d'un bond sur les genoux de Jessica.

— Non! protesta-t-elle en pouffant de rire. Combien de fois t'ai-je dit que tu étais trop gros pour monter sur mes genoux? Tu m'écrases!

Elle eut beau tourner la tête, la langue rose et humide trouva sa joue.

— Arrête! Descends tout de suite.

Ordres qui ne provoquèrent que deux aboiements joyeux, tandis que le chien continuait à lui lécher le visage.

— Qu'est-ce que c'est que ça? demanda enfin Slade.

Jessica tenta à nouveau de se dégager, mais l'animal en profita pour poser la tête sur son épaule.

— Un chien, bien sûr!

— Ce n'est pas si évident que cela.

— C'est un chien des Pyrénées, expliqua-t-elle d'une voix étouffée par les poils de la bête. Trois fois, déjà, je l'ai envoyé faire un séjour chez un dresseur, sans aucun succès. Espèce de crétin, descends de là!

Ulysse émit un long soupir de satisfaction sans bouger d'un centimètre.

— Aidez-moi, s'il vous plaît, supplia-t-elle. Une fois, je suis restée coincée comme ça deux heures durant, jusqu'au retour de Betsy.

Slade se leva et regarda le chien d'un air soupçonneux.

— Est-ce qu'il mord?

— Seigneur, je suis en train de suffoquer et ce type me demande s'il mord!

— On n'est jamais trop prudent, dit Slade en faisant la grimace. Il pourrait être hargneux.

Jessica prit un air méchant.

— Cherche, Ulysse, cherche!

Entendant son nom, le chien se redressa pour lui lécher à nouveau le visage.

— Rassuré? Maintenant, attrapez-le par où vous pourrez et dégagez-moi de là.

Slade se pencha vers la grosse masse poilue et le dos de sa main effleura les seins de Jessica.

— Pardon, fit-il en soulevant le chien. Mon Dieu, combien pèse-t-il ?

— Pas loin d'une tonne, à mon avis.

Cette fois-ci, Slade s'arc-bouta en pesant de tout son poids. Ulysse consentit à glisser sur le sol et se coucha aux pieds de Jessica. Soulagée, elle se laissa aller contre le dossier de son siège et ferma les yeux.

Son tailleur était parsemé de poils blancs et ses cheveux blonds décoiffés. Sur son visage au repos, les pommettes se faisaient plus saillantes. La bouche entrouverte avait un dessin très féminin, l'arc classique de Cupidon avec un renflement au niveau de la lèvre inférieure. On y sentait une passion cachée, frémissante mais contenue, qui fit battre plus vite le pouls de Slade. « Hé là ! pas question de s'emballer. Ce serait stupide et irresponsable. » Il baissa les yeux sur le chien.

— Vous devriez essayer de le dresser, quand même.

— Je sais.

Avec un soupir, Jessica rouvrit ses yeux de la même couleur que le cognac. Sa tendresse pour Ulysse lui faisait oublier toutes les bêtises qu'il commettait.

— Il est très sensible. Je n'ai pas eu le cœur de le renvoyer une quatrième fois chez le dresseur. Il prend ça pour une punition.

— C'est idiot, voyons. Il est trop gros pour se conduire comme ça.

— Vous voulez vous en charger ? riposta Jessica en tentant de se débarrasser des poils du chien.

— Merci, j'ai déjà de quoi faire.

Pourquoi était-elle agacée par le fait qu'il n'ait pas une seule fois utilisé son prénom ? Renonçant à toute dignité, elle enjamba tant bien que mal le chien couché à ses pieds.

— Merci pour le coup de main. Et j'ai pris note du conseil.

Le ton sarcastique ne troubla pas Slade.

— Je vous en prie. Mais vous m'avez plutôt l'air du genre de la dame qui gâte son chien-chien.

— Ah bon ?

Elle le regarda dans les yeux. Oui, il avait un regard dur. Dur, froid et cynique.

— Et moi, j'ai l'impression que ce genre ne vous plaît pas. Reprenez du cognac, si vous voulez. Je monte.

2

Une trêve embarrassée régna durant les deux jours suivants. Jessica s'efforçait d'éviter Slade qui faisait de même, tout en prenant note des habitudes de la jeune femme.

Contrairement à ce qu'il avait imaginé, elle n'accordait pas une minute aux mondanités, déjeuners, réunions de club ou de comité, mais travaillait sans dételer, la plupart du temps dans sa boutique. Si bien qu'il comprit qu'en restant dans la maison il ne découvrirait pas grand-chose. Il fallait aller voir ce qui se passait au magasin. D'où la nécessité de faire la paix avec Jessica.

Le troisième matin, campé devant la fenêtre de sa chambre, il vit sa voiture s'éloigner. Il était à peine huit heures. Une heure plus tôt que d'habitude. Slade lâcha un juron exaspéré. Comment le commissaire espérait-il la faire surveiller, ou protéger si c'était cela dont elle avait besoin, alors que dès l'aube plusieurs kilomètres les séparaient ? Il était temps d'inventer un prétexte pour aller lui rendre visite dans sa boutique.

Il prit sa veste et descendit l'escalier. Prétendre avoir besoin de renseignements sur les meubles anciens pour son roman lui permettrait d'examiner un peu la fameuse marchandise. Il en était au dernier tournant de l'escalier lorsqu'il entendit la voix de Betsy.

— ... rien que des ennuis.

— N'exagère pas.

Slade s'arrêta. Un bruit de pas se rapprochait et un grand jeune homme dégingandé apparut dans l'entrée. Ses cheveux blonds et raides, coupés un peu n'importe comment, s'arrêtaient juste au-dessus du col de sa chemise. Il portait un jean, des lunettes à monture métallique et, soit par fatigue, soit par habitude, se tenait un peu voûté. La tête baissée, il ne remarqua pas la présence de Slade. « David Ryce », se dit ce dernier en notant le teint livide et les yeux cernés du nouveau venu.

— Elle ne veut pas que tu ailles travailler aujourd'hui, je te l'ai déjà dit, ronchonnait Betsy en le poursuivant, un plumeau à la main.

— Je vais très bien. Si je reste au lit une journée de plus, je vais me ramollir...

Une toux violente l'obligea à s'interrompre.

— Très bien, tu vas très bien. Ah, vraiment ! s'exclama Betsy en lui assenant un coup de plumeau entre les omoplates.

— Maman, arrête.

David se retourna, exaspéré, vers sa mère et aperçut Slade. Étouffant une autre quinte de toux, il fronça les sourcils.

— C'est vous, l'écrivain ?

— Oui.

Slade descendit les deux dernières marches. « Ce n'est qu'un gamin, se dit-il en examinant brièvement David. Qui ne s'est pas encore complètement débarrassé de la méfiance de l'extrême jeunesse. »

— Jessica et moi, on avait imaginé un petit mec à lunettes, bas sur pattes et le dos rond. Je ne sais pas pourquoi... Vous vous en sortez avec la bibliothèque ?

Il avait beau s'efforcer d'être désinvolte, la fatigue l'obligeait à prendre appui sur la balustrade.

— Lentement.

— Je préfère que ce soit vous que moi, conclut David qui cherchait une chaise des yeux. Jessica est descendue ?

— Elle est déjà partie.

— Tiens, tu vois, fit Betsy en croisant les bras sur sa poitrine. Et si tu vas au magasin, elle te renverra ici. Et pas avec des fleurs.

Sentant ses jambes se dérober, David s'agrippa à la rampe.

— Elle va avoir besoin d'aide. On attend une nouvelle livraison aujourd'hui.

— J'vois pas à quoi tu pourrais être bon là-bas, grommela Betsy.

— Je pensais justement y faire un tour, intervint Slade. Pour voir la boutique et, éventuellement, glaner quelques renseignements pour mon livre. Je pourrais lui donner un coup de main.

Il vit David hésiter, partagé entre son désir d'aller au magasin et le besoin évident de s'allonger.

— Elle va vouloir tout transporter elle-même, marmonna-t-il.

— Ça, c'est vrai, grogna Betsy qui, renonçant à se tracasser pour son fils, s'agaçait à présent de l'obstination de sa maîtresse. Rien ne peut l'arrêter.

— C'est mon boulot d'installer la nouvelle marchandise et de vérifier la liste. Je ne…

— Déplacer des meubles n'exige pas de grandes compétences, déclara Slade en se hâtant d'enfiler sa veste. Et comme de toute façon j'y allais…

— Voilà, c'est arrangé, déclara Betsy. M. Sladerman va rejoindre Mlle Jessica, et toi, tu vas aller au lit.

— Je n'ai pas envie de me coucher. Je veux juste un fauteuil, dit David. Et merci, ajouta-t-il à l'adresse de Slade. Dites à Jessie que je reviendrai lundi. La paperasserie peut attendre quelques jours. Demandez-lui de se plier aux caprices d'un malade et de me la laisser.

— D'accord, je le lui dirai, dit Slade en sortant. Inspecter cette nouvelle livraison l'intéressait plus que tout.

Quinze minutes plus tard, il se garait dans le petit parking situé derrière la boutique. C'était une petite maison en bois éclairée par plusieurs fenêtres étroites. Les stores étant remontés, il aperçut Jessica aux prises avec un gros meuble, manifestement trop lourd pour elle. Maudissant la gent féminine dans son ensemble, il poussa la porte.

Le tintement de la sonnette la fit se retourner. Que quelqu'un surgisse dans sa boutique si tôt le matin la surprit; que Slade se tienne sur le seuil, l'air réprobateur, l'ébranla encore plus.

— Ça alors...

L'effort physique l'avait mise hors d'haleine.

— ... je ne m'attendais pas à vous voir débarquer, acheva-t-elle.

Elle se retint d'ajouter que cela l'irritait au plus haut point.

Elle avait ôté sa veste et remonté les manches de son chandail en cachemire, sous lequel sa respiration haletante faisait tressauter ses petits seins. Se souvenant de leur douceur lorsqu'il les avait effleurés pour la débarrasser du chien, Slade en oublia complètement qu'il était venu pour faire la paix.

— Faut-il que vous soyez sotte pour essayer de déplacer ce truc toute seule ! s'exclama-t-il d'un ton bourru.

Il enleva sa veste et la jeta sur un fauteuil. Jessica se redressa, le dos douloureux.

— Bonjour quand même, fit-elle d'un ton sec.

Ce qui le laissa de marbre. Il s'appuya sur le gros meuble contre lequel elle s'échinait vainement et demanda :

— Où voulez-vous le mettre ? J'espère que vous n'êtes pas de ces femmes qui changent d'avis toutes les cinq minutes.

Il vit son regard s'assombrir comme l'autre soir dans le salon. Curieusement, l'irritation la rendait encore plus séduisante. Et la façon dont elle redressait le menton était plutôt amusante.

— Je ne crois pas vous avoir demandé de l'aide, du moins pas en dehors de la bibliothèque, répliqua-t-elle d'un ton glacial. Je suis tout à fait capable d'arranger ma boutique moi-même.

— Ne vous faites pas plus stupide que nécessaire, riposta-t-il. Vous vous ferez du mal, et c'est tout. Bon, où est-ce que vous voulez mettre ce truc ?

— Ce truc, protesta-t-elle avec indignation, est un secrétaire français du XIXe siècle.

— Ah bon ? dit-il en jetant un coup d'œil indifférent sur le meuble en question. Eh bien, dites-moi où vous voulez que je le mette.

— Je vais vous dire où vous pouvez vous le mettre...

Le rire de Slade l'interrompit. Un rire bruyant, très masculin dont le son franc la surprit. Elle recula en s'efforçant d'étouffer sa propre hilarité. Pas question de se laisser embobiner par ce type.

— Là-bas, répondit-elle froidement en pointant le doigt.

Elle se détourna pour empoigner une table de toilette qu'elle traîna dans le coin opposé. Lorsque le bruit du bois frottant sur le parquet eut cessé, elle se retourna.

— Merci, fit-elle sans véritable gratitude. Et maintenant, que puis-je faire pour vous ?

Il se permit d'affronter son regard, puis de détailler sa silhouette. Elle se tenait très droite, les mains croisées négligemment, l'air agressif. Deux peignes en nacre retenaient ses cheveux en arrière. Elle était très mince, avec une taille fine et presque pas de hanches. La jupe de flanelle descendait jusqu'aux genoux, laissant Slade apprécier la finesse des jambes. Elle avait de petits pieds et l'un d'eux piaffait d'impatience sur le sol.

— C'est une question que je me suis aussi posée à plusieurs reprises, dit-il en la regardant à nouveau dans les yeux. Mais pour l'instant, c'est moi qui suis venu voir si je pouvais faire quelque chose pour vous. Ryce craignait que vous ne tentiez de tout déménager toute seule.

— Vous avez vu David ? s'écria-t-elle.

Son exaspération se volatilisa instantanément et elle prit le bras de Slade.

— Il était levé ? Comment allait-il ?

Il eut soudain très envie de la toucher, d'effleurer ses cheveux, son visage. Ses grands yeux ambrés le fixaient avec inquiétude.

— Il était debout. Et pas en aussi bonne forme qu'il aurait voulu nous le faire croire, à sa mère et à moi.

— Il n'aurait pas dû sortir du lit.

— Non, sans doute pas.

Ce parfum, évoquant le bois et l'automne, venait-il de ses cheveux ? Slade se sentait pris de vertige.

— Il voulait venir ici ce matin.

— Venir ici ! s'exclama-t-elle. J'ai pourtant donné des ordres pour qu'il reste à la maison. Pourquoi ne peut-il jamais obéir ?

Le regard de Slade la transperça.

— Tout le monde fait toujours ce que vous ordonnez ?

— David est mon employé, répliqua-t-elle en lui lâchant le bras. Il a intérêt à faire ce que je dis.

Sa colère disparut aussi vite qu'elle était apparue et un sourire se dessina sur ses lèvres.

— Il est encore très jeune et Betsy n'arrête pas de le harceler. Elle est comme ça. C'est très gentil de la part de David de vouloir m'aider mais il faut qu'il guérisse d'abord... Si je l'appelle, il va monter sur ses grands chevaux, ajouta-t-elle pensivement, en jetant un coup d'œil au téléphone.

— Il a dit qu'il viendrait lundi. Et il voudrait que vous le laissiez s'occuper des papiers concernant la dernière livraison.

Jessica enfonça ses mains dans ses poches. Manifestement, elle songeait encore à la manière de sermonner David.

— Bon, très bien. Ça l'obligera à rester assis. Entretemps, j'aurai tout rangé ; comme ça il n'aura pas la tentation de s'y mettre... Il est presque aussi obsédé que moi par cette boutique, reprit-elle avec un sourire.

Si je déplace ne serait-ce qu'un bougeoir, David s'en aperçoit instantanément. Juste avant de tomber malade, il essayait de me convaincre de partir en vacances.

Elle éclata de rire avec tant d'énergie que ses cheveux s'envolèrent derrière elle.

— En fait, ajouta-t-elle, je crois qu'il voulait la boutique pour lui tout seul.

— Un assistant très dévoué, commenta Slade.

— Oui, David est comme ça. Et vous, qu'est-ce que vous faites là, Slade ? Je vous croyais enterré sous les livres.

Sa réserve des derniers jours avait disparu. Slade en fut à la fois soulagé et inquiet. Il lui adressa un sourire prudent.

— J'ai promis à David de vous donner un coup de main.

— C'est très gentil, fit-elle d'un ton surpris qui le fit sourire franchement.

— Il m'arrive d'être gentil. Et puis je me suis dit que je pourrai glaner quelques informations sur le métier d'antiquaire, pour ma documentation personnelle.

— Bon, très bien. Un coup de main pour les objets les plus lourds sera le bienvenu. À quelle époque vous intéressez-vous ?

— Quelle époque ?

— Pour les meubles, précisa Jessica en se dirigeant vers un coffre bas et long. Y a-t-il un siècle ou un style qui vous intéresse plus particulièrement ? Renaissance ? XVIIIe siècle américain ? Italien ?

— Pour aujourd'hui, faites-moi juste un topo général car je ne connais pas grand-chose aux antiquités, improvisa Slade en écartant Jessica du coffre. Et ça, vous le voulez où ?

Il transporta les meubles tandis que Jessica se chargeait des objets plus légers, tout en lui donnant des informations sur ce qu'ils transportaient. Ce fauteuil était un Chippendale – remarquez le siège carré et plat et ces pieds en forme de lyre. Ce petit chiffonnier était de style rococo et venait de France – voyez la qualité des bronzes qui l'ornent. Tandis qu'elle passait un chiffon sur une petite table, elle lui parla de l'influence chinoise sur la fabrication de la porcelaine en Europe.

Une demi-douzaine de clients les interrompirent et la passionnée d'antiquités qu'était Jessica s'avéra être une excellente vendeuse. Après avoir montré telle ou telle pièce, elle en expliquait la provenance puis en justifiait le prix. Slade avait une certitude à présent : sa boutique n'était pas un jouet pour enfant gâtée. Elle savait la gérer, et travaillait plus dur qu'il ne l'avait imaginé. Elle savait convaincre sa clientèle avec une habileté qui forçait l'admiration et gagnait probablement pas mal d'argent. Les minuscules étiquettes qu'il avait remarquées sur les meubles en étaient la preuve.

Dans ces conditions, quel besoin avait-elle eu de faire du recel ? Cela aurait mis inutilement en danger cette boutique qu'elle aimait tant. Quant à pimenter son existence, elle n'en avait nul besoin. Les quelques heures passées en sa présence suffisaient à s'en persuader. D'autre part, elle était loin d'être idiote. Était-il plausible qu'une opération de cette envergure se déroulât sous son nez à son insu ?

— Slade, je voudrais vous demander quelque chose, dit Jessica à mi-voix en s'approchant de lui.

Spontanément, elle lui prit le bras. Ce devait être un geste naturel chez elle. Et soudain il découvrit qu'il la désirait. Sans réfléchir, il se retourna et la coinça contre le coffre. La main de Jessica resta sur son bras, juste sous le coude. Bien qu'il n'y eut entre eux qu'un contact léger, il devina quel plaisir ce serait de la presser contre lui. Son regard s'attarda sur la bouche de la jeune femme puis remonta se planter dans ses yeux.

— Demander quoi ?

Elle avait oublié ce qu'elle voulait dire. Un bruit étrange lui emplissait le crâne, comme l'écho d'une vague s'écrasant sur la grève. Reculer d'un pas aurait rompu le contact; avancer un tout petit peu l'aurait parfait. Elle ne fit ni l'un ni l'autre. Un poids énorme et invisible lui comprimait la poitrine, elle avait l'impression d'étouffer. En cet instant, tous deux comprirent qu'un seul geste de la part de Slade aurait fait basculer la situation.

— Slade, murmura-t-elle d'un ton mi-interrogateur, mi-suppliant.

Brusquement, il se ressaisit. Il n'avait pas le droit de se laisser aller.

— Vous voulez que je déplace autre chose ? demanda-t-il d'une voix glaciale, en s'écartant.

Troublée, Jessica s'adossa au coffre. Un peu de recul lui était nécessaire.

— Mme MacKenzie voudrait emporter le chiffonnier. Elle a une grosse voiture qu'elle est partie chercher. Ça vous ennuierait de mettre ce meuble dans son coffre ?

— Pas de problème.

Elle resta immobile jusqu'à ce qu'il ait franchi la porte d'entrée, le chiffonnier dans les bras. Une fois seule, elle lâcha un énorme soupir. Slade n'était pas le genre d'homme devant qui une femme pouvait se permettre de perdre la tête. Il ne serait ni doux ni gentil. Elle posa la main sur sa poitrine comme pour en alléger la pression. « La prochaine fois, reste calme », s'enjoignit-elle.

« C'est sa façon de me regarder, comme s'il pouvait lire dans mes pensées, qui me trouble. » Elle passa une main tremblante dans ses cheveux. « Quand il me regarde comme ça, mon cerveau se vide, je ne sais même plus à quoi je pensais la seconde précédente. » Elle sentait son pouls palpiter avec frénésie.

Lorsque la sonnette de la porte retentit à nouveau, elle n'avait toujours pas décollé du coffre.

— Je meurs de faim, lâcha-t-elle abruptement.

Elle courut baisser les stores, accrocher une pancarte à l'extérieur et verrouiller la porte.

— Vous aussi, j'imagine, reprit-elle d'une voix haletante. Il est une heure passée et je vous ai fait déplacer des meubles toute la matinée. Que diriez-vous d'un sandwich et d'une tasse de thé ?

Slade parvint à sourire.

— Du thé ?

Le rire de Jessica le soulagea.

— Non ? Eh bien, je crois que David a laissé de la bière au frais.

Elle se rua dans l'arrière-boutique et ouvrit la porte du réfrigérateur, devant lequel elle s'accroupit.

— Voilà. Je savais bien qu'il y en avait.

Elle se redressa et se retourna, ce qui la fit entrer en collision avec la poitrine de Slade. Par pur réflexe, il lui saisit les bras et la lâcha aussitôt. Le cœur battant, elle recula.

— Pardon, je ne savais pas que vous étiez derrière moi. Ça ira ?

À distance prudente, elle lui tendit la bouteille.

— Très bien.

Le visage imperturbable, il prit la bière et s'assit devant la table. Sa nuque crispée lui faisait mal. Il devait faire attention à ne plus la toucher. À ne pas céder au désir de goûter à cette bouche sensuelle. Une fois qu'il l'aurait fait, il ne pourrait plus s'arrêter. La gorge nouée, il déboucha la bouteille.

— Je vais préparer les sandwichs, déclara Jessica, en retournant vers le réfrigérateur. Au rôti de bœuf, d'accord ?

— Oui, parfait.

À quoi pensait-il ? se demandait-elle tout en s'affairant. Il était impossible de le deviner. Gardant prudemment le dos tourné, elle beurra les tranches de pain et y inséra la viande. La vue de ses propres mains lui fit penser à celles de Slade. Il avait de longs doigts minces. Et forts. Séduisants. Elle les imagina brièvement sur son corps. Habiles, exigeants. L'éclair du désir fut rapide mais pas inattendu cette fois-ci. Elle le refoula en préparant avec hargne le second sandwich.

Slade regardait un rayon de soleil jouer sur les cheveux de Jessica et les différents bleus de son chandail. Il aimait la façon dont la laine soulignait son dos droit et sa taille fine. Il remarqua aussi ses épaules crispées. Si tous deux étaient obsédés par une attirance dont ni l'un ni l'autre ne voulaient, il n'arriverait pas à mener à bien sa mission. Il devait aider Jessica à se détendre, la faire parler. Et, pour cela, il connaissait un bon moyen.

— Vous avez une jolie boutique, Jessica.

Sans s'en rendre compte, il l'avait appelée par son prénom. Jessica y fut sensible, autant qu'au compliment prudent.

— Merci.

Elle posa le sandwich de Slade sur la table et se souvint brusquement qu'elle n'avait pas allumé le feu sous la bouilloire.

— Les gens ont cessé d'en parler comme du joujou de Jessica.

— Au début, c'était ça ?

— Pas pour moi.

Elle se hissa sur la pointe des pieds pour sortir une tasse du placard. Slade vit sa jupe se soulever légèrement.

— Mais la plupart des gens ont cru que la fille du juge Winslow voulait jouer à la marchande. Vous voulez un verre pour votre bière ?

— Non, ce n'est pas la peine. Et pourquoi les antiquités ?

— Eh bien, je m'y connaissais un peu… et ça m'a toujours plu. Autant travailler avec ce qu'on connaît et ce qu'on aime, non ?

Il pensa au revolver de service caché dans sa chambre.

— Quand on le peut, oui. Comment avez-vous commencé ?

— J'avais la chance d'avoir les fonds nécessaires pour tenir le coup durant la première année, le temps de constituer un stock et de faire les travaux de rénovation nécessaires avant d'ouvrir.

La bouilloire se mit à siffler. Jessica éteignit le feu.

— Malgré tout, ça n'a pas été facile. Je n'avais aucune idée des démarches administratives à faire et la comptabilité était du chinois pour moi, reprit-elle en déposant sa tasse et sa soucoupe sur la table. Mais on est obligé d'y passer. Je voyageais beaucoup et, le soir, je potassais des bouquins de droit et de gestion. Les deux premières années ont été exténuantes… Mais j'aimais ça, conclut-elle avant de mordre dans son sandwich.

« Sûrement », se dit-il. Même assise là, devant une tasse de thé, elle rayonnait d'énergie.

— Ça fait longtemps que David Ryce travaille pour vous ?

— Environ un an et demi. Il se trouvait à cette étape indéterminée que nous traversons tous, j'imagine, lorsque nous émergeons de l'adolescence sans encore être adulte… Vous voyez ce que je veux dire ?

— Plus ou moins.

— Vous, sans doute moins que plus. En fait, il s'est d'abord agacé que je lui offre un boulot et surtout d'en avoir besoin. David et moi avons été élevés ensemble. C'est difficile pour un garçon d'admettre qu'on a besoin de sa grande sœur.

Elle soupira au souvenir de la maussaderie de David, de sa mauvaise volonté, de son manque d'intérêt initial.

— Finalement, au bout de six mois de ronchonnements, il a fini par se passionner pour ce travail et, progressivement, il s'est rendu indispensable. Il est intelligent et se débrouille très bien en comptabilité. Il est meilleur comptable que vendeur.

— Ah bon ?

— Il n'est pas toujours… très diplomate avec les clients. De sorte que je lui ai laissé le soin de tenir les comptes et les inventaires. Michael et moi, nous nous chargeons des achats et de la vente.

— Michael ? répéta Slade comme si le nom ne lui disait rien.

— Michael Adams. Il s'occupe de presque tous les achats, en tout cas des importations.

— Vous n'achetez pas vous-même la marchandise ?

— Pas ce qui vient d'Europe. Plus maintenant, répondit-elle en triturant le restant de son sandwich. Si j'avais voulu continuer, je n'aurais pas pu garder la boutique ouverte toute l'année. Je m'occupe des ventes aux enchères, et cela me prend pas mal de temps. Mais Michael a un flair incroyable, il déniche de véritables joyaux.

Il se demanda s'il s'agissait d'une métaphore ou d'une réalité. Michael Adams faisait-il traverser l'Atlantique aussi bien à des joyaux qu'à du mobilier ?

— Cela fait presque trois ans que Michael travaille avec moi, poursuivit Jessica. Ce n'est pas seulement un bon acheteur, mais aussi un vendeur sensationnel... Surtout avec la clientèle féminine, ajouta-t-elle en riant. C'est un homme très agréable et très séduisant.

Le ton affectueux n'échappa pas à Slade. Qu'y avait-il exactement entre eux ? Si Adams était impliqué dans cette histoire de contrebande, et en même temps l'amant de Jessica... Il regarda les mains de la jeune femme. Elle portait un mince anneau d'or à la main droite et une bague d'opales à la gauche. Le soleil éveillait des éclats rouges sur le bleu délicat des pierres. « Cela lui va bien », pensa-t-il en prenant une gorgée de bière.

— En tout cas, poursuivit-elle en étirant les bras, avec la maladie de David, j'ai redécouvert ce que c'était que de faire tourner la boutique toute seule. C'est épuisant. Je serai contente de voir revenir Michael et David la semaine prochaine. Je pourrais peut-être même en profiter pour accepter l'invitation d'oncle Charlie.

— Oncle Charlie ?

La tasse de Jessica s'arrêta à mi-chemin entre la table et sa bouche.

— Oncle Charlie, répéta-t-elle, intriguée par son étonnement. Voyons, c'est lui qui vous a envoyé chez moi.

— Le commissaire ? Je n'ai pas l'habitude de l'entendre appeler « oncle Charlie », expliqua-t-il d'un ton neutre.

— Et moi je n'ai pas l'habitude de l'entendre appeler « le commissaire », rétorqua-t-elle en reposant sa tasse.

« Attention, elle est loin d'être idiote », se dit Slade. S'efforçant de prendre une attitude désinvolte, il posa le bras sur le dossier de sa chaise.

— Moi, c'est comme cela que je l'appelle, jeta-t-il négligemment avant de changer de sujet. Vous n'aimez pas voyager ? J'aurais pensé que faire les brocantes et chiner à droite et à gauche constituait la partie la plus agréable du métier.

— Oui, c'est vrai. Mais c'est fatigant. Les aéroports, les ventes aux enchères, les douanes... L'année prochaine, je m'offrirai peut-être une escapade. J'aimerais aller voir ma mère et son mari qui habitent en France. J'en profiterai pour faire quelques achats.

— Votre mère s'est remariée ?

— Oui, heureusement pour elle. Après la mort de mon père, elle était complètement perdue. Moi aussi, d'ailleurs, ajouta-t-elle à mi-voix.

Au bout de cinq ans, la douleur était toujours vivace. Un peu atténuée par le temps, mais toujours présente.

— Rien n'est plus dur que de perdre quelqu'un qu'on aime. Surtout quand on a cru cette personne indestructible et qu'elle est partie sans avertissement préalable.

Sa voix s'était teintée de chagrin, éveillant un écho en lui.

— Je sais, répondit-il étourdiment.

Les yeux de Jessica se rivèrent aux siens.

— Vous le savez ?

L'intérêt qu'elle lui manifestait le toucha et l'agaça du même coup.

— Mon père était policier, répondit-il sèchement. Il a été tué en service commandé, il y a cinq ans.

— Oh ! Slade, fit-elle en lui prenant la main. C'est terrible... Ça a dû être terrible pour votre mère.

— Les femmes de policiers apprennent à vivre avec ce risque.

Il dégagea sa main pour prendre sa bière. Elle se leva et ramassa les assiettes.

— Vous voulez autre chose ? Il doit y avoir des cookies rangés quelque part.

Soulagé, Slade comprit qu'elle ne poserait pas davantage de questions. Elle lui avait offert sa sympathie puis, voyant qu'il n'en voulait pas, l'avait retirée. Très bien. Il avait déjà assez de mal à lutter contre l'attirance physique. Il n'avait pas besoin de sa sympathie en plus.

— Non merci.

Il se leva pour l'aider à ranger.

Lorsqu'ils revinrent dans la boutique, Jessica alla remonter les stores et lâcha un cri qui fit sursauter Slade. Puis elle éclata de rire.

— M. Layton ! s'écria-t-elle en ouvrant la porte. Vous m'avez fait une peur bleue.

C'était un homme d'environ cinquante ans, de grande taille et très élégant. Il portait un costume trois pièces et une cravate en soie grise de la même couleur que ses cheveux. Le visage maigre et sévère s'éclaira d'un sourire tandis qu'il prenait la main de Jessica.

— Excusez-moi, très chère, mais moi aussi, vous m'avez fait peur.

Remarquant Slade, il lui jeta un regard interrogateur.

— Je vous présente James Sladerman. Il passe quelque temps avec nous. David est malade.

— Oh... rien de grave, j'espère ?

— La grippe, c'est tout. Mais une bonne grippe... Comme d'habitude, vous avez senti que j'avais reçu une livraison ? Nous venons juste de déballer la marchandise et j'attends un nouvel envoi pour bientôt.

Il eut un rire enroué, dû à son goût pour les cigares cubains.

— Le hasard n'y est pour rien, mademoiselle Winslow. Je savais que votre ami Michael allait passer trois semaines en Europe. Avant son départ, je lui ai demandé de me chercher deux ou trois choses.

— Eh bien...

La sonnette de la porte l'interrompit.

— Monsieur Chambers ! s'exclama-t-elle. Je ne m'attendais pas à vous revoir si tôt.

L'air penaud, Chambers ôta son chapeau.

— La tabatière avec incrustation de perles, expliqua-t-il. Je ne peux y résister.

— Allez-y, très chère, fit Layton en tapotant l'épaule de Jessica. Je vais examiner ce que vous avez reçu en attendant.

Tout en faisant semblant de s'intéresser à une collection d'étains, Slade observa les deux hommes. Layton déambulait, s'attardant ici et là. Il jucha sur son nez une paire de lunettes demi-lunes et se pencha pour regarder de près la marqueterie d'une petite table. De l'autre côté, Jessica discutait d'une voix paisible avec Chambers. L'idée qu'un homme de bon sens pût se passionner pour une tabatière semblait à Slade si ridicule qu'il eut envie de rire, mais il s'efforça de demeurer impassible. Après avoir demandé à Jessica d'emballer l'objet de son désir, Chambers se mit à discuter avec Layton, qui tournait autour d'une petite armoire.

Noter mentalement la description et le nom de ces hommes était affaire de routine pour Slade. En tout cas, ces deux-là semblaient avoir quelques connaissances en matière d'antiquités. C'était du moins ce qu'on pouvait déduire de leur conversation au sujet de l'armoire. Il s'approcha du bureau et regarda Jessica recopier sur un grand cahier les indications de l'étiquette. Une écriture nette, féminine et très lisible.

Tabatière française du XVIIIe siècle. Avec incrustation de perles.

Ce fut le prix qui lui coupa le souffle.

— C'est une blague ? demanda-t-il à haute voix.

— Chuuut !

Elle leva les yeux et constata avec soulagement que les deux hommes étaient trop occupés pour avoir entendu.

— Vous n'avez aucune faiblesse, Slade ? demanda-t-elle avec un sourire malicieux.

— Dans le domaine de la morale peut-être, mais pas dans celui du bon sens, répliqua-t-il, troublé par son sourire. Et vous ?

Elle soutint son regard. Pour la première fois, il semblait carrément amusé.

— Non, fit-elle avec un petit rire. Aucune.

Cette fois-ci, ce fut lui qui tendit la main au-dessus du bureau et lui effleura les cheveux du bout du doigt. Jessica en lâcha son stylo.

— Êtes-vous corruptible ? murmura-t-il.

Il souriait toujours mais elle se félicita qu'il y eût des clients dans la boutique.

— Je ne crois pas, balbutia-t-elle, mal à l'aise.

Le rire rocailleux de Layton attira son attention. Elle sortit de son refuge et, contournant Slade de loin, rejoignit les deux hommes.

« Attention, virages dangereux, l'avertit une petite voix dans sa tête. On en loupe un avec ce type, et on rentre de plein fouet dans le rail de sécurité, avant de basculer par-dessus la falaise. » Elle avait été trop prudente pendant trop longtemps pour prendre des risques à présent.

— C'est un joli petit meuble, dit-elle aux deux hommes. Il est arrivé l'autre jour, juste après votre départ, monsieur Chambers.

Bien qu'il ne fît aucun bruit, elle sentit que Slade déambulait à l'autre extrémité de la pièce.

Finalement, Chambers emporta l'armoire tandis que Layton optait pour un fauteuil et une console que Jessica affirmait purement Louis XV. Slade, quant à lui, n'y voyait qu'un fauteuil et une table, trop chargés d'ornements pour son goût. Mais, bien sûr, à termes élégants, prix élégants.

— Avec des clients comme ça, commenta-t-il lorsqu'ils furent seuls, vous pourriez ouvrir une boutique deux fois plus grande que celle-ci.

— Oui, je le pourrais, dit-elle en notant les ventes. Mais je ne le désire pas. Et tout le monde n'achète pas aussi facilement. Ce sont des hommes qui savent ce qu'ils aiment et qui ont les moyens de se l'offrir. J'ai de la chance qu'ils soient devenus mes clients depuis environ un an.

Elle le regarda fouiner dans la boutique, ouvrir un tiroir, examiner un objet et se camper finalement devant une vitrine contenant une collection de porcelaines.

— Elles sont jolies, n'est-ce pas ? dit-elle en le rejoignant.

Il garda le dos tourné, ce qui n'empêchait pas le parfum de Jessica de lui parvenir.

— Oui, c'est gentil, fit-il.

Elle se mordit la lèvre inférieure. C'était bien la première fois qu'elle entendait le qualificatif *gentil* attribué à des porcelaines de Saxe.

— Ma mère aime ce genre de choses.

— À mon avis, c'est celle-ci la plus belle, dit Jessica en ouvrant la vitrine pour en sortir une petite bergère délicate. J'ai failli la garder pour moi.

— C'est bientôt son anniversaire, reprit Slade, l'air songeur.

— Et elle a un fils qui ne l'oublie pas.

Il leva les yeux sur ceux de Jessica ; il remarqua qu'ils s'étaient soudain mis à pétiller.

— Combien ? demanda-t-il d'un ton volontairement neutre.

Jessica passa la langue sur ses dents. Le moment de marchander était venu. Il n'y avait rien qu'elle aimât autant.

— Vingt dollars, jeta-t-elle sur une impulsion.
— Allons, Jessica ! s'écria-t-il en riant. Combien ?
Elle secoua la tête et une ride obstinée se creusa entre ses sourcils.
— Vingt-deux cinquante. C'est ma dernière offre.
Il eut un sourire forcé.
— Vous êtes folle.
— C'est à prendre ou à laisser, dit-elle avec un haussement d'épaules. C'est l'anniversaire de votre mère, après tout.
— Ça vaut beaucoup plus que ça.
— Pour elle, ça vaudra sûrement beaucoup plus.
Agacé, Slade enfonça les mains dans ses poches et regarda à nouveau le petit personnage.
— Vingt-cinq, dit-il.
— Vendu.
Avant qu'il ait pu se raviser, Jessica se précipita vers le bureau. D'un geste prompt, elle arracha l'étiquette où était marqué le prix et la jeta dans la corbeille.
— Je peux vous faire un paquet cadeau, si vous voulez. C'est gratuit.
Il la rejoignit et la regarda envelopper la jolie bergère dans du papier de soie.
— Pourquoi ?
— Parce que c'est son anniversaire. Les cadeaux d'anniversaire doivent être offerts emballés dans un joli papier.
Il posa la main sur celle de Jessica pour l'arrêter.
— Ce n'est pas ce que je voulais dire. Pourquoi ?
Jessica le sonda du regard. Il n'aimait pas les faveurs et n'acceptait celle-ci que parce qu'elle était destinée à quelqu'un qu'il aimait.
— Parce que j'en ai envie.
Les sourcils de Slade se haussèrent et son regard devint intense.
— Vous faites toujours ce que vous voulez ?
— J'essaie, en tout cas. Comme tout le monde, non ?

Avant qu'il ait pu répliquer, la porte se rouvrit.

— Une livraison pour vous, mademoiselle Winslow.

Slade, sur le qui-vive, participa activement au déchargement. Peut-être allait-il avoir l'occasion de remarquer quelque chose d'intéressant. Il fallait boucler cette affaire et décamper au plus vite... avant d'avoir perdu son sang-froid : Jessica avait le talent de brouiller les cartes. Il ne devait pas oublier qu'il était un flic, et elle un suspect. Son boulot était de découvrir la vérité, au risque de tomber sur des preuves de la culpabilité de Jessica. Tandis qu'il ouvrait les caisses, elle pépiait d'excitation. Jamais de sa vie il n'avait rencontré personne d'apparence aussi honnête. Mais ce n'était qu'une impression, un sentiment. Il cherchait des faits.

Il profita de son rôle provisoire de déménageur pour examiner chaque pièce attentivement. Ce qui ne parut pas du tout embarrasser Jessica. Au contraire, elle semblait apprécier qu'il l'aide à vérifier que la marchandise n'avait pas souffert du voyage. Slade se sentit envahi par un bref remords, ce qui l'irrita. Il ne faisait que son boulot. Et c'était ce maudit « oncle Charlie » qui l'avait fourré là-dedans. Encore un an, se rappela-t-il. Encore un an et aucun commissaire n'aurait le pouvoir de l'obliger à jouer les baby-sitters et d'épier une filleule aux yeux ambrés.

Il ne trouva rien. Il s'y attendait, bien que pour justifier sa présence il eût été prêt à sauter sur le moindre indice. Jessica ne cessait de s'agiter. Durant les deux heures que prit le déchargement, elle tourna dans tous les sens, essuyant un objet, disposant un meuble, débarrassant les caisses vides à l'extérieur. Lorsque tout fut terminé, elle inspecta la pièce comme si elle cherchait quelque chose d'autre à faire.

— Ça y est, c'est fini, fit Slade de peur qu'elle ne décide de changer de place tous les meubles et tous les objets.

— Oui, peut-être bien, admit-elle en se frottant le dos. Ces gros meubles doivent partir lundi, ça tombe bien. La boutique est trop encombrée. Ouf, je meurs de faim... Je n'avais pas l'intention de vous garder si tard, Slade. Je suis vraiment désolée !

Sans lui laisser le temps de répondre, elle courut chercher leurs vestes qu'ils avaient laissées dans l'arrière-boutique.

— Voilà, je ferme, dit-elle avec un sourire d'excuse.

— Que diriez-vous d'un hamburger et d'un film ? lança-t-il étourdiment.

« C'est juste pour garder l'œil sur elle, pensa-t-il aussitôt pour se justifier. C'est bien ce qu'"oncle Charlie" m'a demandé, non ? »

Jessica, qui descendait un store, se retourna, étonnée. D'après son expression, Slade regrettait déjà sa proposition. Mais ce n'était pas une raison pour le laisser se tirer de là impunément.

— Quelle invitation romantique ! Comment pourrais-je refuser ? rétorqua-t-elle, amusée.

— Vous voulez une soirée romantique ? Eh bien, nous irons dans un drive-in !

Elle éclata de rire, tandis qu'il lui prenait la main pour l'entraîner dehors.

Le téléphone sonna tard. Il décrocha d'une main et prit une cigarette de l'autre.

— Allô ?

— Où est le bureau ?

— Le bureau ?

Fronçant les sourcils, il approcha le briquet de la cigarette et tira une bouffée.

— Avec le reste de la livraison, bien sûr.

— Tu te trompes, fit la voix douce et froide. Je suis passé voir à la boutique.

— Il est sûrement là, protesta-t-il d'une voix qu'un début de panique enrouait brusquement. Jessica n'a peut-être pas eu le temps de tout disposer.

— C'est possible. Je compte sur toi pour vérifier ça rapidement. Je veux le bureau et ce qu'il contient mercredi au plus tard… Tu sais ce que coûtent les erreurs, ajouta la voix après une courte pause.

3

Ce fut en pensant à Slade que Jessica se réveilla le dimanche matin. Elle mit à profit sa grasse matinée pour réfléchir à l'étrange samedi qu'ils avaient passé ensemble. « Quel drôle de type », pensa-t-elle en s'étirant paresseusement. Tantôt elle se sentait très à l'aise avec lui, tantôt il l'exaspérait, et d'autres fois encore il l'attirait. Non, ce n'était pas tout à fait vrai : même quand elle était à l'aise ou exaspérée, il continuait de l'attirer. Son attitude distante donnait envie de le percer à jour. La veille au soir, elle avait fait de gros efforts pour y parvenir mais sans aucun succès. À la fois direct et réservé, il n'était pas homme à révéler ses secrets ni à se complaire aux bavardages.

Il restait plutôt distant. Et cependant elle était convaincue de ne pas lui être indifférente. Ces instants d'attirance mutuelle n'étaient pas un effet de son imagination. Mais Slade savait si bien dissimuler ce qu'il éprouvait derrière un masque imperturbable qu'elle en ressentait un sentiment de frustration. Ses yeux gris sombre disaient très clairement : « Ne vous approchez pas ; restez à distance. » Jessica aimait prendre des risques, à condition d'avoir quelques chances. Et cette fois-ci, la situation ne semblait pas tourner à son avantage.

Mieux valait se cantonner à de prudentes relations amicales. Viser davantage n'amènerait que des ennuis.

Elle se leva, enfila une robe de chambre et alla prendre sa douche. Pourtant, comme ce serait agréable d'embrasser ces lèvres au dessin si ferme. Juste une fois.

Pendant ce temps, Slade s'efforçait de continuer de ranger la bibliothèque. Il était debout depuis l'aube. À cause de Jessica. Quelle stupide impulsion l'avait poussé à l'inviter la veille au soir ? Il vida sa quatrième tasse de café et alluma une cigarette. Grands dieux ! Sortir cette jeune femme n'était pas inclus dans sa mission. Elle commençait à occuper un peu trop de place dans son esprit. Ce rire bas et musical, ces cheveux blonds et soyeux. Mais il y avait plus, hélas ! Elle possédait à peu près toutes les qualités qu'il aimait chez une femme : la spontanéité, la générosité, l'intelligence. Et une sensualité indéniable, qu'il percevait en dépit de son apparente froideur à son égard. Allons ! Il était préférable de chasser ce genre de pensées, sinon il serait incapable de résoudre cette affaire.

Perdu dans ses pensées, il tira sur sa cigarette. Il protégerait Jessica en temps voulu, ou la démasquerait s'il le fallait. Mais, d'une façon ou d'une autre, elle était impliquée. Il ne pouvait la fuir. Même absente, elle le hantait, et son parfum se mélangeait aux odeurs de vieux cuir, de poussière et de fumée qui régnaient dans la bibliothèque.

Faisant fi des conseils de la cuisinière qui lui recommandait de manger quelque chose, Jessica vida d'un trait sa tasse de café.

— Où est David ? demanda-t-elle en voyant entrer Betsy, un chiffon et un produit pour argenterie à la main.

— Il est allé se promener sur la plage, grogna sa mère. Il a l'air mieux. Un peu d'air frais lui fera du bien.

— Je vais prendre ma veste et aller voir comment il va.

— Du moment qu'il ne sait pas que c'est pour le surveiller…

— Betsy ! protesta Jessica en feignant de se vexer. Je suis trop habile pour ça.

Le ricanement de la gouvernante fut interrompu par la sonnette de l'entrée.

— J'y vais, cria Jessica en se ruant vers la porte. Michael ! Je suis rudement contente de te revoir !

Slade sortit de la bibliothèque juste à temps pour la voir se jeter en riant dans les bras d'un grand jeune homme aux cheveux noirs et aux yeux verts, plutôt beau garçon. « Michael Adams », se dit Slade en s'efforçant de conserver un air indifférent. La description qu'on lui en avait faite concordait avec ce qu'il voyait. L'éclat d'un diamant brilla sur la main que le jeune homme passait dans les cheveux de Jessica. Il avait de longs doigts manucurés et son bronzage était manifestement dû aux ultraviolets.

— Tu m'as manqué, ma chérie, dit Michael en s'écartant légèrement de Jessica pour la regarder.

Elle rit de nouveau, lui effleura la joue et se dégagea.

— Tel que je te connais, Michael, tu as eu trop à faire avec le travail... et diverses autres activités pour qu'on puisse te manquer. Combien de cœurs as-tu brisés en Europe ?

— Je ne les brise jamais, protesta Michael en l'embrassant à nouveau. Et tu m'as vraiment manqué.

— Viens t'asseoir et raconte-moi tout, ordonna-t-elle en glissant le bras sous son coude. Tu as fait des achats splendides, comme d'habitude. J'ai déjà vendu... Oh ! bonjour, Slade, s'écria-t-elle en l'apercevant.

Leurs regards se soudèrent aussitôt. Elle dut faire appel à toute sa volonté pour continuer de respirer. Ces yeux exprimaient-ils une exigence ? Une question ? Troublée, elle inclina légèrement la tête. Que voulait-il ? Et pourquoi était-elle prête à le lui donner sans même savoir de quoi il s'agissait ?

— Bonjour, Jessica, fit-il avec un petit sourire.

— Michael, je te présente James Sladerman. Il va habiter ici quelque temps et essayer de remettre un peu d'ordre dans la bibliothèque.

— D'après ce que j'ai vu, ce n'est pas une mince affaire, ironisa Michael. J'espère que vous n'êtes pas pressé.

— Pas trop. Ça ira.

— Betsy, est-ce qu'on pourrait avoir du café au salon ! cria Jessica. Slade, vous venez avec nous ?

— Volontiers.

Acceptation qui surprit la jeune femme et contraria Michael.

— Tiens ! s'exclama celui-ci en entrant dans le salon. Que fait là le bureau Queen Ann ?

— C'est de la transmission de pensée ! s'écria joyeusement Jessica. Je voulais justement te demander de m'en trouver un. Lorsque je l'ai vu sur la liste de tes achats, je me suis demandé si tu n'étais pas médium.

Après l'avoir examiné en penchant la tête, Michael conclut :

— C'est vrai qu'il va bien dans cette pièce.

Puis il alla s'installer sur le canapé à côté de la jeune femme, tandis que Slade prenait place dans un fauteuil.

— Pas de problème avec la livraison ? s'informa-t-il d'un ton détaché.

— Non, tout est déballé. Et j'ai déjà vendu trois meubles qui s'en vont demain. David a été malade la semaine entière, c'est Slade qui m'a aidée à ranger.

— Vous vous y connaissez en antiquités, monsieur Sladerman ?

Michael avait sorti un étui à cigarettes en or et en proposait une à Slade. Celui-ci refusa et prit son propre paquet.

— Non, fit-il en observant le jeune homme par-dessus la flamme de son allumette. À l'exception de ce que m'a appris Jessica hier.

Jetant négligemment un bras sur le dossier du canapé, Michael croisa les jambes.

— Et que faites-vous dans la vie ?

Ses doigts jouaient machinalement avec les cheveux de Jessica. Slade tira une longue bouffée de sa cigarette.

— J'écris.

— Passionnant. Aurais-je pu lire l'une de vos œuvres ?

Slade soutint son regard sans ciller.

— Je ne crois pas.

— Slade est en train d'écrire un roman, intervint Jessica que l'atmosphère légèrement tendue mettait mal à l'aise. Vous ne m'avez pas encore dit quel en était le sujet.

Il capta son regard suppliant. Non, l'heure n'était pas aux amabilités. Pas encore. Il lui fallait d'abord pousser Michael dans ses retranchements.

— La contrebande, jeta-t-il posément.

Un tintement de porcelaines qui s'entrechoquaient les fit se tourner vers le seuil.

— Merde ! fit David en rattrapant le plateau. J'ai failli tout lâcher.

— David ! s'écria Jessica en se précipitant pour le débarrasser. Tu es à peine capable de tenir debout et tu veux faire le service !

Slade remarqua l'air irrité du jeune homme qui s'affalait dans un fauteuil.

David avait très mauvaise mine. Conséquence de la grippe ou bien réaction au mot « contrebande » ? Quelques gouttes de sueur perlaient au-dessus de ses lunettes. Jessica posa le plateau sur une table et se tourna vers lui.

— Comment te sens-tu ?

— Fais pas tant d'histoires, grogna-t-il.

— Bon, très bien, dit-elle en se penchant sur lui. Si j'avais su que tu serais un aussi mauvais malade, je t'aurais apporté des cahiers de coloriage et des crayons.

Il lui tira les cheveux en souriant malgré lui.

— Donne-moi une tasse de café et ferme-la.

— Oui, m'sieur. Tout de suite, m'sieur, fit-elle humblement.

— Faut savoir s'y prendre avec ces donzelles de la haute, dit-il en adressant un clin d'œil à Slade. Bonjour, Michael. Te voilà de retour ?

Il fouilla dans ses poches et en sortit un paquet de cigarettes écrasé. Puis, cherchant autour de lui une boîte d'allumettes, son regard s'éclaira.

— Hé, qu'est-ce que c'est que ça ?

— L'une des trouvailles de Michael que j'ai déjà récupérée pour moi, répondit Jessica en lui apportant une tasse de café. Tu t'occuperas de la paperasse la semaine prochaine.

— Lundi, précisa-t-il fermement tout en examinant le bureau. Un Queen Ann !

— Il est ravissant, tu ne trouves pas ? dit-elle en servant Slade.

Puis elle revint au petit meuble et l'ouvrit.

Slade sentit sa nuque le picoter. La tension ambiante s'était accrue. Il observa les deux hommes. Michael était en train d'ajouter de la crème à son café tandis que David allumait sa cigarette. Haussant les épaules, Slade se reprocha sa nervosité excessive.

— Et attends d'avoir vu le reste, reprit Jessica en revenant s'asseoir sur le canapé. Michael s'est surpassé.

Laissant la conversation bourdonner autour de lui, Slade les observa en se contentant de répondre aux questions qu'on lui posait. Manifestement, Jessica adorait ce gamin. Cela se voyait à sa façon de l'asticoter, tout en le maternant. Elle avait dit avoir regretté toute sa vie d'être fille unique et David remplaçait le petit frère qu'elle n'avait pas eu. Jusqu'où irait-elle pour le protéger ? Jusqu'au bout, Slade en était sûr. Jessica était une femme loyale.

Ses relations avec Michael étaient plus floues. S'ils étaient amants, elle n'y accordait pas une grande importance. Mais curieusement, Slade n'avait pas l'impression que Jessica traitait ce genre de relations à la légère. Elle était trop passionnée pour cela. Mais il n'y avait aucune passion dans le baiser qu'elle avait donné à Michael.

Dans ses bras à lui, la passion se serait éveillée, se dit-il en regardant la bouche de Jessica. Une bouche tendre, dépourvue de rouge à lèvres, qu'il sentait presque sous la sienne malgré la distance qui les séparait. Lentement, irrésistiblement, le désir s'insinua en lui, et avec le désir une douleur sourde, palpitante, qu'il n'avait jamais éprouvée jusqu'à présent. S'il pouvait avoir cette femme, ne serait-ce qu'une fois, cette douleur disparaîtrait. Slade parvint à s'en convaincre. Toucher cette peau douce, goûter à cette sensualité vibrante, et puis s'en libérer. Car il devait se libérer de Jessica.

Levant les yeux, elle se retrouva prisonnière du regard de Slade. Il l'attirait à lui aussi concrètement que s'il lui avait pris la main. Elle résista. Cet homme était dangereux comme des sables mouvants. « Si tu fais un pas de plus, tu ne t'en tireras pas. » Néanmoins, le risque la tentait.

— Jessica ?

Interrompant ses réflexions, Michael lui prit la main.

— Hmmm... oui ?

— On dîne ensemble ce soir ? Dans le petit restaurant sur la plage que tu aimes bien ?

Son regard vert, familier, lui souriait. Le pouls de Jessica s'apaisa. Cet homme-là, elle le comprenait.

— Avec plaisir.

— Et tu n'es pas obligée de rentrer de bonne heure, intervint David. Je m'occuperai de la boutique demain ; reste à la maison.

Le ton impératif la fit sourciller.

— Oh, vraiment ?

— Voilà notre diplômée de Radcliffe qui prend la mouche, ricana-t-il. Elle oublie que je la connaissais déjà quand elle n'avait que douze ans et portait un ravissant appareil dentaire.

— Tu veux te retrouver au lit pour une seconde semaine ? menaça-t-elle d'un ton doucereux. D'accord, je serai prête à sept heures, ajouta-t-elle à l'adresse de Michael.

— Très bien, fit-il en l'embrassant sur la joue avant de se lever. À demain, David. Enchanté d'avoir fait votre connaissance, monsieur Sladerman.

À peine fut-il parti que Jessica posa sa tasse et bondit sur ses pieds comme si elle n'en pouvait plus d'être restée assise aussi longtemps.

— Je vais emmener Ulysse se promener sur la plage.

— Ne me regarde pas comme ça, dit David. Je ne peux pas. Il faut que j'économise le peu d'énergie dont je dispose.

— Mais je ne te proposais pas de m'accompagner. Slade ?

Bien qu'il eût préféré s'éloigner d'elle un moment, il se leva, résigné.

— D'accord. Je vais chercher une veste.

Une brise aigre venant de la baie soufflait sur la plage. Jessica ramassa un morceau de bois et le jeta à Ulysse, qui le lui rapporta pour qu'elle le lui lance à nouveau. Slade regarda Jessica courir parmi les embruns vers une planche déchiquetée.

« Elle ne marche donc jamais ? » se demanda-t-il. Elle éclata de rire en brandissant la planche tandis que le chien sautait autour d'elle. *Contactez-nous uniquement si vous avez quelque chose d'important à transmettre*. C'était les ordres. *Gardez un œil sur elle*. Pour ce qui était de garder un œil sur elle, on ne pouvait rien lui reprocher. Il en faisait même trop puisqu'elle ne quittait pas ses pensées. « Regarde l'effet du soleil sur ses cheveux. Et la façon dont le blue jean délavé moule ses hanches étroites. Observe le dessin de ses lèvres lorsqu'elle sourit… » Et voilà comment le sergent Sladerman fiche son enquête en l'air parce qu'il n'arrive pas à se concentrer sur autre chose que sur une petite femme maigrichonne aux yeux couleur de cognac.

— À quoi pensez-vous ?

Il sursauta. Jessica se tenait devant lui et le regardait avec curiosité. En se maudissant, il comprit que, s'il n'y prenait garde, ce n'était pas seulement sa couverture d'écrivain qu'il allait ficher en l'air.

— Je me disais qu'il y avait longtemps que je ne m'étais pas promené sur une plage, improvisa-t-il.

Le regard de Jessica se fit perçant.

— Non, je ne vous crois pas. Je me demande ce qui vous rend aussi secret.

D'un geste impatient, elle repoussa ses cheveux que le vent ramena aussitôt sur son visage.

— Mais ça ne me regarde pas, j'imagine, ajouta-t-elle.

Agacé, il ramassa un caillou et le lança sur les rochers qui bordaient la grève.

— Et moi je me demande ce qui vous rend aussi soupçonneuse.

— Curieuse, corrigea-t-elle, un peu étonnée du mot qu'il avait choisi. Vous êtes un type intéressant, Slade. Peut-être est-ce dû à tout ce que vous ne dites pas.

— Qu'est-ce que vous voulez ? Une biographie ?

— Vous êtes bien susceptible.

— N'allez pas trop loin, Jess, gronda-t-il en pivotant brusquement vers elle.

Elle fut touchée qu'il utilise ce surnom que seul son père avait employé. Et, devant l'expression irritée de Slade, elle constata avec satisfaction qu'elle avait marqué un point. Son armure d'indifférence s'était fissurée.

— Qu'est-ce qui se passera si je le fais ?

— Vous prendrez un mauvais coup. Je ne suis pas un homme du monde.

— Ça, je le sais ! s'écria-t-elle en riant. Dois-je avoir peur ?

Elle le provoquait. Mais le savoir ne rendait pas la situation plus facile. Mince et forte à la fois, elle se tenait plantée devant lui. Ses cheveux fouettés par le vent voletaient en tous sens sur son visage. Une lueur insolente brillait dans ses yeux dorés. Non, elle ne s'effrayait pas aisément. Eh bien, on allait voir! Il fallait le vérifier, se dit-il en la prenant dans ses bras. Le visage de Jessica n'exprimait aucune peur. Plutôt une sorte de jubilation exaspérante. Furieux, il écrasa sa bouche sur la sienne.

Ce fut tel qu'il l'avait imaginé. Un baiser tendre, parfumé, généreux. Elle s'y abandonna avec une douceur merveilleuse. Un homme aurait pu se noyer dans tant de douceur. Le bruit sourd des vagues résonnait dans la tête de Slade. Et, sous ses pieds, la grève semblait s'effondrer, comme si la mer en montant jusqu'à lui aspirait le sable au large.

Il serra Jessica plus étroitement et sentit ses seins délicats se presser contre sa poitrine. Durant un instant, il eut envie de les caresser, d'explorer leurs courbes moelleuses. Mais toutes ses forces, toutes ses sensations se concentraient sur leurs bouches soudées l'une à l'autre. Les mains de Jessica se glissèrent sous sa veste, remontèrent le long de son dos, appuyèrent et exigèrent plus encore. Pris de vertige, il s'écarta avec difficulté. Avec un long soupir saccadé, elle posa la tête sur son épaule.

— J'ai failli étouffer.

Malgré lui, ses bras l'enserraient toujours. Jessica blottie contre lui, ses cheveux lui caressant la joue, il douta d'être capable de la lâcher. Puis elle releva la tête et il vit qu'elle souriait.

— Normalement, à ce moment-là, on respire par le nez, dit-il.

— J'avais oublié.

« Moi aussi », s'avoua-t-il.

— Alors, respirez à fond. Je n'ai pas tout à fait fini.

Avec la même puissance, la même ardeur, il reprit sa bouche. Cette fois-ci, elle s'y attendait et y réagit avec plus de fougue. Ses lèvres s'écartèrent, leurs langues se joignirent. La bouche de Slade avait un goût sombre et bouleversant, tel qu'elle l'avait imaginé. Se faisant plus avide, elle l'entendit gémir et sentit leurs deux cœurs s'emballer. Le désir envahit Jessica si brusquement qu'elle y céda sans réserve. Il n'y avait plus que Slade, ses bras, ses lèvres. Il était ce qu'elle voulait, tout ce qu'elle voulait, uniquement ce qu'elle voulait.

Jamais, jusqu'à présent, elle ne s'était sentie aussi avide, aussi dominée par l'exigence de ses sens. Et lorsque les lèvres de Slade se firent brutales, elle réagit avec la même agressivité. Ce n'était plus du désir ni de l'excitation, Jessica éprouvait une sorte de frénésie, une explosion, un appel d'énergie qui ne pouvaient être apaisés que par la possession.

« Prends-moi ! aurait-elle voulu crier tandis que ses doigts agrippaient désespérément les cheveux de Slade. Prends-moi ! Je n'ai jamais vécu cela, je ne supporterai pas de le perdre. » Elle se serra contre lui dans un mouvement qui tenait autant de la requête que de l'offrande. Il était plus fort qu'elle, ses muscles le lui disaient, mais son désir ne pouvait être plus puissant. Aucun désir ne pouvait surpasser celui qui palpitait en elle. Son corps était pris d'assaut, à la fois impuissant et invulnérable.

« Oh ! montre-moi, supplia-t-elle intérieurement dans une sorte de vertige. J'ai tant attendu de savoir. »

Une mouette glapit au-dessus de leurs têtes. Comme une giclée d'eau froide, le cri fit sursauter Slade. Qu'est-ce qu'il foutait, nom de Dieu ? Ou, plutôt, qu'était-elle en train de lui faire ? À peine avait-il goûté à ses lèvres, à la douceur de son étreinte qu'il avait tout perdu, son objectif, son identité, son bon sens. Elle le dévisageait, les yeux assombris et les joues enflammées par le désir. Ses lèvres restaient entrouvertes, tuméfiées de leurs baisers furieux ; elle respirait avec difficulté.

— Slade, fit-elle d'une voix rauque en tendant la main.

Il lui prit brutalement le poignet avant qu'elle ait pu toucher son visage.

— Vous feriez mieux de rentrer.

Le regard de Slade était redevenu impénétrable. Il baissait les yeux sur elle avec une absence complète d'intérêt. Durant quelques minutes, la confusion empêcha Jessica de comprendre ce qui se passait. Il l'avait entraînée jusqu'au bord, tout près du point de non-retour, puis l'avait repoussée comme si elle ne l'avait en rien ému. La honte la fit rougir. Puis la colère.

— Allez vous faire foutre, grommela-t-elle.

Elle tourna les talons, se rua vers l'escalier qui menait à la maison et gravit les marches quatre à quatre.

Jessica s'habilla avec soin. Rien de tel que le contact de la soie sur la peau pour apaiser une fierté blessée. Elle tourna devant la glace, satisfaite par son reflet. À l'exception de l'échancrure jusqu'à la taille dans le dos, la coupe de la robe était sobre. Bien qu'elle l'eût choisie en pensant plus à Slade qu'à Michael, sa conscience ne lui faisait aucun reproche. Et la couleur convenait à son humeur : un pourpre sombre et majestueux. Elle brossa ses cheveux, y agrafa deux barrettes incrustées de diamants et les laissa retomber souplement. Puis elle ramassa son sac de soirée et descendit au rez-de-chaussée.

Elle trouva Slade dans le salon, en train de fixer une vis sur une commode Chippendale. Ses longues mains fines s'affairaient avec compétence. Le souvenir de leur contact, lorsqu'elles parcouraient son corps en une quête fébrile et désespérée, assaillit Jessica.

— Un vrai bricoleur, railla-t-elle.

Il leva les yeux et ses doigts se crispèrent sur le tournevis. Fallait-il vraiment qu'elle choisisse cette robe ? Le tissu lui collait au corps et, à sa façon de marcher, il sut qu'elle en était consciente.

— Betsy trouvait que la poignée bougeait, marmonna-t-il.

— Rien ne peut vous résister, fit-elle d'un ton badin. Vous voulez un verre ? Je vais préparer des martinis.

Il allait refuser lorsqu'il commit l'erreur de la regarder. Son dos était nu, mince et lisse. La soie glissait sur elle de façon provocante tandis qu'elle tendait la main vers la bouteille de vermouth. Le désir lui coupa le souffle comme s'il venait de recevoir un coup de poing dans l'estomac.

— Un scotch, jeta-t-il.

Elle lui décocha un sourire par-dessus son épaule.

— Avec des glaçons ?

— Sec.

— Vous buvez comme un vrai mâle, hein, Slade ?

Oh, elle percerait cette fichue indifférence ! Et en savourerait chaque minute. Elle versa une bonne dose de whisky et lui apporta son verre. Il glissa le tournevis dans la poche arrière de son jean et se releva. Puis, sans la quitter des yeux, avala une longue gorgée.

— Et vous vous habillez comme une vraie femme, n'est-ce pas, Jess ?

Résolue à lui faire perdre son sang-froid, elle tournoya sur place.

— Ça vous plaît ?

— C'est pour exciter Adams ou pour m'exciter moi que vous l'avez mise ?

Elle lui adressa un sourire provocant, puis se détourna pour préparer son martini.

— Vous croyez que les femmes ne s'habillent que pour exciter les hommes ?

— Ce n'est pas le cas ?

— En principe, c'est pour moi que je m'habille.

Elle pivota de nouveau et le regarda par-dessus le bord de son verre.

— Ce soir, reprit-elle, je me propose de vérifier une théorie.

Il s'approcha d'elle. Le regard de défi de Jessica l'y obligeait. Ce qu'elle avait prévu.

— Quelle théorie ?

Le regard irrité de Slade ne la fit pas ciller.

— Avez-vous une faiblesse quelconque ? demanda-t-elle. Un talon d'Achille ?

Résolument, il posa son verre et la débarrassa du sien. Il la sentit se raidir mais elle ne recula pas. La prenant par le cou, il approcha ses lèvres à quelques centimètres des siennes. Son souffle chaud caressa Jessica.

— Vous pourriez regretter de le découvrir, Jess. Je ne vous traiterais pas comme une dame.

Le cœur battant, elle rejeta la tête en arrière.

— Et qui vous l'a demandé ? fit-elle d'un ton irrité.

Il resserra les doigts ; déjà subjuguée, elle abaissa les paupières. La sonnette de l'entrée retentit. Slade reprit son verre et le vida d'un seul coup.

— Voilà votre flirt, jeta-t-il avant de quitter la pièce.

Slade arrêta sa voiture à proximité du restaurant. Il coupa le moteur, sortit une cigarette et attendit. Le voiturier était en train de garer la Daimler de Michael. Slade aurait préféré entrer à l'intérieur pour garder un œil sur Jessica mais c'était trop risqué.

Il vit une voiture s'arrêter derrière lui, le conducteur mettre pied à terre et s'approcher de lui. Les nerfs tendus, il glissa une main sous sa veste et agrippa la crosse de son arme. Le badge du FBI se colla contre sa vitre. Slade se détendit tandis que l'homme contournait le capot de sa voiture et montait à côté de lui.

— Salut, Sladerman, lança l'agent Brewster. Tu suis la dame et moi l'homme. Le commissaire Dodson t'a prévenu que je prendrais contact avec toi ?

— Oui.

— Greenhart surveille Ryce. Pas beaucoup d'action de ce côté-là ; le type est resté plus d'une semaine au lit. Si j'ai bien compris, tu n'as toujours rien ?

— Rien, fit Slade en cherchant une position plus confortable sur son siège. Samedi, j'ai passé la journée dans sa boutique et je l'ai aidée à installer une nouvelle livraison de marchandise. S'il y avait quelque chose d'intéressant, je peux jurer qu'elle l'ignorait. Elle est beaucoup trop détendue pour cacher quelque chose. En tout cas, je n'ai rien trouvé de suspect.

— Peut-être, dit Brewster en bourrant une vieille pipe. Mais si cette petite boutique rococo sert de dépôt, l'un d'entre eux au moins cache quelque chose... à moins que ce ne soit tous les trois. Ryce joue le rôle du petit frère, apparemment. Quant à Adams...

Brewster frotta une allumette et tira sur sa pipe. Slade attendit en silence.

— Cette charmante petite dame a dans sa manche un certain nombre de pontes de la justice et de la politique. Mais si jamais on découvre qu'elle est mouillée, nous ne la louperons pas.

— Elle n'est pas dans le coup, s'entendit-il répondre.

Après quoi, écœuré, il jeta sa cigarette par la fenêtre.

— Tu n'es pas le seul à le penser, commenta Brewster. Mais, même si elle est innocente comme l'agneau qui vient de naître, elle est dans de sales draps. La pression monte, Sladerman. Le couvercle va bientôt sauter et, à ce moment-là, ça ne sera pas beau. Winslow risque de se retrouver en plein milieu. Dodson a l'air de penser que tu es capable de la protéger quand ça arrivera.

— Je tenterai de le faire. Pour le moment, je n'aime pas la savoir seule avec Adams là-dedans.

— Bon, j'ai faim, fit Brewster en tapotant son estomac bien rond. Je vais me taper la cloche aux frais des contribuables et garder l'œil sur ta dame.

— Ce n'est pas ma dame, rectifia Slade, agacé.

Une atmosphère paisible régnait dans la salle du restaurant, éclairée seulement par des chandeliers. La table où étaient assis Michael et Jessica offrait une vue à couper le souffle sur la baie. La lune et une nuée d'étoiles se reflétaient sur l'eau noire. Voix basses et rire étouffés, le murmure des clients restait discret. Le parfum de fleurs fraîchement coupées se mélangeait aux arômes des plats et de la cire fondue. Le champagne pétillait agréablement dans les coupes de cristal. Après une semaine de travail intense, Jessica se sentait enfin complètement détendue.

— Ce n'était pas le mal du pays, Jessica, et une seule personne me manquait: toi. Jessica, je veux t'épouser.

Les yeux de la jeune femme s'arrondirent de surprise. L'*épouser*? Avait-elle bien compris? Que Michael veuille se marier était déjà difficile à envisager mais qu'il veuille l'épouser, elle, dépassait tout simplement l'imagination. Cela faisait trois ans qu'ils étaient associés et amis, et jamais...

— Jessica, il faut que tu le saches, reprit-il en posant sa main libre sur leurs doigts joints. Je t'aime depuis des années.

— Je n'en avais pas la moindre idée. Oh! pardon. C'est si banal de dire ça... Je ne sais que te dire, ajouta-t-elle en tripotant son verre de sa main libre.

— Dis simplement oui.

— Mais pourquoi maintenant? Tout à coup?

Elle lâcha son verre et scruta le visage de son compagnon.

— Tu n'as jamais laissé entendre que tu éprouvais pour moi d'autres sentiments qu'une simple amitié.

— Sais-tu combien ça a été dur de me contenter de ça? demanda-t-il d'un ton calme. Jessica, tu n'étais pas prête à écouter ce que je voulais te dire. Ta boutique t'obnubilait. Il fallait d'abord que tu sois sûre que ça marche. Et moi, je voulais participer au succès de ton entreprise avant de t'en parler. Nous avons tous les deux le goût de l'indépendance.

C'était vrai. Mais comment cesser tout à coup de voir en Michael un associé, un ami, pour le regarder en amant, en mari?

— Je ne sais que dire...

Il lui serra la main. Voulait-il la rassurer ou bien était-il déçu?

— Je ne m'attendais pas à ce que tu me répondes immédiatement. Tu vas y réfléchir?

— Oui, bien sûr.

Ces mots à peine prononcés, elle se souvint d'une violente étreinte sur une plage balayée par le vent.

Très tard, le téléphone sonna, ce qui ne le réveilla pas car il s'y attendait.

— Tu as retrouvé mon bien?

Il humidifia ses lèvres puis les essuya du dos de la main.

— Oui... Jessica a emporté le bureau chez elle. Il y a un petit problème...

— Je n'aime pas les problèmes.

Des gouttes de sueur perlèrent sur son front.

— Je vais m'occuper de récupérer les diamants. Le seul problème, c'est que Jessica est toujours dans les parages. Je ne peux pas démonter le bureau tant qu'elle est dans la maison. Il me faut un peu de temps pour la convaincre de s'en aller quelques jours.

— Vingt-quatre heures.

— Mais ce n'est pas...

— C'est le temps dont tu disposes... ou le temps dont dispose Mlle Winslow.

Il essuya d'une main tremblante le dessus de ses lèvres.

— Ne lui faites rien. Je vais m'en occuper.

— Tu as intérêt à te dépêcher, pour le bien de Mlle Winslow. Vingt-quatre heures, pas plus. Si tu n'as pas les diamants à ce moment-là, on s'occupera d'elle. Je me chargerai moi-même de récupérer ce qui m'appartient.

— Non! Ne lui faites pas de mal. Vous avez juré qu'elle n'y serait pas mêlée.

— Elle s'en est mêlée d'elle-même. Vingt-quatre heures!

4

Jessica repensait à sa conversation avec Michael. Assise sur la plage, le menton sur les genoux, elle regardait le soleil levant éclabousser la surface de la mer de ses rayons roses. Un peu plus loin, Ulysse courait au-devant des vagues et bondissait en arrière chaque fois que l'une d'entre elles venait mourir à ses pieds.

Jessica aimait la plage au lever du soleil. Ce spectacle l'aidait à réfléchir. Le glapissement des mouettes, les coups sourds des vagues sur les rochers, le triomphe progressif de la lumière sur l'obscurité l'avaient toujours apaisée et aidée à trouver une réponse au problème du moment. Mais cette fois-ci, ça ne marchait pas. Bien sûr, elle avait déjà envisagé qu'un jour elle se marierait, partagerait une maison avec un homme et élèverait des enfants. Mais sans avoir de représentation très nette de celui avec qui elle ferait toutes ces choses merveilleuses. Était-il possible que ce fût Michael ?

Elle aimait sa compagnie, échanger des idées avec lui. Ils avaient certains intérêts communs. Mais… il y avait un *mais*. Un énorme *mais*. Il l'aimait, et elle ne s'en était même pas rendu compte ! Elle était vraiment devenue d'une insensibilité incroyable.

— Je suis contente que tu m'aies invitée ce soir, Michael.

Il regarda le papillotement des flammes sur son visage creuser des ombres mystérieuses sous ses pommettes et réveiller l'étrange teinte dorée de ses yeux. Chaque fois qu'il revenait d'un long voyage, il s'émerveillait de sa beauté. Et, ce soir, plus que jamais. Pourquoi diable avait-il, sous de stupides prétextes, attendu aussi longtemps ?

— Tu m'as manqué, Jessica, dit-il en portant la main de la jeune femme à ses lèvres.

Le geste et le ton la surprirent.

— Tu m'as manqué aussi, Michael.

« Curieux d'avoir cette réputation d'aisance et de ne pas savoir comment procéder », se dit-il avec amertume.

— Jessica... j'aimerais bien que tu m'accompagnes désormais dans ces voyages.

— Que je t'accompagne ? s'étonna-t-elle. Pourquoi ? Tu es tout à fait capable de t'occuper seul des achats. Ça m'ennuie de l'admettre, mais tu t'en sors mieux que moi.

— Je ne veux plus me séparer de toi.

Confuse, Jessica émit un petit rire et lui serra la main.

— Michael, n'essaie pas de me faire croire que tu as souffert de la solitude. Je sais qu'il n'y a rien que tu aimes autant que sillonner l'Europe à la recherche de trésors. Si cette fois tu as eu le mal du pays, c'est une première.

Les doigts de Michael se resserrèrent sur les siens.

Son travail l'absorbait au point de devenir aveugle à tout le reste. N'était-ce pas excessif? Et maintenant qu'elle savait, que devait-elle faire ou dire ?

Slade descendait les marches en fulminant. Comment garder l'œil sur une femme qui sortait avant l'aube ? Partie se promener sur la plage, lui avait dit Betsy. Seule sur une plage déserte, complètement vulnérable. C'était infernal ! Elle était incapable de rester cinq minutes à la même place. Durant un instant, il regretta de ne pas avoir affaire à l'idiote paresseuse qu'il avait imaginée.

Il la repéra enfin, la tête basse, les épaules voûtées. Sans cette masse de cheveux blonds, il ne l'aurait pas reconnue. D'habitude, Jessica se tenait droite et marchait rapidement – quand elle ne courait pas. Mais là, elle semblait s'être repliée sur elle-même, comme une vaincue. Mal à l'aise, Slade enfonça les mains dans les poches et se dirigea vers elle.

Elle ne l'entendit pas approcher mais eut soudain l'intuition d'une présence qui rompait sa solitude. Elle se redressa lentement puis fixa l'horizon.

— Bonjour, dit-elle lorsqu'il la rejoignit. Vous êtes bien matinal.

— Vous aussi.

— Pourtant, vous avez travaillé tard hier. J'ai entendu votre machine à écrire.

— Excusez-moi.

— Je vous en prie, fit-elle avec un bref sourire. Cela ne m'a pas dérangée. Le roman marche bien ?

Slade suivit des yeux une mouette blanche qui s'élevait en silence au-dessus de leurs têtes.

— Il a un peu progressé hier soir.

Manifestement, quelque chose ne tournait pas rond. Slade eut envie de s'asseoir à côté d'elle mais il se ravisa et resta debout.

— Qu'y a-t-il, Jess ?

Elle leva la tête et le regarda sans répondre immédiatement. Que ferait-il à la place de Michael ? Attendrait-il patiemment que le moment soit venu pour lui demander de l'épouser, puis accepterait-il d'attendre encore un peu, le temps qu'elle réfléchisse ? Un sourire s'esquissa sur ses lèvres. Seigneur, non !

— Vous avez eu beaucoup de maîtresses ? demanda-t-elle enfin.

— Pardon ?

Ne prêtant aucune attention à son expression ahurie, elle se détourna pour contempler à nouveau les vagues.

— J'imagine que oui, murmura-t-elle. Vous êtes un homme très viril.

Des flèches rouges et dorées transpercèrent soudain les nuages qui rampaient au ras de l'eau.

— Je n'ai besoin que de trois doigts pour compter mes amants, poursuivit Jessica d'un ton absent. La première fois, c'était à l'université; ça a duré si peu de temps que ça paraît ridicule d'en tenir compte. Il m'apportait des œillets et me lisait du Shelley à haute voix.

Ce souvenir la fit rire; elle reposa le menton sur ses genoux pliés.

— Plus tard, alors que je visitais l'Europe, j'ai rencontré un Français, plus âgé que moi, très chic, très cultivé. J'en suis tombée follement amoureuse... et puis j'ai découvert qu'il était marié et avait deux enfants. Ensuite, il y a eu le directeur d'une agence de publicité. Oh! c'était un beau parleur. C'était juste après la mort de mon père et j'étais complètement... dans le brouillard. Je ne voulais pas me faire piéger de nouveau et j'ai été très prudente. Peut-être trop prudente.

Écouter la liste des hommes qu'elle avait aimés n'était guère agréable. S'efforçant de rester impassible, Slade s'assit à côté d'elle. Durant une longue minute, ils n'entendirent plus que le bruit du ressac et les cris des mouettes.

— Jess, pourquoi me racontez-vous tout cela?

— Peut-être parce que je ne vous connais pas. Peut-être parce que j'ai l'impression de vous connaître depuis des années... Je ne sais pas.

Elle eut un rire bref et passa une main dans ses cheveux puis, inspirant profondément, elle regarda droit devant elle.

— Michael m'a demandé de l'épouser.

Le choc fut rude, comme un coup violent assené sur la nuque, qui vous désoriente avant de vous plonger dans l'inconscience. Slade prit une poignée de sable et la laissa s'écouler entre ses doigts.

— Et alors ?

— Et alors, je ne sais pas quoi faire ! s'écria-t-elle d'un ton furieux. Je déteste ne pas savoir quoi faire.

« Calme-toi, s'exhorta-t-il. Dis-lui que ses problèmes ne t'intéressent pas. » Mais les mots jaillirent malgré lui.

— Qu'éprouvez-vous pour lui ?

— Michael est quelqu'un d'important pour moi, dit-elle très vite. Il fait partie de ma vie. Il compte beaucoup pour moi, vraiment beaucoup…

— Mais vous ne l'aimez pas, acheva Slade d'un ton placide. Du coup, vous ne savez que faire.

C'était énervant, il ne comprenait rien !

— Ce n'est pas aussi simple que ça. Il m'aime, je ne veux pas lui faire de peine et peut-être que…

— Peut-être que vous devriez l'épouser afin qu'il n'ait pas de chagrin, dit Slade avec un rire ironique. Ne soyez pas stupide !

Une bouffée de colère envahit Jessica mais elle la réprima aussitôt. Discuter avec logique était difficile. Le désarroi l'emportant sur l'agacement, elle regarda une mouette piquer dans l'eau.

— Je sais bien que l'épouser finirait par nous rendre malheureux tous les deux, surtout si ses sentiments sont aussi profonds qu'il le pense.

— Vous n'êtes pas sûre qu'il vous aime, murmura Slade, en pensant aux raisons pour lesquelles Michael voudrait l'épouser.

— Je suis sûre qu'il croit m'aimer. Je me disais que peut-être, si nous devenions amants, nous…

— Grands dieux ! s'exclama-t-il en l'empoignant par les épaules. Vous n'allez pas offrir votre corps en prix de consolation ?

— *Arrêtez !* cria-t-elle en fermant les yeux pour ne pas voir son expression sarcastique. Vous abîmez tout.

— Et à quoi pensez-vous donc alors ?

Dans un geste d'impuissance qui lui était inhabituel, elle leva les mains, paumes ouvertes.
— Ma carrière amoureuse est si pauvre que je me disais... eh bien, qu'au bout d'un certain temps, il pourrait se lasser, changer d'avis.
— C'est idiot ! jeta Slade. Dites-lui non, et c'est tout.
— Vous traitez ça à la légère, comme si c'était facile.
— C'est vous qui compliquez les choses, Jessica.
— Vraiment ?
Elle appuya à nouveau le front sur ses genoux, si désemparée qu'il avança la main vers ses cheveux et la retira juste à temps.
— Vous êtes tellement sûr de vous, Slade... Rien ne me rend plus lâche que la peur de faire mal à quelqu'un que j'aime. L'idée de l'affronter de nouveau me donne l'envie de prendre mes jambes à mon cou.
Cette vulnérabilité, qu'elle montrait si rarement, émouvait Slade. Il refoula en hâte son désir de la réconforter.
— Ce ne sera pas le premier homme dont on aura repoussé la demande en mariage.
Elle se tourna vers lui, un demi-sourire sur les lèvres.
— Ça vous est arrivé ?
— Quoi donc ?
— Qu'on vous refuse une demande en mariage ?
Son regard avait perdu son expression égarée ; il en fut soulagé et sourit.
— Non... mais, à ce moment-là, le mariage ne figurait pas à l'ordre du jour.
Un rire bref la secoua.
— Qu'est-ce qui figurait ?
Il tendit la main et lui saisit une poignée de cheveux.
— C'est leur couleur naturelle ?
— Quelle question grossière !
— Comme la vôtre.
— Bon, si je réponds à la vôtre, vous répondrez à la mienne ?
— Non.

— Alors il ne nous reste plus qu'à faire travailler notre imagination.

Riant de nouveau, elle voulut se lever mais il la retint.

Le sourire railleur de Jessica s'effaça. Les yeux de Slade la fixaient, sombres, intenses, trahissant un désir parfaitement déchiffrable. Un désir brûlant et inquiet qui éveilla celui de Jessica. Pour la première fois, elle eut peur. Il allait lui prendre quelque chose qu'elle aurait du mal à récupérer, si toutefois elle y parvenait. Il l'attira à lui ; prise d'une frayeur obscure, elle posa les mains sur sa poitrine et résista.

— Non, je ne veux pas.

Oui, oui, je le veux, disait son regard tandis qu'elle le repoussait.

Et puis, sans trop savoir comment, elle se retrouva allongée sur le sable, écrasée par le corps de Slade.

— Je vous avais prévenue que je ne vous traiterais pas comme une dame.

Sa bouche s'inclina, avide, provocante. Une avalanche de sentiments violents recouvrit la peur qu'éprouvait Jessica. Oubliant toute résolution, elle se laissa submerger par la passion. Les lèvres de Slade l'exploraient avec une avidité à laquelle elle ne put que répondre. Puis il se détacha de sa bouche et l'embrassa partout sur le visage, comme pour s'imprégner de la texture et du goût de sa peau.

Elle se débattit, cherchant fébrilement les lèvres de Slade. Puis, soudain, sauvagement, il se rua sur sa gorge, la faisant gémir. Le sable crissait sous leurs corps en proie aux tourments du désir.

Les mains de Jessica se faufilèrent sous le chandail de Slade, remontèrent sur son dos, palpèrent les muscles durs et redescendirent le long des côtes jusqu'à la taille. L'air humide embaumait le sel et la mer. Les vagues s'écrasaient dans un grondement de tonnerre sur les rochers de la grève. Les lèvres de Slade revinrent s'emparer de celles de Jessica et murmurèrent quelque chose qu'elle ne put saisir. Seul, le ton de désespoir furieux lui fut perceptible. Il laissa ses mains s'égarer avec un mélange d'attention et de brutalité sur ses hanches, puis sur ses seins où elles s'attardèrent. Jessica ne sentait plus le soleil sur ses paupières ni le sable rugueux sous son dos. Elle ne sentait que les lèvres et les mains de Slade.

Des doigts rudes parcouraient sa peau, l'éraflant, allumant de nouveaux brasiers tout en alimentant les précédents. Il prit sa lèvre inférieure entre ses dents et la mordilla jusqu'à ce que les soupirs de Jessica se muent en gémissements. Saisie d'une brusque frénésie, elle se cambra soudain contre lui, ventre contre ventre, désir contre désir, malgré la barrière frustrante des vêtements.

Le visage dans les cheveux de Jessica, immergé dans son parfum, Slade tentait de se ressaisir. L'effort pour y parvenir lui semblait insurmontable.

Avec un juron étouffé, il roula enfin sur le côté, puis se releva avant qu'elle ait pu se raccrocher à lui.

Hors d'haleine, il s'efforçait d'apaiser le brasier qui le consumait. Il fallait être vraiment cinglé pour se comporter ainsi. Il avait failli la prendre là, sur la plage. Plusieurs secondes s'écoulèrent, rythmées par la respiration haletante de Jessica. Et par la sienne aussi.

— Jess...

— Non, ne dites rien. J'ai compris.

Sa voix était sourde et saccadée. Il se retourna et constata qu'elle était debout, en train de secouer le sable de ses vêtements. La lumière du soleil matinal dessinait un halo autour de sa chevelure dont le vent faisait voleter des mèches.

— Vous avez changé d'avis. Tout le monde a le droit de changer d'avis.

Ils commencèrent à marcher côte à côte. Slade lui prit le bras. Jessica sursauta et, incapable de se dégager de sa poigne ferme, redressa le menton.

Elle souffrait. Slade le vit clairement malgré la colère qui déformait ses traits. C'était aussi bien comme ça, se dit-il. Plus intelligent. Mais les mots s'échappèrent de sa bouche avant qu'il ait pu les retenir.

— Vous auriez préféré qu'on fasse l'amour sur la plage, comme deux adolescents ?

Elle avait oublié où ils se trouvaient. Temps et lieu avaient été escamotés par le désir. Qu'il s'en soit souvenu et ait conservé assez de sang-froid pour s'arrêter à temps n'en blessa que plus profondément sa fierté.

— J'aurais préféré que vous ne me touchiez pas, riposta-t-elle froidement.

Elle baissa les yeux sur la main qui lui tenait le bras puis les releva.

— À partir de maintenant.

La poigne de Slade se resserra.

— Je vous ai avertie de ne pas me pousser à bout.

— Vous pousser ? Ce n'est pas moi qui ai commencé. Je n'ai rien demandé.

— Non, vous n'avez pas commencé, fit-il en la prenant par les épaules pour la secouer. Mais, moi non plus, je n'ai rien demandé. Alors, du calme.

Le geste furieux la fit claquer des dents. La colère l'emporta sur la douleur. Ulcérée, Jessica repoussa violemment les mains de Slade.

— Je vous défends de crier ! hurla-t-elle plus fort que lui.

Derrière eux, la mer se rua sur les rochers et rejaillit en embruns tumultueux.

— Et ne racontez pas que je me suis jetée sur vous, parce que c'est faux.

Elle secoua la tête pour repousser les mèches qui voletaient devant ses yeux.

— Si je le voulais, je pourrais vous faire ramper sur le sol.

Les yeux de Slade se rétrécirent en petites fentes grises. Sa colère était d'autant plus grande qu'il ne doutait pas qu'elle en fût capable.

— Je ne rampe devant aucune femme, et sûrement pas devant une petite morveuse qui utilise son parfum comme une arme.

— Une petite *morveuse* ! souffla-t-elle. Eh bien, vous, vous êtes un sale con, borné et égoïste…

Ne sachant comment se protéger, elle posa la main sur la poitrine de Slade et le repoussa.

— J'espère qu'il n'y a pas de femme dans votre roman, reprit-elle d'un ton acide, parce que vous n'y connaissez rien ! Je ne *mets* pas de parfum. Et d'ailleurs je n'en ai pas besoin… Pourquoi souriez-vous ?

— Vous êtes toute rose. C'est charmant.

Les yeux étincelants de fureur, elle fit un pas menaçant vers lui. Il leva les mains et recula.

— On signe une trêve ?

Il ignorait comment mais, durant la diatribe de Jessica, sa colère s'était tout simplement volatilisée. Il le regrettait presque. Batailler avec elle était presque aussi excitant que l'embrasser. Presque.

Jessica hésita. Sa fureur n'était pas retombée mais il y avait quelque chose de troublant dans le sourire de Slade. Un sourire amical et admiratif, sans doute le premier sourire sincère qu'il lui adressait depuis qu'ils se connaissaient. Ce qui lui parut plus important que sa colère.

— Peut-être, fit-elle en refusant de pardonner trop rapidement.

— Fixez vos conditions.

Elle réfléchit deux secondes, les poings sur les hanches.

— Retirez « petite morveuse ».

La lueur amusée qui éclaira le regard de Slade lui plut.

— Alors retirez « sale con borné et égoïste ».

Marchander était le vice principal de Jessica. Prenant un air songeur, elle examina ses ongles.

— Juste « borné ». Je maintiens le reste.

Il enfonça les pouces dans les poches de son jean.

— Vous êtes dure en affaires.

— Vous avez tout compris.

Ils se serrèrent la main avec gravité.

— Encore une chose, dit Slade qui, ayant apaisé la colère de Jessica, voulait à présent atténuer sa souffrance. Je n'ai pas changé d'avis.

Elle ne répondit rien. Il posa un bras sur ses épaules et l'entraîna vers les marches. Sans trop d'efforts, il parvint à faire taire la petite voix dans sa tête qui lui reprochait sa sottise.

— Slade... fit-elle comme ils contournaient le petit bosquet en haut de l'escalier.

— Oui ?

— Ce soir, Michael vient dîner.

— D'accord, je m'éclipserai.

— Non, s'écria-t-elle. Je me demandais au contraire si vous pourriez...

— Faire le chaperon ? Attention, Jess, je vais avoir envie de vous insulter à nouveau.

Refusant de se fâcher, elle s'arrêta au milieu de la pelouse et se tourna vers lui.

— Slade, tout ce que vous avez dit sur la plage est vrai. Mais j'aime Michael... de la même façon que j'aime David.

Le voyant se renfrogner, elle lâcha un petit soupir.

— Ce soir, je dois lui faire mal. J'aimerais juste avoir un soutien moral. Cela me faciliterait les choses si vous étiez là pendant le dîner. Ensuite, je me débrouillerai.

— Juste pendant le dîner, alors, dit Slade à contrecœur. Et vous me devrez quelque chose.

Quelques heures plus tard, Jessica arpentait le salon. Ses talons cliquetaient sur le plancher, se taisaient sur le tapis persan, puis cliquetaient à nouveau. Heureusement, David était sorti avec une amie. Il aurait été impossible de lui cacher son humeur, et encore plus impossible de se confier à lui. Désormais, entre Michael et elle, les relations risquaient de se tendre. Peut-être même Michael déciderait-il de se retirer de l'entreprise. Cette idée rendait Jessica malade.

Oh ! bien sûr, elle pourrait retrouver un acheteur, mais ils avaient formé une bonne équipe et s'étaient toujours senti des affinités que rien ne pourrait remplacer. Brusquement, elle se mordit les lèvres. C'était infernal : elle ne pouvait penser à Michael sans l'associer à la boutique. Il en avait toujours été ainsi. S'ils s'étaient connus avant, comme elle avait connu David, peut-être ses sentiments auraient-ils été différents. Jessica s'étreignit les mains. Non, il n'y avait pas eu cette... étincelle. La boutique n'avait rien changé.

Cette étincelle, elle l'avait sentie seulement une ou deux fois dans sa vie, ce sursaut du cœur qui vous dit que peut-être, peut-être... Avec Slade, il n'y avait pas eu d'étincelle mais une véritable éruption. Agacée, elle secoua la tête. Il ne fallait pas penser à Slade pour l'instant, ni aux deux épisodes turbulents qu'elle avait connus dans ses bras. Elle devait se concentrer sur la meilleure façon de dire la vérité à Michael sans le blesser.

Slade s'arrêta sur le seuil du salon pour observer la jeune femme. Toujours en train de bouger, mais cette fois-ci l'énervement l'emportait sur l'énergie. Elle était vêtue d'une robe noire très simple et très élégante, et ses cheveux tressés reposaient sur une épaule. En la regardant, Slade éprouva une brève compassion pour Michael. Ce ne devait pas être facile d'aimer une si belle femme, de le lui avouer et de la perdre. À moins que Michael ne fût un crétin fini, un seul regard sur le visage de Jessica lui ferait comprendre la réponse. Elle n'aurait même pas à ouvrir la bouche.

— Il y survivra, Jess.

Elle pivota brusquement. Slade s'avança vers le placard à alcools.

— Il y a d'autres femmes, vous savez, ajouta-t-il d'un ton délibérément désinvolte.

Sans même se retourner, il sentit le regard furieux de Jessica le fusiller.

— J'espère qu'un jour vous tomberez vraiment amoureux, Slade. Et qu'elle vous fera un pied de nez.

— Ça ne risque pas, dit-il en se versant un scotch. Vous voulez boire quelque chose ?

— Je prendrai ça, dit-elle en lui arrachant le verre des mains.

— Vous vous donnez du courage ?

L'alcool pur lui brûla la gorge, elle parvint cependant à retenir une grimace.

— Vous faites exprès d'être odieux.

— Oui. Vous vous sentez mieux ?

Avec un rire las, elle lui rendit le verre.

— Vous êtes dur, Slade.

— Et vous, très belle, Jessica.

Cette déclaration faite d'un ton placide la décontenança. Elle l'avait entendue des douzaines de fois prononcée par des douzaines de gens mais sans que son sang se mît en ébullition. Un homme comme Slade ne devait guère se montrer prolixe en compliments. Et, d'une certaine façon, elle comprit qu'il ne parlait pas seulement de beauté physique. Non, cet homme regardait au-delà des apparences, dans ce qui ne pouvait être que senti.

Leurs yeux restèrent soudés un long moment et elle se sentit mal à l'aise. N'était-elle pas à nouveau sur le point de perdre quelque chose d'essentiel, plus encore que ce matin sur la plage ?

— Vous devez être un bon écrivain, murmura-t-elle en s'écartant pour se servir un martini.

— Pourquoi ?

— Vous utilisez les mots sobrement et de façon peu banale.

Lui tournant le dos, elle se lécha les lèvres avec nervosité. La pendule de la cheminée sonna mélodieusement.

— Je doute que vous aimeriez m'écrire ce que je dois dire avant l'arrivée de Michael.

— Non, vraiment, je n'en ai pas la moindre envie.

— Slade... fit-elle en se tournant vers lui. Je n'aurais pas dû vous dire tout ça, ce matin. Ce n'est pas honnête envers Michael et ce n'est pas honnête envers vous de vous déverser ainsi toute ma vie. Mais se confier à vous est facile: vous écoutez trop bien.

— Ça fait partie de mon boulot, ronchonna-t-il en songeant au flot d'entretiens qu'il devait subir avec des suspects, des victimes, des témoins.

— J'essaie de vous remercier. Vous ne pourriez pas être plus aimable?

— Ne me remerciez pas, je n'ai rien fait.

— Désormais, j'étoufferai plutôt que de vous remercier.

Elle se versait un martini lorsque la sonnette de l'entrée retentit.

Aucun des deux hommes ne se réjouissait particulièrement de dîner avec l'autre mais ils firent néanmoins bonne figure. La conversation bifurqua vers la boutique.

— Je suis contente que tu y aies passé quelques heures, dit Jessica en décortiquant sans appétit ses crevettes. David n'est pas encore en état d'affronter toute une journée de travail.

— Il n'avait pas l'air en trop mauvaise forme. Et le lundi est de toute façon une journée plutôt paisible. Tu te fais trop de soucis, ma chérie.

Sans plus d'appétit que Jessica, il faisait tournoyer son vin dans son verre.

— Tu n'étais pas là la semaine dernière, rappela-t-elle en déchiquetant son morceau de pain.

Sans mot dire, Slade lui passa le beurre. Elle baissa les yeux, vit les miettes qui entouraient son assiette et prit son verre d'un air gêné. L'échange n'échappa pas à Michael.

— Il a été en assez bonne forme pour vendre la commode du Connecticut à Mme Donnigan, dit-il.

— David a vendu quelque chose à Mme Donnigan? s'écria Jessica, partagée entre la surprise et l'amusement. Vous devriez faire la connaissance de cette dame, Slade. C'est une Yankee pur sang, qui ne donne ses dollars qu'avec un élastique! Michael arrive à lui vendre des choses. Moi, rarement. Mais David… Comment s'y est-il pris?

— En faisant semblant de n'avoir pas la moindre envie de s'en séparer. Quand je suis entré, il la poussait vers la commode en pacanier en affirmant qu'il avait promis l'autre à un client.

— Eh bien, on dirait qu'il fait des progrès! dit-elle en riant. Je vais être obligée de céder à ses instances et le laisser t'accompagner en Europe la prochaine fois.

Michael se renfrogna un dixième de seconde en fixant son assiette d'où il préleva nerveusement une crevette.

— Si c'est ce que tu veux.

La détresse de Jessica était évidente. Avant qu'elle ait pu trouver un autre sujet de conversation, Slade intervint en demandant ce qu'était une commode du Connecticut. Elle lui lança un regard reconnaissant et laissa à Michael le soin d'expliquer.

« Pourquoi ai-je dit ça? se demanda-t-elle. Comment ai-je pu être insensible au point d'oublier qu'il m'avait demandé de l'accompagner? » Elle soupira et essaya de s'intéresser à ce qu'il y avait dans son assiette. « Je ne vais pas m'en tirer si bien que ça. Je ne vais même pas m'en tirer du tout. »

« Comme ils sont différents! » constata-t-elle brusquement en regardant les deux hommes bavarder. Doté d'une aisance naturelle, Michael avait une voix et des manières raffinées et portait un costume parfaitement coupé. La tenue la plus décontractée qu'elle lui ait jamais vue était une chemisette et un pantalon de golf. Son charme était très civilisé et sa sensualité sophistiquée.

Comme s'il savait que le langage du corps pouvait révéler ses pensées, Slade avait une étrange capacité à rester immobile. Et bien qu'il préférât les jeans et les sweaters, il n'avait cependant rien de fruste. Il n'était pas charmant, mais désarmant. Et sa sensualité était tout sauf sophistiquée. Plutôt animale.

Bien que le sujet ne l'intéressât guère, Slade posait des questions sur les antiquités, laissant ainsi à Jessica le temps de reprendre le sang-froid qu'elle avait failli perdre. Cela lui donnait aussi l'occasion de se faire une opinion plus précise sur Michael. Un type sans danger, apparemment. Joli garçon, avec assez de cervelle pour réussir en affaires. Ou pour représenter l'un des échelons de ce réseau de contrebande. Pas l'échelon supérieur. Il manquait de tripes pour ça.

Vu de l'extérieur, il semblait relativement assorti à Jessica. Policé, intelligent. Et pas mal physiquement, dans son genre. Mais apparemment ce n'était pas celui de la jeune femme. Ils n'avaient pas été amants. Quelle sorte d'homme était-il donc pour pouvoir la côtoyer quotidiennement sans coucher avec elle... ou devenir fou ? Michael était parvenu à se contrôler durant près de trois ans. Slade calcula qu'il avait échoué avant la fin du troisième jour. Michael Adams était soit éperdument amoureux de Jessica, soit plus malin qu'il ne le paraissait. Remarquant les regards incessants que Michael jetait sur elle, Slade éprouva un élan de sympathie. Amoureux ou non, il n'était pas indifférent.

Michael prit une gorgée de vin et s'efforça de poursuivre une conversation qui commençait à lui peser. Il connaissait assez Jessica pour avoir déjà lu sa réponse dans ses yeux. La seule femme qui comptait pour lui ne serait jamais sienne...

Tous trois se sentirent soulagés lorsque Betsy apporta le plateau de café.

— Jessica, si tu ne manges pas plus que ça, la cuisinière va de nouveau rendre son tablier.

— Tu sais bien qu'elle nous rend son tablier une fois par mois, répliqua Jessica avec désinvolture. Si elle ne le faisait pas, ça nous manquerait.

La perspective de devoir mettre les choses au point avec Michael lui coupait l'appétit. Il fallait pourtant le faire, sous peine de mourir de faim.

— Je prendrai le mien dans la bibliothèque, dit Slade en se versant une tasse. J'ai des choses à terminer ce soir.

— Bien, fit Jessica en évitant son regard. Allons prendre le nôtre au salon, Michael. Non, Betsy, laisse. Je vais porter le plateau, reprit-elle comme la gouvernante commençait à ronchonner.

Slade quitta la salle à manger le premier.

— Sers-toi un verre de cognac, dit Jessica à Michael en entrant dans le salon. Je ne prendrai que du café.

Il se versa une bonne dose et reboucha le flacon de cristal. Le feu que Betsy avait allumé pendant qu'ils dînaient pétillait avec une allégresse que ni Michael ni Jessica ne partageaient. Il la regarda verser le café dans les tasses en porcelaine. Le fond ivoire du service était orné de violettes délicatement peintes. Il en compta chaque pétale avant de commencer.

— Jessica...

Voyant ses doigts se crisper sur le pot de crème, il jura en son for intérieur. Bizarre qu'il ne l'ait jamais autant désirée qu'à l'instant où il était sûr de ne pas l'obtenir. Jusqu'à présent, il était persuadé que lorsque le moment serait venu, tout se mettrait aisément en place.

— Je ne voulais pas te rendre malheureuse.

— Michael... fit-elle en le regardant dans les yeux.

— Non, ne dis rien. C'est écrit sur ta figure. La seule chose que tu n'as jamais su faire, c'est cacher tes sentiments... Tu ne veux pas m'épouser, acheva-t-il après avoir bu une gorgée de cognac.

— Non, je ne peux pas. Je suis désolée. Je regrette de ne pas avoir su plus tôt ce que tu éprouvais.

Il regarda son cognac, de la même couleur que les yeux de Jessica et tout aussi enivrant; puis il posa son verre.

— Y aurait-il eu une différence si je t'avais demandée en mariage il y a un an ? Deux ans ?

— Je ne sais pas, avoua-t-elle avec un haussement d'épaules. Mais comme nous n'avons guère changé depuis, j'en doute.

Elle lui effleura le bras, regrettant de ne pas trouver de mots plus consolants.

— Je t'aime beaucoup, Michael, il faut que tu le saches. Mais je ne peux pas te donner ce que tu veux.

Il leva la main et lui encercla la nuque.

— Je ne te promets pas de ne pas essayer de te faire changer d'avis.

— Michael...

— Non, tout de suite, je n'insisterai pas. Mais j'ai l'avantage de bien te connaître, de savoir ce que tu aimes et ce que tu n'aimes pas.

Il lui prit la main et déposa un baiser sur la paume.

— Je t'aime suffisamment pour ne pas te harceler, ajouta-t-il en la lâchant. À demain, à la boutique.

— D'accord, acquiesça-t-elle tristement.

Ce baiser sur sa paume n'avait suscité qu'un vague regret.

— Bonne nuit, Michael.

La porte se referma derrière lui. Elle resta immobile. Elle n'avait ni envie de café ni le courage d'affronter Betsy et la cuisinière en rapportant le plateau à la cuisine. Laissant les choses telles quelles, elle monta l'escalier.

— Jess ? Ça va ?

Venant de la bibliothèque, la voix de Slade la fit s'arrêter sur la seconde marche.

Elle eut brusquement envie de se ruer dans ses bras et de pleurer. Au lieu de quoi, elle lança sèchement :

— Non, ça ne va pas. Je ne vois vraiment pas pourquoi ça irait.

— Vous avez fait ce que vous deviez faire. Et il n'ira pas se jeter du haut de la falaise.

— Qu'en savez-vous ? Vous n'avez pas de cœur. Vous ne savez pas ce que c'est que d'aimer quelqu'un. Il faut avoir un cœur pour souffrir.

Elle grimpa en courant une dizaine de marches avant de s'immobiliser. Puis, fermant les yeux, elle envoya un coup de poing sur la rampe et fit demi-tour. Il était resté au bas des marches et l'attendait.

— Pardon, dit-elle.

— Pourquoi ? Vous avez passé un mauvais moment, je le comprends.

Mais la soudaine agressivité de Jessica l'avait touché plus profondément qu'il n'aurait voulu l'admettre.

— Non, ça n'a pas été aussi pénible que ça, dit-elle en se frottant le front avec lassitude. Et je n'ai pas le droit de vous utiliser comme punching-ball. Vous m'avez beaucoup soutenue aujourd'hui, je vous en remercie.

— Ne vous fatiguez pas, conseilla-t-il en se détournant.

Cette fois-ci, ce fut Jessica qui le rappela.

— Slade…

Il fit deux pas de plus, jura entre ses dents puis se retourna vers elle. Son regard sombre la fusillait, comme si les excuses l'avaient plus irrité que les insultes.

— Il est possible que vous ne soyez pas d'accord, mais on ne va pas en enfer pour avoir été gentil.

Sur ce, elle le laissa en plan dans le vestibule et monta l'escalier.

5

Deux heures du matin. La vieille horloge du vestibule sonna ses deux coups mélodieux. Jessica avait beau être épuisée, le sommeil la fuyait. Cela faisait une heure environ que le cliquetis saccadé de la machine à écrire de Slade s'était interrompu. « Il peut dormir, lui ! » pensa-t-elle, écœurée, en se retournant une fois de plus dans son lit. Mais, évidemment, il n'était pas en proie à un tel tourbillon d'émotions.

Ses pensées revinrent à Michael et elle soupira. « Non, sois honnête, Jessica. Ce n'est pas Michael qui t'empêche de dormir, c'est le type qui se trouve deux portes plus loin sur la gauche. »

Seule dans l'obscurité, gisant dans un enchevêtrement de draps et de couvertures, elle sentait à nouveau le sable lui gratter le dos, le soleil lui chauffer le visage et le vent la cingler. Slade pesait sur elle de tout son poids. Le désir s'éveilla dans son corps las, accélérant les pulsations de son cœur. Une douleur sourde lui creusa le ventre, remonta jusqu'aux seins. Elle bondit hors du lit et enfila une robe de chambre. Il lui fallait une boisson chaude pour se calmer. Et si ça ne marchait pas, elle allumerait la télévision jusqu'à ce qu'elle s'endorme devant un programme débile. Demain matin, tout s'arrangerait. Elle irait de bonne heure à la boutique et éviterait Slade jusqu'à ce qu'il ait fini de ranger la bibliothèque et rentre chez lui.

Elle sortit de sa chambre et, pieds nus, longea le couloir sans faire de bruit. S'arrêtant malgré elle devant la porte de Slade, elle leva la main vers la poignée. Non! Grands dieux, à quoi pensait-elle donc? Elle s'éloigna en hâte. Au point où elle en était, un cognac serait plus efficace qu'une tisane.

Contrairement à son habitude, elle descendit l'escalier à pas lents en évitant les endroits qui craquaient. Un cognac et un vieux film. Si avec ça elle ne dormait pas, c'était à désespérer. Remarquant que les portes du salon étaient fermées, elle fronça les sourcils. Qui donc avait fait ça? On ne les fermait jamais. Avec un haussement d'épaules, elle attribua ce geste à Slade qui ne connaissait pas encore les habitudes de la maison. Elle traversa le vestibule et poussa l'une des portes.

Un rayon lumineux se braqua sur elle. Éblouie, elle leva la main pour se protéger les yeux, et recula de deux pas. Puis se figea. *Une lampe de poche*. Qui pouvait se promener dans le salon avec une lampe de poche? La peur l'étreignit, lui nouant la gorge. Paniquée, elle fit demi-tour et monta l'escalier quatre à quatre.

Au bruit de sa porte qui s'ouvrait brutalement, Slade se réveilla en sursaut. Une ombre se ruait sur son lit. Instinctivement, il l'empoigna, la fit basculer et la cloua sur le matelas. Au premier contact, il reconnut Jessica. Son parfum éveilla immédiatement ses sens.

— Qu'est-ce que vous foutez, bon Dieu? s'écria-t-il en lui prenant les poignets.

Le souffle coupé, Jessica resta quelques secondes sans pouvoir répondre. La peur la faisait trembler de tous ses membres.

— En bas, balbutia-t-elle. Il y a quelqu'un en bas.

Il se raidit mais garda son calme.

— Un domestique, sans doute.

— À deux heures du matin? s'emporta-t-elle.

Elle s'aperçut soudain qu'il était nu et qu'en basculant sur le lit les pans de sa propre robe de chambre s'étaient écartés.

— Avec une lampe de poche ? reprit-elle en se débattant.

Il se releva en hâte.

— Où ?

— Au salon.

Refermant sa robe de chambre, Jessica tenta de se convaincre que pas une seconde le désir ne l'avait effleurée.

— Vous n'allez pas descendre ? demanda-t-elle en le voyant enfiler son jean.

— Ce n'est pas ce que vous attendiez de moi en faisant irruption ?

Il ouvrit le tiroir où était rangé son revolver.

— Non. Je ne pensais à rien du tout. La police...

Elle tendit la main et alluma la lampe de chevet.

— Il faut téléphoner à la police, reprit-elle.

Elle s'interrompit brusquement, les yeux fixés sur l'objet qu'il tenait. Une nouvelle vague de terreur l'envahit.

— D'où tenez-vous ce truc ?

— Ne bougez pas.

Il était dans le couloir lorsqu'elle trouva enfin la force de se lever.

— *Non !* Vous n'allez pas descendre avec une arme. Voyons. Slade, comment...

Il la repoussa d'une poigne brutale. Son regard était glacial et dépourvu de toute expression.

— Restez tranquille, ordonna-t-il en lui fermant la porte au nez.

Trop choquée pour réagir, Jessica resta plantée devant le battant. Que se passait-il, bon sang ? C'était incroyable. Un inconnu rôdait dans le salon en plein milieu de la nuit et Slade tenait un gros revolver comme s'il était né avec ça dans la main. Les nerfs tendus à craquer, elle se mit à arpenter la pièce. Le silence la terrifia. C'était trop calme, trop silencieux. Attendre comme ça, sans rien faire, lui devint vite insupportable.

Slade venait d'examiner rapidement les pièces du rez-de-chaussée lorsqu'un craquement dans l'escalier le fit pivoter et braquer son arme. Terrifiée, Jessica chancela contre le mur.

— Bon Dieu ! cria-t-il en abaissant son revolver. Je vous avais dit de rester en haut.

Elle avait eu le temps de reconnaître l'attitude typique du tireur, telle que le présentaient les films policiers. Les tremblements la reprirent.

— Je n'ai pas pu. Il est parti ?

— On dirait, fit-il en lui prenant la main pour l'emmener au salon. Restez ici. Je vais jeter un œil dehors.

Jessica s'effondra dans un fauteuil et attendit. Un mince rayon de lune faisait naître des ombres dans la pièce obscure. Elle replia ses jambes sous elle et se recroquevilla sur son siège. La peur n'était pas un sentiment auquel elle était habituée. Fermant les yeux, elle s'obligea à respirer lentement et profondément.

Peu à peu ses tremblements s'apaisèrent et ses idées s'éclaircirent. Que faisait donc un écrivain avec un revolver ? Pourquoi n'avait-il pas appelé la police ? Un soupçon se fit jour en elle mais elle l'écarta aussitôt. Non, c'était ridicule...

Lorsque Slade regagna le salon dix minutes plus tard, elle n'avait pas bougé d'un centimètre.

Il appuya sur l'interrupteur et la lumière inonda la pièce.

— Rien, dit-il brièvement quoiqu'elle n'eût pas posé de question. Il n'y a pas signe de vie ni d'effraction.

— J'ai vu quelqu'un, je vous assure, protesta-t-elle avec indignation.

— Je n'ai pas dit le contraire.

Il disparut de nouveau sans lui laisser le temps de répondre. Lorsqu'il revint, il ne portait plus d'arme.

— Qu'avez-vous vu exactement ? demanda-t-il en entreprenant un examen plus approfondi du salon.

Les sourcils froncés, elle remarqua l'habileté professionnelle de ses gestes.

— Les portes du salon étaient fermées alors que d'habitude on les laisse ouvertes. Lorsque je suis entrée, quelqu'un a braqué sur moi une lampe de poche. Comme j'étais éblouie, je n'ai rien pu voir.

— Manque-t-il quelque chose dans cette pièce ? Des objets ont-ils été déplacés ?

Elle continua à l'observer, l'estomac serré, tandis qu'il explorait le salon. L'idée qui lui avait traversé l'esprit quelques instants plus tôt ne lui semblait plus ridicule. Tout concordait trop bien. Il avait déjà fait ça auparavant, des dizaines de fois. Il avait utilisé cette arme en d'autres occasions.

— Qui êtes-vous au juste ?

Accroupi devant l'armoire à alcools, il perçut l'intonation glaciale de sa voix. Les flacons en cristal n'avaient pas été dérangés.

— Vous le savez bien, Jess, dit-il sans se retourner.

— Vous n'êtes pas écrivain.

— Si.

— Allons donc ! Vous êtes sergent ? Lieutenant ?

Il prit la bouteille de cognac et en versa un peu dans un petit verre qu'il lui apporta.

— Je suis sergent. Buvez ça.

— Allez au diable !

Slade haussa les épaules et posa le verre à côté d'elle. Un calme mortel envahit Jessica, atténuant la souffrance d'avoir été trahie.

— Je veux que vous sortiez de ma maison. Mais, auparavant, je veux que vous m'expliquiez ce que vous êtes venu faire ici. C'est oncle Charlie qui vous a envoyé, n'est-ce pas ? Vous êtes ici en service commandé ?

Elle avait prononcé cette dernière phrase avec dégoût.

Slade garda le silence. Que devait-il lui dire pour l'apaiser? L'empêcher de faire des bêtises? Elle était livide, non plus de peur mais de colère.

— Bon, fit-elle en se levant. Je vais appeler moi-même votre commissaire. Vous pouvez remballer votre machine à écrire et votre revolver, sergent.

Il fouilla vainement dans ses poches; ses cigarettes étaient restées dans sa chambre. Une chose était claire: il n'avait pas le choix, il devait tout lui dire.

— Asseyez-vous, Jess.

Comme elle ne semblait pas vouloir obéir, il la poussa dans le fauteuil, sans tenir compte de ses protestations.

— Taisez-vous et écoutez-moi. On soupçonne votre boutique d'être le siège d'un trafic de contrebande. Des objets volés en Europe seraient dissimulés dans des meubles que vous importez puis retirés ici, sans doute par un de vos clients.

À présent, elle n'essayait plus de l'interrompre. Les yeux écarquillés, elle le fixait comme s'il avait perdu la tête.

— Interpol veut mettre la main sur le chef et non sur les sous-fifres déjà connus et surveillés. Cet homme a déjà réussi à leur échapper et ils ne veulent pas que cela se reproduise. Vous, votre boutique, les gens qui travaillent pour vous resterez sous surveillance jusqu'à ce que ce bandit soit arrêté. À moins que l'enquête ne démontre qu'il s'agit d'une fausse piste. Entre-temps, le commissaire veut que vous soyez protégée.

— Cette histoire est invraisemblable! Je n'en crois pas un mot.

Malgré ses dénégations, sa voix avait tremblé. Slade enfonça les mains dans ses poches.

— Nos informations sont très sérieuses, et mes ordres viennent directement du commissaire.

— C'est absurde, fit-elle d'une voix forte et méprisante. Croyez-vous que quelque chose de ce genre pourrait se produire dans ma boutique sans que je sois au courant?

Elle tendait la main vers son verre de cognac lorsqu'elle remarqua l'expression de Slade.

— Je vois...

Une douleur sourde lui étreignit la poitrine. Elle y posa la main comme pour l'apaiser puis croisa les doigts.

— Avez-vous emporté vos menottes, sergent ?

— Fermez-la, Jess.

Ne supportant plus son regard, il se remit à explorer la pièce.

— J'ai dit que le commissaire voulait que vous soyez protégée.

— Votre boulot était-il aussi de me séduire afin que je vous livre quelques informations ?

Il se retourna brusquement et elle se leva pour lui faire face. Fureur contre fureur.

— Est-ce que me faire l'amour fait partie de votre mission ?

— Je n'ai même pas commencé à vous faire l'amour, s'écria-t-il en agrippant les revers de sa robe de chambre, ce qui la fit presque décoller du sol. Et jamais je n'aurais accepté cette mission si j'avais deviné que vous alliez m'ensorceler chaque fois que je vous regarderais. Le FBI pense que vous êtes innocente. Vous ne comprenez pas que cela vous met dans une position encore plus dangereuse ?

— Comment puis-je comprendre quoi que ce soit si l'on ne me dit rien ? Quelle sorte de danger pourrait me menacer ?

Exaspéré, il la secoua.

— Ce n'est pas un jeu, Jess. Un homme a été tué à Londres, la semaine dernière. Il était tout près de découvrir qui tire les ficelles. Son dernier rapport parle de diamants d'une valeur de deux cent cinquante mille dollars.

— Qu'est-ce que ça a à voir avec moi ? s'exclama-t-elle en se dégageant d'un sursaut. S'ils pensent qu'il y a des diamants planqués dans les meubles que j'importe, alors qu'ils viennent et qu'ils les démontent pièce par pièce.

— Et le numéro un sera prévenu et pourra leur échapper une fois de plus.

Nausée et migraine s'installaient inexorablement. Jessica se frotta les tempes.

— Comment êtes-vous sûr que je ne suis pas dans le coup ? C'est ma boutique, après tout.

Il la regardait se pétrir les tempes de ses doigts longs et fins.

— Vous n'êtes pas toute seule.

Elle se pétrifia puis, très lentement, baissa les mains.

— David ? Michael ? chuchota-t-elle, passant de l'incrédulité à la colère. Non ! Je ne vous laisserai pas les accuser.

— Pour le moment, personne n'accuse personne.

— Vous êtes venu pour nous espionner.

— Ça ne me plaît pas plus qu'à vous.

— Alors pourquoi êtes-vous là ?

Le ton délibérément méprisant de Jessica lui donna envie de l'étrangler. Il répondit en articulant sèchement.

— Parce que le commissaire ne voulait pas que sa filleule finisse la gorge tranchée.

Cette éventualité la fit pâlir mais elle ne cilla pas.

— Qui pourrait me faire du mal ? David ? Michael ? Même vous, vous pouvez comprendre combien c'est absurde.

— Vous seriez surprise de savoir ce que les gens sont parfois amenés à faire dans certains cas. De toute façon, d'autres individus sont impliqués, des individus qui ne verraient en vous qu'un obstacle à supprimer.

Tout cela était démentiel. Jessica sentait le sol se dérober sous ses pieds. Ce n'était pas le moment de flancher. Une crise de nerfs n'arrangerait rien. Elle prit son cognac et en but une longue gorgée.

— Si vous faites partie de la police de New York, vous n'êtes pas dans votre juridiction, ici, objecta-t-elle.

Slade fut rassuré de voir la couleur revenir sur ses joues. Elle était plus forte qu'elle n'en avait l'air.

— Le commissaire a beaucoup d'influence. Je ne suis pas ici pour m'occuper de l'affaire de contrebande, en tout cas pas officiellement.

— Et pourquoi êtes-vous ici, officiellement ?

— Pour vous protéger.

— Oncle Charlie aurait dû me prévenir.

Slade haussa légèrement les épaules puis regarda autour de lui.

— Oui, peut-être... On ne peut pas savoir si ce rôdeur cherchait quelque chose ici même, ou s'il passait pour aller dans une autre pièce. La disposition de la maison ne permet pas de le dire... Y a-t-il quelque chose de déplacé, ou bien qui manque ?

Jessica suivit son regard qui balayait la pièce.

— Non. Je ne crois pas qu'il soit resté longtemps. Vous avez tapé à la machine jusque vers une heure du matin. Peut-on imaginer qu'il ait attendu que toutes les lumières soient éteintes pour commettre une effraction ? Ça semble idiot.

Il faillit lui rappeler qu'il n'y avait pas eu effraction puis se ravisa. Croire qu'il s'agissait d'un inconnu la rassurerait peut-être. Il se souvint que David couchait dans l'aile est de la maison.

— Il faut que je téléphone pour faire mon rapport. Allez vous coucher.

— Non.

Refusant d'admettre qu'elle n'osait pas monter seule, elle reprit son cognac.

— J'attendrai, dit-elle en se rasseyant tandis qu'il allait décrocher le téléphone du vestibule.

Elle l'entendit parler à voix basse mais s'efforça de ne pas écouter ce qu'il disait. Sa boutique ! Comment était-il possible que sa boutique serve à quelque chose d'aussi invraisemblable qu'un trafic de grande envergure ? Si cela n'avait pas été aussi effrayant, elle en aurait ri.

Michael et David. Elle secoua la tête et ferma les yeux. Non, c'était impossible. Il y avait une erreur quelque part, la police et le FBI finiraient par s'en apercevoir.

Celui qui était entré dans le salon était un simple cambrioleur et rien de plus. Betsy n'avait-elle pas maintes et maintes fois rouspété parce que Jessica oubliait systématiquement de brancher l'alarme ? L'image de Slade, le revolver au poing, lui revint à l'esprit. Cette image-là, elle n'était pas près de l'oublier.

Après avoir raccroché, Slade trouva Jessica assise, les yeux fermés. Des cernes sombres creusaient son visage. Ce qu'il venait d'entendre au téléphone n'était guère fait pour les effacer. Après toutes ces émotions, elle avait besoin d'une bonne nuit de sommeil.

— Venez, dit-il en luttant contre l'attendrissement. Vous êtes fatiguée. Montez et prenez un somnifère si vous n'arrivez pas à dormir. Et demain, vous n'irez pas à la boutique.

— Mais je dois y aller.

— À partir de maintenant, vous devez faire ce qu'on vous dit de faire, rectifia-t-il. Vous serez plus en sécurité ici, où je peux garder l'œil sur vous. Désormais, vous ne quitterez plus cette maison sans moi. Ne discutez pas... Vous n'avez plus le choix, ajouta-t-il en lui prenant la main pour l'aider à se lever. Vous devez me faire confiance.

Elle avait confiance en lui, ce n'était pas là qu'était le problème. Sa première impression était la bonne. Avec lui, elle était en sécurité.

— Ça ne me plaît pas de savoir que vous êtes un flic, murmura-t-elle, tandis qu'il la poussait, marche après marche, dans l'escalier.

— Oui, ça ne me plaît pas non plus. Allez au lit, Jess.

Arrivé devant la porte, il lui lâcha le bras. Mais elle s'agrippa à sa main, pour l'empêcher de s'éloigner.

— Slade...

Ce qu'elle s'apprêtait à demander lui coûtait beaucoup. Admettre qu'elle était terrifiée à l'idée de rester seule lui était odieux.

— Je...

Elle s'interrompit, détourna les yeux puis lâcha :

— Vous voulez bien rester ?

— Je vous l'ai dit, le commissaire m'a donné des ordres.

— Non, ce n'est pas ça... Je voulais dire, avec moi... cette nuit.

Elle était si pâle, si douce, si vulnérable qu'il se sentit bouleversé. L'attendrissement le guettait à nouveau. Pour s'en défendre, il prit une voix brutale et froide.

— Quand je passe la nuit avec une femme, j'ai tendance à ne m'occuper que d'elle. Ce qui n'est pas à l'ordre du jour. J'ai autre chose à faire.

Un mélange d'excitation et de panique la fit vibrer.

— Je ne vous demandais pas de coucher avec moi, mais de ne pas me laisser seule.

Il la regarda longuement de la tête aux pieds. Une si jolie jeune femme, à la chair tiède, aux courbes douces...

— Vous me croyez capable de passer la nuit avec vous sans vous toucher ?

— Non.

La réponse était sortie d'un trait. Son corps palpitait déjà.

D'un geste prompt destiné à l'effrayer, il la poussa contre la porte.

— Pour affronter un type de ce genre, vous manquez d'expérience.

Sans aucune gentillesse, sa main se referma sur la gorge de Jessica. Le pouls de la jeune femme s'accélérait sous sa paume, mais ses yeux... ses yeux étaient dorés et ne manifestaient aucune peur. Il la désirait avec une telle violence qu'il risquait fort d'oublier tout le reste.

— Je ne suis pas l'un des messieurs polis et mondains que vous avez l'habitude de fréquenter, Jess, dit-il d'une voix d'un calme menaçant. Vous ignorez les endroits que j'ai fréquentés, les choses que j'ai vues. Je pourrais vous montrer des trucs qui feraient de votre amant français un enfant de chœur. Si je décidais de vous prendre, vous ne pourriez pas m'échapper.

Son cœur battait si fort qu'elle l'entendait à peine.

— Qui essaie de s'échapper, Slade ? demanda-t-elle, les yeux brouillés par le désir.

Ses bras lui parurent lourds, très lourds, lorsqu'elle les leva pour lui caresser le dos. Il se raidit et ses doigts se crispèrent sur la gorge de Jessica. Elle se pressa contre le corps de Slade.

Avec un gémissement, il céda et posa sa bouche sur celle de la jeune femme.

Instantanément, elle sentit ses sens s'embraser. C'était bien cela qu'elle voulait, cette folle passion que d'un seul contact il savait éveiller en elle. Ce baiser l'entraîna au bord de la folie pure. La réalité autour d'elle s'estompa, il n'y avait plus que Slade, auquel elle s'abandonnait tout entière. Qu'il lui enseigne ce qu'il voulait.

Il lui arracha sa robe de chambre, pris d'un besoin violent d'explorer chaque centimètre de son corps. Plus douce, incroyablement plus douce qu'il ne l'avait imaginée, sa peau semblait fluide sous ses doigts. En quelques secondes, il la fit trembler de tous ses membres. Elle avait des cuisses minces et musclées. Il y promena les mains avec une ardeur impatiente qui la fit se cambrer.

Désormais, il était trop tard : Slade comprit qu'il n'était plus capable de s'arrêter. Il s'était promis de la traiter sans ménagement, comme elle le méritait, puis de s'éloigner… pour leur bien à tous les deux. Mais ce corps souple et consentant le bouleversait. Son parfum tenace l'enivrait. Il releva la tête pour tenter de reprendre son sang-froid mais la bouche de Jessica se colla à sa gorge et il l'entendit murmurer son nom.

Il se retrouva dans le lit de la jeune femme sans trop savoir qui avait entraîné l'autre.

Elle se tortillait sous lui dans une sorte de délire. Dans l'enchevêtrement des draps, elle n'était plus consciente que de l'ouragan qui se déchaînait, rafales, ciel sombre, éclairs aveuglants. Le souffle haletant, il descendit sur sa gorge, sur ses seins. Ceux-ci s'érigèrent et le corps de Jessica se cambra tandis qu'il continuait sa descente éperdue. À demi folle, elle empoigna la tignasse drue de Slade, avide d'être prise avant d'exploser, tout en désirant que ce plaisir dément dure éternellement.

Il revint à ses seins, la langue traçant sur la peau douce une piste humide qui la fit s'embraser et se glacer successivement. Les dents de Slade attisaient le renflement doux d'un sein tandis que ses doigts dessinaient des méandres autour de l'autre. Lèvres et doigts poursuivirent leur supplice délicieux jusqu'à ce que Jessica soit prise de convulsions frénétiques. Elle poussa un cri.

Les caresses de Slade se firent plus audacieuses encore. Il avait toujours su que cette apparence fragile cachait une nature passionnée, mais sans imaginer qu'il s'y laisserait piéger. Elle réagissait sauvagement, comme une pouliche qu'on n'a pas encore dressée.

Le parfum musqué qu'il aimait tant chez elle semblait émaner de sa peau partout où il collait ses lèvres. Son corps était mince, presque trop mince, avec une douceur féminine qui lui donnait envie de continuer à la savourer centimètre par centimètre. Lorsque sa bouche descendit sur son ventre, elle gémit et planta ses ongles dans ses épaules en le pressant contre elle. Entre deux râles, il entendit son nom jaillir des lèvres tremblantes.

Il l'emmenait de sommet en sommet. Épuisée, Jessica n'était cependant pas encore satisfaite. Elle voulait davantage. Elle voulait tout. Animé d'une exigence surprenante, son corps palpitait. Ses lèvres ne parvenaient même plus à prononcer le nom de Slade. Ensemble, ils luttèrent contre la dernière barrière de vêtements qui les séparait. Elle agrippa ses hanches, étroites et fermes; ses cuisses, longues et musclées.

Ils parvinrent à l'extase ensemble.

Longtemps après que Slade eût basculé sur le côté, Jessica continua de frémir. Son corps souffrait et jubilait. « Avons-nous fait l'amour ou la guerre ? » se demanda-t-elle dans une sorte de vertige. Jamais elle n'avait éprouvé quelque chose d'aussi fort et elle savait qu'elle ne l'éprouverait avec personne d'autre.

Elle s'était totalement abandonnée. Existait-il sur terre un autre homme qui eût cette puissance, cette intensité, cette... sauvagerie ? Il n'y avait jamais eu et il n'y aurait jamais personne d'autre pour elle. Elle lui avait donné son cœur longtemps avant qu'ils ne couchent ensemble.

« Oh, je t'aime, confessa-t-elle silencieusement, qui que tu sois, quoi que tu fasses. Mais le plus sûr moyen de te perdre est de l'avouer. » Fermant les yeux, Jessica posa la tête sur l'épaule de Slade. « Tu es déjà en train de te demander comment tu t'es laissé aller ainsi, comment tu as cédé au désir et couché avec moi, devina-t-elle. Et tu cherches un moyen d'éviter que ça ne recommence. *Mais je ne te perdrai pas*. Tu ne t'en iras pas, Slade, quels que soient tes efforts. »

Elle se pencha sur lui et lui picora de baisers l'épaule puis la gorge.

— Jess...

Slade la repoussa doucement. Il avait besoin de se concentrer, de trouver un moyen de sortir du guêpier dans lequel il s'était fourré. C'était indispensable et urgent.

Jessica embrassa les doigts qui s'étaient mis en travers de son chemin, puis se hasarda jusqu'à la joue.

— Serre-moi fort, murmura-t-elle. Je veux sentir tes bras autour de moi.

Slade fit appel à toute sa volonté pour résister à cette supplique.

— Jessica, ce n'est pas malin. Nous devons...

— Je n'ai pas envie d'être maligne, Slade, murmura-t-elle contre sa bouche. Ne parle pas. Pas maintenant.

Ses doigts descendirent le long des hanches minces et elle sentit le corps de Slade se réveiller malgré lui.

— Je te veux, fit-elle.

Elle suivit de la langue le contour de ses lèvres et perçut le battement sourd du cœur qui s'emballait sous sa poitrine.

— Tu me veux. Cette nuit, c'est tout ce qui compte.

Le nuage pâle de ses cheveux, la blancheur de sa peau éclairée par la lune trouaient l'obscurité. Il vit aussi l'éclair ambré de ses yeux, avant qu'elle ne s'empare de sa bouche puis de son corps tout entier.

6

Slade ouvrit les yeux et découvrit Jessica à ses côtés. Elle dormait profondément, sa respiration était lente et régulière. Sous les longs cils, des cernes sombres marquaient sa peau blanche. Il s'était trahi durant son sommeil et l'avait enlacée pour se rapprocher d'elle. Leurs têtes reposaient sur le même oreiller. Après quelques minutes de reproches amers, il se glissa hors du lit. Jessica ne bougea pas. Silencieusement, il ramassa son jean et quitta la pièce. Une douche lui ferait le plus grand bien.

Il ouvrit le robinet d'eau froide à fond et se jeta sous le jet glacé, furieux contre lui-même. Il s'était rassasié d'elle toute la nuit. Alors, pourquoi la désirait-il encore ? Ce besoin d'elle qui le consumait allait nuire à sa mission. Il ne fallait pas oublier qu'il n'était ici qu'en service commandé.

Le bref échange téléphonique de la veille lui avait appris que la position de la jeune femme était encore plus délicate que ce qu'il croyait. Quelqu'un cherchait quelque chose dans sa maison. Quelqu'un en qui elle avait confiance. Il ne suffisait pas de découvrir son identité, il fallait aussi trouver ce que cette personne cherchait. Cette dernière tâche relevait du FBI. Lui devait surveiller Jessica jusqu'à ce que tout soit fini.

À nouveau, au téléphone, il avait suggéré d'éloigner Jessica pendant quelques jours. Mais les ordres qu'il avait reçus étaient catégoriques : il n'était pas question que Jessica s'en aille pour le moment. L'enquête était en cours, on ne pouvait pas prendre le risque de brouiller les pistes en la laissant s'éloigner. Bon, durant les prochaines quarante-huit heures, il ne la quitterait pas des yeux. Cela n'impliquait pas de coucher avec elle, se rappela-t-il, la tête sous le jet d'eau froide. Mais comment, après cette nuit de passion, vivre dans la même maison qu'elle et ne pas la toucher ?

Il attrapa le savon et se frotta vigoureusement, dans l'espoir de se débarrasser de ce parfum insistant qui semblait avoir imprégné sa peau.

Lorsqu'elle se réveilla, Jessica tendit la main. Mais la place à côté d'elle était vide. Elle en perdit instantanément sa sérénité. Au lieu de la détendre, ces quelques heures de sommeil semblaient l'avoir affaiblie un peu plus. S'il avait été là, si elle avait pu se blottir contre lui au réveil, elle n'aurait pas éprouvé cette sensation douloureuse de vide et de perte.

David et Michael. Non, il ne fallait pas y penser. Elle se couvrit le visage des deux mains et tenta d'écarter le soupçon qui s'insinuait dans son esprit. Puis elle revit le regard glacial de Slade tandis qu'il braquait son arme sur elle. Cette histoire était une erreur monstrueuse. Tout son univers basculait, il n'y avait plus aucune certitude à laquelle se raccrocher.

Prise de panique, elle bondit hors du lit. La maison lui semblait soudain une prison privée d'air. Elle s'habilla en hâte, dévala l'escalier et courut vers la plage. Elle avait besoin de respirer et de réfléchir.

Lorsqu'il vint frapper à sa porte dix minutes plus tard, Slade trouva le lit vide. Une angoisse inhabituelle lui serra la poitrine. Il jeta un coup d'œil dans la salle de bains et dans le bureau adjacent, puis descendit l'escalier. Dans la salle à manger, il n'y avait que Betsy.

— Où est-elle ?

Betsy lui jeta un regard méprisant tout en continuant de débarrasser les couverts.

— Alors vous aussi, vous êtes de bonne humeur, à ce que je vois ?

— Où est Jessica ?

— Elle avait l'air mal fichue, ce matin. Je me demande si elle n'aurait pas attrapé la grippe de David. Elle est descendue à la plage.

— Seule ?

— Oui, seule. Elle n'a même pas emmené son chien. Elle a dit qu'elle n'irait pas travailler aujourd'hui et...

Les poings sur les hanches, elle regarda le dos de Slade qui s'éloignait.

— Et voilà, marmonna-t-elle avec un claquement de langue réprobateur. Tous les mêmes. On peut toujours se fatiguer, ils n'écoutent rien.

Il faisait froid. Ce qui permit à Slade de dissimuler l'étui de son revolver sous une veste. Où était encore passée cette inconsciente ? Du haut des marches, il repéra la frêle silhouette près des rochers et s'élança pour la rejoindre.

En l'entendant approcher, Jessica se retourna. Il l'empoigna par les épaules et la secoua de toutes ses forces.

— *Espèce d'idiote !* Qu'est-ce que tu fous là, toute seule ? Tu n'as pas compris ta situation ?

La main de Jessica s'abattit brutalement sur la joue de Slade. La gifle les surprit autant l'un que l'autre et leurs regards furieux s'affrontèrent. Il relâcha son étreinte, ce qui permit à Jessica de reculer.

— Ne crie pas ! ordonna-t-elle tout en caressant instinctivement la joue meurtrie. Je ne supporterai de cris de personne.

— De moi, tu devras bien, répondit-il d'un ton plus calme. Je te pardonne ce coup-là, Jess, mais la prochaine fois, rappelle-toi que je sais les rendre. Qu'est-ce que tu fais ici ?

— Je me promène. J'ai demandé à David de tenir la boutique aujourd'hui. Conformément à vos ordres, sergent.

« Nous y revoilà », se dit-il en enfonçant les mains dans ses poches. Les cheveux indisciplinés de la jeune femme voletaient sur son visage.

— À partir de maintenant je te défends de quitter la maison sans mon autorisation.

L'éclat furieux des yeux de Jessica se brouilla de larmes. Serrant les bras sur sa poitrine, elle s'écarta. Elle lui avait montré sa colère, elle lui avait montré sa passion, elle ne lui montrerait pas sa faiblesse.

— Je suis aux arrêts ? demanda-t-elle d'une voix enrouée.

Il aurait préféré recevoir une autre gifle plutôt que de la voir pleurer.

— Sous protection, répliqua-t-il en posant les mains sur ses épaules. Jess...

Elle secoua la tête, craignant des mots tendres qui la feraient s'écrouler. Lorsqu'elle sentit le front de Slade sur le sien, elle ferma les yeux de toutes ses forces.

— Tiens bon, murmura-t-il. Ça ne durera pas longtemps. Quand ce sera fini...

— Quand ce sera fini, que se passera-t-il ? s'écriat-elle avec désespoir. L'un de mes amis sera en prison ? C'est ça que je dois espérer ?

Elle se détourna pour contempler la baie. La mer était agitée, grise et couverte d'écume. Le ciel se couvrait de lourds nuages annonciateurs d'orage.

— Il faut tenir bon, dit-il en resserrant son étreinte.

Ah oui ? Était-ce comme cela qu'il voyait sa propre vie ?

— Pourquoi m'as-tu laissée seule ce matin ?

Il la lâcha. Sans même se retourner, elle sentit qu'il s'était écarté. Rassemblant son courage, elle lui fit face. Slade avait repris son masque impassible. Si le corps de Jessica n'avait pas conservé les meurtrissures de leur nuit d'amour, elle aurait pu croire qu'elle avait rêvé.

L'homme qui la regardait ne manifestait aucune émotion.

— Je sais ce que tu vas me dire, reprit-elle enfin. Que c'était une erreur. Un coup de folie qui n'aurait pas dû se produire et qui ne se reproduira pas.

Elle redressa le menton avec fierté.

— Je t'en prie, ne te donne pas cette peine, acheva-t-elle.

Il aurait dû la laisser partir, sans rien ajouter. Mais, malgré lui, ses doigts se refermèrent sur le bras de Jessica.

— Oui, c'était une erreur. Un coup de folie qui n'aurait pas dû se produire. Mais je ne peux pas te promettre que cela ne se reproduira pas. Il m'est impossible de vivre à tes côtés sans te désirer.

L'homme se glissa derrière le bosquet. D'un geste tranquille et sûr, il ouvrit sa mallette et commença à assembler les pièces de son fusil. Pour l'instant, il ne prêtait guère attention aux deux silhouettes qui discutaient sur la plage. Une chose après l'autre. Discipline qui expliquait sa réussite dans ce métier. Il n'avait accepté ce contrat que quatre heures plus tôt et l'aurait mené à bien en moins de temps encore.

Après avoir mis en place le viseur, il sortit un mouchoir. Ce vent froid n'allait pas soulager son rhume. Mais dix mille dollars permettraient d'acheter plus de médicaments qu'il n'en aurait besoin. Il se moucha, rangea son mouchoir puis, se campant solidement, visa les deux silhouettes.

— Pourquoi était-ce une erreur? demanda Jessica dont les forces revenaient.

Slade poussa un soupir. *Parce que je suis un flic du Lower East Side, le quartier le plus mal famé de la ville, et que j'ai vu des choses dont je ne pourrai jamais te parler. Parce que je te veux, pas seulement maintenant, mais pour demain et les vingt années qui viennent, et que cela m'effraie.*

— L'huile et l'eau, quoi qu'on fasse, ça ne se mélange pas. C'est aussi simple que ça, Jess. Tu voulais marcher, alors marchons.

Il lui prit la main et l'entraîna.

Slade lui cachant à demi Jessica, il abaissa son arme. Le contrat ne concernait que la femme et les affaires étaient les affaires. Le vent qui s'engouffrait sous son manteau gris le glaçait jusqu'aux os. Il se moucha à nouveau puis s'assit pour attendre.

D'un coup de pied, Jessica envoya un galet ricocher contre un rocher.

— Tu es un écrivain, oui ou non ?

— C'est ce que je me dis.

— Alors pourquoi fais-tu ce métier ? Il ne te plaît pas, ça se voit.

Ce n'était pas censé se voir. Le fait qu'elle ait deviné ce qu'il avait réussi à cacher à tout le monde, y compris à lui-même par moments, le mit en colère.

— Écoute, je fais ce que j'ai à faire et ce que je sais faire. Tout le monde n'a pas le choix.

— Si. On a tous le choix.

— J'ai une mère qui n'a pour vivre qu'une pension de veuve de flic, explosa-t-il. J'ai une sœur qui est en troisième année d'université et on ne paie pas des études universitaires avec des refus d'éditeurs.

Jessica posa les mains sur les joues de Slade. Ses paumes étaient fraîches et douces.

— Alors tu as fait ton choix. Un choix que peu d'hommes auraient fait. Plus tard, quand tu seras publié, tu auras tout ce que tu désirais. L'honneur d'avoir travaillé pour ta famille et la satisfaction de faire ce qui te plaît.

— Jess...

Il lui prit les poignets mais sans écarter ses mains. Le pouls de Jessica battait sous ses doigts, le faisant réagir malgré lui.

— Tu me rends fou, marmonna-t-il.

— Et cela ne te plaît pas.

Elle se laissa aller contre lui et ferma à demi les paupières.

Il l'étreignit, dévorant la bouche consentante. Aussi fraîches que ses mains, les lèvres de Jessica s'embrasèrent vite sous le baiser. Pris déjà de frénésie, il plongea les mains dans les boucles blondes et savoura la bouche douce qu'elle lui offrait. Il sentit les bras de la jeune femme se refermer autour de son cou, l'emprisonnant dans sa douceur, son parfum, son désir.

Le viseur d'un fusil muni d'un silencieux avait pris pour cible le crâne de Slade.

— Jess... murmura-t-il contre les lèvres de Jessica.

Il n'interrompit le baiser que pour la presser contre sa poitrine, en s'efforçant de se calmer.

— Tu es fatiguée, dit-il en l'entendant soupirer. Nous allons rentrer. Tu devrais te recoucher et dormir encore un peu.

Elle reprit docilement sa place à côté de lui. « Patience, se dit-elle. Il n'est pas homme à se donner facilement. »

— Je ne suis pas fatiguée, mentit-elle en marchant du même pas que lui. Je pourrais te donner un coup de main dans la bibliothèque.

— Exactement ce dont j'ai besoin, grommela-t-il en levant les yeux.

Un reflet blanc dans le feuillage clairsemé du bosquet attira son attention. Ses muscles se tendirent tandis qu'il scrutait les arbres. Il crut d'abord à un frémissement des feuilles dû au vent. Mais l'éclair blanc resurgit.

— Je suis une très bonne organisatrice, si je m'y mets, disait Jessica en le précédant. Et je...

Poussée brutalement par Slade, elle perdit l'équilibre et atterrit sur le sol derrière un monticule rocheux. Un claquement sec retentit, comme si une pierre en avait heurté une autre. Avant qu'elle ait pu reprendre souffle, Slade avait sorti son arme.

— Qu'est-ce qui se passe ?

— Ne bouge pas !

Sans la regarder, il la maintenait au sol tout en scrutant la plage. Les yeux de Jessica restèrent rivés sur son revolver.

— Slade ?

— Il est dans le bosquet, à environ vingt mètres de nous. Bien placé. Il ne bougera pas... du moins pour l'instant.

— Qui ? De quoi parles-tu ?

Il lui jeta un rapide coup d'œil dans lequel elle reconnut l'expression glaciale de la veille.

— L'homme qui vient de te tirer dessus.

Elle se pétrifia.

— Personne ne m'a tiré dessus. Je n'ai pas entendu...

— Il a un silencieux, fit Slade en se déplaçant légèrement afin d'avoir une meilleure vision des marches de l'escalier. C'est un pro. Il attendra que nous sortions d'ici.

Jessica se souvint du bruit étrange qu'elle avait entendu un dixième de seconde après que Slade l'eut fait tomber : une pierre frappant une pierre. Un vertige la prit, troublant sa vue. Tout se confondit autour d'elle en un brouillard gris. La voix de Slade lui parvenait de très loin. Les oreilles bourdonnantes, elle se concentra sur lui. Il regardait toujours les marches.

— ... que nous savons qu'il est là.

— Quoi ?

Exaspéré, il baissa les yeux sur elle. Le visage de Jessica était livide et ses yeux ternes et vides. Ce n'était pourtant pas le moment de s'évanouir.

— Reprends-toi et écoute-moi, dit-il d'un ton brutal en lui soulevant le menton. Notre chance est qu'il ne sait pas que nous l'avons repéré. Il croit sans doute que nous nous sommes couchés à l'abri de ces rochers pour faire l'amour. S'il avait su qui je suis, il se serait occupé de moi sans attendre de t'avoir dans son viseur. Maintenant, il n'y a qu'une seule chose à faire, Jess, tu comprends?

— Une seule chose, répéta-t-elle d'une voix atone.

— Reste couchée.

Elle faillit céder à un fou rire hystérique.

— Ça me paraît une bonne idée. Combien de temps crois-tu qu'il faudra rester là?

— Tu restes là jusqu'à ce que je revienne.

Les bras de Jessica se jetèrent autour de lui avec l'énergie du désespoir.

— N'y va pas! Il va te tuer.

— C'est toi qu'il veut, répliqua placidement Slade en se dégageant. Je veux que tu fasses exactement ce que je t'ai dit.

Calmement, il ôta sa veste, décrocha l'étui de son revolver, puis sortit sa chemise de son jean et coinça l'arme dans sa ceinture.

— Je vais me mettre debout et, au bout d'une minute, me diriger vers l'escalier. Il se dira que tu n'as pas voulu de moi ou bien que nous avons fini et que tu restes là un moment.

Il était inutile de tenter de le retenir, Jessica le savait. De toute façon, il n'en ferait qu'à sa tête.

— Et s'il te tire dessus? Tu feras un sacré garde du corps, une fois que tu seras mort.

— S'il le fait, ça sera à la minute où je me lèverai, dit-il en lui prenant le visage dans les mains. Dans ce cas, il te restera toujours le revolver... Ne t'inquiète pas, Jessica, je vais revenir, ajouta-t-il après un baiser rapide mais ardent.

Il se leva avec nonchalance, sans la quitter des yeux. Jessica compta dix longues secondes silencieuses. Toutes ses fonctions vitales semblaient s'être ralenties. Son cerveau, son cœur, ses poumons. Respirait-elle encore ? Elle n'en avait pas l'impression. La peur l'enveloppait tout entière, la submergeait. Slade lui souriait pour la rassurer mais, son regard restant froid, elle se demanda si cette grimace n'était pas plutôt destinée à l'homme qui les guettait.

— Quoi qu'il arrive, reste où tu es. Ne bouge pas d'un poil.

Sur ces mots, il se retourna et se dirigea tranquillement vers l'escalier. Affichant une décontraction qu'il était loin d'éprouver, il planta les pouces dans les poches arrière de son jean. Un filet de sueur dégoulinait dans son dos.

Tu feras un sacré garde du corps, une fois que tu seras mort. Les mots de Jessica résonnaient dans sa tête tandis qu'il montait lentement les marches. La balle silencieuse avait raté de peu sa cible. En se montrant à découvert, il courait un gros risque, non seulement pour lui-même mais aussi pour Jessica.

Un risque calculé, toutefois. Il compta les marches. Cinq, six, sept… Il était peu probable à présent que le tireur ait son fusil braqué sur lui. Il devait attendre que Jessica se relève. Dix, onze, douze… Avait-elle compris cette fois-ci ? « Ne te retourne pas. Pour l'amour de Dieu, ne te retourne pas. » Il n'y avait qu'une façon de la protéger.

Dès qu'il eut atteint le sommet, Slade sortit son arme et se rua vers les arbres.

Le tapis de feuilles mortes allait le trahir. Ce qui ne serait pas plus mal, car cela détournerait l'attention de l'homme de Jessica. En zigzaguant, Slade courut vers l'endroit où était apparu le reflet blanc. Juste au moment où il se jetait derrière un chêne, il entendit un bruit étouffé et des éclats de bois jaillirent à quelques centimètres de son épaule.

Près, très près, constata Slade sans s'affoler. L'homme avait dû comprendre qu'il avait raté son contrat. Et maintenant il ne pouvait ignorer que la police était sur le coup. Il avait vu le revolver de Slade et pu constater que sa réaction n'était pas celle d'un amateur.

Slade attendit patiemment. Cinq minutes interminables s'écoulèrent, puis dix. La sueur séchait dans son dos. Évitant tout bruit, les deux hommes restaient immobiles, chacun guettant l'autre. Un oiseau, que la course de Slade avait effrayé, revint se poser au-dessus de sa tête et se mit à chanter avec allégresse. À moins de cinq mètres, un écureuil cherchait des glands. S'interdisant toute supputation, Slade attendait. Les nuages orageux s'amoncelaient, cachant le soleil. Le bosquet s'assombrit et il se mit à faire froid. Le vent s'engouffrait impitoyablement dans sa chemise.

Il y eut un éternuement étouffé puis un bruissement de feuilles. Slade se jeta à terre. La silhouette furtive d'un homme apparut entre deux troncs. Slade roula sur le ventre et tira trois fois.

Une frayeur plus réfrigérante que le vent venant de la mer engourdissait Jessica. Elle n'entendait plus que le bruit des rafales et celui de la mer. Cette cacophonie sauvage, le hurlement du vent, le fracas furieux des vagues sur les rochers qu'elle adorait peu de temps auparavant lui semblaient à présent effroyables... Au-dessus d'elle, le ciel se couvrait. Elle tendit la main et attrapa la veste de Slade. Le cuir lisse et éraflé avait conservé son odeur, qui la rassura un peu. Si elle pouvait le sentir, c'est qu'il était vivant. Et si elle le désirait de toutes ses forces et suffisamment longtemps, il le resterait.

Mais cette attente était insupportable. Slade avait promis de revenir. Elle devait le croire, envers et contre tout. Elle porta la main à ses lèvres et constata qu'elles étaient froides. La chaleur de son dernier baiser s'était évanouie depuis longtemps.

« J'aurais dû lui dire que je l'aime, se reprocha-t-elle dans un accès de désespoir. J'aurais dû le lui dire avant qu'il ne s'en aille. Si jamais... » Non, elle ne devait pas se permettre une telle supposition. Il allait revenir. Elle se déplaça de quelques centimètres sur le sol afin d'apercevoir l'escalier. Les trois détonations la firent se pétrifier. Sa poitrine se serra, bloquant toute respiration. Les poumons en feu, elle bondit hors de sa cachette et se mit à courir. La peur la rendait maladroite. Deux fois, elle trébucha sur les marches, se remit debout et reprit sa course. Déboulant dans le bosquet, elle dérapa sur les feuilles et les branches qui jonchaient le sol.

Dès qu'il l'entendit, Slade jaillit. Il fut rapide, mais pas assez cependant pour l'empêcher de voir ce qu'il voulait lui cacher. Jessica acheva sa course folle dans ses bras, le soulagement se muant en effroi et l'effroi en tremblements incoercibles.

Slade se plaça en écran entre elle et la scène qui le bouleversait.

— Tu n'écoutes donc jamais ce qu'on te dit ? demanda-t-il en la prenant dans ses bras.

— Est-ce qu'il... est-ce que tu...

Incapable d'achever, elle ferma les yeux. Pas question d'être malade. Ni de s'évanouir. L'un des boutons de la chemise de Slade s'enfonça dans sa joue ; elle se concentra sur la douleur.

— Tu n'es pas blessé ?

— Non, dit-il brièvement.

Jamais elle n'aurait dû découvrir cet aspect de sa vie. Il aurait dû y veiller.

— Pourquoi n'es-tu pas restée sur la plage ?

— J'ai entendu les détonations. J'ai cru qu'il t'avait tiré dessus.

— Eh bien, tu nous aurais rendu grand service en déboulant dans ses pieds ! grogna-t-il.

Il l'écarta pour la regarder puis la reprit dans ses bras.

— Tout va bien maintenant. C'est fini.

Pour la première fois, il avait pris un ton tendre, aimant. Cela la bouleversa plus que ne l'auraient fait des remontrances. Elle se mit à pleurer, à gros sanglots ; ses doigts s'insinuèrent sous la chemise de Slade tandis que de l'autre main elle tenait toujours sa veste.

Sans mot dire, il l'entraîna hors du bosquet, s'assit dans l'herbe et la prit sur ses genoux. Il la laissa pleurer tout son saoul, en la berçant et en lui murmurant des mots de réconfort.

— Je suis désolée, balbutia-t-elle. Je ne peux pas m'arrêter.

— Vas-y, ne te retiens pas, dit-il en l'embrassant sur la tempe. Tu n'as pas besoin d'essayer de te montrer forte cette fois-ci.

Elle enfouit son visage contre la poitrine de Slade et laissa couler ses larmes jusqu'à ce que ses yeux se tarissent. Slade la réconfortait de son mieux, mais cette fois ce n'était plus pour obéir aux ordres. S'il avait pu en trouver le moyen, il aurait effacé de la mémoire de Jessica cette horrible matinée et l'aurait emmenée très loin, à l'écart de toute ignominie.

— Quand j'ai entendu ces coups de feu, je n'ai pas pu rester sur la plage.

— Non, bien sûr, fit-il en l'embrassant sur les cheveux. Je comprends.

— J'ai cru que tu étais mort.

— Chut.

Il prit ses lèvres avec une tendresse dont ni elle ni lui ne l'auraient cru capable.

— Dans toutes les histoires, il y a les bons et les méchants. Tu devrais avoir plus confiance dans les bons.

Elle voulut sourire mais préféra se jeter dans ses bras. Ce contact lui prouvait qu'il était sain et sauf.

— Oh, Slade ! Je ne suis pas sûre de pouvoir revivre quelque chose de semblable. *Pourquoi ?* Pourquoi quelqu'un voudrait-il me tuer ? Ça n'a aucun sens.

Il l'écarta pour la regarder. Les yeux de Jessica étaient rouges et ses paupières gonflées d'avoir trop pleuré.

— Peut-être sais-tu quelque chose dont tu ignores l'importance. À mon avis, le chef de cette bande est assez malin pour s'être rendu compte que le FBI est sur sa piste. Tu représentes pour lui un risque énorme.

— Mais je ne *sais* rien ! insista-t-elle en pressant les mains sur ses tempes. Quelqu'un veut me tuer et je ne sais même pas qui c'est ni pourquoi il le veut. Tu as dit que... que cet homme était un professionnel. Ça veut dire qu'on l'a payé pour me tuer ?

— Rentrons.

Il la tira pour qu'elle se mette debout mais elle se dégagea d'un sursaut. Elle ne pleurait plus et elle avait retrouvé une énergie inquiétante, près de la crise de nerfs.

— Combien est-ce que je vaux ? Combien l'a-t-on payé ?

— Ça suffit, Jess. Tu vas rentrer et préparer un sac. Je vais t'emmener à New York.

— Je n'irai nulle part.

— Bon Dieu, si ! gronda-t-il en l'entraînant vers la maison.

Jessica se dégagea à nouveau.

— Écoute-moi. Il s'agit de *ma* vie, de ma boutique, de mes amis. Je resterai ici jusqu'à ce que ce soit fini. Je t'obéirai jusqu'à un certain point, Slade, mais je ne m'enfuirai pas.

Il la jaugea lentement du regard.

— Il faut que je fasse mon rapport. Monte dans ta chambre et attends-moi.

Il s'était résigné trop facilement. Méfiante, elle hocha la tête.

— Très bien.

Tout aussi méfiant qu'elle, il lui emboîta le pas.

Dès qu'elle eut regagné sa chambre, Jessica se déshabilla. Il était devenu d'une suprême importance qu'elle se débarrasse de chaque grain de sable, de toute trace de cette matinée sur la plage. Elle ouvrit en grand le robinet d'eau chaude et la salle de bains s'emplit de vapeur. Puis elle plongea dans la baignoire et le contact de l'eau brûlante sur sa peau glacée lui fit pousser un petit cri. Elle prit le savon et se frotta encore et encore jusqu'à ce qu'elle ne sente plus l'odeur du sel ni celle de sa peur.

Elle avait vécu un cauchemar. Peu à peu, elle redécouvrait la réalité familière autour d'elle. Le carrelage vert qui recouvrait les murs, la fougère exubérante sur sa fenêtre, les serviettes ivoire ornées d'un liséré vert qu'elle avait choisies le mois dernier.

Un mois plus tôt, quand sa vie était simple. Aucun homme alors n'avait été payé pour la tuer. David représentait toujours le frère qu'elle n'avait pas eu. Michael était son ami et son associé. Elle n'avait jamais entendu parler d'un nommé James Sladerman.

Elle ferma les yeux et pressa sur ses paupières ses doigts humides et chauds. Non, ce n'était pas un simple cauchemar. Elle était restée blottie derrière un amas de rochers pendant qu'un homme qu'elle connaissait à peine, et qu'elle aimait, risquait sa vie pour la protéger. C'était horriblement réel. Fini le temps où elle pouvait rétorquer avec assurance à Slade qu'il se trompait, que la police faisait fausse route ! Tandis qu'elle continuait à lui faire sottement confiance, quelqu'un qu'elle aimait l'avait déçue, trahie. Utilisée.

Lequel ? Qui pouvait-elle soupçonner d'une chose pareille ? Qui de David ou de Michael avait pu accepter qu'on passe un contrat pour l'éliminer ? Non, c'était tout bonnement impensable.

Slade supposait qu'elle savait quelque chose dont elle ignorait l'importance. C'était peut-être vrai mais qu'y pouvait-elle ? Elle s'allongea dans la baignoire et ferma à nouveau les yeux. Il n'y avait rien d'autre à faire qu'attendre.

Peu satisfait de sa conversation avec son contact, Slade appela directement le commissaire.

— Quoi de neuf, sergent ?

— Quelqu'un a essayé de tuer Jessica ce matin, répondit-il abruptement.

Un silence se fit sur la ligne.

— Donnez-moi les détails, dit enfin Dodson.

Slade fit son rapport d'une voix sèche et dépourvue d'intonation. Mais ses doigts, crispés sur l'appareil, avaient blanchi à l'endroit des articulations.

— Elle ne partira pas de son plein gré, conclut-il en se plantant une cigarette entre les lèvres. Je voudrais l'emmener, aujourd'hui même. J'ai besoin que vous me donniez officiellement l'ordre de la mettre à l'écart et sous protection. Nous pourrions être à New York en moins de deux heures.

— Si je comprends bien, vous avez déjà fait cette demande.

— Vos amis du FBI veulent qu'elle reste, répondit-il sans cacher son amertume. Ils refusent que quoi que ce soit n'interfère avec l'enquête en cours. Le moment est trop délicat, selon eux... Tant qu'elle accepte de coopérer, ils ne la déplaceront pas, c'est ce qu'ils m'ont répondu.

— Et Jessica est d'accord pour coopérer ?

— C'est une cinglée, entêtée et trop obnubilée par ses copains, Adams et Ryce, et sa boutique, pour penser à elle-même.

— Il me semble que vous l'avez bien jugée, commenta le commissaire. A-t-elle confiance en vous ?

— Oui, fit Slade en lâchant un nuage de fumée.

— Gardez-la dans la maison, Slade. Dans sa chambre, si cela vous paraît nécessaire. Vous pouvez faire croire aux domestiques qu'elle est malade.

— Je voudrais...

— Ce que vous voudriez n'est pas la question, coupa froidement Dodson. Ni ce que je veux. S'ils ont été jusqu'à engager un tueur professionnel, elle sera plus en sécurité chez elle, et avec vous, que n'importe où ailleurs. Il faut que nous bouclions cette affaire rapidement et, si possible, avant que le chef de la bande n'ait compris que le contrat sur Jessica n'est plus réalisable.

— Elle n'est plus qu'un appât, fit Slade d'un ton amer.

— Eh bien, veillez à ce qu'elle ne soit pas avalée ! Ce sont vos ordres.

— Bon, d'accord.

Écœuré, Slade raccrocha brutalement. Il lui semblait qu'on lui avait ligoté les mains. Un mur de refus se dressait devant lui. L'enquête, son bien-fondé, il s'en foutait. Seule Jessica comptait. Ce qui annihilait son objectivité et, du coup, la mettait en péril. Il s'intéressait trop à elle pour réfléchir sainement.

Non, *s'intéresser* n'était pas le terme exact. Il était amoureux d'elle. Quand et comment cela était arrivé, il n'en avait pas la moindre idée. Peut-être cela avait-il commencé dès le premier jour, lorsqu'elle avait dévalé l'escalier et failli tomber contre sa poitrine. Quelle ânerie !

Il se frotta énergiquement la figure. Même en dehors du pétrin dans lequel ils étaient, c'était une ânerie. Ils étaient nés de part et d'autre d'une barrière sociale infranchissable et avaient toujours vécu aux antipodes l'un de l'autre. Il n'avait aucun droit de l'aimer, encore moins de vouloir qu'elle l'aime. Si elle avait besoin de lui à présent, professionnellement autant que moralement, il n'en serait plus de même une fois sa mission achevée.

Dans l'immédiat, il ne pouvait se permettre de réfléchir à ce qu'il éprouverait lorsque Jessica serait définitivement hors de danger. Il devait d'abord faire en sorte qu'elle le soit. Rassemblant tout son courage, il écrasa sa cigarette et monta l'escalier.

Il pénétra dans la chambre au moment où Jessica sortait de la salle de bains, drapée dans une grande serviette ivoire bordée de vert. Ses cheveux humides s'étalaient sur ses épaules et elle répandait un parfum frais de savon. La chaleur de son bain lui avait rosi les joues.

Ils se dévisagèrent un instant, sans bouger. Puis il se retourna pour fermer la porte. Elle sentit qu'il était à la fois déçu et irrité.

— Ça va ?

— Oui, fit-elle dans un soupir. Ça va mieux. Ne sois pas fâché contre moi, Slade.

— Ne demande pas l'impossible.

— Bon... Que faisons-nous à présent ?

Pour se donner une contenance, elle alla prendre sa brosse à cheveux sur la coiffeuse.

— Nous attendons, répondit-il avec une impatience mal contenue. Tu dois rester dans la maison, faire croire aux domestiques que tu es malade, ou fatiguée, ou simplement que tu as envie de te reposer. Tu ne dois ni ouvrir la porte, ni répondre au téléphone, ni voir personne si je ne suis pas avec toi.

Elle reposa brutalement sa brosse et leurs regards se heurtèrent dans le miroir de la coiffeuse.

— Je ne me laisserai pas enfermer dans ma propre maison.

— Si tu préfères une cellule, libre à toi.

— Tu ne peux pas me mettre en prison.

— Ne parie pas là-dessus, dit-il en s'adossant contre la porte pour se détendre les muscles. À partir de maintenant, tu vas faire ce que je te dis, Jess.

Au souvenir des minutes d'attente effroyable sur la plage, l'indignation de Jessica se calma. Ce n'était pas seulement sa vie qu'elle risquait, mais aussi celle de Slade.

— Tu as raison, murmura-t-elle. Excuse-moi.

Puis elle pivota brusquement et s'écria :

— Je *déteste* ça ! Tout, je déteste tout.

— J'ai dit à Betsy que tu ne voulais pas qu'on te dérange, reprit-il d'un ton placide. Elle s'est mis dans la tête que tu avais attrapé la grippe de David. On ne va pas la détromper. Tu devrais dormir un peu.

— Ne t'en va pas, dit-elle en hâte comme il posait la main sur la poignée de la porte.

— Je vais seulement descendre à la bibliothèque. Tu as besoin de repos, Jess, tu es épuisée.

— J'ai besoin de toi, corrigea-t-elle. Fais-moi l'amour, Slade... comme si nous n'étions qu'un homme et une femme qui désirent être ensemble.

Avec un regard suppliant, elle lui entoura le cou.

— Faisons comme si c'était vrai, quelques heures seulement. Donnons-nous le reste de la matinée.

Il lui caressa la joue du dos de la main, d'un geste d'une tendresse inhabituelle. Savait-elle qu'il la désirait aussi ardemment qu'elle le désirait, qu'il désirait caresser son corps et s'abîmer en elle ? Quelque chose se rompit en lui, en songeant qu'il avait bien failli la perdre définitivement.

— Tes yeux sont cernés, dit-il d'une voix enrouée par l'émotion. Tu devrais te reposer.

Mais ses lèvres s'abaissaient déjà vers celles de Jessica. Bouleversée par cette douceur nouvelle, elle se blottit contre lui. La main de Slade parcourait son visage comme pour en retrouver les traits. Elle soupira et écarta les lèvres.

Après les étreintes tumultueuses et presque brutales de la nuit passée, la délicatesse de ce baiser les émut profondément.

Les doigts de Slade se posèrent sur la gorge de Jessica où palpitait un pouls rapide. Elle le désirait autant qu'il la désirait. Ne pensant plus qu'à cela, Slade dénoua la serviette qui recouvrait le corps de la jeune femme et l'emporta sur le lit.

Elle vit ses yeux sombres la regarder intensément tandis qu'elle déboutonnait sa chemise. Puis, la bouche de Slade s'emparant de la sienne, ses doigts se retrouvèrent prisonniers entre leurs corps. La nuit précédente, il l'avait fait planer; à présent, il la faisait flotter. Baisers tendres, mots tendres, tous inattendus, plurent sur elle.

Il coiffa ses cheveux humides, les étala sur l'oreiller, s'y attarda comme s'il voulait les toucher, un à un.

Les mains libres à nouveau, elle s'en prit aux derniers boutons de la chemise de Slade et sentit ses mains curieuses déclencher en lui un frisson. Puis, comme elle le débarrassait du reste de ses vêtements, elle entendit un murmure incohérent sortir de sa bouche. Chair contre chair, ils entamèrent le voyage. La pluie se mit à crépiter contre les vitres de la fenêtre.

Il n'avait jamais été un amant particulièrement délicat. Intense, oui. Passionné, oui. Doux, jamais. Jessica libérait en lui quelque chose de généreux et de tendre. Il ne la désirait pas moins désespérément que la nuit précédente mais cette faim s'accompagnait du souffle apaisant de l'amour. Une émotion sereine les guidait pour satisfaire les désirs tacites de l'autre. *Caresse-moi là. Laisse-moi goûter. Regarde-moi*. Un accord parfait unissant les cœurs et les esprits, les mots étaient inutiles.

Il se promenait sur ce corps déjà familier. Dans la lumière grise de ce jour de pluie, il l'adora des mains, des lèvres et des yeux. Nue, les yeux lourds, la peau rosie par le désir, Jessica laissait le regard intense de Slade la dévorer. Prisonnière volontaire d'un monde dense et vibrant, où régnaient plaisir et sensation. La pluie tomba plus dru et la pièce s'assombrit.

Elle lui prit le visage des deux mains et l'attira à elle. Sa langue suivit le contour de la bouche de Slade puis s'y insinua avec avidité. Parfums et saveurs la pénétrèrent jusqu'à ce que cela ne lui suffise plus. Le désir s'accrut.

Avec moins de sérénité, et moins de douceur, ils s'explorèrent l'un l'autre. Les baisers devinrent possessifs, les caresses pressantes. Sous le crépitement de la pluie, elle entendait le halètement de Slade. Sous la pression de ses mains, elle sentait ses muscles se bander. Un plaisir brûlant la catapultait hors de cette pièce isolée et grise, vers un lieu lumineux et embrasé.

La bouche de Slade s'acharnait sur elle, enflammant sa peau. Elle se hissa sur lui pour achever ce voyage éperdu. Membres enchevêtrés, ils se livrèrent à une chorégraphie sauvage. La lumière n'était plus blanche à présent, mais rouge, et parcourue de flammes bleues.

Elle entendit son nom jaillir des lèvres de Slade avant qu'elles ne s'écrasent sur les siennes. Toute folie qu'il pût dire s'étouffa contre elle, dans une étreinte ardente. Le désir se mua en délire. Tout s'accéléra jusqu'à l'extase où ils parvinrent ensemble.

Épuisée, Jessica resta immobile. La bouche de Slade se pressait contre sa gorge et ses mains s'enfouissaient dans ses cheveux. La pluie, poussée par le vent, s'abattait avec rage contre les vitres. Le corps chaud et humide de Slade pesait sur elle. Une sensation de sécurité et, en même temps, de lassitude physique l'envahit. Slade souleva la tête et remarqua son regard embrumé.

— Maintenant, tu vas dormir.

Ce n'était pas une question mais un ordre, qu'il tempéra par un baiser.

— Tu vas rester? balbutia-t-elle en luttant contre le sommeil.

— Je vais allumer du feu.

Il se leva et alla s'agenouiller devant la cheminée. Après avoir ajouté du papier, il frotta une longue allumette qui crissa. Les flammes jaillirent.

Quelques minutes s'écoulèrent. Il gardait les yeux fixés sur le feu sans le voir. Il savait ce qui lui arrivait. Non, ce qui lui était arrivé. Il était amoureux d'une femme dont il n'aurait jamais dû s'approcher. Une femme qu'il ne devait pas aimer. Une femme dont la vie dépendait de lui. Tant qu'elle n'était pas hors de danger, il ne pouvait se permettre de réfléchir à ses propres sentiments, ni à leurs conséquences. Pour le salut de Jessica, le policier devait passer avant l'homme.

Il se redressa et se retourna pour la regarder. Le choc reçu dans la matinée l'avait épuisée. Elle reposait sur le ventre, une main sur l'oreiller. Ses cheveux, secs à présent, étaient étalés autour de son visage livide. Le feu jetait des éclats lumineux sur sa peau.

Elle était trop frêle, trop innocente pour encaisser le drame de la matinée et pour affronter ce qui pouvait encore se produire. Et lui, de quelle utilité pouvait-il être ? L'amour faussait son jugement, ralentissait ses réflexes. Quelques instants plus tôt, à une fraction de seconde près, il aurait pu la perdre... Il secoua la tête et commença à s'habiller. Cela ne se reproduirait pas. Il la garderait dans la maison, quitte à l'enchaîner. Il l'aiderait à traverser cette épreuve, et ensuite...

Ensuite, il sortirait de la vie de Jessica et la chasserait de la sienne.

Il tira sur le drap pour la recouvrir et laissa sa main s'attarder deux secondes sur ses cheveux avant de quitter la pièce.

7

Slade se tenait devant la fenêtre de la bibliothèque et regardait le jardin. La matinée touchait à sa fin. Une lumière délavée tombait des nuages sur les buissons et l'herbe trempés. Les fleurs qui avaient résisté à la bourrasque inclinaient la tête et dégoulinaient sur les pétales éparpillés à leurs pieds. L'orage avait dépouillé les arbres de leurs feuilles qui gisaient, grises et détrempées, sur le sol. Le vent était tombé.

Quelqu'un avait ouvert la porte à Ulysse qui déambulait, reniflant çà et là, sans manifester grand intérêt. Il ramassa un bout de bois entre ses dents et trotta vers la plage. Un sacré chien de garde ! Mais comment reprocher à ce chien de ne pas aboyer devant quelqu'un qu'il connaissait, quelqu'un qu'il voyait depuis des années dans cette maison ?

Slade se frotta le visage et se détourna de la fenêtre. Cette attente lui tapait sur les nerfs, ce qui était mauvais signe. Attendre faisait partie du métier, il n'aurait pas dû s'énerver. Tant que Jessica obéirait, personne ne pourrait s'introduire dans la maison. L'homme qui rôdait dans le salon, la nuit passée, ne tenterait pas de revenir en plein jour, au risque de se faire surprendre par les domestiques. Si tout marchait comme prévu, il suffirait de tenir bon jusqu'à ce que le FBI prenne l'initiative. *Si* tout marchait comme prévu. L'élément humain avait une sale tendance à faire déraper les plans les mieux établis.

Jessica dormait depuis déjà une demi-heure. Avec un peu de chance, elle dormirait toute la journée. Au moins, pendant ce temps-là, elle ne courait aucun danger.

Il prit un livre de la pile qu'il avait commencé à cataloguer. Une fois sa vie remise sur ses rails, Jessica allait devoir trouver quelqu'un d'autre pour venir à bout de ce fouillis. Une fois sa vie remise sur ses rails, il retournerait à New York, loin d'elle. Il reposa le livre avec un soupir. Allait-il vraiment pouvoir s'éloigner d'elle ? Bien sûr, il pouvait mettre quelques centaines de kilomètres entre eux. Il lui suffisait de monter dans sa voiture et de s'élancer sur la route. Mais combien de temps lui faudrait-il pour chasser Jessica de ses pensées ? Brusquement, il eut peur d'être incapable de faire ce qu'il avait projeté.

— Slade ?

Il se retourna. Jessica se tenait sur le seuil, le visage toujours aussi pâle et les yeux cernés. Il en fut exaspéré.

— Qu'est-ce que tu fais là au lieu de dormir ? Tu as vraiment une tête épouvantable.

— Merci, fit-elle avec un sourire hésitant. Vous savez comment remonter le moral des femmes, sergent.

— Tu ferais mieux de te reposer.

— Je n'arrive pas à m'endormir.

— Prends un somnifère.

— Je n'en prends jamais.

Elle se refusait à lui raconter le cauchemar qui l'avait réveillée en lui arrachant un cri étouffé. Elle n'avait pas non plus envie de lui dire qu'elle avait tendu la main en quête de réconfort et n'avait trouvé qu'une place vide et froide à côté d'elle.

— Tu travailles ?

Se renfrognant, Slade jeta un coup d'œil sur les livres entassés sur la table.

— Je ferais aussi bien de m'y mettre sérieusement, dit-il avec un haussement d'épaules. Ce n'est pas le temps qui me manque.

— Je peux t'aider.

Consciente de sa démarche gauche et saccadée, elle fit quelques pas.

— Et ne m'accable pas de remarques insidieuses, poursuivit-elle. Je sais que cette bibliothèque est dans un état épouvantable et que je devrais avoir honte mais je peux te donner un coup de main. En tout cas, je peux au moins trier les livres ou les transporter…

Il interrompit ce flot de propos désordonnés en lui prenant les mains. Elles étaient glacées. Instinctivement, il les serra pour les réchauffer.

— Jess, retourne te coucher. Dors un peu. Je demanderai à Betsy de t'apporter un plateau.

— Je ne suis pas malade ! protesta-t-elle violemment en se dégageant.

— Si tu ne prends pas soin de toi, c'est ce qui va arriver.

— Cesse de me traiter comme une enfant. Je n'ai pas besoin d'une baby-sitter.

— Ah bon ? fit-il, amusé par ce terme qu'il avait lui-même employé pour qualifier sa mission. Alors, dis-moi, combien d'heures as-tu dormi ces deux derniers jours ? Et quand as-tu pris un vrai repas ?

— Hier soir, j'ai dîné.

— Hier soir, tu as repoussé ta nourriture soigneusement tout autour de ton assiette, rectifia-t-il. Continue comme ça et tu vas tomber dans les pommes. Mon boulot n'en sera que plus facile.

— Je ne vais pas m'évanouir.

Ses yeux s'étaient assombris, rendant sa peau encore plus blanche. Slade ravala sa colère et se tourna vers la pile de livres.

— Je ne parierais pas là-dessus, mais fais comme tu veux. De toute façon, que tu sois consciente ou non n'a guère d'importance.

— Je suis désolée mais je n'ai pas autant que toi l'habitude de ce genre de situation. Ce n'est pas tous les jours que le FBI enquête sur mon compte et qu'un tueur professionnel me prend pour cible. La prochaine fois que je découvrirai un cadavre dans ma propriété, je serai sans doute capable de banqueter avec plaisir. Tuer un homme fait sans doute partie d'une journée de travail normale pour toi Slade, n'est-ce pas ?

Il sentit un nœud se former dans sa poitrine. Affichant une décontraction qu'il était loin d'éprouver, il sortit une cigarette et l'alluma.

— Tu n'éprouves donc *rien* ? demanda Jessica, bouleversée.

Il tira une longue bouffée et s'obligea à prendre un ton calme.

— Que veux-tu que j'éprouve ? Si j'avais été plus lent, c'est moi qui serais mort.

Elle se détourna et alla appuyer son front contre la fenêtre. Les quelques gouttes laissées sur la vitre par la pluie brouillèrent sa vue. Elle ferma les yeux. Ce qu'il avait fait, il l'avait fait pour elle.

— Pardon, murmura-t-elle. Je suis désolée.

— Pourquoi ? fit-il d'une voix aussi froide que la vitre sous son front. Tu as passé un mauvais moment, c'est tout.

Elle inspira un grand coup et se tourna vers lui. Oui, il avait remis son masque mais elle le connaissait mieux à présent. Ce n'était pas avec froideur qu'il s'était comporté ce matin.

— Tu détestes t'apercevoir que tu n'es qu'un être humain, comme nous tous, n'est-ce pas ? Cela t'exaspère d'avoir des sentiments, des émotions, des besoins humains ? Est-ce pour cela que tu n'es pas resté avec moi après que nous avons fait l'amour ? enchaîna-t-elle en avançant vers lui. Tu as peur que je ne découvre tes faiblesses, Slade ? Une petite fissure que je pourrais bien élargir ?

— Ne va pas trop loin. Tu pourrais ne pas apprécier le voyage de retour.

— Tu détestes avoir besoin de moi, n'est-ce pas ?

— Oui, répondit-il en écrasant sa cigarette.

Elle ouvrait la bouche pour répliquer lorsque la porte s'ouvrit et David entra. Il mit ses lunettes pour regarder Jessica.

— Tu as une sale gueule. Pourquoi n'es-tu pas au lit ?

— David...

Ce fut plus fort qu'elle. Elle se rua dans ses bras et l'étreignit. Le jeune homme jeta un regard surpris à Slade tout en tapotant gauchement le dos de Jessica.

— Que se passe-t-il ? Tu as de la fièvre ? Allons, allons, Jessie.

« *Pas lui*, suppliait-elle désespérément. Je vous en prie, mon Dieu, pas David ! » Faisant appel à toute sa volonté, elle refoula les larmes qui affluaient.

Slade les observait en silence. Jessica se cramponnait au corps frêle de David comme à une ancre au milieu de la tempête. Le jeune homme se laissait faire gentiment, l'air inquiet et embarrassé à la fois. Perplexe, Slade enfonça les mains dans ses poches.

— Hé, qu'y a-t-il ? Elle est en plein délire ? demanda David en écartant Jessica pour la regarder en face. On dirait que tu vas tomber dans les pommes.

Il lui tâta le front de la main et hocha la tête.

— Maman m'a appelé à la boutique en m'accusant de t'avoir passé mes microbes... Voilà ce que tu as gagné en venant dans ma chambre pour me forcer à avaler ce bouillon de poule.

— Je vais très bien, protesta-t-elle. Un peu fatiguée seulement.

— Tiens donc ! Raconte plutôt ça à quelqu'un qui n'a pas passé toute la semaine dernière à gémir sur son lit de douleur.

Surmontant son angoisse, Jessica recula et lui sourit.

— Ça va aller. Je vais juste m'accorder deux jours de repos.

— Tu as appelé le médecin ?

— David…

Son ton irrité enchanta le jeune homme.

— C'est délicieux, ce renversement de situation, dit-il à Slade. Elle n'a fait que me casser les pieds deux semaines durant pour que je fasse venir le médecin. C'est faux, Jessica ?

— Quand j'aurai besoin d'un médecin, je l'appellerai. Pourquoi n'es-tu pas à la boutique ?

La question et le ton vif, plus conformes à ce dont il avait l'habitude de la part de Jessica, soulagèrent David.

— Ne t'inquiète pas. J'y retourne immédiatement. Après le coup de fil de maman et son acte d'accusation, j'ai voulu vérifier comment tu allais. Les commandes ont été livrées chez les clients sans problème. La boutique est plutôt calme mais j'ai fait un chiffre d'affaires suffisant pour mériter mon salaire… Je ne veux pas te voir là-bas avant la semaine prochaine. Michael et moi, nous pouvons nous occuper de tout. En fait, un peu de vacances ne te feraient pas de mal.

— Si tu me dis de nouveau que j'ai une sale gueule, tu peux dire adieu à cette augmentation dont tu me parles régulièrement.

— Voilà ce qui arrive quand on travaille pour une femme, jeta David à Slade en se dirigeant vers la porte. Maman demande que vous veniez déjeuner, tous les deux. À *toi*, maintenant, d'avaler du bouillon de poule.

Avec un sourire satisfait, il quitta la pièce.

La porte refermée, Jessica appuya les mains sur sa bouche. Ce qui l'envahissait, ce n'était pas du chagrin mais une sorte de souffrance diffuse, accablante, qui lui engourdissait le cœur et la tête. Elle ne fit pas un geste ni un bruit. Pendant un instant, elle eut l'impression qu'elle avait tout simplement cessé d'exister.

— Pas David, murmura-t-elle enfin.

Ses propres mots la firent sursauter et déclenchèrent un torrent d'émotions.

— *Pas David !* répéta-t-elle en se retournant vers Slade. Je ne le croirai pas. Rien de ce que tu pourrais me dire ne me fera croire qu'il ait pu me faire du mal. Il en est incapable, tout comme Michael.

— Dans deux jours, ce sera fini, dit Slade d'un ton calme. Alors tu sauras, d'une façon ou d'une autre.

— Je sais *maintenant* !

Elle virevolta et se rua vers la porte. Slade la rattrapa et l'empêcha de tourner la poignée.

— Non, ne le suis pas.

Comme elle tentait de se dégager, il la prit par les épaules. Il détestait la voir ainsi, tourmentée, désespérée. Et le pire était qu'elle n'avait qu'une personne à qui s'en prendre, lui-même. Mais il n'avait pas le choix.

— Tu ne vas pas le suivre, répéta-t-il en détachant chaque syllabe. Donne-moi ta parole, sinon je te ligote dans ton lit et je verrouille la porte de ta chambre... Je parle sérieusement, Jess, ajouta-t-il comme la jeune femme essayait de se libérer.

Ce ne fut pas contre lui qu'elle se tourna, mais vers lui. Et ça, ce fut vraiment le pire.

— Pas David, murmura-t-elle en s'effondrant contre la poitrine de Slade. Je ne peux pas le supporter. Je pourrais tout supporter sauf l'idée que l'un d'eux est impliqué dans cette histoire, dans ce qui s'est produit ce matin.

Elle semblait si fragile qu'il eut peur de la voir se fracasser en mille morceaux. Et maintenant, que faire d'elle ? Il savait comment faire face à sa colère. Il pouvait même affronter des torrents de larmes. Mais que faire lorsqu'elle s'effondrait et avouait dépendre complètement de lui ? Elle réclamait des promesses qu'il ne pouvait faire, un échange de sentiments qui le terrifiait.

— Jess, tu te fais du mal. Interdis-toi toute hypothèse durant ces deux jours.

Il lui souleva le menton et la regarda dans les yeux. Le regard de Jessica exprimait sa confiance en même temps qu'une prière.

— Laisse-moi prendre soin de toi, s'entendit-il dire. Je veux prendre soin de toi.

Sans qu'il l'eût décidé, ses lèvres trouvèrent celles de Jessica. Sa vulnérabilité sapait ses résolutions. La protéger, cœur, corps et âme, devint son unique objectif.

— Pense à moi, murmura-t-il, exprimant malgré lui les pensées qui bouillonnaient dans sa tête. Ne pense plus qu'à moi.

Il la serra étroitement et la dévora de baisers.

— Dis-moi que tu me veux. Je veux l'entendre.

— Oui, je te veux.

La respiration haletante, elle se laissa passivement embrasser. Pour l'instant, elle n'avait pas la force d'offrir quoi que ce soit d'autre que cette soudaine docilité. Dans les bras de Slade, le souvenir du cauchemar s'estompait, la réalité devenait moins atroce.

Il lui prit les mains et embrassa ardemment une paume puis l'autre. Cette ferveur la surprit et lui fit reprendre ses esprits. Slade n'était pas homme à se livrer à des gestes romantiques. Frissonnant sous ses baisers, elle comprit que sa faiblesse et son désespoir lui rendaient encore plus difficile la tâche. En demandant à Jessica de penser à lui, il avait fait preuve de plus de sagesse. Rassemblant ses dernières forces, elle redressa les épaules et lui sourit.

— Betsy se met en rogne quand elle doit garder les plats au chaud.

Satisfait, il lui rendit son sourire.

— Tu as faim ?

— Oui, mentit-elle.

Jessica parvint à manger un peu, bien que la nourriture lui parût effroyablement difficile à avaler. Consciente du regard de Slade, elle fit semblant d'apprécier son repas. Elle parla de tout et de rien, en évitant ce qui lui encombrait l'esprit. Trop de sujets de conversation pouvaient conduire à la boutique, à

David, à Michael. À l'homme caché dans le bosquet. Jessica s'efforçait de ne pas tourner les yeux vers la fenêtre. Regarder dehors lui rappelait inévitablement sa condition de prisonnière.

— Parle-moi de ta famille, dit-elle enfin.

Jugeant plus habile de céder à sa prière que de la supplier de manger ou de dormir, Slade lui passa la crème pour le café qu'elle laissait refroidir.

— Ma mère est une femme calme, le genre de personne qui ne parle que si elle a quelque chose à dire. Elle aime les bibelots comme le personnage que j'ai acheté dans ta boutique ; elle aime aussi la jolie verrerie. Elle joue du piano, elle a commencé à prendre des leçons l'année dernière. La seule chose sur laquelle elle a vraiment insisté, c'est que Janice et moi apprenions le piano.

— Tu joues du piano ?

— Mal, dit-il avec un sourire confus. Avec moi, elle a fini par renoncer.

— Que pense-t-elle de... de ce que tu fais ? acheva-t-elle après une hésitation.

— Elle n'en parle pas.

Slade la regarda tourner distraitement sa cuillère dans sa tasse jusqu'à ce que se forme un petit tourbillon.

— À mon avis, il n'est pas plus facile d'être la mère d'un policier que sa femme. Mais elle le supporte. Elle l'a toujours supporté.

Avec un hochement de tête, elle reposa sa tasse sans y tremper les lèvres.

— Et ta sœur, Janice... tu m'as dit qu'elle était à l'université.

— Elle veut devenir chimiste, dit-il avec un petit rire amusé. C'est ce qu'elle a annoncé après son premier cours de chimie au lycée. Tu devrais la voir en train de préparer ses mixtures. Cette grande fille dégingandée avec son regard doux et de longues mains fines... ce n'est vraiment pas le style savant fou. Et pourtant elle a fait sauter notre salle de bains quand elle avait seize ans.

Jessica éclata de rire – son premier rire sincère depuis vingt-quatre heures.

— C'est vrai ?

— Une explosion sans gravité, précisa Slade, heureux de retrouver la Jessica gaie et spontanée des premiers jours. Les explications de Janice sur les combinaisons instables n'ont pas du tout impressionné le gérant.

— On peut le comprendre. Quelle université fréquente-t-elle ?

— Princeton. Elle a une demi-bourse.

Cette précision laissa Jessica songeuse. Même avec cet apport, le coût des études devait engloutir une bonne partie des revenus de son frère. Combien gagnait un policier ? Sûrement pas assez, compte tenu des risques qu'il courait quotidiennement. En tout cas, Slade faisait passer son désir d'écrire après les études de sa sœur. Janice Sladerman se rendait-elle compte du sacrifice que cela représentait pour lui ?

— Tu dois beaucoup l'aimer, murmura-t-elle, les yeux fixés sur son café froid. Et ta mère aussi.

Slade haussa les sourcils. Il y pensait rarement. C'était comme ça, voilà tout.

— Oui, je les aime. Les choses n'ont pas été faciles mais elles ne se plaignent jamais et ne demandent jamais rien.

— Et toi ?

Levant les yeux, Jessica le regarda attentivement.

— Comment as-tu fait pour leur cacher ce que tu désires réellement ?

Sentant qu'il se repliait sur lui-même, elle lui prit la main.

— Tu n'aimes pas qu'on sache combien tu es gentil, n'est-ce pas, Slade ? Ça ne colle pas à l'image du flic coriace que tu veux donner… Et ce n'est pas la peine de me raconter comment tu passes à tabac les suspects jusqu'à ce qu'ils avouent. Je te connais maintenant.

— Tu regardes trop de vieux films, répliqua-t-il, embarrassé.

Pour masquer sa gêne, il l'aida à se lever.

— C'est l'un de mes vices. Je ne sais pas combien de fois j'ai vu *Le Grand Sommeil*.

— Le héros est un détective privé, pas un policier, objecta-t-il tandis qu'ils regagnaient la bibliothèque.

— Quelle est la différence ?

Il lui jeta un regard.

— De combien de temps disposes-tu ?

Elle réfléchit, heureuse d'oublier le monde extérieur pour quelque temps.

— Eh bien, voyons... ça pourrait être intéressant d'apprendre pourquoi l'on appelle l'un poulet » et l'autre « limier ».

L'expression de Slade trahit un mélange d'agacement et d'amusement.

— Ce sont de très, très vieux films que tu regardes.

— Des classiques. Mais beaucoup sont des chefs-d'œuvre, je t'assure.

Slade se contenta de hausser un sourcil, dans une mimique qui remplaçait chez lui un long discours. Il désigna les piles de livres qui recouvraient la table.

— Puisque tu tiens à m'aider, occupe-toi du catalogue. Ton écritúre doit être plus lisible que la mienne.

— Très bien, fit-elle en prélevant une fiche. Je suppose qu'il faut noter les références, titre, auteur, éditeur, date de publication et tout et tout ?

— Oui, c'est ça.

— Slade... Tu ferais mieux de travailler à ton livre plutôt que de faire ce boulot ennuyeux. Pourquoi ne prendrais-tu pas deux jours pour toi ?

Il pensa au roman, presque achevé qui l'attendait sur le bureau de sa chambre. Puis il pensa à l'expression égarée de Jessica lorsqu'elle avait franchi la porte de la bibliothèque, une heure auparavant.

— Ce genre de pagaille me rend malade, dit-il. Autant profiter de mon séjour ici pour te montrer ce qu'il faut faire. Ensuite, tu n'auras plus qu'à continuer. Combien de livres y a-t-il ?

— Je n'en ai aucune idée, dit-elle en promenant les yeux autour d'elle. La plupart étaient à mon père. Il adorait lire... Ses goûts étaient éclectiques mais il avait une nette préférence pour les romans à suspense, ajouta-t-elle avec un petit sourire. Et toi ? De quoi parle ton livre ? C'est un roman policier ?

— Celui sur lequel je travaille en ce moment ? Non..

— Alors ? insista-t-elle en s'asseyant sur le coin de la table. De quoi parle-t-il ?

Il entreprit de lui faire un peu de place pour qu'elle s'installe plus commodément.

— C'est l'histoire d'une famille. Ça commence dans les années quarante, juste après la guerre, et ça va jusqu'à notre époque. J'essaie de décrire son évolution, la manière dont elle s'adapte aux situations nouvelles, ses déceptions, ses victoires.

— J'aimerais bien le lire, tu ne veux pas me le montrer ? demanda-t-elle impulsivement.

Il lui semblait qu'elle comprendrait mieux l'homme qu'il était réellement à travers son écriture.

— Il n'est pas fini.

— Ça ne fait rien.

Cherchant un crayon, Slade tentait de gagner du temps. Que ses textes soient lus, commentés, appréciés, c'était son rêve depuis toujours. Mais Jessica n'était pas un public anonyme, privé de visage. Son opinion, bonne ou mauvaise, pèserait lourd.

— Peut-être, concéda-t-il. Bon, si tu veux m'aider, tu ferais mieux de t'asseoir.

Elle l'enlaça et posa la joue sur son dos.

— Slade, je t'embêterai jusqu'à ce que tu dises oui. Je suis très douée pour ça.

Ce geste d'intimité l'émut. Les seins de Jessica se pressaient doucement contre son dos et ses mains s'étaient nouées devant sa taille. L'amour le submergea, plus profond que la tendresse, plus puissant que le désir. Ses mains emprisonnèrent celles de Jessica.

Savait-elle qu'il ne pouvait rien lui refuser? Se rendait-elle compte qu'en l'espace de quelques jours elle était devenue pour lui l'unique femme au monde, son rêve le plus cher et, par là-même, sa vulnérabilité? Puisque, pour le bien de Jessica, ils devaient faire semblant que rien ne les menaçait, pourquoi ne pas faire semblant, pour son bien à lui, qu'elle lui appartenait?

— Je relève le défi, dit-il en se retournant pour la prendre dans ses bras. Mais je te préviens, je ne me rends pas facilement.

Avec un rire étouffé, Jessica se hissa sur la pointe des pieds pour lui effleurer les lèvres.

— Je peux seulement espérer que la tâche est à ma mesure.

L'embrassant avec plus d'ardeur, elle glissa les mains sous sa chemise et lui caressa le dos.

— Voilà qui pourrait te permettre de lire deux pages, murmura-t-il. Tu veux essayer d'obtenir un chapitre?

Elle suivit de la langue le contour de ses lèvres, tout en promenant les doigts sur sa peau. La réaction immédiate de Slade ne lui échappa pas, bien qu'il s'efforçât de la lui dissimuler. Elle l'embrassa avec fougue puis s'écarta au moment où il paraissait vouloir en réclamer plus.

— Méfie-toi. Le marchandage est mon point fort. Combien de chapitres y a-t-il dans ton livre?

Slade ferma les yeux, savourant le plaisir d'être l'objet d'une entreprise de séduction, alors qu'il était déjà prêt à se rendre.

— Oh! la la!... Au moins vingt-cinq.

— Hmmm, fit-elle contre sa bouche. De quoi occuper toute une journée.

— Pourquoi pas?

Brusquement il l'écarta et prit son visage dans ses mains.

— Nous entamerons les négociations dès que nous aurons abattu un peu de travail ici.

— Oh!...

Jessica jeta un regard éperdu aux innombrables livres qui les environnaient.

— Après?

— Après, confirma Slade en la poussant sur une chaise. Écris.

Les heures s'écoulèrent sans que Jessica s'en rendît compte; une heure, puis deux, puis trois. Il travaillait avec un calme, une régularité et une patience dont elle se sentait incapable. Slade connaissait les livres bien mieux qu'elle. Jessica gardait la lecture pour les rares moments où, épuisée physiquement, il lui restait encore un peu d'énergie intellectuelle à dépenser. Elle appréciait les livres, tandis que lui les aimait. Petite découverte qui le rendait soudain moins mystérieux.

Dans cette atmosphère paisible, il était facile de le faire parler. *As-tu lu ça? Oui. Et qu'en penses-tu?* Il lui répondait sans réticence, tout en continuant à travailler. «Il aurait plu à mon père», se dit Jessica. Le juge Winslow aurait apprécié la culture et l'intelligence de Slade, sa rigueur et ses brusques éclairs d'humour. Il aurait perçu la bonté que le sergent s'efforçait de cacher. Slade ne se rendait sans doute pas compte qu'en la laissant travailler à ses côtés, il lui laissait voir un aspect inattendu et poétique de sa personnalité. Aspect dont elle avait eu l'intuition alors même qu'il se montrait pragmatique ou brutal. C'était un homme complexe, qui pouvait avec autant d'aisance porter une arme et discuter du *Don Juan* de Byron. Cet après-midi, c'était du poète qu'elle avait besoin. Peut-être l'avait-il compris.

La lumière s'estompait en une pénombre douce. Les ombres s'amassaient dans les coins de la pièce. S'appliquant à bien recopier les références des livres, Jessica s'était peu à peu détendue. La sonnerie du téléphone le fit tressaillir et deux douzaines de fiches dégringolèrent par terre. Elle s'empressa de les ramasser.

— Ça m'a fait un coup au cœur, expliqua-t-elle à Slade qui gardait le silence.

Agacée, elle empila soigneusement les fiches devant elle.

— Tout était si calme, c'est pour ça.

Furieuse contre elle-même, elle envoya un coup de poing dans la pile de fiches qui s'éparpillèrent à nouveau.

— Bon sang, ne reste pas comme ça à me regarder ! Je préférerais que tu m'injuries.

Il vint s'accroupir devant elle.

— Calme-toi, sinon il va falloir que je trouve un autre assistant.

Avec un petit rire étranglé, elle appuya son front contre celui de Slade.

— Accorde-moi un sursis, c'est mon premier jour de travail.

Betsy ouvrit la porte, haussa les sourcils et pinça les lèvres. Et voilà ! Elle avait toujours pensé qu'il n'y avait pas de fumée sans feu et elle avait senti une odeur de fumée à la minute même où ces deux-là s'étaient rencontrés. Elle toussota, ce qui fit sursauter Jessica comme si elle s'était brûlée.

— M. Adams est au téléphone, annonça-t-elle d'un ton solennel avant de refermer la porte.

Slade serra la main de Jessica.

— Rappelle-la. Qu'elle lui dise que tu te reposes.

— Non, dit-elle en se levant. Cesse de me demander de fuir, Slade, car je pourrais bien le faire finalement et alors je me détesterais.

Elle se retourna et décrocha le téléphone.

— Allô, Michael ?

Slade l'observait d'un air apparemment indifférent.

— Non, ce n'est rien, juste un petit accès de grippe, dit Jessica d'un ton égal, tout en enroulant nerveusement le fil du téléphone autour de ses doigts. David se sent coupable parce qu'il croit m'avoir passé ses microbes. Il n'aurait pas dû t'inquiéter. Je me soigne.

Elle ferma les yeux deux secondes mais sa voix resta légère et stable.

— Non, je n'irai pas travailler demain.

Le fil du téléphone rentra dans sa chair. Elle le déroula prudemment.

— Ce n'est pas nécessaire, Michael... Non, vraiment. Je te le jure... Ne t'inquiète pas. J'irai... j'irai bien d'ici deux jours. Oui, d'accord... Au revoir.

Après avoir reposé l'écouteur, Jessica resta immobile un instant, les yeux fixés sur ses mains vides.

— Il s'inquiétait, expliqua-t-elle. Je ne suis jamais malade. Il voulait venir me voir, mais j'ai refusé.

— Bien, fit Slade un peu sèchement car il estimait que la sympathie ne lui serait pour le moment d'aucune aide. Pour aujourd'hui, nous avons assez travaillé. Pourquoi ne monterions-nous pas maintenant ?

Il se dirigea vers la porte, comme s'il tenait pour acquis son accord, puis se retourna. Jessica n'avait pas bougé.

— Viens, Jess.

Elle se décida à le rejoindre mais s'arrêta sur le seuil.

— Michael ne ferait rien qui puisse me faire du mal, dit-elle sans le regarder. Je voudrais seulement que tu comprennes ça.

— À condition que, toi, tu comprennes que je dois considérer tout le monde comme une menace éventuelle. Tu ne dois voir ni l'un ni l'autre, ni personne d'ailleurs, hors de ma présence.

Remarquant un éclair de rébellion dans ses yeux, il poursuivit :

— Si David et Michael sont innocents, il ne leur arrivera rien de mal durant les deux jours à venir. Et si tu es persuadée de leur innocence, tu devrais pouvoir supporter cette attente.

Il ne céderait pas d'un pouce, comprit Jessica en refoulant larmes et colère. Peut-être était-ce mieux ainsi.

— Tu as raison. Il vaut mieux que je me calme. Tu vas travailler à ton livre maintenant ?

Slade ne se montra pas décontenancé par ce brusque changement de sujet.

— Oui, j'y pensais.

Jessica prit la résolution de se montrer aussi pragmatique que lui.

— Bien. Monte. Je vais chercher du café pour nous deux... Tu peux me faire confiance, ajouta-t-elle avant qu'il ait pu émettre une objection. Je t'obéirai à la lettre, rien que pour te montrer que tu te trompes. Je *vais* te prouver que tu te trompes, Slade.

— C'est parfait, du moment que tu respectes les règles.

Avoir un objectif rasséréna Jessica. Elle sourit.

— Pendant que je lirai ce que tu as écrit, tu pourras travailler à la suite. C'est le meilleur moyen de me faire rester tranquille jusqu'à la fin de la journée.

Il lui pinça doucement le lobe de l'oreille.

— C'est du chantage ?

— Si tu n'es pas capable de repérer un chantage, c'est que tu es un flic minable !

8

Le café de Jessica refroidissait dans sa tasse. Elle était assise sur le lit de Slade, entre deux piles de feuilles dactylographiées. Le tas des pages déjà lues, qui s'élevait à toute allure, dépassa rapidement celui des pages à lire. Captivée, elle n'avait pas relevé les remarques acerbes de Betsy lorsque celle-ci avait apporté un plateau chargé d'un bol de soupe et de sandwichs. Jessica lui avait promis machinalement de manger, promesse qu'elle s'était empressée d'oublier à peine la porte refermée. Et, bien que les marges soient couvertes de notes et de corrections, elle avait aussi oublié qu'elle lisait l'œuvre de Slade. L'histoire et les personnages l'absorbaient complètement.

Elle suivait l'existence d'une famille ordinaire depuis la difficile période de l'après-guerre jusqu'aux turbulences des années soixante. Les enfants grandissaient, les valeurs se modifiaient. Il y avait des morts, des naissances, certains des rêves des personnages se réalisaient, d'autres s'anéantissaient. Et, au fur et à mesure du temps qui passait, une nouvelle génération affrontait les années soixante-dix. La manière dont Slade avait construit son récit rendait cette histoire passionnante et ses héros étaient formidablement sympathiques.

Le style de Slade alliait la force à l'élégance. Il atteignait parfois une puissance qui coupait le souffle, mais savait aussi émouvoir ou faire rire son lecteur. Il obligeait Jessica à ouvrir les yeux sur des choses qu'elle n'avait pas toujours envie de voir, mais à aucun moment elle n'eut envie d'interrompre sa lecture.

Arrivée à la fin d'un chapitre, elle tendit machinalement la main pour prendre la page suivante et se rendit compte avec désarroi qu'il n'y en avait plus. Pour la première fois en près de trois heures, elle perçut le cliquetis de la machine à écrire de Slade.

La nuit était tombée et la lune s'était levée sans qu'elle s'en rende compte. Le feu allumé par Slade n'était plus qu'un tas de braises rougeoyantes. Jessica se dit qu'elle avait besoin d'un instant de réflexion avant d'aller retrouver Slade.

Lorsqu'elle avait insisté pour lire son manuscrit, elle n'avait pas la moindre idée de ce qu'elle éprouverait à cette lecture ni de ce qu'elle pourrait en dire ensuite. Pas un seul instant elle n'avait imaginé qu'elle serait à ce point captivée par son récit. À présent, il lui fallait un peu de temps pour analyser dans quelle mesure ses sentiments pour Slade influençaient son jugement.

En rien, conclut-elle finalement. Elle n'avait pas achevé le premier chapitre qu'elle avait déjà oublié que son objectif était de connaître un peu mieux l'auteur. Et de fait, elle avait atteint cet objectif sans réfléchir.

Elle avait pressenti sa finesse et son intuition. Elle venait de découvrir la sensibilité et la profondeur de Slade. À travers ses personnages, c'était de lui-même qu'il parlait, c'était lui-même qu'il révélait. La pudeur qui l'empêchait d'exprimer ses propres émotions lui faisait choisir ce détour par la création littéraire. L'écriture lui permettait d'extérioriser ses sentiments.

Et dire qu'elle lui avait reproché de ne pas connaître les femmes ! De fait, il les connaissait presque trop bien. Que comprenait-il, lorsqu'il la regardait, de ce qu'elle croyait tenir secret ? Que découvrait-il, lorsqu'il la touchait, de ce qu'elle était certaine de parvenir à cacher ?

Savait-il qu'elle l'aimait ? Instinctivement, Jessica jeta un coup d'œil vers la porte qui séparait la chambre du bureau, où Slade continuait à taper à la machine. Non, il n'imaginait sûrement pas à quel point ses sentiments étaient profonds. Ni qu'elle avait décidé de le retenir lorsqu'il aurait achevé sa mission, quel qu'en soit le dénouement. S'il le découvrait, il la repousserait probablement. Slade était un homme prudent, très prudent, qui s'estimait fait pour une vie solitaire. Eh bien, il allait avoir une surprise lorsqu'elle aurait repris le contrôle de sa vie.

Elle se leva pour aller vers lui. Slade lui tournait le dos et la lumière de la lampe éclairait ses mains sur les touches. À la crispation de ses épaules, elle devina qu'il était en pleine concentration. Craignant de le déranger, elle resta sur le seuil, appuyée contre le chambranle de la porte. Le cendrier à côté de lui était déjà plein et une cigarette oubliée s'y consumait. Sa tasse de café était vide mais il n'avait pas touché à son dîner. Comme Betsy, elle eut envie de lui reprocher de ne rien manger.

« Voilà comment nous pourrions vivre, une fois ce cauchemar fini, se dit-elle tout à coup. Il travaillerait ici et j'entendrais sa machine cliqueter en rentrant à la maison. Parfois, il se lèverait au milieu de la nuit et fermerait la porte pour ne pas me réveiller. Le dimanche matin, nous ferions des promenades sur la plage… et les après-midi de pluie, nous resterions au salon et regarderions le feu brûler dans la cheminée. Pourquoi est-ce que cela n'arriverait pas un jour ? »

Avec un soupir agacé, Slade s'arrêta de taper. Il porta la main à sa nuque douloureuse. L'élan qui l'avait emporté trois heures durant s'était soudain brisé. Il voulut prendre une gorgée de café et découvrit que sa tasse était vide. Peut-être qu'en allant la remplir, il retrouverait l'inspiration qui l'avait porté jusque-là… En trois pas, Jessica le rejoignit.

Elle jeta les bras autour de son cou et posa la joue sur sa tête. L'amour la submergeait. Elle l'étreignit, tout en ravalant l'aveu qu'il n'était sans doute pas encore prêt à entendre.

— Slade, ne renonce pas à ce pour quoi tu es fait.

Hésitant sur le sens à accorder à cette déclaration, il fronça les sourcils.

— Combien de pages as-tu lues ?

— J'ai lu tout ce que tu m'as donné, et ça ne me suffit pas. Quand auras-tu fini ?... Oh, Slade, c'est merveilleux ! C'est un chef-d'œuvre. Tout est excellent : le style, la construction, les personnages, les sentiments sont justes. Vraiment, c'est très beau.

Il se retourna pour scruter son visage. Il redoutait qu'elle ne le flatte mais les yeux de Jessica brillaient d'enthousiasme.

— Pourquoi ?

— Parce que c'est une histoire qui pourrait être vraie mais que tu racontes avec une telle profondeur, un tel sens psychologique que c'est bouleversant.

Comme il restait réservé, elle poursuivit :

— Parce que ton livre m'a fait pleurer, frémir et rire. Il y a des passages, en particulier la scène dans le parking, au chapitre sept, que je ne voulais pas lire. C'était dur et barbare. Mais il fallait que je les lise, même si cela me faisait mal. Slade, aucun lecteur ne pourra rester indifférent... Et n'est-ce pas le but de tout écrivain ? Toucher ses lecteurs ?

Il la regardait dans les yeux et comparait ce qu'il y lisait avec les mots qu'elle prononçait.

— Tu sais, dit-il enfin, je me rends compte seulement maintenant du risque que j'ai pris en te laissant lire mon manuscrit.

— Un risque ? Pourquoi donc ?

— Si tu n'avais pas été touchée, je n'aurais peut-être pas pu l'achever.

Il n'aurait rien pu révéler de plus important. Elle prit sa main et la porta à sa joue. Se rendait-il compte de ce qu'il avait dit en une seule phrase ?

— J'ai été touchée, Slade. Profondément. Et lorsque ce livre sera publié et que je le lirai, je me rappellerai qu'une partie en a été écrite ici.

— Tu vas édifier un monument ?

— Je me contenterai d'apposer une plaque, répondit-elle en s'inclinant pour l'embrasser. Je ne voudrais pas que ça te monte à la tête... Est-ce que tu as un agent seulement ?

Avec un petit rire, il l'attira sur ses genoux.

— Oui, j'en ai un. Jusqu'à présent, ni lui ni moi n'avons tiré profit de notre accord mais il m'a vendu quelques nouvelles et il fait tout son possible pour vendre mon autre roman.

— Ton autre roman ? répéta Jessica en s'écartant de Slade. Il est fini, celui-là, alors ?

— Hmmmm. Reviens, supplia-t-il pour savourer le creux doux et sensible de son épaule.

— Quel en est le sujet ? demanda-t-elle sans obéir. Quand pourrai-je le lire ? Il est aussi bon que celui-ci ?

— On ne t'a jamais dit que tu posais trop de questions ?

La main de Slade se glissa sous son chandail et s'empara d'un sein. Du pouce, il en caressa le téton jusqu'à ce qu'il sente le cœur de la jeune femme s'emballer.

— J'aime ça, murmura-t-il en lui picorant la base du cou. J'aime sentir ton pouls s'affoler au premier contact.

Sa main descendit lentement jusqu'à la taille de Jessica.

— Tu as maigri, remarqua-t-il en fronçant les sourcils. As-tu mangé ce soir ?

— On ne t'a jamais dit que tu parlais trop ? ironisa Jessica avant de presser ses lèvres sur celles de Slade.

Il y répondit par un gémissement avide. La bouche de Jessica avait un goût chaud, et sa langue était provocante. Il crut l'entendre émettre un rire rauque ; il agrippa sa nuque pour s'immerger en elle. Avant qu'il ait pu se relever pour l'emporter vers le lit, elle le poussa et tous deux roulèrent sur le sol.

Jessica était en proie à un désir urgent, torride. L'énergie qu'elle avait contenue toute la journée refaisait surface dans un torrent de passion. Avidement, elle déboutonna la chemise de Slade tandis que sa bouche parcourait son visage et sa gorge. Son agressivité le surprit, tout en l'excitant. Voyant dans ce déchaînement un moyen de combattre ses frayeurs, Slade lui laissa l'initiative et cessa de réfléchir.

Elle le dévêtit fébrilement, en suivant des lèvres le trajet de ses mains. Elle ne lui laissait le temps de s'attarder sur aucune de ses caresses affolantes mais les lui faisait toutes éprouver, dans un tourbillon de sensations.

Se sentir possédé n'était pas dans les habitudes de Slade. Il se laissa pourtant engloutir, cœur, corps et esprit. Elle l'entraînait au-delà de la raison et, incapable de se décider à l'arrêter, il y répondit de la seule façon possible, en se joignant à sa fougue.

La bouche de Jessica revint se plaquer sur la sienne tandis qu'il s'escrimait sur son chandail. Ses mains, d'habitude sûres, se mirent à trembler au contact de la peau de Jessica. Prise de frénésie, elle se hissa sur lui avec une agilité déconcertante. Leurs peaux moites glissaient l'une sur l'autre.

La vulnérabilité de Slade excitait Jessica. Cet homme fort et implacable était en son pouvoir, alors qu'elle ne disposait pour toute arme que de son désir. Sa faiblesse le lui rendait plus cher. C'était pour elle que tremblait ce corps ferme et musclé.

La lampe du bureau éclairait le visage de Slade; elle plongea dans son regard lourd de passion. Il tendait les lèvres dans une sorte de supplique désespérée. Elle s'en empara, savourant le goût enivrant du désir et son souffle chaud. L'odeur du bureau encaustiqué lui parvenait et elle sut que toute sa vie elle y associerait le souvenir de la première fois où il s'était complètement donné à elle. Car elle le possédait à présent, depuis le plus petit nerf frémissant jusqu'à l'âme palpitante. Lorsqu'il en redeviendrait maître, il ne pourrait effacer cet instant d'abandon complet.

Un plaisir aigu les traversa, les entraînant tous deux jusqu'à une crête ultime où ils planèrent quelques secondes. La vague se retirant, elle eut l'impression de se dissoudre en lui et ils restèrent ainsi, membres enchevêtrés, cœurs et corps rassasiés.

Slade ne parvenait pas à se ressaisir. Le corps de Jessica reposait inerte sur le sien. Il voulut s'écarter, sans doute dans l'idée de se prouver, et de prouver à Jessica, qu'il en était capable. Mais ses mains ne firent que plonger dans les cheveux de la jeune femme et descendre jusqu'à la peau douce et tendre de son cou. Malgré son épuisement, elle sentait leurs deux cœurs battre en harmonie sur un rythme saccadé. Physiquement repu, il ne se lassait pas de leur étreinte.

— Jess...

Il lui releva le menton pour la regarder. Elle avait les yeux assombris et un peu écarquillés. Ses traits tirés, qu'éclairaient encore les dernières lueurs de la passion, trahissaient sa fatigue. Pris de remords, Slade pensa qu'il n'avait pas le droit de la laisser s'épuiser pour satisfaire son désir égoïste.

— Non, s'il te plaît, pria Jessica.

Elle vit à son expression que, déjà, il reprenait ce qu'il lui avait donné si brièvement, l'abandon total de tout son être.

— Ne me repousse pas, chuchota-t-elle. Ne me repousse pas si vite.

Malgré lui, il suivit du pouce le contour de ses lèvres.

— Dors avec moi cette nuit, dit-il.

Slade attendit qu'elle dorme profondément pour se glisser hors du lit. Sans la quitter des yeux, il s'habilla en silence. Le clair de lune inondait son visage et ses épaules nues puis, comme un nuage traversait le ciel, s'éteignit brièvement avant de revenir la faire resplendir. Avec un peu de chance, Slade pourrait inspecter le rez-de-chaussée et surveiller quelque temps le salon puis regagner la chambre, avant que Jessica ne se fût aperçue de son absence. Il lui jeta un dernier regard et quitta la pièce.

Avec l'efficacité silencieuse due à des années d'expérience, il vérifia les innombrables portes et fenêtres. Seuls des cambrioleurs amateurs se laisseraient arrêter par d'aussi rudimentaires serrures, remarqua-t-il, écœuré.

La maison était remplie d'argenterie et d'objets aisément transportables. Un paradis des voleurs, ouvert à tous les vents. La porte de la cuisine était si peu défendue qu'une carte de crédit ou une épingle à cheveux suffiraient à en venir à bout. Avant de regagner New York, il obligerait Jessica à installer des verrous plus efficaces.

La masse blanche et poilue d'Ulysse ronflait sur le carrelage, indifférente aux allées et venues de Slade qui agita à dessein la poignée. Le petit bruit ne troubla aucunement la respiration paisible du chien.

— Réveille-toi, espèce de bon à rien.

L'animal souleva une paupière, agita la queue deux fois et replongea dans le sommeil.

Tant pis. L'intrusion d'un vulgaire cambrioleur n'était pas le problème du jour. Slade enjamba le chien et le laissa ronfler.

Il traversa sur la pointe des pieds l'aile réservée aux domestiques. Un rai de lumière filtrait au-dessus d'une porte d'où parvenaient les rires étouffés d'une émission tardive. Le reste du bâtiment était silencieux. Slade jeta un coup d'œil à sa montre : minuit à peine passé. Il regagna le salon.

Choisissant un coin sombre, il y tira doucement un fauteuil et s'y installa. Surveiller et attendre. Il n'y avait rien d'autre à faire. Alors qu'il brûlait d'envie de faire quelque chose, n'importe quoi qui puisse hâter l'enquête. Le commissaire s'était trompé en le désignant pour cette mission. Slade n'avait plus la patience nécessaire pour attendre des heures sans s'énerver. Cette fois-ci, il était prêt à la bagarre. Le salaud qui avait engagé un tueur pour éliminer Jessica allait payer son forfait. Slade n'en doutait pas. Mais il eût préféré s'en charger personnellement.

Dans cette affaire, seule la femme qui dormait au premier étage était importante. Les diamants n'avaient qu'une vulgaire valeur marchande. Jessica, elle, n'avait pas de prix. Avec un petit rire muet, Slade étendit les jambes. Dodson ne pouvait deviner que son garde du corps trié sur le volet tomberait amoureux de l'objet de sa mission. Slade connaissait sa propre réputation : ténacité, précision et sang-froid.

Eh bien, il avait perdu son sang-froid à la seconde même où il avait vu débouler ce petit tourbillon blond aux pommettes de Viking ! Et à présent il ne pensait plus comme un policier en train de faire son boulot, mais comme un homme avide de vengeance. Et ça, c'était dangereux. Tant qu'il resterait dans la police, il lui fallait respecter les règles. Et la première interdisait toute implication personnelle.

À cette idée, Slade retint un éclat de rire. Bafouée définitivement, la règle numéro un ! Comment aurait-il pu être plus impliqué qu'il ne l'était ? Non seulement il était amoureux d'elle, mais en plus il était son amant. Il ne leur manquait plus que de se marier et d'avoir des enfants...

Cette idée le refroidit. Pas question de laisser ses pensées divaguer dans cette direction. James Sladerman ne convenait pas à Jessica Winslow. Il fallait mettre un terme à cette histoire dès que l'enquête serait achevée. C'était ce qu'il voulait, ce qu'il avait décidé dès le début. Il avait sa propre vie à mener, les exigences de sa profession, des responsabilités familiales, des livres à écrire. Même s'il y avait de la place pour une femme dans son existence, ce n'était pas celle-ci. Leurs chemins divergeaient complètement. Et il était peu probable qu'ils se croisent à nouveau. Le hasard seul les avait réunis, et le reste, intimité et sentiments, était dû aux circonstances. Il finirait bien par l'oublier.

Il se pinça le nez. Tu parles !

Un homme n'avait-il pas le droit de rêver ? Lui était-il interdit de penser à l'avenir lorsqu'une femme douce et tiède reposait dans ses bras ? Il avait bien droit à un peu d'égoïsme, quand même ? Avec un bref soupir, Slade se renfonça dans son fauteuil. L'homme peut-être y avait droit, mais pas le policier. Et c'était surtout du policier qu'avait besoin Jessica, qu'elle en fût persuadée ou non.

Slade monta la garde dans l'obscurité jusqu'à trois heures du matin. Puis, jugeant qu'il perdait son temps, il décida d'aller dormir un peu. Pour protéger Jessica et surtout la tenir occupée durant la journée entière, il lui fallait être en forme. Les muscles raides d'être resté si longtemps immobile, il s'extirpa de son fauteuil et monta sans bruit l'escalier. Si Brewster était aussi près du but qu'il l'avait laissé entendre, l'affaire serait conclue d'ici à un jour ou deux tout au plus.

La fatigue nouait ses muscles. Quatre heures de sommeil rechargeraient les batteries ; en d'autres occasions, il s'était contenté de moins. Parvenu devant la porte de sa chambre, il tourna doucement la poignée.

Jessica se tenait recroquevillée au milieu du lit. Sa respiration était haletante et saccadée. Ses épaules, blanches sous le clair de lune, étaient parcourues de frissons.

— Jess ?

Elle rejeta la tête en arrière et jeta un regard terrorisé à Slade. Puis, le reconnaissant, elle se mordit les lèvres et ravala son hurlement. Les frissons persistèrent.

Slade s'élança vers elle et la prit dans ses bras. Sa peau était moite et ses joues ruisselaient d'un mélange de larmes et de sueur. Quelqu'un s'était-il introduit dans sa chambre ? Non, ce n'était pas possible.

— Qu'est-ce qu'il y a ? Que t'arrive-t-il ?

— Ce n'est rien.

Elle serrait ses bras contre elle, dans un effort désespéré pour contrôler ses tremblements. Un cauchemar avait jailli dans son sommeil, avec une vraisemblance telle que ses sens eux-mêmes avaient été leurrés. Le vent froid, l'odeur des embruns salés, le bruit sourd du ressac, les pas lourds d'un homme qui la poursuivait en courant, les ombres jetées par les nuages traversant le ciel, le goût métallique de sa propre terreur... Et pire, bien pire, la peur de se retourner et de découvrir le visage haineux d'un être cher.

— Je me suis réveillée, balbutia-t-elle. J'ai paniqué quand j'ai vu que tu n'étais pas là.

Vérité partielle et déjà difficile à avouer. Admettre qu'un rêve l'avait terrifiée lui était impossible.

— J'étais au rez-de-chaussée, expliqua-t-il en repoussant les cheveux humides de sueur de Jessica. Je voulais vérifier que tout était bien verrouillé.

— Manie de professionnel ? demanda-t-elle avec un faible sourire avant de se blottir contre lui.

— Oui.

Il avait beau la serrer dans ses bras, elle ne cessait de trembler. Ce n'était pas le moment de la sermonner à propos de ses serrures de pacotille.

— Je vais aller te chercher un verre de cognac, proposa-t-il.

— Non !

Honteuse de sa véhémence, elle se mordit la lèvre.

— Non, je t'en prie, reprit-elle sur un ton plus calme. Je me sens assez bête comme ça.

— C'est normal que tu sois nerveuse, Jessica, dit-il en l'embrassant sur les cheveux.

Elle mourait d'envie de se cramponner à lui, de le supplier de ne pas la laisser seule, ne fût-ce qu'une minute. De déverser tout ce qui l'effrayait, la hantait, la terrorisait. Elle s'y refusa, autant pour son salut à elle que pour celui de Slade, et s'efforça de plaisanter :

— Même avec un policier à demeure ?

Elle rejeta la tête en arrière et le contempla.

— Viens te coucher. Tu dois être fatigué… Comment un homme peut-il mener deux carrières simultanément, sergent ? ajouta-t-elle en s'efforçant de sourire.

— Je me débrouille, répondit-il en lui caressant les épaules. Comment une femme parvient-elle à être aussi belle à trois heures du matin ?

— D'après ma mère, c'est une question d'ossature. Je préfère croire à une explication moins scientifique, comme d'être née durant une éclipse de lune, par exemple.

Sous les caresses de Slade, ses muscles se décrispaient lentement. Il l'embrassa dans le cou avec un petit rire.

— Tu es née pendant une éclipse de lune ?

— Oui. Mon père disait que cela expliquait mes yeux de chat… afin que je voie clair même dans l'obscurité.

Slade l'écarta et se leva.

— Si tu ne dors pas, ils seront tout rouges demain.

— Quelle remarque galante, fit Jessica en le regardant se déshabiller. Et toi, alors ?

— Quand c'est nécessaire, je peux me contenter de trois ou quatre heures.

Elle lui adressa une grimace de mépris.

— Ton machisme refait surface, Slade…

Il tourna la tête et la lune inonda son visage, soulignant son sourire. Jessica sentit son cœur palpiter. Ne devrait-elle pas s'être habituée à lui maintenant ? À ses humeurs changeantes, à ses accès d'humour, à sa gravité ? Son corps était lisse et souple, profilé comme celui d'un nageur de compétition et musclé comme celui d'un boxeur poids léger. Son visage exprimait le goût de l'effort intellectuel et celui de l'action qu'exigeaient ses deux métiers.

« Il veillera sur toi, se dit-elle, rassérénée. Aie confiance. » Mais la lune soulignait aussi les rides dues à la fatigue et à la tension nerveuse.

Elle sourit et lui tendit les bras.

— Viens te coucher.

Slade s'allongea et la serra contre lui. Son désir apaisé, il éprouvait une sérénité d'autant plus précieuse qu'il y avait rarement goûté. Durant les quelques heures suivantes, ils allaient, pour la première fois, partager l'intimité du sommeil. Jouissance ineffable.

Jessica s'interdit de bouger et s'efforça de respirer calmement jusqu'à ce que Slade s'endormît. Encore secouée par la peur qu'elle avait éprouvée, elle regarda la lumière de la lune jouer sur l'épaule de Slade qui s'élevait et s'abaissait au rythme de sa respiration. L'aube grise tamisait les contours des meubles lorsqu'elle s'assoupit enfin.

La sonnerie du téléphone le tira d'un sommeil agité. La sueur perla instantanément sur son front. Déchiré entre la peur de répondre et l'envie de savoir, il finit par décrocher.

— Allô ?

— Ton temps est écoulé.

— Il m'en faut un peu plus.

Sachant qu'aucune faiblesse ne serait tolérée, il s'efforçait de parler d'une voix ferme.

— Quelques jours... Ce n'est pas facile de les récupérer avec tous ces gens dans la maison.

— Dois-je te rappeler qu'on ne te paie pas pour ne faire que ce qui est facile ?

— J'ai essayé la nuit dernière... J'ai failli me faire coincer.

— Alors c'est que tu es négligent. Et ce n'est pas une excuse.

« Ni négligence ni faiblesse », se dit-il en humidifiant ses lèvres.

— Jessica... Jessica ne se sent pas bien.

Il prit une cigarette pour se calmer. S'il voulait rester vivant, il lui fallait penser vite et bien.

— Elle n'a pas l'intention d'aller à la boutique ces jours-ci. J'espère parvenir à la convaincre de partir pour un long week-end. Elle m'écoutera, je crois.

Était-ce vrai ? Il tira une longue bouffée.

— Si elle quitte la maison quelques jours, je pourrai récupérer les diamants sans prendre de risques, reprit-il en essuyant son visage trempé de sueur du dos de la main. Vous les aurez ce week-end. Deux jours de plus, ça n'a pas d'importance.

Le soupir excédé qui courut sur la ligne le glaça jusqu'aux os.

— Tu fais erreur, une fois de plus... Tu commets trop d'erreurs, mon jeune ami. Tu te souviens de mon associé à Paris ? Lui aussi faisait des erreurs.

Le téléphone glissait dans sa main humide. Comment oublier qu'on avait retrouvé l'homme dans la Seine ?

— Ce soir, dit-il avec désespoir. Je vais essayer de vous les apporter ce soir.

— Dix heures à la boutique.

L'homme fit une pause pour laisser la menace faire son effet. Le souffle saccadé qui lui parvint le satisfit.

— Si cette fois-ci encore tu échoues, je ne serai plus aussi... compréhensif. Jusqu'à présent, tu as toujours été efficace. Cela m'ennuierait beaucoup de te perdre.

— Je les apporterai. Et ensuite... ensuite je veux arrêter.

— Nous en discuterons plus tard. Dix heures à la boutique.

Il y eut un déclic et la communication s'interrompit.

9

Comme à l'accoutumée, Slade se réveilla d'un seul coup. Cela faisait des années qu'il ne s'offrait plus le luxe de s'éveiller doucement, par paliers paresseux. Il avait dû s'entraîner à s'endormir et à se réveiller vite, afin d'être immédiatement opérationnel. Habitude avec laquelle il rêvait de rompre, sans toutefois croire qu'il y parviendrait un jour.

À la lumière oblique du soleil, il sut qu'il était encore tôt. Il tourna la tête vers la pendule de la cheminée : sept heures à peine. Ses quatre heures de sommeil avaient fait leur effet.

Il se souleva légèrement pour regarder Jessica. Les cernes bleutés qui bordaient ses paupières le firent se renfrogner. Elle semblait encore plus fatiguée que la veille. Aujourd'hui, il veillerait à ce qu'elle prenne plus de repos, quitte à glisser un somnifère dans son café. Et, de gré ou de force, elle avalerait quelque chose. Il avait l'impression qu'elle maigrissait d'heure en heure.

Il eut beau s'efforcer de ne pas la réveiller en se levant, la main de Jessica se referma sur son bras et ses yeux s'ouvrirent.

— Dors encore un peu ! ordonna-t-il en lui effleurant les lèvres.

— Quelle heure est-il ?

Sa voix était rauque mais sa main ne tremblait pas.

— Très tôt.

Elle se détendit, muscle après muscle, mais sans le lâcher.

— Tôt comment ?

— Trop tôt.

Il s'inclina pour lui donner un autre baiser mais elle en profita pour l'attirer à elle.

— Trop tôt pour quoi ?

Elle sentit les lèvres de Slade se retrousser dans un sourire.

— Tu n'es même pas encore bien réveillée.

— Tu veux parier ?

Elle promena les doigts sur son ventre plat. Le baiser ensommeillé l'embrasa.

— Peut-être que finalement deux ou trois heures de sommeil ne te suffisent pas.

Fronçant les sourcils, il releva la tête.

— Tu veux parier ?

Ses lèvres étouffèrent le rire de Jessica.

Jamais elle n'avait connu cela. Chaque étreinte la laissait abasourdie, conquise, consumée. Dans les bras de Slade, elle pouvait tout oublier. Tout ce dont elle avait vraiment besoin ces jours-ci.

Il avait tout de suite découvert ses zones de sensibilité. Chaque fois, il trouvait de nouvelles variantes, sans la laisser s'y habituer ni lui donner le temps de désirer autre chose. Il envahissait son âme, y régnait en maître et l'entraînait dans un monde de pure sensualité, qu'elle ignorait jusqu'alors.

Tout aiguisait ses sens, depuis la simple caresse d'un doigt jusqu'à la pression brutale de ses lèvres. Sa peau devenait tellement sensible qu'elle percevait même la texture du drap sous son dos. Ses oreilles captaient le moindre son ; le tic-tac de la pendule retentissait comme le tonnerre. La pâle lumière du jour dansait dans la pièce, grise et fantomatique, soulignant l'enchevêtrement sombre des cheveux de Slade dans lesquels elle plongeait les mains.

Il lui murmura à l'oreille une remarque à la fois absurde et poétique sur le grain de sa peau. Malgré la révérence de son ton, ses mains s'affairaient avec agressivité. Elle lui chuchota ce qu'elle désirait et lui offrit ce qu'il cherchait.

Il la prit lentement et observa à la lumière ténue du jour les tressaillements de plaisir sur son visage. Savourant les mille sensations dont son corps était la proie, il lui mordilla les lèvres. Il s'en délecta puis embrassa ses paupières fermées tandis qu'elle se cambrait d'impatience. Il s'obligea à ralentir son rythme, prolongeant l'ultime délice.

— Jess... souffla-t-il à grand-peine. Ouvre les yeux, Jess. Je veux voir tes yeux.

Les paupières frémirent, comme si le poids des cils les alourdissaient.

— Ouvre les yeux, mon amour, et regarde-moi.

Il n'avait pas l'habitude de prononcer des mots tendres. À travers le brouillard de désir et de sensations, Jessica en fut bouleversée. Une vague d'émotion l'envahit et s'ajouta à l'extase physique. Elle ouvrit les yeux.

Les iris étaient opaques, leur ambre riche tamisé par la passion. Comme il se mouvait en elle, les paupières frémirent, menaçant de s'abaisser à nouveau.

— Non, regarde-moi.

La voix de Slade n'était plus qu'un murmure rauque. Leurs lèvres étaient si proches que leurs souffles se mélangeaient, frisson pour frisson.

— Dis-moi que tu me veux, demanda-t-il. Je voudrais te l'entendre dire, juste une fois.

Emportée sur les vagues successives du plaisir, Jessica articula avec peine:

— Je te veux, Slade... Tu es le seul.

Il étouffa son cri d'un baiser fougueux, tout en l'entraînant vers le paroxysme. Sa dernière pensée fut presque une prière: que les mots qu'il venait d'entendre soient véridiques et qu'il sache en tenir compte.

Le corps plus détendu, plus reposé qu'à son réveil, Slade déposa un baiser entre les seins de Jessica.

— Maintenant, dors un peu, ordonna-t-il.

Il voulut se lever mais les bras de Jessica noués sur sa nuque le retinrent.

— Je ne me suis jamais sentie aussi éveillée de ma vie. Que vas-tu me faire faire aujourd'hui, Slade ? Remplir encore un tas de petites fiches stupides ?

— Ces fiches stupides, répondit-il en glissant une main sous les genoux de Jessica, sont la base même de toute bibliothèque bien organisée.

— C'est très ennuyeux, dit-elle comme il la soulevait pour l'emporter vers la salle de bains.

— Quelle enfant gâtée !

— Je ne suis pas du tout gâtée.

La petite ride réapparut entre ses sourcils tandis qu'il ouvrait un robinet de la douche.

— Si. Mais ça n'a pas d'importance, je t'aime comme tu es.

— Oh, tu m'en vois ravie !

Il sourit, l'embrassa et la déposa sous la douche.

Jessica poussa un cri de surprise.

— *Slade !* C'est glacé !

— Le matin, il n'y a rien de mieux pour la circulation, dit-il en la rejoignant sous le jet... Enfin, après autre chose.

— Mets l'eau chaude, supplia-t-elle. Je deviens toute bleue.

Il l'embrassa et lui pinça le bras pour vérifier.

— Non, pas encore. Tu veux le savon ?

— Non merci, je vais prendre ma douche chez moi.

Agacée, elle tenta de sortir mais se retrouva immobilisée contre Slade, sous le jet glacé.

— Arrête ! C'est de l'abus de pouvoir.

Elle releva la tête et fut suffoquée par l'eau qui jaillissait.

— Slade !

Crachant, elle ferma les yeux. Son corps tremblant de froid se pressait contre celui de Slade.

— Tu me le paieras, je te le jure.

Elle se débattait furieusement mais en vain. La maintenant d'un bras, Slade se mit à la savonner.

— Arrête !

La colère se mélangeait à l'excitation. Lorsque la main de Slade se promena sur ses fesses, elle se débattit avec désespoir. Puis elle l'entendit rire. L'exaspération lui fit rejeter la tête en arrière et ses yeux ne virent plus que des contours brouillés par l'eau.

— Écoute-moi, commença-t-elle.

Les doigts savonneux s'attardèrent sur ses seins.

— Slade, non !

Avec un gémissement, elle se cambra pour échapper à la main perfide qui s'insinuait entre ses cuisses.

— Non.

Mais sa bouche cherchait déjà celle de Slade et l'eau ne lui paraissait plus aussi froide.

Lorsqu'elle sortit de la douche, sa peau flambait. Même ses joues avaient repris couleur. Ce qui enchanta Slade, malgré l'expression faussement indignée de Jessica.

— Je vais m'habiller, annonça-t-elle en se drapant dans une serviette.

Ce ton hautain et cette nudité n'allaient pas ensemble. Slade ne put retenir un sourire. Agréablement délassé, il se noua une serviette autour des reins.

— D'accord, je te retrouve en bas dans dix minutes pour le petit déjeuner.

— J'y serai quand je pourrai, riposta-t-elle avec morgue.

Sous le regard narquois de Slade, elle lui prit sa chemise et l'enfila.

— Délicieux spectacle auquel je pourrais bien prendre goût. Trempée et à demi nue...

— Ton machisme de nouveau, marmonna-t-elle en s'interdisant de sourire.

— Dix minutes, lui rappela-t-il comme elle s'élançait vers le couloir en lui jetant un regard noir.

Elle claqua la porte derrière elle et s'autorisa à sourire, pour se renfrogner aussitôt. David se tenait devant sa chambre, la main sur la poignée. Le claquement de la porte lui avait fait tourner la tête. Ses yeux scrutèrent Jessica de la tête aux pieds, notant la chemise de Slade, la peau humide et encore rose, les cernes qui ombraient ses joues.

— Je vois que tu es déjà levée, remarqua-t-il sèchement.

Elle sentit ses joues s'enflammer. Bien qu'ils eussent vécu côte à côte dans la même maison, ils avaient toujours pris la précaution de respecter leurs vies privées. C'était la première fois qu'ils tombaient l'un sur l'autre en de semblables circonstances.

« Nous sommes des grandes personnes maintenant », se rappela-t-elle en s'approchant de lui. Oui, mais ils avaient grandi ensemble...

— Oui, je suis levée. Tu voulais me voir ?

Elle se sentait déchirée entre la méfiance et l'envie de se jeter dans ses bras comme la veille. À cela s'ajoutait une pointe de remords, qui lui permit de rester sur ses gardes. Il s'en rendit compte et, le regard désapprobateur, resta distant.

— Je voulais vérifier certaines choses avec toi avant d'aller à la boutique. Mais puisque tu es occupée...

— Je ne suis pas occupée, David. Entre.

Avec une politesse froide, Jessica ouvrit la porte de sa chambre et lui fit signe d'entrer. Il ne lui vint pas à l'esprit qu'en discutant seul à seule avec David, elle transgressait l'une des règles imposées par Slade. D'ailleurs, même si elle s'en était souvenue, elle n'aurait pas pour autant refusé de recevoir le jeune homme.

— Il y a eu des problèmes hier ?

— Non...

Il ne put s'empêcher de remarquer le lit non défait et sa voix se tendit.

— Pas de quoi se tracasser. Manifestement, tu as de quoi t'occuper.

— Ne fais pas d'ironie, David. Cela ne te va pas.

Elle ôta la serviette qui recouvrait ses cheveux mouillés et la jeta sur une chaise.

— Si tu as quelque chose à me dire, vas-y, dit-elle en prenant son peigne.

— Est-ce que tu sais ce que tu fais ? lâcha-t-il abruptement.

La main de Jessica s'immobilisa au-dessus de sa tête ; puis, lentement, très lentement, elle reposa le peigne sur la coiffeuse. Le miroir lui renvoya l'image de son visage livide, de sa peau encore humide, des cernes sous ses yeux, et surtout de la chemise froissée de Slade.

— Sois plus précis.

— Tu couches avec l'écrivain.

Remontant ses lunettes sur son nez, il fit un pas vers elle.

— Et alors ? riposta-t-elle d'un ton léger. Ça ne te plaît pas ?

— Que sais-tu de lui ? demanda David d'une voix vibrante qui la surprit. Ce type tombe des nues, et comme par hasard les poches vides. Il a trouvé la bonne affaire : une grande maison, des repas à l'œil et une femme consentante.

Elle se raidit et le regarda avec colère.

— Fais attention à ce que tu dis, David.

— Comment sais-tu que ce n'est pas juste un pique-assiette ? Tu vaux de l'or, Jessica. Tu es une proie idéale.

La colère de Jessica se teinta de douleur.

— Naturellement. À quoi pourrait-il s'intéresser, sinon à mon argent ?

L'empoignant par les épaules, il la força à lui faire face.

— Voyons, Jessie, fit-il, le regard radouci derrière les lunettes. Tu sais bien que je ne voulais pas dire ça. Mais ce type est un parfait inconnu et tu es… eh bien, tu es trop confiante.

— C'est vrai, David ? demanda-t-elle en refoulant un accès de larmes. Ai-je fait l'erreur d'être trop confiante ?

— Je ne veux pas qu'on te fasse souffrir… Tu sais combien je t'aime.

Il lui étreignit les épaules puis enfonça les mains dans ses poches.

— Bon sang, Jessica, reprit-il. Tu sais bien que Michael est fou de toi. Il t'aime depuis des années.

— Mais, moi, je ne l'aime pas. C'est Slade que j'aime.

— Tu l'aimes ? Mais, Jessie, tu connais à peine ce type. Tu es dingue !

L'emploi de cette exclamation enfantine la fit rire. Elle passa la main dans ses cheveux.

— Oh ! David, je le connais mieux que tu ne le penses.

— Écoute, laisse-moi me renseigner sur lui, découvrir s'il…

— Non ! s'écria Jessica. Non, David, je te l'interdis. C'est mon affaire.

— Tout comme ce salaud de Madison Avenue qui t'a piqué dix mille dollars, marmonna-t-il.

Se détournant, elle se couvrit le visage des mains. Comme c'était bizarre, se dit-elle, de ne pas pouvoir rire. Deux des personnes qui comptaient le plus pour elle lui conseillaient de se méfier de l'autre.

— Hé ! Jessica, pardon, excuse-moi, dit David en lui tapotant gauchement la tête. C'était stupide de ma part de dire ça. Bon, je m'écrase mais… sois prudente quand même. D'accord ?

Intrigué par la réaction excessive de Jessica, il se dandinait d'un pied sur l'autre.

— Tu ne vas pas te mettre à pleurer, si ?

Reconnaissant le ton soupçonneux qu'il prenait, à l'âge de douze ans, lorsqu'elle rentrait à la maison après s'être disputée avec son petit ami de l'époque, elle ne put retenir un petit rire. La loyauté revint, submergeant tout le reste.

— David...

Elle se retourna et posa les mains sur les épaules du jeune homme pour le regarder dans les yeux, au-delà des verres de lunettes.

— Si tu étais dans le pétrin... si tu avais fait une erreur, une grosse erreur, et que tu te sentes pris à la gorge, est-ce que tu me le dirais ?

Il fronça les sourcils, sans qu'elle pût deviner s'il s'agissait chez lui de curiosité ou de remords.

— Je ne sais pas. Ça dépendrait.

Ce ton trop sérieux le mettait mal à l'aise. Il s'ébroua, comme pour s'en débarrasser.

— La prochaine fois que tu m'engueuleras pour une erreur comptable, je m'en souviendrai en tout cas. Jessie, tu n'as vraiment pas l'air en forme. Tu devrais aller te reposer quelques jours.

— Ça va aller... mais j'y réfléchirai, promit-elle, de peur d'une nouvelle dispute.

— Bien. Il faut que j'y aille. J'ai dit à Michael que c'est moi qui ferais l'ouverture aujourd'hui.

Il l'embrassa sur la joue.

— Pardonne-moi si j'y ai été un peu fort aujourd'hui. Mais quand même, je crois... enfin, chacun fait comme il pense.

— Oui, murmura-t-elle. Oui, exactement. David... si toi ou Michael, vous avez besoin d'argent...

— Tu vas nous augmenter ? demanda-t-il, la main sur la poignée de la porte.

S'efforçant de sourire, elle reprit son peigne.

— Nous verrons cela quand je reprendrai le travail.

— Grouille-toi, alors, jeta-t-il en quittant la pièce.

Jessica regarda la porte fermée puis le peigne qu'elle tenait. Soudain, rageusement, elle le jeta loin d'elle. Elle venait de prendre conscience qu'elle avait interrogé

David en espérant qu'il avoue. Dans le seul but de mettre un point final à cette sale histoire. Elle l'avait observé, en guettant le moindre signe sur son visage. Et elle ne pourrait s'empêcher de faire la même chose avec Michael. Un tel comportement l'horrifiait.

Elle se laissa tomber sur le tabouret de la coiffeuse et se regarda dans le miroir. C'était épouvantable d'éprouver cette méfiance, de s'éloigner des deux personnes qui avaient été ses plus proches amis. De les épier, d'attendre qu'ils se trahissent. Pire encore : d'espérer qu'ils commettent une erreur, afin qu'elle puisse cesser de guetter et d'attendre.

Elle s'examina attentivement. Ses cheveux humides et emmêlés encadraient un visage livide. Les cernes n'en étaient que plus visibles. Elle avait l'air malade et déjà à moitié vaincue. À cela, au moins, on pouvait remédier avec un peu de fond de teint. S'il ne lui restait que l'illusion de la force, autant l'utiliser au mieux.

La sonnerie du téléphone la fit sursauter et envoyer à terre un petit vase en porcelaine, qui se fracassa en morceaux trop petits pour que l'on puisse espérer les recoller.

Betsy décrochait lorsque Slade arriva au rez-de-chaussée.

— Oui, il est là. De la part de qui, s'il vous plaît ?

Elle fit signe à Slade de s'arrêter et lui tendit l'appareil.

— C'est une Mme Sladerman, annonça-t-elle d'un ton pincé.

— Allô, maman ? fit Slade, agacé.

Betsy émit un reniflement soupçonneux et s'éloigna.

— Pourquoi m'appelles-tu ici ? Tu sais que je travaille. Il y a un problème ? Janice va bien ?

— Il n'y a pas de problème et Janice va très bien, fit la voix rassurante de sa mère. Et toi, comment vas-tu ?

L'agacement de Slade refit surface.

— Maman, tu sais que tu ne dois pas m'appeler quand je travaille, sauf si c'est important. Si la plomberie a de nouveau rendu l'âme, appelle le gérant.

— Pour ça, j'aurais sans doute pu y penser toute seule, admit Mme Sladerman.

— Écoute, je serai sans doute rentré d'ici à deux jours. Ça peut attendre, non ?

— Comme tu voudras. Mais tu m'avais demandé de te mettre au courant si ton agent téléphonait. Enfin, nous en parlerons à ton retour. À bientôt, Slade.

— Attends une minute ! s'écria-t-il en prenant l'écouteur de l'autre main. Si c'est pour me transmettre un nouveau refus, tu n'étais pas obligée de m'appeler.

— Non, bien sûr. Mais je pensais que pour une acceptation, c'était différent.

Il ouvrit la bouche puis la referma. Trop espérer ne menait qu'à la déception.

— Il s'agit de la nouvelle pour le *Mirror* ?

— Voyons, il me semble qu'il a parlé de ça aussi... dit-elle sans se hâter jusqu'à ce qu'elle sente que son fils allait exploser. Mais il a surtout parlé du roman. Il était dans un tel état d'excitation que je n'ai pas tout enregistré.

Les oreilles de Slade se mirent à bourdonner.

— Quel roman ?

— Ton roman, abruti ! *Seconde Chance*, de James Sladerman, prochainement publié par les éditions Fullbright.

Le choc fut tel que Slade ferma les yeux. Toute sa vie il avait attendu cet instant, et voilà que tout son être se désagrégeait...

— Tu es sûre ? insista-t-il, la gorge nouée.

— Si je suis sûre... Slade, je ne suis pas sourde et je peux arriver à comprendre le jargon d'un agent littéraire. Il a dit qu'ils étaient en train d'établir un contrat et qu'il te contacterait pour les détails. Au sujet des droits d'auteur et de la vente des droits au cinéma et à la télévision... Bien sûr, ajouta-t-elle comme son fils gardait le silence, c'est à toi de décider. Si tu refuses l'à-valoir de cinquante mille dollars...

Elle attendit un peu, puis lâcha un soupir.

— Tu n'as jamais été expansif, Slade, mais là, ça devient carrément grotesque. Enfin, dis quelque chose! N'est-ce pas ce que tu as toujours désiré?

Toujours désiré, se répéta-t-il dans un brouillard obscur. Naturellement, elle avait deviné... Comment cacher à sa mère ce qui vous tient le plus à cœur? Quant à la question de l'à-valoir, elle n'avait pas encore pénétré son cerveau. Seul le mot *publié* résonnait dans sa tête.

— Je n'arrive pas à réfléchir.

— Eh bien, quand tu y arriveras, tâche de terminer celui sur lequel tu travailles en ce moment. Ils veulent le lire. Apparemment ils ont l'impression d'avoir découvert une mine d'or. Slade... je me demande si je t'ai assez souvent répété combien j'étais fière de toi.

— Si, lâcha-t-il avec un long soupir. Tu l'as fait. Merci.

Le rire de sa mère lui fit chaud au cœur.

— C'est bien, chéri. Garde tes mots pour tes romans. J'ai une bonne centaine de coups de fil à passer maintenant. J'adore me vanter. Toutes mes félicitations.

— Merci, dit-il brièvement. Maman... ?

— Oui?

— Achète-toi un nouveau piano.

— À bientôt, Slade, dit-elle en riant.

Il resta à écouter la tonalité une longue minute.

— Excusez-moi, monsieur Sladerman. Vous prendrez votre petit déjeuner maintenant ou plus tard?

L'air hagard, Slade se retourna. Betsy se tenait derrière lui, petite femme aux yeux noirs et perçants, au visage craquelé de mille rides, aux cheveux gris et aux jambes épaisses et courtes. Elle répandait une légère odeur de produit à argenterie et de sachet de lavande. Le sourire un peu fou de Slade la fit reculer d'un pas.

— Vous êtes très belle.

Elle recula encore.

— Monsieur?...

— Vraiment très belle.

La soulevant à pleins bras, il la fit tournoyer et lui planta un gros baiser sur la joue. Betsy émit un petit cri étouffé.

— Reposez-moi tout de suite et tenez-vous correctement, ordonna-t-elle avec toute la dignité qu'elle pût rassembler.

— Betsy, je suis fou de vous.

— Fou, point à la ligne, corrigea-t-elle en s'interdisant de se laisser attendrir par son regard brillant. C'est bien d'un écrivain de picoler avant le petit déjeuner. Reposez-moi et je vais vous préparer un bon café bien noir.

— Je suis un écrivain, affirma-t-il avec une sorte d'étonnement dans la voix.

— Mais oui, mais oui. Reposez-moi par terre comme un gentil garçon.

Jessica se pétrifia au milieu de l'escalier. Était-ce bien Slade qui tournait sur lui-même comme un fou en soulevant sa gouvernante à dix centimètres du sol? Bouche bée, elle le vit planter un second baiser sur la joue de Betsy.

— Slade?

Entraînant Betsy dans une demi-volte impeccable, il se retourna. Jessica eut la brusque certitude que jamais elle ne l'avait vu aussi heureux.

— À ton tour, annonça-t-il en reposant Betsy sur ses pieds.

— Complètement bourré, annonça la gouvernante avec un regard qui en disait long. Avant le petit déjeuner.

— Édité! corrigea Slade en soulevant Jessica dans ses bras. Avant le déjeuner.

Sa bouche s'écrasa sur les lèvres de la jeune femme avant qu'elle ait eu le temps de dire quoi que ce fût. L'émotion fusait de Slade comme une gerbe d'étincelles, une joie pure, sans la moindre arrière-pensée et terriblement contagieuse.

— Édité ? Ton roman ?

— Oui, oui, oui.

Il l'embrassa avant de répondre à ses questions.

— Je viens de recevoir un coup de fil. Fullbright accepte mon manuscrit et veut lire celui sur lequel je travaille en ce moment.

Comme il l'attirait à lui de nouveau, elle remarqua un bref changement dans son regard. Toujours aussi joyeux, il avait l'air de commencer seulement à comprendre ce qui lui arrivait.

— Ma vie m'appartient, maintenant, murmura-t-il pensivement.

— Oh Slade, je suis si contente pour toi ! s'exclama Jessica en s'accrochant à lui. Et ce n'est que le début. Rien ne t'arrêtera maintenant, je le sais... Betsy, il nous faut absolument du champagne !

— À neuf heures du matin ? s'indigna la gouvernante.

— Il nous faut du champagne à neuf heures *ce matin*. Nous avons quelque chose à fêter.

Avec une pétarade de claquements de langue réprobateurs, Betsy s'éloigna. Les écrivains ne valaient guère mieux que les artistes. Et on savait bien quel genre de vie menaient *ces gens-là*. Pourtant, pour un voyou, ce garçon-là était plutôt charmant. Elle s'autorisa un petit rire peu conforme à sa dignité habituelle, avant d'aller mettre la cuisinière au courant des derniers événements.

— Viens, ordonna Jessica. Raconte-moi tout.

— Je t'ai tout raconté, dit Slade en se laissant pousser dans un fauteuil. Ils acceptent mon manuscrit, c'est l'essentiel. Mon agent me communiquera les détails plus tard.

Les cinquante mille dollars proposés lui revinrent soudain en mémoire.

— Et ils me donnent une avance, ajouta-t-il avec un rire bref. De quoi survivre en attendant de finir l'autre.

— Cela ne sera pas long. Je l'ai lu, rappelle-toi.

Dans un brusque sursaut d'enthousiasme, elle lui prit la main.

— Quel film formidable ça pourrait faire! Réfléchis-y, Slade. Tu pourrais écrire le scénario. Il faudra que tu fasses attention aux droits cinématographiques; ne cède pas ce que tu pourrais regretter ensuite... Choisis plutôt un pourcentage sur les recettes, ajouta-t-elle. Oui, c'est préférable. Ça te permettra de...

— Tu n'as jamais pensé à fermer ta boutique d'antiquités pour devenir agent littéraire?

— Une négociation est une négociation, répliqua-t-elle avec un sourire. Et, en matière de négociation, je suis une artiste.

Avec une expression offusquée, Betsy apporta le plateau.

— Y aura-t-il autre chose pour votre service, mademoiselle Winslow?

L'usage de formules aussi protocolaires indiquait que la gouvernante avait dépassé le stade des reproches.

— Non, merci, Betsy.

Jessica attendit que la vieille femme fût sortie pour jeter un regard sinistre à Slade.

— C'est ta faute. Elle va afficher une extrême politesse et un air de martyr toute la journée; tout ça parce que tu l'as un peu bousculée et que nous buvons du champagne avant le petit déjeuner, ce qui est un signe de dépravation.

— On pourrait lui en offrir un verre, suggéra-t-il en débouchant la bouteille.

— Tu tiens vraiment à m'attirer des ennuis.

Le bouchon sauta avec un petit « pop » guilleret. Jessica approcha les verres.

— Au jour où j'écrirai « James Sladerman » sur l'une de ces fiches indispensables à toute bibliothèque digne de ce nom!

Slade fit tinter son verre contre celui de Jessica.

— Tu auras le premier exemplaire, promit-il.

— Quel effet cela te fait-il, Slade ? demanda-t-elle entre deux gorgées. Comment te sens-tu exactement ?

Il remplit à nouveau leurs verres puis parut chercher dans les bulles les mots exacts.

— Libre, répondit-il enfin. Je me sens libre.

Il se mit à déambuler dans la pièce.

— Après toutes ces années de contrainte, j'ai enfin la possibilité de faire ce que je veux. L'argent qu'on m'offre va me permettre de payer les études de Janice et de survivre sans trop de problèmes financiers. À présent, la porte est ouverte…

— Tu vas quitter la police ?

— J'avais l'intention de le faire l'année prochaine, dit-il en jouant avec la mèche d'une bougie.

L'impatience, qu'il s'était toujours interdite, s'empara de lui.

— Mais je vais pouvoir partir plus tôt, beaucoup plus tôt. Revenir à la vie civile.

Elle pensa au revolver caché quelque part dans la chambre de Slade et soupira avec soulagement.

— J'imagine qu'on ne s'y habitue pas du jour au lendemain.

— J'y arriverai.

— Tu vas… donner tout de suite ta démission ?

— Inutile d'attendre. J'ai un peu d'argent de côté et l'éditeur peut me demander d'apporter quelques corrections au manuscrit. Il me faudra du temps. Et puis, j'ai ce roman à terminer et un autre qui me trotte dans la tête. Je me demande quel effet ça fait d'écrire à plein temps au lieu de grappiller quelques heures par-ci par-là.

— C'est ce pour quoi tu es fait, Slade.

— Je le saurai dès que j'en aurai fini avec cette affaire, dit-il en contemplant le jardin par la fenêtre.

— Fini ?

Elle regarda fixement son dos tourné.

— Tu vas rester ? insista-t-elle.

— Comment ?

Distrait de ses réflexions, il se retourna et remarqua l'expression de Jessica.

— Qu'est-ce que tu as dit ?

— Je pensais que tu allais passer l'enquête à quelqu'un d'autre, dit-elle en prenant la bouteille de champagne pour se resservir, alors que son verre était encore aux trois quarts plein. Que tu voudrais regagner New York le plus vite possible.

Slade reposa son verre avec une prudence délibérée.

— Je termine toujours ce que j'ai commencé.

— Oui, bien sûr. Tu n'es pas du genre à tout laisser tomber sans prévenir.

— Tu croyais que j'allais m'en aller et t'abandonner ?

— Je crois que, lorsqu'on est sur le point d'obtenir ce pour quoi on a beaucoup travaillé, ce qu'on a attendu pendant des années, on ne doit pas prendre de risques.

Il s'approcha d'elle et lui prit son verre des mains.

— Et moi, je crois que tu dis beaucoup de bêtises... Ce doit être le champagne.

— C'est stupide de perdre du temps avec cette enquête ! s'exclama-t-elle.

Les yeux mi-clos, il l'embrassa avec une sorte de brutalité.

— Et toi, tu es stupide de croire que j'ai le choix.

— Mais si, tu as le choix ! protesta Jessica d'un ton radouci. Je te l'ai déjà dit, nous avons toujours le choix.

— Très bien. Dans ce cas, je rentre à New York aujourd'hui même... à condition que tu viennes avec moi.

Elle secoua la tête.

— Alors nous restons ici ensemble, jusqu'à ce que cette histoire soit finie.

Jessica se jeta dans ses bras et l'étreignit. Elle désirait qu'il reste aussi violemment qu'elle aurait voulu le voir partir. L'angoisse des lendemains allait la hanter, elle le savait.

— Mais rappelle-toi, je t'ai donné ta chance. Tu n'en auras pas d'autre. Un jour je te le rappellerai : c'est toi qui as pris la décision de rester.

Il acquiesça sans remarquer l'ambiguïté de sa phrase.

— Bon, allons manger quelque chose pour atténuer l'effet de ce champagne. Avant que Betsy ne t'arrache la tête...

10

La journée se traînait. Pour Jessica, le seul fait d'être condamnée à ne pas sortir relevait de la torture. Elle supportait de plus en plus difficilement de rester prisonnière entre quatre murs, alors que le soleil brillait au-dehors. Par ailleurs, elle se demandait si elle aurait été capable de se promener sur la plage sans se retourner à chaque instant.

Penser à sa boutique lui déclenchait des maux de tête. La seule chose qu'elle avait conçue et bâtie sans l'aide de personne lui avait été retirée. Peut-être ne pourrait-elle jamais plus en être fière. Sa lassitude était telle qu'elle en vint peu à peu à ne plus s'en soucier.

Jessica détestait être malade. Son arme habituelle contre toute faiblesse physique était de l'ignorer et de tenir bon. Mais, cette fois, elle ne disposait d'aucune échappatoire. La bibliothèque paisible et les tâches monotones que lui imposait Slade commençaient à lui taper sur les nerfs. Au point que, excédée, elle finit par jeter son crayon sur la table et bondir sur ses pieds.

— C'est insupportable ! s'écria-t-elle. Slade, si tu m'obliges à rédiger encore une seule de ces fiches, je crois que je vais devenir folle. N'y a-t-il pas quelque chose d'autre à faire ? N'importe quoi ? Cette attente est insupportable.

Slade se renversa contre le dossier de sa chaise. Toute la matinée il l'avait vue lutter fébrilement contre l'ennui, la tension et l'épuisement. Sa seule surprise était qu'elle eût tenu le coup aussi longtemps avant d'exploser. Rester tranquille n'était pas le fort de Jess Winslow. Il repoussa la pile de livres qui se dressait devant lui.

— Gin, suggéra-t-il.

Jessica enfonça d'un geste furieux les mains dans ses poches.

— Bon sang, Slade ! Je n'ai pas besoin d'un verre. J'ai besoin de *faire* quelque chose !

— Rummy, acheva-t-il en se levant.

— Rummy ? répéta-t-elle d'un air ahuri. Une partie de *cartes* ? Je suis près de me cogner la tête contre le mur, et toi, tu me proposes de jouer aux cartes ?

— Oui. Tu en as ?

— Sans doute.

Elle passa la main dans ses cheveux qu'elle maintint en arrière deux secondes avant de laisser retomber le bras.

— C'est tout ce que tu as à me proposer ?

— Non, fit-il en s'approchant d'elle pour suivre du pouce les cernes qui lui ombraient les joues. Mais je crois que nous avons donné assez d'émotions à Betsy pour la journée.

Se résignant à ce pis-aller, Jessica alla ouvrir le tiroir d'une petite table.

— Bon, d'accord, jouons aux cartes. On mise à combien ?

— Ton capital est plus important que le mien, fit-il remarquer. Vingt cents le point.

— Quel dépensier ! Bon, comme tu voudras.

Elle brandit le paquet de cartes qu'elle avait trouvé.

— Prépare-toi à perdre !

Ce qu'il fit, avec fracas. Sur la suggestion de Slade, ils s'étaient installés au salon. Il avait imaginé qu'assise sur le canapé, devant un bon feu, elle se détendrait et qu'un jeu un peu ennuyeux la ferait s'endormir. Car l'expérience lui avait appris que seul le sommeil permettait à Jessica d'endurer l'attente sans perdre la tête.

Ce qu'il n'avait pas prévu, c'était qu'elle se montrerait aussi forte à ce jeu, et encore moins qu'il se ferait complètement étriller.

— Gin, annonça de nouveau Jessica.

Il jeta un regard écœuré sur les cartes qu'elle étalait.

— Je n'ai encore jamais rencontré quelqu'un qui ait autant de chance.

— D'habileté, corrigea-t-elle en ramassant les cartes pour les battre.

L'opinion de Slade n'était pas tout à fait identique.

— Tu oublies que j'ai pas mal fréquenté les bas-fonds, dit-il comme elle distribuait une nouvelle donne. Je sais reconnaître une tricherie.

— Les bas-fonds ? fit-elle d'un air innocent. Ce devait être passionnant.

— Par moments.

— Dans quel service es-tu actuellement ?

— La criminelle.

— Oh... J'imagine qu'il y a aussi des moments intéressants, finit-elle par dire d'un ton résolument léger.

Il grommela quelque chose qui pouvait passer pour un acquiescement puis ôta une carte de son jeu. Jessica la retourna et la glissa dans son propre jeu. Au regard soupçonneux de Slade, elle répondit par un sourire.

— Ton travail a dû te faire rencontrer un tas de gens passionnants, remarqua-t-elle en posant une carte. Ce qui explique pourquoi tes personnages ont autant de profondeur.

Il pensa aux dealers, aux prostituées, aux voleurs à la tire et à leurs victimes, qu'il avait côtoyés pendant des années. Pourtant, d'une certaine façon, elle avait raison. À trente ans, Slade s'était dit qu'il avait tout vu. Ensuite, il avait découvert qu'il lui restait encore beaucoup à apprendre.

— Oui, j'ai rencontré un tas de gens.

Il jeta une seconde carte que Jessica ramassa à nouveau.

— Dont quelques tricheurs professionnels, précisa-t-il.

— C'est vrai ? fit Jessica d'un ton candide.

— Il y avait entre autres une rouquine de grande classe, improvisa-t-il. Elle jouait dans des grands hôtels de New York. Un léger accent du Sud, des mains blanches et fines et un jeu de cartes truqué.

À tout hasard, il préleva une carte et l'examina à la lumière avant de la jeter.

— Elle en a pris pour trois ans.

— Vraiment ?

Jessica secoua la tête d'un air attristé tout en s'emparant de la carte.

— Gin.

— Voyons, Jess, ce n'est pas possible...

— On dirait bien que si, répliqua-t-elle d'un ton compatissant tout en étalant son jeu.

Il examina rapidement les cartes étalées et lâcha un juron.

— D'accord. Calcule mes pertes, je m'arrête.

— Voyons, voyons...

Mâchonnant son crayon, Jessica fit les totaux.

— Tu as perdu gros, cette fois-ci, dit-elle en griffonnant sur le petit carnet. Tu me dois huit dollars cinquante-sept cinquante... Je te le laisse à huit dollars cinquante-sept.

— Tu es généreuse.

— Mais tout de suite, dit-elle en tendant la main, paume ouverte. À moins que tu ne veuilles jouer à quitte ou double ?

— Pas question.

Slade sortit son portefeuille de sa poche et jeta sur la table un billet de dix.

— Je n'ai pas de monnaie. Tu me dois un dollar quarante-trois.

Un sourire affecté sur les lèvres, Jessica alla chercher son sac dans le placard de l'entrée.

— Un dollar, dit-elle en revenant au salon, les doigts plongés dans son porte-monnaie. Et... vingt-cinq, trente, quarante-trois...

Elle laissa tomber les pièces dans la main de Slade.

— Nous sommes quittes.

— Pas du tout, fit-il en l'empoignant par l'épaule pour l'embrasser avec ardeur. Si tu tiens absolument à m'estamper, le moins que tu puisses faire est de m'offrir une compensation.

— Ça me paraît raisonnable.

Elle lui tendit les lèvres.

Seigneur, comme il la désirait ! Pas seulement pour un moment, ni pour la journée ou pour l'année, mais pour toujours. Pour l'éternité. Désir qu'il ne s'était jamais permis de formuler. Un mur se dressait entre eux, cette différence de statut social qu'il oubliait dès qu'elle était dans ses bras. Bien sûr qu'il n'avait pas le droit d'éprouver ce qu'il éprouvait ni de demander ce qu'il mourait d'envie de demander... Mais, Dieu qu'elle était chaude et douce, et que le goût de ses lèvres consentantes l'enivrait !

— Jess...

— Ne dis rien, fit-elle en l'étreignant plus étroitement. Embrasse-moi plutôt.

Sa bouche se souda à celle de Slade, étouffant les mots prêts à jaillir. Et plus le baiser se prolongeait, plus mince se faisait le mur qui les séparait. Slade eut l'impression de l'entendre se fissurer, puis s'effondrer silencieusement.

— Jess, murmura-t-il en enfouissant le visage dans sa chevelure odorante. Je voudrais...

La sonnette de la porte la fit sursauter.

— J'y vais, dit-elle.

— Non, laisse Betsy s'en occuper.

Il la garda dans ses bras une minute de plus, cœur battant contre cœur battant. Lorsqu'il la relâcha, elle s'écroula dans un fauteuil.

— C'est idiot...

Comme Michael entrait dans le salon, elle s'interrompit.

— Bonjour, Jessica, dit le jeune homme. Tu as très mauvaise mine... Tu devrais être au lit.

Elle sourit mais ne put empêcher ses doigts de se crisper.

— Tu sais bien que j'ai horreur de rester au lit. Ne t'inquiète pas, Michael, je ne vais pas si mal que cela.

— Comment veux-tu que je ne m'inquiète pas ? dit-il en lui caressant doucement la main. Surtout quand David ne cesse de rouspéter et de dire que tu ne sais pas prendre soin de toi.

— C'est que...

Elle s'interrompit, le temps de jeter un coup d'œil à Slade.

— David et moi avons eu une petite dispute ce matin. Mais je me sens bien, je t'assure.

— On ne dirait pas. Tu as l'air épuisée.

Il suivit le regard de Jessica et découvrit la présence de Slade. Sur son visage se succédèrent une expression de colère, puis de résignation.

— Au lieu de faire la conversation à ses invités, elle devrait être au lit, jeta-t-il à Slade.

Avec un haussement d'épaules d'impuissance, celui-ci s'assit dans un fauteuil.

— Ce n'est pas mon rôle de dicter sa conduite à Jessica.

— Et quel est précisément votre rôle ?

— Michael, je t'en prie, s'écria Jessica en se levant. Je vais bientôt monter, c'est promis.

Elle jeta un regard suppliant à Slade et reprit :

— Je t'ai empêché de travailler. Tu n'as pas écrit une ligne de toute la journée.

— Pas de problème, répondit-il en sortant une cigarette. Je travaillerai ce soir.

Michael restait planté au milieu de la pièce. Quoiqu'il n'eût plus rien à faire là, il ne paraissait pas disposé à s'en aller.

— Je m'en vais, dit-il enfin. À condition que tu me promettes d'aller te coucher.

— Si cela suffit à te tranquilliser...

Elle enlaça affectueusement la silhouette mince et élégante du jeune homme, et retrouva le parfum frais de son after-shave.

— David et toi, vous comptez tant pour moi. J'aimerais pouvoir vous dire à quel point.

— David et moi, répéta-t-il en lui caressant les cheveux. Oui, je sais.

Il jeta un dernier regard à Slade, toujours assis dans son fauteuil, et s'écarta.

— Bonne nuit, Jessica.

— Bonne nuit, Michael.

Slade attendit le claquement sourd de la porte d'entrée qui se refermait.

— Quel genre de dispute as-tu eu avec David ?

— Ça n'a rien à voir avec ta mission. C'était personnel.

— Rien n'est personnel.

— Ça l'était.

Elle lui jeta un regard las ; il nota la petite ride d'obstination qui s'était creusée entre ses sourcils.

— J'ai le droit d'avoir une vie privée, Slade.

— Je t'ai demandé de ne pas les voir seule, lui rappela-t-il.

Il affronta ses yeux noirs de colère.

— Ne recommence pas.

— Oui, sergent, soupira-t-elle en passant la main dans ses cheveux. Excuse-moi.

— Ne t'excuse pas. Contente-toi de faire ce qu'on te dit.

— Je crois que je vais monter. Je suis fatiguée.

— Bien, fit-il, sans bouger ni la quitter des yeux. Tâche de dormir.

— Oui, c'est ça. Bonne nuit, Slade.

Il l'écouta monter l'escalier puis jeta sa cigarette dans le feu d'un geste exaspéré.

Jessica remplit sa baignoire. Elle n'avait besoin que de deux choses : une aspirine pour sa migraine et un bain brûlant pour se détendre. Ensuite, elle dormirait. Il fallait qu'elle dorme ; son corps le réclamait à grands cris. Pour la première fois de sa vie, elle expérimentait la sensation étrange d'apesanteur que procure une extrême fatigue. La salle de bains s'était remplie de vapeur. Jessica entra dans la baignoire.

Elle savait fort bien qu'elle n'avait pas dupé Slade. Il lisait dans ses pensées encore mieux qu'elle. La visite de Michael avait couronné une journée déjà pleine de craintes non formulées et de tensions.

Il ne s'était rien passé, constata-t-elle, déçue, en s'allongeant dans la baignoire. Combien de temps encore faudrait-il attendre ainsi ? Une journée ? Une semaine ? Deux semaines ? Elle exhala un long soupir et ferma les yeux. Jessica se savait incapable d'affronter une autre journée comme celle qu'elle venait de passer. Quant à une semaine... ce n'était tout simplement pas envisageable.

Il était sept heures du soir. Elle allait s'appliquer à tenir bon jusqu'à huit heures.

À huit heures vingt, Slade fit le tour du rez-de-chaussée et examina systématiquement chaque serrure. Durant cette longue journée, il avait attendu le coup de téléphone qui lui annoncerait que sa mission était achevée. En silence, il couvrit d'injures le FBI, Interpol et Dodson. Jessica était incapable de supporter plus longtemps cette tension. La visite de Michael l'avait prouvé sans ambiguïté.

Une autre chose était devenue parfaitement évidente : il était lui-même près de flancher. Si la sonnette de l'entrée n'avait pas retenti, il aurait tenu des propos qu'il valait mieux taire et posé des questions qu'il n'avait pas le droit de poser à une femme que les événements avaient rendue trop vulnérable.

« Elle aurait pu dire oui. Elle aurait dit oui », rectifia-t-il en passant près de la masse ronflante d'Ulysse. Lorsque la vie aurait repris son cours normal, elle l'aurait regretté. Que se serait-il passé s'il lui avait demandé de l'épouser et qu'ils se fussent mariés avant qu'elle ait eu le temps de reprendre ses esprits ? « C'est la meilleure façon de bousiller définitivement deux vies. » Il était préférable de rompre tout de suite et que chacun retrouve son rôle habituel.

Au moins, pour le moment, elle était au premier étage en train de se reposer et non à côté de lui, en train de l'inciter à franchir la limite qu'il s'était imposée. Quand elle n'était pas près de lui, il lui était plus facile de voir les choses avec objectivité.

Les domestiques s'étaient retirés dans leurs appartements, d'où lui parvenaient le murmure de la télévision et le léger remue-ménage de placards qu'on rouvre et qu'on referme. Il allait vérifier les serrures une dernière fois, puis il monterait écrire dans sa chambre. Il se frotta la nuque où se concentrait toute la tension accumulée de la journée. Ensuite, il dormirait dans son lit, seul. Oui, tout seul.

Comme il se dirigeait vers la cuisine, Slade vit la poignée de la porte tourner lentement. Muscles bandés, il recula dans l'obscurité et attendit.

Huit heures trente. Jessica jeta un coup d'œil à son réveil sans cesser de tourner en rond dans sa chambre.

Ni le bain ni l'aspirine ne l'avaient suffisamment détendue et le sommeil semblait définitivement inaccessible. Si seulement Slade pouvait monter... Non. Elle devenait trop dépendante et cela ne lui ressemblait pas. Pourtant, elle pressentait que le bruit seul de la machine à écrire lui calmerait les nerfs.

Une heure après l'autre, se rappela-t-elle en regardant à nouveau le réveil. Elle avait tenu bon de sept à huit mais, jusqu'à neuf, c'était au-dessus de ses forces. À bout de patience, Jessica se dirigea vers l'escalier.

Si Slade se fâchait, tant pis. Rester confinée dans la maison était déjà assez pénible. Elle accepterait n'importe quoi pour s'occuper, même remplir quelques-unes de ces fiches stupides, jusqu'à ce que...

Ses réflexions s'interrompirent brutalement à la seconde même où elle parvint au rez-de-chaussée. Les portes du salon étaient à nouveau fermées. Un frémissement parcourut sa colonne vertébrale, la poussant à tourner les talons pour se réfugier dans sa chambre. Elle avait déjà reculé d'un pas lorsqu'elle s'arrêta.

N'avait-elle pas protesté vertueusement lorsque Slade lui avait conseillé de s'enfuir? C'était sa maison, après tout. Elle était responsable de ce qui s'y passait. Prenant son courage à deux mains, elle ouvrit les portes du salon et appuya sur l'interrupteur.

La porte de la cuisine s'ouvrit doucement. Une ombre apparut, Slade reconnut tout de suite la silhouette dégingandée. Soulagé, il avança dans la lumière que dispensait la lune. Surpris, David pivota brusquement et lâcha un juron.

— Vous m'avez fait une peur de tous les diables, protesta-t-il en laissant la porte se refermer derrière lui. Qu'est-ce que vous faites là, dans le noir?

— Je vérifiais les serrures, dit Slade sans s'émouvoir.

— Je rentre juste à temps, alors!

David alluma la lumière et se dirigea vers la cuisinière.
— Vous voulez du café ?
— Oui, merci.
Slade s'assit à califourchon sur une chaise et attendit que David lance la conversation.
Le dernier rapport que Slade avait reçu de Brewster mettait le garçon hors de cause. Les ordinateurs les plus sophistiqués avaient épluché son nom, son visage et ses empreintes. Depuis plus d'un mois, on avait surveillé chacun de ses faits et gestes. David Ryce était exactement ce qu'il semblait être : un jeune homme un peu méfiant, doué pour les chiffres et aimant les antiquités. Il avait aussi une liaison, qu'il pensait ignorée de tous, avec une étudiante en médecine. Slade se souvint du ton à la fois amusé et paternel de Brewster lorsqu'il lui avait parlé de cette aventure.
Malgré une pointe de remords, Slade avait jugé préférable de taire à Jessica ce qu'il avait appris sur David. Elle avait assez de mal comme ça à se contrôler. Mieux valait qu'elle soupçonne les deux hommes que d'être certaine de la culpabilité de Michael.

— Michael... souffla Jessica, abasourdie.
— Jessica...
Des morceaux du bureau dans les mains, il se redressa, cherchant quelque excuse plausible à sa présence et à son étrange activité.
— Je ne voulais pas te déranger. J'espérais que tu dormais.
Avec un soupir résigné, elle referma derrière elle les portes du salon.
— Il y a un problème avec ce meuble, commença Michael. Je voulais...
— Je t'en prie, tais-toi.
Elle alla se verser un verre de cognac qu'elle but d'un coup.

— Je suis au courant de cette histoire de contrebande, Michael, reprit-elle d'une voix neutre. Je sais que tu as utilisé ma boutique.

— Quelle contrebande ? Voyons, Jessica...

— Non, je t'en prie ! s'écria-t-elle en se tournant vers lui, la voix vibrante de colère et d'amertume. Je *sais*, Michael. Et la police aussi.

— Seigneur...

Livide, il jeta un regard éperdu autour de lui comme s'il cherchait une issue.

— Ce que je veux savoir, c'est pourquoi tu as fait cela, reprit-elle d'un ton calme et assuré. Tu me dois bien une explication.

— J'étais pris au piège.

Il laissa tomber à terre les morceaux de bois et prit une cigarette.

— Jessica, j'étais pris au piège. Il m'avait promis que tu ne serais pas impliquée, que tu ne l'apprendrais pas. Il faut que tu me croies : si j'avais eu le choix, jamais je ne t'aurais mêlée à cette histoire.

— Le choix, murmura-t-elle en pensant à Slade. Nous avons tous des choix à faire. Quel était le tien ?

— Il y a deux ans, en Europe...

Il s'interrompit, le temps de tirer une bouffée de cigarette.

— J'ai perdu de l'argent... beaucoup d'argent. Plus que je ne pouvais en perdre. Et mon créancier n'était pas le genre de personne à qui l'on peut raconter des histoires.

Il jeta à la jeune femme un coup d'œil suppliant et pompa nerveusement sur sa cigarette.

— Il m'a fait tabasser... Tu te souviens peut-être de ces deux semaines supplémentaires que j'ai passées à Rome. C'étaient des professionnels... Il s'est passé des jours et des jours avant que je puisse poser le pied par terre. Lorsqu'il m'a proposé une alternative à l'invalidité définitive, je l'ai acceptée.

Il passa la main dans ses cheveux et se dirigea vers le bar pour se servir une bonne dose de bourbon qu'il avala d'un coup.

— Il savait qui j'étais, bien sûr. Il connaissait ma famille, mes relations avec toi, ta réputation impeccable, et la boutique...

L'alcool lui fournit un sursaut d'énergie. Sa voix se raffermit.

— Pour lui, c'était le coup rêvé. Moi, je ne cherchais pas l'argent, Jessica. Je voulais seulement rester en vie... et j'étais dedans jusqu'au cou.

Elle sentit poindre en elle un attendrissement qu'elle chassa aussitôt. « Pas de pitié », s'exhorta-t-elle. Il ne la ferait pas s'apitoyer sur lui.

— *Qui* est-ce, Michael ?

— Non, fit-il en se tournant vers elle, je ne te le dirai pas. S'il le savait, tu ne serais plus en sécurité.

Elle eut un rire bref.

— En sécurité ? Si ma sécurité te tenait tant à cœur, tu aurais pu me dire de ne pas aller me promener sur la plage alors qu'un homme cherchait à me tirer dessus.

— Te ti... te tirer dessus... Mon Dieu, Jessica, je n'ai pas pensé une seconde qu'il... Il proférait des menaces mais je n'ai jamais cru qu'il s'en prendrait à toi. J'aurais fait quelque chose.

Ses doigts tremblèrent et de la cendre tomba sur le tapis. Il jeta nerveusement sa cigarette dans la cheminée.

— Je l'ai supplié de ne pas te mêler à ça, je lui ai juré que je ferai tout ce qu'il voudrait s'il te laissait en dehors de cette histoire. Je t'aime, Jessica.

— Ne me parle plus d'amour, je t'en prie.

Affichant un calme qu'elle était loin d'éprouver, elle se pencha pour ramasser l'un des morceaux de bois qu'il avait laissé tomber. C'était une partie du placage intérieur.

— Qu'y a-t-il dans ce bureau, Michael ?

— Des diamants, répondit-il d'une voix blanche. Pour une valeur de deux cent cinquante mille dollars. Si je ne les lui apporte pas ce soir...

— Où ?

— À la boutique, à dix heures.

— Montre-les-moi.

Il ôta une fine cloison de bois au fond de l'espace où devait se loger un tiroir, et une cachette apparut. Il en sortit un petit sac matelassé.

— C'est la dernière fois, fit-il comme pour se justifier. Je lui ai dit que c'était fini. Dès que je les lui aurai livrés, je quitterai le pays.

— C'est la dernière fois, tu as raison, dit-elle en tendant la main. Mais tu ne lui livreras rien du tout. C'est moi qui prends les diamants, Michael. Ils vont retourner d'où ils viennent, et toi, tu vas aller raconter tout cela à la police.

— Autant me tirer un coup de revolver sur la tempe tout de suite ! s'écria-t-il. Il me tuera, Jessica. S'il apprend que je me suis rendu à la police, même en prison je ne serai pas en sécurité. Il me tuera et, s'il sait ce que tu as fait, il te tuera aussi.

— Ne fais pas l'idiot.

Les yeux brillants, elle lui arracha le sac.

— De toute façon, il cherchera à nous tuer, toi et moi. Ça m'étonnerait qu'il ne se soit pas rendu compte que la police est déjà à ses trousses. Il n'est pas assez bête pour ça. Réfléchis ! Ta seule chance est de te rendre, Michael.

Ces mots réveillèrent une peur qu'il avait vainement tenté d'étouffer. Au plus profond de lui-même, Michael avait toujours su que son rôle dans cette opération ne pouvait s'achever que d'une seule façon. C'était la peur, plus que l'argent, qui l'avait fait obéir.

— Pas la police, dit-il en regardant à nouveau autour de lui. Il faut que je me cache maintenant. Tu n'as pas l'idée d'un endroit où il ne pourrait pas me trouver ? Rends-moi les diamants, ils me seront très utiles.

Elle serra les doigts autour du précieux petit sac.
— Non. Tu as abusé de moi. Ça suffit.
— Pour l'amour de Dieu, Jessica, tu veux ma mort? gémit-il. Je n'ai pas le temps de réunir l'argent nécessaire pour partir tout de suite.
Elle le regarda. Une fine pellicule de sueur recouvrait son visage. La terreur rendait ses yeux vitreux. Il l'avait manipulée, soit, mais cela n'anéantissait pas les sentiments qu'elle lui avait toujours portés. Puisqu'il était résolu à s'enfuir, il fallait lui donner de quoi survivre quelque temps. Jessica s'approcha d'un tableau représentant un paysage de France, le fit pivoter sur des gonds discrets et un coffre-fort apparut. De l'index, elle composa un numéro et ouvrit le battant.
— Prends ça, dit-elle en tendant à Michael une liasse de billets. Ça ne vaut pas autant que les diamants mais de l'argent liquide sera plus facile à utiliser. Enfin, c'est à toi de décider.
— Je n'ai pas le choix, dit-il en glissant les billets dans la poche intérieure de sa veste. Excuse-moi, Jessica, je suis vraiment désolé.
Elle hocha la tête et suivit d'un regard pensif le jeune homme qui s'éloignait.
— Michael, est-ce que David était dans le coup?
— Non, David n'a fait qu'obéir à des ordres qu'il croyait normaux.
Il découvrit soudain que ce qu'il avait vraiment désiré, l'estime de cette femme, lui glissait des doigts.
— Jessica...
— Va, Michael. Si tu tiens à t'enfuir, cours.
Elle attendit qu'il eût disparu pour ouvrir le sac matelassé. Un ruisseau froid et étincelant s'écoula dans sa paume: les diamants...
— C'est donc cela que valait ma vie, murmura-t-elle.
Elle les remit soigneusement dans le sac puis contempla les restes du bureau Queen Ann. Tout cela à cause

d'une fantaisie de sa part ! Si elle n'avait pas tout à coup voulu garder ce joli meuble pour elle, alors...

Allons, inutile de penser à tout cela. Il fallait aller voir Slade et lui raconter ce qui s'était passé. Mais d'abord, il lui fallait un peu de temps pour se ressaisir.

Avec un soupir, Jessica s'affala dans un fauteuil, le petit sac sur ses genoux.

— J'imagine que Jessica vous a raconté ce qui s'est passé ce matin, dit David en cherchant des tasses dans le placard.

Slade haussa les sourcils. De quoi s'agissait-il donc ?

— Elle n'aurait pas dû ? demanda-t-il d'un ton neutre, comme s'il comprenait parfaitement de quoi parlait le garçon.

— Écoutez, je n'ai rien contre vous... Je ne vous connais même pas.

David se retourna brusquement et une épaisse mèche de cheveux lui recouvrit le front.

— Mais Jessie compte beaucoup pour moi. Ça ne m'a pas plu de la voir sortir de votre chambre ce matin.

Il évalua du regard l'homme qui lui faisait face. Ce type était trop fort pour lui, il ne parviendrait pas à l'intimider.

— Ça ne me plaît toujours pas, ajouta-t-il bravement.

Slade regardait les yeux qui brillaient derrière les lunettes. Voilà ce qui avait déclenché leur dispute matinale. La loyauté de Jessica ne le surprit pas.

— Eh bien, vous n'êtes pas obligé d'apprécier, quoique Jessica l'aurait sans doute préféré, répondit-il enfin.

Le regard direct de Slade mit David mal à l'aise. Il passa d'un pied à l'autre.

— Je ne veux pas qu'elle souffre.

— Moi non plus.

David fronça les sourcils. Le ton de Slade avait paru sincère.

— Elle donne sans compter.

La colère assombrit d'un coup les yeux gris de Slade. David faillit reculer.

— Je n'en veux pas à son argent.

Le jeune homme se détendit.

— Bon, d'accord, excusez-moi. C'est qu'elle s'est déjà fait piéger. Elle fait confiance à tout le monde. Elle est vraiment intelligente, vous savez... bien que cette écervelée fasse tellement de choses à la fois qu'elle ne sait parfois plus où elle en est. Mais comme elle est gentille et spontanée, certains la prennent pour une poire.

Le café se mit à bouillir derrière lui. Il éteignit le feu en hâte.

— Écoutez, oubliez ce que j'ai dit. Ce matin, elle m'a bien fait comprendre que ça ne me regardait pas, et c'est vrai. Sauf que... eh bien, je l'aime beaucoup, vous savez. Comment va-t-elle ce soir ?

— Ça va. Elle sera bientôt guérie.

— Eh bien, tant mieux, fit le jeune homme avec conviction en posant le café sur la table. Vaudrait mieux qu'elle ne m'entende pas, mais j'ai rudement besoin d'elle à la boutique. Entre les vérifications à effectuer sur le nouveau stock et les humeurs de Michael...

— Michael ?

— Ouais... Je sais bien que tout le monde a le droit d'être de mauvaise humeur de temps en temps. Mais justement Michael semblait du genre à ne jamais s'emporter... Jessica appelait ça de la bonne éducation, ajouta-t-il avec un petit sourire.

— Il y a peut-être quelque chose qui le tracasse ?

David haussa les épaules, l'air de dire qu'il n'y comprenait rien.

— En tout cas, je ne l'ai pas vu se mettre dans un état pareil depuis l'embrouillamini avec l'armoire Chippendale de l'année dernière.

— Ah bon ?

Certaines informations arrivaient sans qu'on ait besoin de les chercher. Il suffisait d'être patient.

— C'était ma faute, poursuivit David, mais je ne savais pas qu'il l'avait achetée pour un client précis. Ça nous arrive, à l'un ou à l'autre, de promettre un meuble mais, d'habitude, on se met au courant. Un meuble splendide, cette armoire. En bois d'amarante sombre, avec des incrustations de marqueterie. Mme Leeman était dans la boutique quand on l'a sortie du camion. Il lui a suffi d'un coup d'œil et elle s'est précipitée sur son chéquier ; elle a tout de suite signé le chèque. Michael est rentré d'Europe au moment où nous étions en train de démonter l'armoire pour la livrer et il a piqué une de ces crises ! Il disait qu'il l'avait déjà vendue et que l'acheteur lui avait même donné une avance en liquide.

David prit une gorgée de café dont l'amertume le fit grimacer.

— Le reçu avait dû être perdu, reprit-il. C'est bizarre, d'ailleurs, car Jessie est plutôt méticuleuse avec ce genre de papiers. Mme Leeman non plus n'a pas été contente. Pour la calmer, Jessie lui a vendu une console à prix coûtant.

— Qui l'a achetée ?

— Quoi ? L'armoire ? Seigneur, je ne sais pas. Michael ne me l'a pas dit et, vu son humeur, je ne lui ai pas posé la question.

— Vous avez la facture ?

— Oui, bien sûr, fit David en lui jetant un regard intrigué. À la boutique. Pourquoi ?

— Il faut que je sorte, s'écria Slade en bondissant vers l'escalier de service. Restez là jusqu'à ce que je revienne.

— Qu'est-ce que...

David s'interrompit : Slade avait déjà disparu. Ce type travaillait du chapeau. On est en train de discuter tranquillement avec un mec et le voilà qui...

— Débrouillez-vous pour que Jessica ne bouge pas d'ici ! lui jeta Slade en redescendant.

Il avait déjà refermé sa veste sur son revolver.

— Faut pas qu'elle bouge ?

— Non, pas d'un poil. Et ne laissez entrer personne dans la maison.

Slade s'arrêta le temps de regarder David dans le blanc des yeux.

— Personne, compris ?

Quelque chose dans son regard poussa David à acquiescer sans poser de questions.

Slade attrapa une serviette en papier et griffonna des chiffres.

— Si je ne suis pas de retour dans une heure, appelez ce numéro. Racontez à l'homme qui répondra l'histoire de l'armoire. Il comprendra.

— L'armoire ? répéta David en écarquillant les yeux sur la serviette que Slade lui fourrait dans la main. *Moi*, je ne comprends pas.

— Ça ne fait rien. Faites-le, c'est tout.

La porte de service claqua derrière lui.

— Oui, bien sûr, grommela David. Pourquoi devrais-je comprendre ?

« Complètement givré, ce mec », conclut-il en fourrant la serviette dans sa poche. Mais peut-être était-ce le cas de tous les écrivains. Bravo, Jessica ! Il jeta un coup d'œil à sa montre et décida de monter la voir. L'écrivain était sans doute cinglé mais il avait réussi à l'inquiéter.

Il était au milieu du couloir lorsque les portes du salon s'ouvrirent.

— David ! cria Jessica en se ruant dans ses bras.

— Hé, qu'est-ce qui se passe ?

Il se dégagea de son étreinte et la prit par les épaules.

— Il y a un autre virus de grippe dans le coin, un qui attaque le cerveau ?

— Je t'aime, David !

Au bord des larmes, Jessica l'embrassa fougueusement. Il rougit et se dandina avec gêne.

— Ouais, moi aussi, je t'aime beaucoup. Écoute, excuse-moi pour ce matin…

— Nous en parlerons plus tard. J'ai beaucoup de choses à te dire mais il faut d'abord que je voie Slade.

— Il est sorti.

— Sorti ? répéta-t-elle en enfonçant ses doigts dans le bras de David. Où donc ?

— Je ne sais pas… Jessie, reprit-il en scrutant son visage, tu as l'air vraiment mal en point. Je vais t'accompagner jusqu'à ta chambre.

— Non, David, c'est important, insista-t-elle avec gravité. Tu dois bien avoir une idée de là où il est allé.

— Mais non ! Nous étions en train de bavarder et tout à coup il a bondi et s'est sauvé.

— De quoi ? s'écria Jessica en le secouant avec impatience. De quoi parliez-vous ?

— De choses et d'autres. Je lui ai dit que Michael était de mauvaise humeur en ce moment. Je lui ai aussi raconté la scène qu'il a faite à propos de l'armoire que voulait Mme Leeman. Tu te rappelles ?

Jessica porta les mains à ses joues.

— L'armoire… Mon Dieu, bien sûr !

— Slade m'a ordonné de ne laisser entrer personne et m'a donné un numéro à appeler s'il n'était pas de retour d'ici une heure. Hé, où vas-tu ?

Jessica avait décroché son sac de la rampe de l'escalier et y plongeait la main.

— Il est allé à la boutique. À la boutique et il est presque dix heures ! Où sont mes clés ? Appelle… Appelle la boutique et laisse sonner jusqu'à ce qu'il réponde.

D'un geste, elle renversa le contenu de son sac sur le sol.

— *Appelle !* répéta-t-elle comme il restait immobile, les yeux fixés sur elle.

— D'accord, calme-toi.

Tandis qu'elle cherchait frénétiquement ses clés parmi tous les objets éparpillés à terre, David composa le numéro.

— Je ne les trouve pas, je ne les… Elles sont dans mon manteau !

Elle se précipita vers le placard de l'entrée.

— Il ne répond pas, annonça David. Même si c'était là qu'il se rendait, il n'a pas encore eu le temps d'y arriver. Ce qui, d'ailleurs, n'a aucun sens puisque la boutique est verrouillée et… Jessie, où vas-tu ? Il a dit que tu ne devais pas bouger. Bon sang, tu as oublié ton manteau ! Attends une minute !

Elle dévalait déjà l'escalier du perron et courait vers sa voiture.

11

Il ne fallut que deux minutes à Slade pour forcer la serrure de la boutique. S'il ne devait faire qu'une chose avant de partir, ce serait d'obliger Jessica à trouver un serrurier compétent. Qu'elle n'ait pas déjà été dévalisée tenait du miracle. Il se faufila entre les meubles dans l'obscurité, en direction de la petite pièce qui servait de bureau.

Il y trouva une grande table en acajou, sur laquelle trônait une lampe Tiffany. À côté, il y avait un bloc sur lequel étaient griffonnés des noms et des numéros. Slade alluma. « ULYSSE A FAIM » était-il écrit en majuscules, juste en dessous de pattes de mouches qui conseillaient de « Racheter un manche à balai... Urgent. Betsy furieuse ». Un demi-sourire sur les lèvres, Slade secoua la tête. Le sens de l'organisation de Jessica le dépassait. Il se tourna vers l'armoire métallique qui se dressait au fond de la pièce.

Le tiroir supérieur semblait ne contenir que des objets personnels. La facture d'un chemisier acheté deux ans auparavant sortait à demi d'un dossier intitulé POLICE D'ASSURANCE – BOUTIQUE ; une liste froissée de courses à faire traînait entre deux classeurs. Avec un soupir excédé, Slade ouvrit le second tiroir.

C'était l'inverse. Les dossiers étaient parfaitement rangés et tenus de façon irréprochable. Slade les inventoria rapidement : des factures de l'année en cours classées chronologiquement ; des bons de livraison tout aussi bien classés ; de la correspondance d'affaires. Chaque section était un chef-d'œuvre d'organisation, comparé au tiroir du haut.

Le troisième tiroir contenait les comptes de l'année précédente : exactement ce qu'il cherchait. Slade posa le premier dossier sur le bureau et l'étudia attentivement, feuille après feuille, de janvier à fin mars. Lecture qui le renforça dans sa conviction, à savoir que l'entreprise de Jessica était florissante.

Il remit en place le dossier et en sortit un autre. Le temps s'écoulait inexorablement tandis qu'il examinait les papiers, l'un après l'autre, avec le plus grand soin. Il sortit une cigarette et poursuivit sa tâche. La référence qu'il cherchait figurait en date du mois de juin : *Une armoire XVIIIe. Bois d'amarante avec marqueterie*. Le prix lui fit hausser les sourcils.

— Bonne affaire, murmura-t-il en prenant note du nom de l'acheteur. Tout le monde en a tiré profit, finalement.

Il mit la facture dans sa poche et décrocha le téléphone. Brewster allait trouver l'histoire de David fort intéressante. Slade n'avait pas fini de composer le numéro qu'il entendit une voiture s'arrêter devant la boutique. Il éteignit aussitôt la lumière, raccrocha et sortit son revolver.

En dépit d'une succession de virages, Jessica gardait le pied sur l'accélérateur. Maintenant, elle se faisait des reproches. Si elle avait eu une once de bon sens, elle aurait demandé à David de composer le numéro laissé par Slade. Et pourquoi ne lui avait-elle pas au moins dit de continuer à appeler la boutique jusqu'à ce que Slade réponde ? Fallait-il qu'elle soit bête !

Elle jeta un coup d'œil à sa montre. *Dix heures*. Seigneur, si seulement l'homme avec qui avait rendez-vous

Michael pouvait arriver en retard! Slade devait être dans le bureau en train de fouiller parmi les factures. Que ferait ce type lorsqu'il surgirait dans la boutique et découvrirait Slade au lieu de Michael? Jessica appuya sur l'accélérateur et prit un virage à la corde.

Les phares d'une voiture l'aveuglèrent. Elle donna un coup de volant et la roue arrière gauche dérapa sur le bas-côté. La voiture fit un tête-à-queue sur les gravillons mais Jessica parvint à la ramener sur la chaussée.

« Bravo! se dit-elle, le cœur battant. Bousille la voiture, ça arrangera tout. » Se maudissant pour sa sottise, elle essuya une main moite sur son pantalon. « Cesse de penser, maintenant. Conduis, c'est tout. Il ne reste même pas deux kilomètres. » À cet instant, le moteur toussa puis hoqueta. Jessica débraya pour passer la vitesse inférieure mais l'Audi cala et s'arrêta définitivement.

— *Non!*

Furieuse, elle frappa le volant des deux mains. L'aiguille de la jauge indiquait avec obstination la panne sèche. Combien de fois s'était-elle dit de s'arrêter à une station-service pour faire le plein? Le moment était mal choisi pour gémir sur son imprudence. Jessica claqua la portière et laissa la voiture en plein milieu de la route, phares allumés. Puis elle se mit à courir.

Slade se glissa derrière la porte entrouverte qui séparait la boutique du bureau et tendit l'oreille. La poignée tourna avec un petit déclic et la sonnette fit entendre son tintement allègre. Suivirent des pas étouffés, une respiration un peu haletante et un soupir agacé.

— Pas d'enfantillage, Michael. À quoi bon te cacher? C'est idiot, tu as laissé ta voiture devant la porte... Et puis, tu devrais savoir que, de toute façon, il est inutile de te cacher puisque je mettrai la main sur toi.

Slade alluma le plafonnier et entra dans la pièce.

— Chambers ? Le passionné de tabatières ! Je suis désolé, mais la boutique est fermée, dit-il en levant son arme.

Sans paraître le moins du monde ému, Chambers ôta son chapeau.

— Vous êtes le manutentionnaire, je crois ? Michael est vraiment stupide de vous avoir envoyé à sa place. Mais il est vrai que la violence lui fait peur.

— Je n'ai pas ce problème. Rippeon est à la morgue.

Devant le regard ahuri de Chambers, Slade reprit :

— À moins que vous n'ignoriez le nom des tueurs que vous embauchez ?

— La mort fait partie des risques du métier, fit Chambers d'un ton sentencieux.

Sachant Slade plus dangereux que l'arme braquée sur sa poitrine, il le regardait dans les yeux.

— Que vous a promis Michael, monsieur…

— Sergent, corrigea Slade. Sergent Sladerman de la police de New York, rattaché au FBI.

Une lueur éclaira brièvement le regard de Chambers.

— La seule chose que j'attende d'Adams est une petite conversation au sujet de Jessica Winslow, poursuivit Slade. La partie est finie, Chambers. Nous surveillons depuis quelque temps Adams et les autres membres de votre équipe. Il ne nous manquait plus que vous.

— Une erreur de ma part, admit Chambers en jetant un œil autour de lui. En principe, je reste à l'écart des livraisons. Mais Mlle Winslow a une boutique si charmante que je n'ai pu y résister. Dommage.

Son regard se reporta sur Slade.

— Vous n'avez pas l'air du genre à vous laisser acheter… même cher.

— Quelle perspicacité !

Tout en gardant son arme braquée sur Chambers, il s'approcha du téléphone.

Hors d'haleine, Jessica parcourait à toutes jambes les derniers mètres qui la séparaient de la boutique. Les lumières brillaient derrière les stores. Ne pensant qu'à Slade, elle se jeta sur la porte de tout son poids.

Avec une vivacité inattendue pour un homme de sa corpulence, Chambers l'agrippa à la seconde où elle pénétrait dans la pièce. Son bras se referma autour de sa gorge. Avant qu'elle ait eu le temps d'avoir peur, Jessica sentit le froid du métal sur sa tempe. Slade se pétrifia sur place.

— Reposez votre arme, sergent. Apparemment, la partie n'est pas terminée.

Voyant que Slade hésitait, Chambers se permit un sourire ironique.

— Ce revolver a beau être petit, il fonctionne parfaitement. Et à cette distance...

Il s'interrompit, laissant à Slade le soin d'achever sa phrase.

Celui-ci laissa tomber son arme et leva les mains.

— D'accord. Lâchez-la.

— Oh, non. J'ai provisoirement besoin de quelques garanties.

— M. Chambers... implora Jessica en posant la main sur le bras qui l'empêchait de respirer.

— Le sergent ne semble pas apprécier votre arrivée. Moi si, beaucoup. Les choses prennent soudain une autre tournure.

Slade jeta un coup d'œil à la pendule sur sa gauche. D'après ses calculs, David ne devrait pas tarder à appeler son contact. L'objectif à présent était de gagner du temps.

— Vous n'aurez pas à gaspiller de balle si vous continuez à l'étrangler.

— Oh, pardon, fit Chambers en desserrant légèrement son étreinte.

Le revolver toujours sur sa tempe, Jessica reprit peu à peu son souffle.

— Une créature ravissante, n'est-ce pas ? remarqua Chambers à l'adresse de Slade. J'ai souvent regretté de ne pas avoir vingt ans de moins. Une femme comme ça est faite pour se promener au bras d'un homme, vous ne trouvez pas ?

— Monsieur Chambers, que faites-vous ici en plein milieu de la nuit ? Lâchez-moi et écartez ce truc de ma tête.

Ruse peu convaincante mais Jessica n'en avait pas trouvé de meilleure.

— Voyons, ma chère, nous savons bien tous les trois que je ne puis pas faire une chose pareille, quoique, pour votre salut, je l'aurais préféré.

Jessica jeta à son tour un coup d'œil à la pendule.

— Elle pourrait vous être utile, fit remarquer Slade. Il vous faudra un bouclier pour sortir d'ici.

— Mon... itinéraire est déjà organisé, sergent, répliqua-t-il avec un sourire. Je me ménage toujours une porte de secours.

— Vous ne pouvez espérer vous échapper, monsieur Chambers, dit Jessica en désignant du regard la pendule à Slade. Le sergent a dû vous dire que la police est sur vos traces.

— Il y a fait allusion, effectivement. Vous savez, mon petit, vous êtes devenue mon point faible. J'ai apprécié nos agréables conversations devant une tasse de thé, mais je me suis rendu compte que cette livraison devrait être la dernière. Cela devenait trop dangereux. Mais j'avoue que je n'ai pas mesuré à quel point le danger se rapprochait. Rien n'est encore joué, toutefois. Si les diamants semblent momentanément perdus, je finirai bien par retrouver Michael.

— Il ne les a pas ! s'écria Jessica en tentant d'écarter le bras de Chambers qui l'étranglait à nouveau.

— Non ? susurra-t-il.

Comme Slade esquissait un mouvement vers lui, il lui lança un regard d'avertissement.

— Où sont-ils, alors ? demanda-t-il.

Guettant le hurlement des sirènes, Jessica se mordit les lèvres.

— Je vais vous les montrer, réussit-elle à articuler.

Peut-être parviendrait-elle à marchander en échange de la vie de Slade. Et ensuite à entraîner Chambers dehors, ne fût-ce qu'un court instant...

— Oh, non, ça ne me convient pas du tout, protesta-t-il en resserrant son étreinte. Dites-moi plutôt où ils sont.

— Non, souffla Jessica. Je vais vous y emmener.

Sans mot dire, Chambers écarta le revolver de sa tempe et le braqua sur Slade.

— Arrêtez ! Ils sont chez moi, s'écria-t-elle. Je les ai mis dans le coffre-fort du salon. Ne lui faites pas de mal, je vous en prie. Je vais vous donner la combinaison. Trente-cinq vers la droite, douze vers la gauche, cinq à droite et à gauche jusqu'à vingt-trois. Ils y sont tous, je n'ai pas voulu que Michael les emporte.

— Honnête, commenta Chambers. Et confiante. Je vous aime beaucoup, ma chère, aussi je vous conseille de fermer les yeux. Et, quand ce sera votre tour, je ferai de mon mieux pour que ce soit le moins douloureux possible.

— *Non !* hurla Jessica en voyant Slade s'élancer.

Avec une force surprenante, due à la terreur, elle se jeta sur le bras qui brandissait le revolver. La détonation retentit dans sa tête ; elle chancela et fut repoussée brutalement de côté.

Elle roula à terre. Le contact brutal avec le sol lui meurtrit l'épaule et un goût de sang et de peur lui emplit la bouche. Elle se releva aussitôt, juste à temps pour voir le poing de Slade s'écraser sur la figure de Chambers. Le petit homme rondouillard s'écroula lentement.

Jessica le contempla, abasourdie. Tout s'était terminé tellement vite qu'elle avait du mal à réaliser ce qui s'était vraiment passé. Ils se trouvaient tous les deux en danger de mort et, une seconde plus tard, c'était fini. Plus jamais la vie ne lui semblerait une chose acquise et assurée. Plus jamais. Les jambes flageolantes, elle prit appui sur un chiffonnier.

— Slade...

— Va me chercher une corde ou n'importe quoi de ce genre, espèce d'idiote.

Elle retint un fou rire hystérique en titubant vers l'arrière-boutique. Cet homme avait le génie des conclusions romantiques ! La vue brouillée, elle dut cligner plusieurs fois des yeux avant de mettre la main sur un rouleau de ficelle épaisse destinée aux emballages. Oubliant soudain pourquoi elle en avait besoin, elle le regarda fixement une seconde.

— Tu te grouilles ? cria Slade.

Dans une sorte d'automatisme hagard, elle le lui rapporta. Dix heures quinze, disait la pendule. Comment était-il possible qu'il ne soit que dix heures quinze ? Comment pouvait-on approcher la mort de si près et y échapper, en l'espace de dix minutes seulement ? Slade lui arracha la ficelle des mains sans la regarder.

— Bon sang, Jess, c'était vraiment la pire des idioties à faire ! Qu'est-ce que tu avais dans la tête en déboulant comme ça ? Tu savais bien que tu ne devais pas quitter la maison !

Tout en ligotant Chambers encore inconscient, il lâcha une bordée de jurons.

— Michael m'a dit que le rendez-vous était fixé à dix heures, murmura-t-elle. Et j'ai pensé...

— Si tu étais capable de penser, tu n'aurais pas bougé, comme je te l'avais dit. Que croyais-tu pouvoir faire en te précipitant ici ? Avant que tu ne fasses irruption, je le tenais... Mais ça ne t'a pas suffi, poursuivit-il en la contournant pour se diriger vers le téléphone. Il a fallu ensuite que tu te jettes sur son revolver. Tu aurais pu être touchée !

Toujours fulminant, il composa un numéro sur le cadran.

— Oui, fit-elle, les yeux écarquillés sur la tache qui s'élargissait sur son chandail. Je crois que je l'ai été.

— Quoi ?

Il pivota brusquement sur lui-même et lâcha le téléphone.

— Mon Dieu !

En deux enjambées, il la rejoignit et arracha la manche en tirant sur la couture de l'épaule.

— Jess, tu as été touchée !

Les sourcils froncés, elle jeta un regard ahuri sur sa blessure.

— Oui, on dirait bien, dit-elle de la voix résolument assurée de l'ivrogne. Je ne sens rien. Ça devrait faire mal ? Il y a beaucoup de sang.

— Tais-toi !

Examinant rapidement le bras de Jessica, il vit que la balle l'avait traversé proprement et était ressortie. *La chair de Jess !* Son estomac eut un soubresaut. Il déchira sa chemise pour en faire un garrot qu'il noua au-dessus de la plaie.

— Espèce d'idiote, tu as de la chance de ne pas l'avoir reçue dans la tête.

Les mains tremblantes, il eut du mal à faire le nœud, ce qui déclencha une nouvelle série de jurons.

— Ce n'était qu'un tout petit revolver, balbutia-t-elle.

Il lui jeta un regard lourd d'émotions contradictoires qu'elle ne vit pas, tant sa vue se brouillait.

— Une balle est une balle, marmonna-t-il.

Le sang chaud de Jessica sur ses mains le bouleversa et un filet de sueur glacée descendit le long de sa colonne vertébrale.

— Bon Dieu, Jessica, qu'avais-tu dans la tête en débarquant comme ça ? Je savais très bien ce que je faisais.

— Je regrette.

Dans une sorte de vertige, elle rejeta la tête en arrière pour tenter de le regarder.

— Comme c'était grossier de ma part d'intercepter une balle qui t'était destinée.

— Ne fais pas la maligne maintenant, grommela-t-il entre ses dents. Si tu n'étais pas dans cet état, je te jure que je te ficherais une raclée.

Le désir de la prendre dans ses bras le torturait mais il avait peur de lui faire mal. Lorsqu'il eut fini de panser sa blessure, il tendit une main pour la soutenir.

— Voilà ce que c'est que de regarder des films stupides. C'est à cause d'eux que tu t'es jetée sur son revolver ?

— Non, fit-elle en se laissant mener vers un fauteuil. En fait, sergent, c'est parce que je pensais qu'il allait te tuer. Comme je suis amoureuse de toi, je ne pouvais pas le laisser faire.

À ces mots, il s'immobilisa et la regarda avec ahurissement.

— Je suis désolée, dit Jessica d'une voix pâteuse, mais je crois que je vais m'évanouir.

La dernière chose qui lui parvint au travers du bourdonnement de sa tête fut un chapelet de jurons.

Jessica reprit lentement conscience dans un brouillard blanc. Son corps semblait dériver indépendamment d'elle. Les élancements qui traversaient son épaule paraissaient appartenir à quelqu'un d'autre. Le blanc vira au gris clair, puis s'éclaircit peu à peu jusqu'à devenir un mur. Perplexe, elle cligna des yeux.

Avec une vague curiosité qu'atténuait l'analgésique, elle déplaça son regard et se découvrit entourée de murs blancs. Les lattes du store laissaient passer l'obscurité de la nuit. Un store blanc aussi, tout comme le pansement du bras qui ne lui appartenait pas.

Laissant échapper un soupir, elle découvrit ensuite une carafe et un verre en plastique bleu. L'hôpital... Elle détestait les hôpitaux. Un visage s'inclina vers elle, cachant le décor. Des yeux bleu clair, plutôt beaux, dans un visage un peu trop rond. Elle remarqua la blouse blanche, sur laquelle pendait le stéthoscope.

— Docteur, fit-elle d'une voix rauque qui lui fit peur.

— Comment vous sentez-vous, mademoiselle Winslow ?

Elle réfléchit sérieusement quelques secondes.

— Comme si on m'avait tiré dessus.

Il lâcha un petit rire et lui prit le pouls.

— Voilà une réponse sensée... Bon, en tout cas, vous vous en tirerez sans trop de mal.

— Depuis combien de temps...

Elle s'interrompit pour s'humidifier les lèvres puis tenta à nouveau de formuler la question qui la préoccupait.

— Depuis combien de temps suis-je ici ?

— Une heure environ.

Sortant une mince torche électrique, il la braqua sur l'œil droit de Jessica, puis sur le gauche.

— J'ai l'impression que ça fait des jours et des jours.

— C'est un effet des médicaments qu'on vous a donnés. Vous souffrez ?

— Des élancements... mais ça n'a pas l'air d'être mon bras.

— C'est le vôtre, pourtant, assura-t-il en lui tapotant la main.

— Slade ? Où est Slade ?

Il fronça les sourcils puis, comprenant de qui elle parlait, son visage se détendit.

— Le sergent ? Il a passé la plupart du temps à marcher de long en large dans le couloir, comme un fou. Il a refusé d'aller s'asseoir dans la salle d'attente comme je le lui avais demandé.

— Il sait mieux donner des ordres qu'obéir.

Jessica souleva la tête de l'oreiller pour la laisser retomber aussitôt, la pièce s'étant mise à tournoyer dangereusement autour d'elle.

— N'essayez pas de bouger pour le moment. Vous allez passer quelque temps parmi nous.

La ride familière se creusa entre les sourcils de Jessica.

— Je n'aime pas les hôpitaux.

Le médecin se contenta de lui tapoter à nouveau la main.

— C'est bien dommage…

— Laissez-moi voir Slade, demanda-t-elle du ton le plus autoritaire qu'elle pût trouver.

Ses paupières s'abaissaient malgré elle et les maintenir ouvertes lui coûtait de gros efforts.

— S'il vous plaît.

— J'ai l'impression que vous ne suivez pas mieux que lui les ordres qu'on vous donne.

— Non, c'est vrai, fit-elle en esquissant un sourire.

— Je vais le laisser entrer, mais seulement pour quelques minutes.

« Et ensuite, acheva-t-il mentalement en scrutant les yeux de sa patiente, tu vas dormir pendant au moins vingt-quatre heures. »

— Merci.

Il hocha la tête puis murmura quelque chose à l'infirmière qui entrait dans la chambre.

Slade arpentait d'un bout à l'autre le couloir de l'hôpital. Les pensées les plus contradictoires se bousculaient dans sa tête. Une migraine lui vrillait la moitié du crâne.

Jessica était si pâle… non, c'était seulement à cause du choc, elle allait s'en tirer. Durant tout le trajet dans l'ambulance, elle était restée inconsciente. Tant mieux d'ailleurs… sinon elle aurait souffert. Seigneur, où était donc le médecin? Si quelque chose lui arrivait… Son estomac se convulsa en lui infligeant une douleur atroce. Slade s'efforça de se détendre et la peur se mua en colère. La migraine gagnait inexorablement le bas de sa nuque. S'ils ne le laissaient pas la voir bientôt, il allait…

— Sergent ?

Slade se retourna et agrippa le médecin par le revers de sa veste.

— Comment va-t-elle ? Je veux la voir maintenant. Je peux la ramener chez elle ?

Habitué aux épouses, parents et amants au bord de la crise de nerfs, le médecin ne chercha pas à se dégager.

— Elle est réveillée, dit-il d'une voix calme. Asseyons-nous un instant.

Les doigts de Slade se crispèrent sur le veston du praticien.

— Pourquoi ?

— Parce que je suis debout depuis huit heures du matin. Mlle Winslow se porte aussi bien qu'on pouvait l'espérer.

— Qu'est-ce que ça veut dire, bon Dieu ?

— Exactement ce que j'ai dit, répondit sereinement le médecin. Vous avez fait du bon boulot en lui posant ce garrot. Pour répondre à votre deuxième question, vous pourrez la voir dans un instant. Et enfin, non, vous ne pourrez pas la ramener chez elle. Est-ce qu'elle a de la famille ?

Slade sentit le sang quitter son visage.

— De la famille ? Pourquoi voulez-vous savoir ça ? La blessure n'était pas si grave que ça, la balle a traversé la chair et est ressortie proprement. Je l'ai amenée ici en moins d'une demi-heure.

— Vous avez fait tout ce qu'il fallait. Je veux simplement la garder en observation quelques jours. Il faut que je sache qui prévenir.

— En observation ? répéta Slade tandis que mille suppositions terrifiantes lui traversaient l'esprit. Qu'est-ce qui ne va pas ?

— Pour dire les choses de façon compréhensible, elle a reçu un gros choc et elle est épuisée. Vous préférez un jargon médical plus ésotérique ?

Secouant la tête, Slade lâcha enfin le revers de la veste du médecin et s'écarta.

— Non, fit-il en se frottant le visage. Il n'y a rien d'autre, alors ? Elle va s'en tirer ?

— Avec du repos et quelques soins, sans problème. Bon, et sa famille ?

— Il n'y a personne.

Ne sachant que faire de ses mains, il les enfonça dans ses poches. Une sensation d'extrême impuissance l'envahit.

— J'en assume la responsabilité.

— Je sais qu'il s'agit d'une affaire de police, sergent, mais quelles sont exactement vos relations avec Mlle Winslow ?

Slade émit un rire bref.

— Baby-sitting, marmonna-t-il. J'en assume la responsabilité, répéta-t-il avec un regain d'assurance. Appelez le commissaire Dodson, de la police de New York. Il vous le confirmera.

Il se tourna à nouveau vers le médecin.

— Je veux la voir. Tout de suite, jeta-t-il d'un ton sans réplique.

Jessica l'attendait, la tête tournée vers la porte. Elle sourit en voyant Slade entrer.

— Je savais bien que tu trouverais un moyen de forcer les barrages. Tu vas me kidnapper ?

Elle était aussi blanche que ses draps et semblait terriblement fragile. Slade se rappela le premier jour où il l'avait vue - pleine de vie, d'énergie et d'impatience. Ses poings se serrèrent dans ses poches tant cette image était éloignée de ce qu'il savait d'elle.

— Comment te sens-tu ?

— J'ai dit au médecin que je me sentais comme quelqu'un sur qui on aurait tiré... En fait, ajouta-t-elle en touchant son bras bandé, j'ai l'impression d'avoir bu une demi-douzaine de martinis et d'être ensuite tombée d'une falaise.

Avec un soupir, elle ferma les yeux.

— Tu ne vas pas m'emmener maintenant, c'est ça ?

— Non.

— C'est ce que je pensais.

Résignée, elle se concentra sur la carafe en plastique.

— Slade, j'ai menti au sujet des diamants. Je les ai cachés sous le siège de ma voiture. Elle est arrêtée en plein milieu de la route, à mi-chemin entre la maison et la boutique. J'avais oublié de prendre de l'essence.

Elle s'humidifia les lèvres et poursuivit sa confession.

— La portière n'est même pas verrouillée. Et... j'ai donné à Michael de l'argent pour s'enfuir. Ce qui me rend plus ou moins complice, non ? Me voilà dans de sales draps, j'imagine.

— Je vais m'en occuper.

Malgré l'effet des médicaments, elle fut surprise.

— Tu ne m'engueules pas ?

— Non.

Tout en s'efforçant de garder les paupières ouvertes, elle rit doucement.

— Il faudra que je me fasse tirer dessus plus souvent.

Elle tendit la main sans remarquer qu'il hésitait à la prendre.

— David n'était pas dans le coup. Michael m'a tout raconté. David n'avait aucune idée de ce qui se passait.

— Je sais.

— Apparemment, j'avais à moitié raison, murmura-t-elle.

— Jess... Je regrette.

— Quoi donc ?

Soudain, elle ne trouva plus la force de garder les yeux ouverts. Ses paupières s'abaissèrent et le monde devint gris et doux. Elle crut sentir les doigts de Slade s'entrelacer avec les siens, mais sans en avoir la certitude.

— Tu n'as rien fait, murmura-t-elle.

— Non.

Slade regarda la main de Jessica. Inerte. S'il la lâchait, elle retomberait sur le drap.

— C'est bien ce que je regrette.

— Tout est fini, n'est-ce pas, Slade ?

Sa respiration s'apaisa et prit le rythme profond et régulier du sommeil avant même qu'il ait répondu :

— Maintenant, tout est fini, Jess.

Il s'inclina et l'embrassa doucement sur les lèvres.

12

Assis dans l'antichambre du commissaire, Slade éprouvait une pénible sensation de déjà-vu. Son expression était encore plus morose que la première fois. Trois semaines s'étaient écoulées depuis qu'il avait quitté le chevet de Jessica.

En sortant de l'hôpital, il s'était rendu directement chez elle où il avait dû affronter David, tour à tour intrigué, furieux, et enfin affolé.

— On lui a tiré dessus ? Qu'est-ce que vous voulez dire par *tiré dessus* ?

Slade revoyait le visage livide du jeune homme et sa voix tremblante de fureur résonnait encore dans sa tête.

— Si vous êtes flic, pourquoi ne l'avez-vous pas protégée ?

N'ayant rien à répondre, il était allé faire ses bagages tandis que David téléphonait à l'hôpital. Puis il était monté dans sa voiture et avait roulé vers New York dans un état de lassitude et de désolation extrêmes.

Il fallait faire une croix sur cette histoire et tourner la page. Jessica était hors de danger à présent. Lorsqu'elle serait en état de rentrer chez elle, le cauchemar serait oublié. Et lui aussi.

En arrivant chez lui, il se sentait anéanti. Il s'écroula sur son lit et dormit plus de douze heures d'affilée. Mais, au réveil, ce fut à Jessica qu'il pensa en premier.

Sous le prétexte de boucler sa mission, il avait appelé quotidiennement l'hôpital. Les nouvelles étaient toujours identiques : la patiente se reposait et reprenait des forces. Certains jours, le désir de monter dans sa voiture et de la rejoindre lui semblait presque insurmontable. Ensuite, l'hôpital l'avait laissée sortir et Slade s'était dit que tout cela était bel et bien terminé.

Il s'était plongé dans une débauche de travail. Le roman fut achevé en un marathon de soixante heures, porte verrouillée et téléphone débranché. Sa démission acceptée, il n'eut à effectuer que quelques visites indispensables au commissariat pour boucler son rapport. Il signa son contrat et envoya à son agent une copie de son second roman.

Le plus pénible fut de rédiger le compte rendu de son séjour chez Jessica. Slade remplit des papiers et répondit aux questions avec une concision qui frôlait la grossièreté. Lorsqu'on le félicita pour l'heureuse issue de sa mission, il garda un silence glacial. Il n'avait qu'une hâte, que tout soit fini. Définitivement. Il avait beau se répéter qu'il avait atteint son but, que pour la première fois depuis trente-trois ans sa vie lui appartenait, il ne ressentait qu'un étrange sentiment d'échec. Jessica le hantait.

Elle était là la nuit, tandis qu'il attendait en vain le sommeil. Elle était là l'après-midi alors qu'il se concentrait sur les grandes lignes de son prochain roman. Elle était là, toujours là, qu'il soit seul ou au milieu de la foule.

Il la revoyait sur la plage, les cheveux au vent, en train de jeter des morceaux de bois à son chien. Il la revoyait dans la cuisine de la boutique, en train de préparer des sandwichs, tandis que le soleil jouait sur sa peau. Bien qu'il s'efforçât d'écarter ce souvenir, il l'entendait murmurer son nom et se presser contre lui, douce, chaude et ardente. Puis il la revoyait, livide et inconsciente... et son sang lui poissait les mains.

Accablé de remords, il se jetait de nouveau dans le travail et tentait de dissoudre son obsession dans ses nouveaux personnages. Tous possédaient quelque chose de Jessica, un geste, une phrase, une expression. Lui échapper semblait impossible.

À présent, il se retrouvait à son point de départ, dans l'antichambre de Dodson. Cette ultime entrevue allait mettre un point final à cet épisode de sa vie. Puis il pourrait passer à autre chose. Enfin, il l'espérait...

— Sergent?

Il leva les yeux sur la secrétaire qui lui décochait en vain un sourire aguicheur. Sans mot dire, il se leva et la suivit.

— Bonjour, Slade, asseyez-vous, fit Dodson en se renfonçant dans son fauteuil. Je ne prendrai aucun appel, ajouta-t-il à l'adresse de sa secrétaire.

Toujours silencieux, Slade s'assit tandis que le commissaire tirait sur son cigare dont l'extrémité rougeoyait. La fumée s'éleva vers le plafond en spirales que Dodson examina avec une apparente fascination.

— Alors, il faut vous féliciter à ce que j'ai appris? Pour votre livre, précisa-t-il en tripotant machinalement la fine épingle qui maintenait sa cravate. Nous sommes désolés de vous perdre.

Slade attendait patiemment la fin des préliminaires.

— En tout cas, reprit le commissaire en se penchant pour secouer sa cendre au-dessus du cendrier, votre dernière affaire est bouclée, et proprement. Nous obtiendrons aisément une condamnation. Vous savez que Michael Adams a signé des aveux complets?

Son coup d'œil interrogateur n'obtint pas de réponse.

— Nous avons maintenant les noms de tous les membres de cette bande, ce qui va permettre de la démanteler. Quant à Chambers, nous en savons assez sur son compte pour le mettre un bon bout de temps au frais: complicité et tentative d'assassinat, peut-être le meurtre de cet homme à Paris... Sans parler des cambriolages et du recel d'objets volés. Oui, ajouta-t-il en regardant avec un vif intérêt l'extrémité de son cigare, je crois qu'il n'aura plus l'occasion de nuire pendant de longues années.

Il se tut pendant trente secondes que Slade s'abstint de remplir, puis reprit :

— Vous fournirez votre témoignage lors du procès. Cela ne devrait pas trop contrarier votre nouvelle carrière.

« Quelle bourrique », songea-t-il tout en tirant sur son cigare. Un nom suffirait peut-être à le sortir de ce mutisme.

— Jessica m'a avoué qu'elle avait donné à Michael de l'argent pour l'aider à s'enfuir.

Guettant la réaction de Slade, il aperçut une brève lueur dans son regard. Cela suffit à confirmer une idée qui s'était insinuée dans sa tête lorsqu'il était allé rendre visite à sa filleule.

— Elle pense que ce geste fait d'elle une complice. Ce qui est étrange, c'est que Michael n'a pas parlé de cet argent... et pourtant j'ai eu une longue conversation avec lui. Il semblerait que vous ayez eu vous aussi une conversation avec lui, après son arrestation.

Dodson s'interrompit à dessein. Slade ne mordant pas à l'hameçon, il reprit sans se laisser démonter. Il avait brisé de plus fortes têtes dans sa carrière.

— J'imagine qu'il a suffi de quelques mots bien choisis pour obtenir le silence de Michael. Et, bien entendu, Jessica a les moyens de perdre cet argent. Le problème que nous risquons de rencontrer, c'est de la faire taire, *elle*... Cette fichue conscience, vous savez, dont elle est si fière.

— Comment va-t-elle ?

Les mots avaient jailli sans que Slade pût les retenir. Il se mordit les lèvres mais Dodson fit semblant de ne pas s'apercevoir de son trouble.

— Bien, je crois, répondit le commissaire en se déplaçant légèrement dans son fauteuil. Je vais vous avouer une chose, Slade. J'ai eu un choc quand je suis allé la voir à l'hôpital. Je n'avais jamais vu Jessica malade de toute sa vie et... eh bien, ça m'a fait un sacré choc.

Slade se planta une cigarette dans la bouche et frotta une allumette avec une violence contrôlée. Cette réaction enchanta son interlocuteur.

— Il lui a fallu quelques jours pour retrouver son énergie habituelle. Et rendre fou son médecin pour qu'il la laisse sortir. Dès le lendemain, elle a repris son travail dans cette petite boutique qu'elle aime tant. Elle craignait que cette histoire ne nuise à sa réputation mais je ne crois pas que cela se soit ébruité.

Remarquant la rigidité des épaules de Slade, Dodson s'interrompit le temps de secouer sa cendre.

— Elle dit le plus grand bien de vous.

— Ah ? fit Slade en lâchant un long flot de fumée. Ma mission était de la protéger... On ne peut pas dire que j'y sois parvenu.

— Elle est saine et sauve, rectifia Dodson. Et plus entêtée que jamais. David et moi avons essayé de la convaincre d'aller faire un tour en Europe, histoire de se changer les idées. Elle ne veut pas en entendre parler... Elle dit qu'elle ne bougera pas d'un poil, ajouta-t-il avec un sourire.

Le regard de Slade se détacha de la fenêtre pour se fixer sur celui de Dodson.

— C'est difficile à croire, dit-il. Elle n'y est jamais parvenue jusqu'à présent.

— C'est ce qu'elle m'a dit. Elle m'a fait un rapport très complet... avec notamment beaucoup de détails que vous aviez omis. Apparemment, cela n'a pas été facile. Vous avez eu fort à faire.

— Plutôt, oui.

Les lèvres du commissaire se pincèrent. Slade ne put deviner s'il échafaudait des hypothèses ou s'il acquiesçait.

— Jessica semble croire qu'elle s'est montrée faible et lâche.

— Elle a été très courageuse, au contraire, grommela Slade. Si elle n'avait pas eu autant d'audace, j'aurais pu lui éviter de se faire tirer dessus.

— Oui… vous avez tous deux des points de vue fort différents.

Les yeux de Dodson se posèrent sur les photos de sa femme et de ses enfants. De temps à autre, il avait eu… des points de vue qui divergeaient de ceux de cette dame. Il revit l'expression de Jessica lorsqu'elle lui avait demandé des nouvelles de Slade.

— Bien que tout soit fini, maintenant, je ne suis pas sûr qu'elle ne subira pas… une sorte de contrecoup.

Slade refoula son désir de courir soutenir la jeune femme.

— Elle s'en remettra. Il y a assez de monde dans cette maison pour prendre soin d'elle.

Dodson se mit à rire.

— En général, c'est le contraire qui se passe. La plupart du temps, c'est Jessica qui est au service de ses domestiques. Bien sûr, la mauvaise humeur légendaire de Betsy se maintiendra jusqu'à ce que Jessica soit au bord de l'explosion. Mais elle se contiendra. Elle a l'habitude, Betsy est dans la maison depuis vingt ans. Et puis il y a la cuisinière qui est là depuis presque aussi longtemps… Une vraie perle, qui fait des sablés sensationnels, ajouta-t-il, ému par ce souvenir gustatif. Il y a trois ans, elle a eu une attaque et Jessica a payé tous les frais médicaux. Vous avez dû voir aussi Joe, le jardinier.

— Il a bien quatre-vingt-dix ans, grommela Slade en écrasant sa cigarette.

— Quatre-vingt-douze, si je ne me trompe. Comme elle n'a pas le cœur de le renvoyer, tous les étés elle embauche un jeune garçon pour les travaux pénibles. Carol, la petite bonne, est la fille du chauffeur de son père. Jessica l'a prise sous son aile quand elle est devenue orpheline. Ça, c'est du Jessica tout craché ! Sa loyauté est son trait de caractère à la fois le plus touchant et le plus exaspérant.

Il jugea le moment venu de lâcher la bombe.

— Elle a engagé un avocat pour défendre Michael.

La réaction fut immédiate.

— Elle a fait *quoi* ?

Tout en retenant un sourire, Dodson leva les mains dans un geste d'impuissance.

— Elle prétend que cela relève de sa responsabilité.

— Et comment en est-elle venue à penser une chose pareille ?

Ne parvenant plus à se contrôler, Slade se leva d'un bond et se mit à marcher de long en large.

— Elle dit que s'il n'avait pas travaillé pour elle, il ne se serait pas mis dans ce pétrin, expliqua Dodson avec un haussement d'épaules. Vous connaissez sa logique...

— Ouais. Si on peut appeler ça de la logique ! C'est Adams qui l'a mise dans le pétrin. Jessica a failli être tuée par sa faute.

— Oui, fit Dodson, *il* est responsable.

La légère accentuation du pronom était lourde de sous-entendus. Slade se retourna et buta sur le regard un peu trop perspicace du commissaire.

— Si elle veut lui payer un avocat, murmura-t-il, c'est son affaire. Ça ne me regarde pas.

— Non ?

— Écoutez, commissaire, s'écria Slade en pivotant brusquement. J'ai accepté cette mission, je l'ai menée jusqu'à son terme. J'ai terminé mon rapport et répondu aux questions. J'ai aussi remis ma démission. Pour moi, c'est fini.

« Voyons combien de temps tu vas pouvoir t'en convaincre », pensa Dodson. Il sourit au jeune homme et lui tendit la main.

— C'est vrai. Comme je vous le disais, nous sommes désolés de vous perdre.

L'air sentait la neige lorsque Slade sortit de sa voiture. Il examina le ciel : ni lune ni étoiles. Un vent aigre sifflait entre les branches dénudées des arbres. Il se tourna vers la maison. De la lumière brillait dans le salon et dans la chambre de Jessica. Pendant qu'il regardait, celle de l'escalier s'éteignit.

Peut-être était-elle allée se coucher… « Je ferais mieux de m'en aller… je n'aurais même pas dû venir. » Ce qui ne l'empêcha pas de monter les marches du perron. « Fiche le camp d'ici, saute dans ta voiture. » Quel démon l'avait poussé à faire ce voyage stupide ? Il leva la main pour frapper à la porte.

Celle-ci s'ouvrit avant même que son poing ait heurté le battant. Il entendit le rire aérien de Jessica, sentit une boule de poils filer contre sa jambe puis reçut contre sa poitrine le corps de la jeune femme qui s'élançait derrière son chien.

Tout ce qu'il avait essayé d'oublier lui revint en une fraction de seconde, le poids tendre, le parfum, le goût de sa peau sous ses lèvres. Jessica rejeta la tête en arrière et le regarda.

Ses yeux brillaient, ses joues étaient roses de plaisir. Comme il ne bougeait pas, elle sourit et il sentit ses jambes flageoler.

— Bonsoir, Slade. Excuse-moi, on a failli te jeter par terre.

Elle ne se rendait pas compte à quel point c'était vrai…

— Tu sortais ? demanda Slade en s'écartant.

— J'emmenais Ulysse courir un peu… mais il ne m'a pas attendue, ajouta-t-elle en jetant un coup d'œil vers le parc. Je suis contente de te voir. Entre, nous allons prendre un verre.

Il fit semblant de ne pas voir la main tendue et la suivit dans la maison. Elle jeta sa veste sur la rampe et profita de ce qu'elle lui tournait le dos pour fermer brièvement les yeux.

— Allons dans le salon. Il y a un bon feu.

Sans attendre sa réponse, elle s'élança. Elle avait visiblement retrouvé sa vélocité et ses cernes avaient disparu... Le passé était annulé. Elle était redevenue la jeune femme qu'elle avait toujours été, un tourbillon d'énergie inépuisable. Il la suivit sans se hâter et, lorsqu'il la rejoignit au salon, elle était déjà en train de préparer un plateau avec deux verres.

— Je suis tellement contente que tu sois venu ! La maison est beaucoup trop calme.

Elle prit au hasard une bouteille de vermouth, sans cesser de parler.

— Pendant quelques jours, j'ai trouvé ça merveilleux mais maintenant j'en suis presque à regretter de les avoir tous mis dehors. Bien sûr, il a fallu que je leur mente pour les décider à partir.

« Tu parles trop et trop vite », se morigéna-t-elle sans pouvoir s'interrompre.

— J'ai raconté à David et aux domestiques que j'allais faire le lézard une semaine à la Jamaïque, je leur ai acheté des billets d'avion pour qu'ils aillent eux aussi se reposer et je les ai poussés dehors.

— Tu ne devrais pas rester seule, grommela-t-il en prenant son verre.

— Bof ! J'en avais assez d'être traitée comme une infirme. Mon séjour à l'hôpital m'a suffi.

Elle but une gorgée de vermouth et se tourna vers le feu. Pas question de lui laisser voir son chagrin. Chaque jour, dans cette petite chambre aseptisée et trop blanche, du matin au soir et du soir au matin, elle avait attendu qu'il l'appelle ou qu'il pousse la porte. Rien. Il était sorti de sa vie alors qu'elle n'était pas en état de le retenir. Les yeux fixés sur son dos droit et mince, Slade se demandait comment il pourrait s'en aller sans la toucher.

— Comment vas-tu ? demanda-t-il abruptement.

Les doigts de Jessica se crispèrent sur son verre. *Ça t'intéresse?* Elle but encore une gorgée pour étouffer les mots amers qui lui venaient aux lèvres, puis se tourna vers lui avec un sourire.

— Comment crois-tu que je vais?

Il la dévisagea intensément, tandis qu'un nœud se formait dans sa gorge.

— Tu as besoin de reprendre du poids.

— Merci beaucoup, fit-elle avec un petit rire.

Désemparée, elle fit quelques pas dans la pièce et s'approcha du piano.

— Tu as fini ton livre?

— Oui.

— Alors, pour toi, tout va bien.

— Tout marche à merveille.

Il but afin de noyer la douleur qui s'installait.

— Ta mère a aimé le petit personnage en porcelaine?

— Oh! s'écria-t-il après une seconde de perplexité. Oui, elle l'aime beaucoup.

Le silence tomba, ponctué par les crépitements du feu. Il y avait trop à dire. Et rien à dire. Slade se maudit à nouveau de ne pas avoir eu le courage de rester au loin.

— Tu as repris ton travail? demanda-t-il.

— Oui. Bizarrement, nous avons eu beaucoup de clients ces temps-ci. J'imagine que ça ne durera pas. Et toi, tu as quitté la police?

— Oui.

Le silence tomba à nouveau, plus lourd encore que précédemment. Jessica regardait fixement les touches du piano, comme si elle s'apprêtait à composer une symphonie.

— Tu es venu pour ficeler définitivement l'affaire? Je suis un bout de ficelle qui pend, Slade?

— Quelque chose comme ça.

Elle sursauta et lui jeta un regard de reproche avant de s'éloigner vers la fenêtre.

— Bon, d'accord, fit-elle en dessinant sur le carreau. Je crois avoir dit ce qu'il fallait à tous les gens qu'il fallait. Un flot d'hommes en costume sombre a déferlé dans ma chambre.

Sa main retomba sur sa cuisse. Les yeux sur son reflet, elle poursuivit d'une voix plus assurée.

— Pourquoi n'es-tu pas venu me voir ? Pourquoi n'as-tu pas appelé ? Tu avais tout ce qu'il fallait pour terminer ton rapport ou est-ce que tu reviens ce soir pour pouvoir le compléter ?

— Je ne sais même pas pourquoi je suis venu, répliqua-t-il d'une voix sèche en posant son verre vide. Si je ne suis pas allé à l'hôpital, c'est parce que je ne voulais pas te voir. Si je ne t'ai pas appelée, c'est parce que je ne voulais pas te parler.

— Voilà qui éclaircit tout.

Il fit un pas vers elle et s'arrêta brusquement, les mains dans les poches.

— Comment va ton bras ?

— Très bien.

Machinalement, elle posa la main sur la blessure qui avait guéri alors qu'une autre, plus intime, saignait encore.

— Le médecin dit qu'on ne verra même pas la cicatrice.

— C'est parfait.

Slade sortit un paquet de cigarettes qu'il jeta sur la table sans même se servir.

— Tant mieux, dit-elle. Je n'aime pas les cicatrices.

— Tu pensais ce que tu disais ?

Les mots avaient jailli malgré lui.

— À propos de la cicatrice ?

— Non. Je ne parlais pas de cette foutue cicatrice, tu le sais bien.

La gorge nouée et le cœur battant, elle s'efforça d'articuler avec netteté.

— J'essaie toujours de ne dire que ce que je pense.

— Tu disais que tu m'aimais, lui rappela-t-il, les nerfs tendus à craquer. Tu étais sincère ?

Jessica respira à fond avant de lui faire face.

— Oui, j'étais sincère, répondit-elle sans ciller.

— C'est ton foutu sens de la gratitude !

Il se mit à marcher de long en large devant le feu. D'étranges sensations envahirent brusquement Jessica : chaleur douce, amusement, soulagement...

— Je crois que je suis capable de faire la différence. Il m'arrive d'éprouver une grande reconnaissance envers mon boucher quand il m'a bien servie. Mais je ne suis pas tombée amoureuse de lui... du moins pas encore.

— C'est ça, fais de l'humour ! jeta Slade en lui adressant un regard furieux. Tu ne comprends donc pas que c'était uniquement dû aux circonstances ?

— Ah bon ?

Un sourire sur les lèvres, elle s'approcha de lui. Slade recula précipitamment.

— Je ne veux rien de toi, affirma-t-il avec conviction. Tu dois le comprendre.

Elle leva la main et la posa sur la joue de Slade.

— Je crois que je comprends très bien.

Il lui prit le poignet mais ne put se résoudre à la repousser.

— Sais-tu ce que j'ai ressenti en te voyant inconsciente, couverte de sang ? Sais-tu quel effet ça m'a fait de te voir livide sur un lit d'hôpital ?

Elle sentit ses doigts trembler sur son poignet qu'il finit par lâcher.

— Ah, merde ! s'exclama-t-il avant de se retourner pour se servir un autre verre.

— Slade...

Jessica jeta ses bras autour de sa taille. Pourquoi n'avait-elle pas pensé à ça ? Qu'il s'imputerait toute la faute ?

— C'est moi qui me suis trouvée au mauvais endroit au mauvais moment.

— Tais-toi.
Il lui prit les mains et les écarta.
— Je n'ai rien à t'offrir, tu ne comprends pas ? Rien. Nous sommes aux antipodes l'un de l'autre. Nous ne parlons même pas le même langage.
S'il l'avait regardée, il aurait vu la fameuse ride de l'obstination se creuser entre ses sourcils.
— Je ne comprends pas de quoi tu parles.
— Regarde cette maison ! cria-t-il en se retournant vers elle. Regarde où tu vis, comment tu vis. Ça n'a rien à voir avec moi.
— Oh, je vois, fit-elle avec une petite moue dédaigneuse, tu es snob.
Hors de lui, il l'empoigna par les épaules.
— Tu ne comprends donc rien ? Je ne veux pas de toi.
— Répète.
Il ouvrit la bouche mais les mots lui manquèrent et il se mit à la secouer.
— Tu n'as pas le droit de t'insinuer dans mes pensées comme tu le fais et de me torturer. Je veux que tu t'en ailles. Une fois pour toutes : laisse-moi !
— Slade, dit-elle d'une voix calme, pourquoi tout cela te met-il dans cet état ? Pourquoi te rebelles-tu ? Je n'irai nulle part.
Les mains de Slade plongèrent dans les cheveux de Jessica et il se sentit sombrer. Il avait lutté jusqu'au bout. En vain.
— Je t'aime, nom de Dieu ! Je voudrais pouvoir t'étrangler pour ce que tu m'as fait.
Son regard noir de fureur se heurta aux yeux calmes de Jessica.
— Tu m'as ensorcelé. Dès le début, tu m'as ensorcelé jusqu'à ce que je devienne incapable de vivre sans toi. Grands dieux, même au commissariat de police, je sentais ton parfum !
Poussé autant par la fureur que par le désir, il l'attira contre lui.

— J'ai pensé que je deviendrais fou si je ne pouvais plus jamais te serrer dans mes bras.

Ses lèvres s'écrasèrent sur celles de Jessica. Ce n'était pas de la douceur qu'elle désirait, mais ce baiser violent et brutal qu'elle avait tant espéré. Sa réaction fut aussi explosive que celle de Slade. Ils s'étreignirent longuement puis s'écroulèrent sur le tapis, membres enchevêtrés.

— Je te veux, souffla-t-il tandis que leurs mains se débattaient avec les vêtements.

Un sein nu apparut.

— Maintenant, dit-il. J'ai attendu si longtemps.

— Trop longtemps.

Parler n'était plus possible. À côté d'eux, le feu pétillait et de nouvelles flammes jaillirent, léchant les bûches. Le vent faisait trembler les vitres. Mais ils n'entendaient et ne sentaient plus rien qu'eux-mêmes. Le moment n'était pas aux tendres retrouvailles. Affamés l'un de l'autre, ils atteignirent simultanément l'extase et laissèrent la volupté chasser les doutes. Puis ils restèrent étroitement soudés, corps contre corps, bouche contre bouche, jusqu'à ce que le plaisir se mue en béatitude.

— Ne bouge pas, dit Jessica comme il tentait de se glisser à côté d'elle.

— Je suis en train de t'écraser.

— Si peu...

Slade releva la tête pour la regarder et se retrouva perdu dans l'ambre de ses yeux. Du bout du doigt, il suivit la courbe de sa pommette.

— Je t'aime, Jessica.

— Ça t'irrite toujours ?

Elle aperçut son sourire avant qu'il enfouisse son visage au creux de son épaule.

— Je me résigne.

Elle lui envoya un petit coup de poing.

— Tu te résignes ? Voilà qui est très flatteur. Eh bien, laisse-moi te dire une chose : il ne m'était pas venu à l'esprit que je pourrais tomber amoureuse d'un ex-flic hargneux et autoritaire.

L'odeur musquée de sa peau empêchait Slade de penser.

— De qui pensais-tu tomber amoureuse ?

— D'un croisement d'Albert Schweitzer et de Clark Gable...

Avec une moue de mépris, Slade releva la tête.

— Eh bien, tu n'es pas tombée loin. Alors tu vas m'épouser ?

— Ai-je le choix ? demanda-t-elle avec un haussement de sourcils.

— N'est-ce pas toi qui prétends qu'on a toujours le choix ?

— Mmmm, c'est vrai.

Elle l'attira plus près, contre sa bouche.

— J'ai l'impression que nous avons tous les deux un choix à faire, maintenant.

Puis leurs lèvres se soudèrent en un long baiser.

Composition
PCA

Achevé d'imprimer en Italie
par GRAFICA VENETA
le 21 décembre 2014

Dépôt légal : décembre 2014
EAN 9782290103180
OTP L21EDDN000690N001

Éditions J'ai lu
87, quai Panhard-et-Levassor, 75013 Paris
Diffusion France et étranger : Flammarion